Paul Fournier
Jean-Pierre Ménard

Gestion de l'approvisionnement et des stocks

2e édition

gaëtan morin
éditeur

CHENELIÈRE ÉDUCATION

Gestion de l'approvisionnement et des stocks
2e édition

Paul Fournier, Jean-Pierre Ménard

© gaëtan morin éditeur ltée, 1999, 2004

Édition : Sylvain Ménard, Mélanie Bergeron, Pierre Frigon
Coordination : Claire Campeau
Révision linguistique : Renée-Léo Guimont
Correction d'épreuves : Marie Pedneault
Conception graphique : Accent Tonique
Infographie : Fenêtre sur cour et Zagraph

**Catalogage avant publication
de la Bibliothèque nationale du Canada**

Fournier, Paul, 1961 20 août-

Gestion de l'approvisionnement et des stocks

2e éd.

Pour étudiants du niveau collégial.

ISBN 2-89105-868-2

1. Gestion de l'approvisionnement. 2. Gestion des stocks.
3. Approvisionnement dans l'entreprise. 4. Distribution (Économie politique) – Gestion. 5. Planification des besoins en composants.
6. Qualité – Contrôle. I. Ménard, Jean-Pierre, 1959- . II. Titre.

TS161.F69 2004   658.7   C2004-940470-9

**gaëtan morin
éditeur**

CHENELIÈRE ÉDUCATION

7001, boul. Saint-Laurent
Montréal (Québec)
Canada H2S 3E3
Téléphone : (514) 273-1066
Télécopieur : (514) 276-0324
info@cheneliere.ca

ISBN 2-89105-868-2

Dépôt légal : 2e trimestre 2004
Bibliothèque nationale du Québec
Bibliothèque nationale du Canada

Imprimé au Canada

3 4 5 6 ITG 10 09 08 07

Nous reconnaissons l'aide financière du gouvernement du Canada par l'entremise du Programme d'aide au développement de l'industrie de l'édition (PADIÉ) pour nos activités d'édition.

Gouvernement du Québec – Programme de crédit d'impôt pour l'édition de livres – Gestion SODEC

Tableau de la couverture :
Les trois vœux
Œuvre de **Marie-Ève Cournoyer**

Marie-Ève Cournoyer a toujours fait de la peinture. Depuis plusieurs années, elle parcourt le Québec de symposium en symposium. Au cours de ces événements, elle a remporté plusieurs prix accordés à la relève artistique, notamment le troisième prix au symposium de Frelighsburg en 2000 et le deuxième prix à Saint-Basile en 2002.

En 2004, elle termine un baccalauréat en arts visuels à l'Université du Québec à Montréal. Elle a également suivi des ateliers de perfectionnement. Sa jeunesse et sa passion sont les gages d'une production artistique prometteuse.

Ses tableaux sont disponibles à la galerie ARTIS à Boucherville.

DANGER

LE **PHOTOCOPILLAGE** TUE LE LIVRE

Remerciements

La rédaction et l'édition d'un manuel est le résultat d'une étroite collaboration entre diverses personnes, notamment les auteurs, les éditeurs et l'équipe de production. Nos remerciements s'adressent en premier lieu à Mélanie Bergeron, éditrice adjointe, à Pierre Frigon, éditeur délégué et à Sylvain Ménard, éditeur. Nous aimerions remercier également Claire Campeau, qui s'est occupée de la coordination de la production, ainsi que Renée-Léo Guimont, réviseure, et Marie Pedneault, correctrice d'épreuves.

Nous ne voudrions pas passer sous silence les nombreux professeurs et conseillers pédagogiques du réseau collégial qui ont consenti à partager leur expérience pédagogique en nous faisant part de leurs précieux commentaires. Nous remercions tout particulièrement Isabelle Rochon, du Cégep de Saint-Jérôme, Lise Robitaille, du Cégep François-Xavier-Garneau, Michel Cunningham, du Cégep de Sainte-Foy, Pierre C. Vaillancourt, du Collège Édouard-Montpetit, et Jean Berthiaume, du Cégep du Vieux-Montréal.

Nous voudrions également remercier les nombreux élèves qui, grâce à leurs remarques judicieuses au fil des ans, nous ont permis de rédiger un contenu adapté à leurs besoins.

Finalement, nous tenons à souligner la contribution de tous les professionnels en gestion de l'approvisionnement et des stocks qui ont participé à la rédaction de cet ouvrage. Nous pensons en particulier à Suzanne Pelletier, directrice de l'approvisionnement chez ABB, André R. Marcil, directeur corporatif du matériel chez Domco, Gilbert Roy, directeur du secteur Approvisionnements chez TELUS Québec, Stephen Ford, directeur des achats chez Julien inc., Jean-Paul Chassé, directeur de l'approvisionnement chez IPL inc., Gaétan Chevalier, chef national des approvisionnements chez Produits Johnson et Johnson, Sylvain Gagnon, directeur, Matériel chez Prévost, et Normand Pâquet, directeur général distribution, division pièces chez Denharco.

Table des matières

Remerciements III
Introduction XI

Chapitre 1 *Le service de l'approvisionnement* 1
ABB 2
Introduction 3
1.1   Le rôle de l'acheteur 3
1.2   Les règles à suivre 4
    1.2.1   Prendre des risques calculés 4
    1.2.2   Faire l'analyse et décider 6
    1.2.3   Faire participer les autres 9
1.3   Les droits du service de l'approvisionnement 10
    1.3.1   Faire préciser la demande d'achat 10
    1.3.2   Garder la mainmise sur le fichier des fournisseurs 10
1.4   Les obligations du service de l'approvisionnement 11
1.5   La typologie des structures organisationnelles 12
    1.5.1   La structure formelle 12
    1.5.2   La structure matricielle ou structure par projet 14
    1.5.3   La structure étoilée 15
    1.5.4   La structure centralisée et la structure décentralisée 16
1.6   Les compétences de l'acheteur 18
    1.6.1   La définition du besoin à combler 19
    1.6.2   L'exploration du marché 20
    1.6.3   La gestion des stocks 20
    1.6.4   La négociation des ententes 20
    1.6.5   L'analyse des propositions 21
    1.6.6   La connaissance et le respect des lois, des politiques,
            des valeurs et des modes de fonctionnement 21
    1.6.7   L'utilisation des outils technologiques 22
    1.6.8   La capacité de travailler en équipe 22
    1.6.9   La capacité de communiquer 22
    1.6.10 La manifestation des compétences personnelles nécessaires 23
Résumé 24
Questions 25
Exercices d'apprentissage 26
Exercices de compréhension 28
Exercices de recherche 28
Cas 28
Annexe 1.1 Le code de déontologie de l'Association
             canadienne de gestion des achats 30

Chapitre 2 *Le processus d'approvisionnement* 33
Domco 34
Introduction 34
2.1   Les étapes du processus d'approvisionnement 35

2.2   L'éveil du besoin 36
2.3   L'approvisionnement mix 37
    2.3.1   Le premier « O » : l'objet 38
    2.3.2   Le deuxième « O » : l'objectif 40
    2.3.3   Le troisième « O » : l'organisation 56
    2.3.4   Le quatrième « O » : l'opération 57
2.4   L'exploration du marché et la négociation 60
2.5   La décision d'achat 60
2.6   L'évaluation après l'achat 60
Résumé 61
Questions 61
Exercices d'apprentissage 62
Exercices de compréhension 62
Exercices de recherche 63
Cas 64

Chapitre 3   *Les sources d'approvisionnement* 65
TELUS Québec et ses fournisseurs : une relation gagnant-gagnant 66
Introduction 67
3.1   La sélection des sources 68
    3.1.1   Avoir une ou plusieurs sources 70
    3.1.2   Acheter ou fabriquer un produit 71
    3.1.3   Faire appel à la sous-traitance 72
    3.1.4   Louer le bien ou le service 73
    3.1.5   Travailler selon une pyramide ou une hiérarchie de fournisseurs 75
    3.1.6   Traiter avec le manufacturier ou un intermédiaire 76
    3.1.7   Détenir du stock additionnel en cas de force majeure
           ou faire confiance à ses fournisseurs 79
    3.1.8   Utiliser le marketing à rebours 80
    3.1.9   Joindre un groupement d'achat 81
    3.1.10 Les fournisseurs de classe mondiale 82
3.2   La qualification des fournisseurs 82
3.3   Le coût d'acquisition 84
    3.3.1   L'image et l'interprétation du prix 85
    3.3.2   La provenance des différents prix 86
    3.3.3   Les remises, les rabais, les réductions et les escomptes 96
3.4   Les délais reliés à la réalisation d'un mandat 98
3.5   L'évaluation 99
    3.5.1   Les modèles connus 99
    3.5.2   L'analyse du coût de cession 106
    3.5.3   L'analyse du niveau d'indifférence 106
Résumé 108
Questions 109
Exercices d'apprentissage 109
Exercices de compréhension 112
Exercices de recherche 114
Cas 114
Annexe 3.1 Liste de répertoires permettant de sélectionner de nouvelles sources 115

Annexe 3.2 Les 13 tactiques à la disposition de l'acheteur 119
Annexe 3.3 Les clauses d'un contrat de location 123
Annexe 3.4 Les clauses de caducité d'une entente 124

Chapitre 4 *Le concept de qualité* 125
La qualité des produits chez Julien inc. 126
Introduction 127
4.1   Un historique de la qualité 127
      4.1.1   Le contrôle de qualité 127
      4.1.2   L'assurance qualité 128
      4.1.3   La qualité totale 128
4.2   La reconnaissance de la qualité 133
      4.2.1   La marque de commerce 133
      4.2.2   Les spécifications du produit ou du service 134
      4.2.3   Les plans et devis 134
      4.2.4   Les échantillons 135
      4.2.5   Les normes déterminées par des associations reconnues du marché 135
      4.2.6   L'étalonnage 135
      4.2.7   L'analyse de la valeur d'un produit ou d'un service 138
      4.2.8   L'image d'une nation 138
      4.2.9   La fiabilité 138
      4.2.10 La garantie 138
      4.2.11 La valeur de rebut 138
      4.2.12 La durabilité et l'espérance de vie 139
4.3   Les concepts reliés à la qualité 139
      4.3.1   La politique en matière de qualité 139
      4.3.2   La gestion de la qualité 140
      4.3.3   La démarche qualité 140
      4.3.4   La maîtrise de la qualité 142
      4.3.5   L'assurance qualité 142
      4.3.6   Le contrôle de qualité 143
      4.3.7   Le cercle de qualité 156
4.4   Les normes ISO 157
      4.4.1   Les normes ISO 9000 158
      4.4.2   Les normes ISO 14000 162
4.5   L'audit de la qualité 162
      4.5.1   L'audit interne 163
      4.5.2   L'audit externe 163
      4.5.3   Le fonctionnement de l'audit externe 163
Résumé 164
Questions 164
Exercices d'apprentissage 165
Exercices de compréhension 166
Exercices de recherche 172
Cas 172
Annexe 4.1 L'implantation d'une démarche qualité
            dans un service de l'approvisionnement 174

Chapitre 5 *Les concepts de coût et de quantité* 183
IPL inc. 184
Introduction 184
5.1   Les types de stocks 185
    5.1.1   Les matières premières 185
    5.1.2   Les produits en cours 187
    5.1.3   Les produits finis 187
    5.1.4   Les composantes 187
    5.1.5   Les produits d'entretien et de réparation industriels 188
    5.1.6   Les produits d'entretien de bureau et les fournitures 189
    5.1.7   Les surplus 189
5.2   L'utilité des stocks 191
    5.2.1   Le stock de sécurité 191
    5.2.2   Le stock de prévision 191
    5.2.3   Le stock cyclique 192
    5.2.4   Le stock en transit 193
5.3   Le coût en matière d'approvisionnement 193
    5.3.1   Le coût d'acquisition 193
    5.3.2   Le coût de stockage 194
    5.3.3   Le coût de commande 196
    5.3.4   Le coût de rupture 197
5.4   La classification ABC ou loi de Pareto 200
    5.4.1   La gestion des articles des diverses classes 207
5.5   Les prévisions 208
    5.5.1   Les prévisions qualitatives 208
    5.5.2   Les prévisions quantitatives 209
5.6   La détermination du stock de sécurité 215
Résumé 218
Questions 218
Exercices d'apprentissage 219
Exercices de compréhension 219
Exercices de recherche 226
Cas 227

Chapitre 6 *Les modèles de gestion des stocks* 229
Johnson & Johnson 230
Introduction 231
6.1   Les modèles de détermination des quantités à commander 232
    6.1.1   Les modèles de la quantité de commande fixe 232
    6.1.2   Les modèles de la quantité de commande variable 240
6.2   La quantité économique de commande 243
    6.2.1   Les hypothèses reliées à la quantité économique de commande 243
    6.2.2   La quantité économique de commande avec une réception
           échelonnée ou quantité économique de production 249
    6.2.3   La quantité économique de commande avec un escompte 253
6.3   Les modèles de détermination des quantités de commande
    dans le cas d'une demande dépendante 255

6.3.1   La planification des besoins de matières 255
6.3.2   La planification des besoins de distribution 272
Résumé 275
Questions 276
Exercices d'apprentissage 276
Exercices de compréhension 278
Exercices de recherche 285
Cas 285
Annexe 6.1 Formules d'un tableur électronique pouvant
                       être utiles lors de la création d'une PBM 286

Chapitre 7   *Les fonctions reliées à la gestion des stocks* 289
Prévost 290
Introduction 290
7.1   La réception des stocks 290
        7.1.1   Le contrôle quantitatif 291
        7.1.2   Le contrôle qualitatif 291
7.2   La manutention des stocks 293
        7.2.1   Les équipements de manutention 294
7.3   L'entreposage 295
        7.3.1   Les types d'entreposage 296
        7.3.2   Les types de rayonnages 297
        7.3.3   La codification des articles 300
        7.3.4   Les technologies d'identification des articles en entrepôt 300
        7.3.5   Les systèmes d'inventaire 302
        7.3.6   Le décompte cyclique 302
        7.3.7   L'évaluation des stocks 304
        7.3.8   Les indicateurs de performance de l'inventaire 307
7.4   L'emballage 307
        7.4.1   L'emballage relié à l'entreposage 308
        7.4.2   L'emballage relié au transport 308
        7.4.3   L'emballage relié à la vente 310
7.5   L'expédition 312
Résumé 312
Questions 313
Exercices d'apprentissage 313
Exercices de compréhension 314
Exercices de recherche 315
Cas 316

Chapitre 8   *La distribution* 317
L'approvisionnement et la distribution chez Denharco 318
Introduction 319
8.1   Les chaînes de distribution 319
8.2   Le transport 320
        8.2.1   Le transport routier 320
        8.2.2   Le transport ferroviaire 323
        8.2.3   Le transport maritime 324

8.2.4   Le transport aérien 325
8.2.5   Le transport par pipeline 325
8.2.6   Le recours à plusieurs modes de transport ou l'intermodalité 326
8.3   Le choix d'un ou de plusieurs modes de transport 327
8.4   Le coût de distribution 327
8.5   Les conditions du transport routier et les modalités
de paiement en Amérique du Nord 328
8.6   Les achats internationaux 330
8.6.1   Les us et coutumes du pays exportateur 330
8.6.2   Les moyens et les infrastructures de transport du pays exportateur 330
8.6.3   Les conditions internationales de vente 331
8.6.4   Les paiements internationaux 332
8.6.5   Les douanes 332
8.6.6   Les différents blocs économiques 333
Résumé 333
Questions 334
Exercices d'apprentissage 334
Exercices de compréhension 335
Exercices de recherche 335
Cas 336

Chapitre 9   *Les approches de gestion qui influencent
les stratégies de l'approvisionnement* 337
Uniboard Canada inc. 338
Introduction 338
9.1   Les bases culturelles 339
9.2   Les différentes approches de gestion 340
9.2.1   Le *kaizen* 340
9.2.2   L'analyse de la valeur 342
9.2.3   L'impartition 346
9.2.4   Le partenariat et les alliances stratégiques 348
9.2.5   Le juste-à-temps 355
9.2.6   La logistique intégrée 363
9.2.7   La refonte des processus 366
9.2.8   Le commerce électronique 368
9.3   Les nouvelles approches de gestion sont-elles applicables? 370
Conclusion 372
Résumé 372
Questions 373
Exercices d'apprentissage 373
Exercices de compréhension 373
Exercices de recherche 374

Bibliographie 375
Index 377

Introduction

Depuis la nuit des temps, l'être humain échange des produits et des services. Durant l'Antiquité, l'approvisionnement est nécessaire à la conquête des territoires, car il permet de subvenir aux besoins des armées et de favoriser la navigation ; il est également essentiel au commerce parce qu'il constitue un moyen de se procurer des denrées alimentaires, des animaux et des esclaves.

En 1832, Charles Babbage, un mathématicien britannique, conçoit une calculatrice à cartes perforées que l'on peut considérer comme l'ancêtre des ordinateurs. Cette machine permet d'assurer une bonne gestion des échanges commerciaux. Babbage est aussi reconnu comme celui qui, le premier, met l'accent sur l'importance de l'approvisionnement dans les entreprises. Vers la fin du XIXe siècle et le début du XXe commence l'ère industrielle à laquelle est associée la production de masse. L'approvisionnement, dit industriel, a alors pour but d'acquérir des produits qui serviront à maintenir cette production de façon continue et croissante. En 1919 est fondée, à Montréal, l'Association canadienne de gestion des achats.

Les années 1948-1950 marquent le début de l'ère de la consommation. Les entreprises doivent alors s'adapter afin de répondre à une clientèle de plus en plus diversifiée. Pour y arriver, elles mettent en place la fonction « achat » et le poste d'acheteur, dont la mission première est de trouver le matériel requis et de l'obtenir rapidement. Même si les achats importants demeurent souvent sous la responsabilité du président ou du propriétaire de l'entreprise, l'acheteur considère qu'il a un pouvoir auprès des fournisseurs et il l'exerce à son avantage. Les principes de transparence, d'équité et d'accessibilité entre les sources d'approvisionnement de l'entreprise sont perçus négativement parce que l'éthique n'est pas une notion particulièrement valorisée. Ce qui compte pour les dirigeants d'entreprise, c'est que l'acheteur acquiert les quantités requises au plus bas prix possible.

Au début des années 1960, on voit apparaître les premiers professionnels en approvisionement. En 1963, on crée le premier programme de formation [1] en approvisionnement de l'Association canadienne de gestion des achats, qui conduit au titre professionnel d'« a.p.a. » (approvisionneur professionnel agréé) [2]. Les entreprises associent alors à la fonction « approvisionnement » la gestion des achats et des inventaires et la disposition des surplus. De plus, on substitue la notion de coût à celle de prix et on ajoute un critère portant sur la qualité. L'acheteur se préoccupe dorénavant du coût, de la qualité et de la quantité.

En 1973, la crise du pétrole bat son plein. L'énergie devient rare et onéreuse. Les entreprises demandent alors à leur service de l'approvisionnement de chercher des solutions de remplacement. Le critère « source » s'ajoute donc aux autres. Par le fait même, plusieurs entreprises commencent à considérer le service de l'approvisionnement comme une source de profit.

Au début des années 1980, les spécialistes en approvisionnement sont sensibilisés à l'importance de l'environnement. Ils sont aussi forcés de s'ajuster aux changements d'orientation des entreprises, car celles-ci prennent le virage ISO, le virage client. On assiste aussi aux premières

---

1. Après cinq années d'existence, l'Association canadienne de gestion des achats a réactualisé son programme de formation et le fait depuis lors, tous les cinq ans.
2. Jusque-là, le titre était « a.p. » (approvisionneur professionnel).

manifestations de la mondialisation des marchés. En effet, dans le but d'accroître leurs revenus, les entreprises ont décidé d'offrir leurs produits et leurs services sur les territoires asiatique, européen et africain. La plupart des entreprises y trouvent aussi des sources potentielles d'approvisionnement.

Au début des années 1990, les entreprises adoptent une nouvelle orientation basée sur les 5 « R » (réutilisation, revente, réusinage, recyclage, rejet). En matière d'approvisionnement, ce virage se traduit par la réduction du nombre de fournisseurs, une gestion plus serrée des relations avec ceux-ci, le déploiement de plusieurs partenariats ou alliances stratégiques, le raffinement du juste-à-temps, la mise en place de certaines approches d'impartition, l'introduction de la valeur ajoutée d'un objet et l'implantation du commerce électronique (nous aborderons ces points au chapitre 9).

De nos jours, le service de l'approvisionnement doit contribuer de deux façons à l'entreprise : il doit gérer adéquatement les ressources mises à sa disposition et assumer une fonction de sécurité pour l'entreprise, les actionnaires, et les personnes qui ont besoin de ses services. Son rôle doit être pris au sérieux, car sa collaboration à la mission de l'entreprise est déterminante. La notoriété pour un service de l'approvisionnement s'acquiert peu à peu. Une étude récente indique que plus de 59 % des montants dépensés ne passent pas par le service de l'approvisionnement [3], et ce, pour les raisons suivantes :

- Les services de l'approvisionnement ne délimitent pas le champ de leurs compétences.

- La société de consommation valorise la personne qui autorise et effectue la dépense.

- Beaucoup de gestionnaires croient que le service de l'approvisionnement est un mal nécessaire, une source de dépenses.

- Le marché répand des opinions négatives sur la fonction « approvisionnement ».

- Beaucoup de personnes exercent le métier d'acheteur sans l'avoir choisi.

- Il existe peu de programmes de formation reliés à la profession d'acheteur.

- De nombreuses entreprises ne s'intéressent à l'approvisionnement qu'en période de récession ou de rationalisation.

- Le champ d'exercice est tellement vaste qu'il est difficile d'en cerner les limites.

Au cours des années, la nature du service de l'approvisionnement s'est considérablement modifiée. Sa réputation s'est surtout établie dans les moments de crise. Lorsque le contexte économique est des plus favorables, le rôle de l'approvisionnement est assez effacé. Durant les guerres, la crise de l'énergie, les périodes de rationalisation et les périodes de survie, les gestionnaires ont recours à l'approvisionnement. Cependant, la crise économique de 1990 et l'influence de la mondialisation des marchés apportent à l'approvisionnement la reconnaissance qui lui revient au sein de l'entreprise.

---

3. Michel R. Leenders, « New links in the supply chain », conférence prononcée à Vancouver le 5 juin 1997.

L'environnement concurrentiel actuel des entreprises se transforme rapidement. Parmi les phénomènes observés, mentionnons la concurrence internationale de plus en plus féroce, les nouvelles technologies, la réduction du cycle de vie des produits, l'influence des modèles de gestion européen et asiatique, la fluctuation des taux d'intérêt et de change, la pression sur le coût des produits, les exigences plus grandes de la clientèle, les fusions et les acquisitions d'entreprises, de même que le partenariat et les alliances interentreprises.

Les auteurs tiennent à souligner l'importance de l'approvisionnement dans l'économie canadienne. Aujourd'hui, plus de 7 500 personnes au Canada sont membres de l'Association canadienne de gestion des achats, dont la mission première est de promouvoir la profession dans le monde des affaires et d'offrir de la formation à ses membres. Au Québec, c'est la Corporation des approvisionneurs qui agit comme représentant territorial de cette association. Lors d'une conférence [4], Christian Lemire [5] affirmait que l'approvisionnement représentait, en 2003, environ 491 milliards de dollars (44 % du produit intérieur brut du Canada), dont 233 milliards pour les seuls organismes gouvernementaux (publics et parapublics). Dans le présent manuel, nous examinerons tous les éléments essentiels pour apprendre à bien gérer l'approvisionnement et les stocks d'une entreprise de produits ou de services.

---

4. Conférence annuelle de la Corporation des approvisionneurs du Québec, qui s'est tenue du 25 au 27 septembre 2003 dans le district de West-Island.
5. Christian Lemire est *Fellow* en approvisionnement de l'Association canadienne de gestion des achats (FACGA) et approvisionneur professionnel agréé (a.p.a.).

Chapitre

1

Le service de l'approvisionnement

Les affaires sont un ensemble de choses dont la moins importante est l'équilibre du budget, car ceci est quelque chose de fluide, de toujours changeant, presque vivant, qui atteint des pics élevés ou tombe en miettes. L'âme d'une affaire est une curieuse alchimie de besoins, d'envies et de plaisirs tous empreints d'altruisme, de sacrifices, d'engagement personnel qui vont bien au-delà des gratifications matérielles.

Harold Geneen, ITT

Objectif général

Sensibiliser le lecteur aux rudiments du métier d'acheteur et au service de l'approvisionnement dans une entreprise.

Objectifs spécifiques

- Décrire le rôle, les règles, les droits et les obligations d'un acheteur.

- Énumérer les différentes structures organisationnelles existantes relatives à la gestion de l'approvisionnement.

- Découvrir les avantages de la centralisation et de la décentralisation d'un service de l'approvisionnement.

- Préciser les compétences requises pour occuper un emploi d'acheteur.

ABB

ABB

Chef de file national et mondial dans le domaine de la production, du transport et de la distribution de l'énergie électrique, ABB propose des solutions d'ingénierie rentables et à la fine pointe de la technologie, pour répondre aux besoins des services publics, du secteur des pâtes et papiers, de celui des mines et métaux, de l'industrie pétrochimique, de même que des entreprises grandes consommatrices d'électricité. Pour n'énumérer que quelques produits, ABB offre une gamme complète de transformateurs, de condensateurs, de systèmes de commande et de protection de réseau et de turbines, ainsi qu'une foule de services reliés à la production d'énergie. Dans le secteur des pâtes et papiers, entre autres, elle fournit ses systèmes complets de commande d'usine et ses séchoirs pour papier mouchoir.

Aujourd'hui, ABB constitue le plus grand groupe de génie électrique du monde ; elle exploite près de 1 000 sociétés différentes et emploie plus de 200 000 experts dans quelque 140 pays. Au Canada, ABB, dont le siège social est situé à Montréal, exploite 35 centres d'ingénierie, de fabrication, de vente et de service répartis dans tout le pays et compte environ 2 000 employés.

En cette période où l'on observe des changements rapides et la mondialisation des marchés, ABB a compris qu'elle devait gérer ses approvisionnements globalement pour bénéficier d'un levier économique auprès de ses fournisseurs. Au regard de la rentabilité, l'approche de la centralisation des achats est une avenue très intéressante pour ABB Canada, ses avantages étant évidents. Plusieurs fournisseurs communs sont utilisés par différentes divisions et les contrats sont gérés localement. ABB Canada trouve alors l'occasion de réduire ses coûts en contrôlant ses approvisionnements.

Ce défi est de taille lorsque l'on considère cette option du point de vue opérationnel. À cause de sa grande diversité, ABB Canada n'a pas le choix : chaque division doit être en mesure de gérer ses achats de matériel pour se conformer à ses engagements auprès de ses clients. Les acheteurs doivent être près des usagers et comprendre leurs besoins quotidiens.

Par ailleurs, la portion stratégique de l'approvisionnement est coordonnée globalement, et les usagers et les acheteurs peuvent plus facilement, sans nuire à leurs opérations, bénéficier d'avantages concurrentiels.

Bien reconnaître les besoins de chacun, bien comprendre tous les processus de la chaîne d'approvisionnement, voilà sans aucun doute les étapes les plus importantes de l'accomplissement d'une centralisation des achats, qui, en lui-même, est un processus crucial de la chaîne d'approvisionnement.

Suzanne Pelletier, a. p. a.
Directrice de l'approvisionnement

Introduction

Le service de l'approvisionnement, qu'on appelle aussi « service des achats », « département des achats » ou « unité d'achats », se trouve au cœur des activités d'une entreprise[1]. Ses principales responsabilités sont associées au contrôle des sorties de fonds vers les fournisseurs, qui constituent les dépenses de l'entreprise. Mais il est impensable de croire que ce département puisse connaître en profondeur tous les produits[2] et les services nécessaires au fonctionnement quotidien de l'entreprise. C'est pourquoi une décision d'achat se prend généralement en équipe. Chaque département de l'entreprise apporte une contribution différente orientée vers la même fin, soit le mieux-être de l'entreprise.

Le monde des affaires attribue à la profession d'acheteur un rôle, des règles et des droits, le tout dans un cadre organisationnel propre. En contrepartie, il manifeste des attentes envers les personnes qui exercent cette profession. Dans ce chapitre, nous verrons le rôle des acheteurs ainsi que les attentes qu'ils suscitent.

1.1   Le rôle de l'acheteur

L'acheteur est une personne qui a la responsabilité de traiter des aspects techniques reliés à l'exercice de la fonction « approvisionnement ». L'entreprise s'attend à deux types de contribution de la part du service des achats : une participation à la mission de l'entreprise et une information à donner à celle-ci au sujet des dangers présents sur le marché.

En ce qui concerne la participation à la mission de l'entreprise, chaque entreprise désire que son service de l'approvisionnement atteigne la meilleure productivité pour chaque dollar qu'il dépense, c'est-à-dire qu'il accroisse l'écart entre ses revenus et ses dépenses dans le but de générer le maximum de bénéfice. Pour ce qui est de l'information à fournir à l'entreprise au sujet des dangers présents sur le marché, elle consiste en une anticipation des enjeux et des conséquences sur l'entreprise d'une situation éventuelle affectant les sources d'approvisionnement de celle-ci. Prenons un exemple pour démontrer comment l'acheteur peut alerter son entreprise. Au cours du déjeuner, un acheteur à l'emploi d'une entreprise produisant des bouteilles en polyéthylène parcourt son journal. Une nouvelle indique que le marché prévoit sous peu une hausse draconienne du prix du pétrole. Comme le polyéthylène provient du pétrole, l'acheteur détecte un risque de hausse importante du prix d'achat du polyéthylène payé par son entreprise découlant d'une éventuelle hausse du prix du pétrole. Dès son arrivée

---

1.   Nous utiliserons le terme « entreprise » pour désigner une entreprise ayant un seul propriétaire, une société en nom collectif, une organisation inscrite à la Bourse, un organisme à but non lucratif, une association, un syndicat, un gouvernement, une ville ou toute autre forme d'entreprise privée ou publique.

2.   Les auteurs utiliseront principalement, dans le cadre de ce chapitre et pour faciliter la compréhension des lecteurs, le terme « produits » pour désigner les biens économiques issus de la production d'un fournisseur. Les auteurs auraient pu aussi utiliser le terme « bien », qui se définit comme une chose matérielle ou le droit dont une personne dispose et qui lui appartient. Par contre, au chapitre 2, les auteurs montreront que l'entreprise fait des acquisitions qui servent à son fonctionnement, telles que des assurances ou des logiciels. Dans ce cas, tout ce qu'un acheteur pourra procurer à l'entreprise sera désigné par le terme « objet ».

au bureau, il annoncera la nouvelle à ses collègues et recommandera des mesures appropriées pour prémunir l'entreprise contre une variation du prix du pétrole.

Tout en se concentrant sur la vision, la mission, les buts et les objectifs de l'entreprise, le service de l'approvisionnement tente d'améliorer les sept critères essentiels suivants :

- la **quantité** de stock requise pour un bon fonctionnement de l'entreprise ;
- un approvisionnement répondant à tous les aspects liés à la **qualité** du produit ;
- une livraison **sans délai** ;
- une livraison au **lieu** désiré ;
- la prestation d'un **service** professionnel, sans anomalie ;
- un approvisionnement provenant de la meilleure **source** ;
- un approvisionnement au **coût** le plus bas.

Le service de l'approvisionnement se doit de trouver la formule qui apportera la meilleure contribution ou le plus important bénéfice à l'entreprise. De plus, il cherche constamment à revoir la situation présente afin de se rapprocher le plus possible de la situation optimale. Nous traiterons plus à fond de chacun des sept critères tout au long de ce livre. Cependant, pour atteindre la situation optimale, le service des achats doit suivre certaines règles et se prévaloir de certains droits.

1.2   Les règles à suivre

Les règles que doit suivre le service de l'approvisionnement sont reliées à la gestion du risque. Chaque jour, ce département fait face à un risque, car ses décisions comportent un degré plus ou moins élevé d'incertitude. L'acheteur se doit donc d'optimiser la situation courante et d'étudier les possibilités d'améliorer la position concurrentielle de l'entreprise, tout en tenant compte du niveau de tolérance du risque des membres de la haute direction. L'exemple suivant nous permettra de mieux comprendre ce concept : un acheteur décide de maintenir un niveau de stock très élevé, car il voudrait que l'entreprise réponde efficacement aux commandes de tous ses clients. Toutefois, un niveau de stock élevé comporte des risques financiers, car une plus grande quantité de stock accroît les possibilités de bris et de vol ainsi que les pertes en cas de désuétude ou de déclassement par un produit substitut de meilleure qualité offert par un concurrent, etc. Plusieurs hauts dirigeants peuvent être inquiets à l'idée de maintenir un haut niveau de stock. L'acheteur devra alors déterminer le niveau de stock idéal afin d'équilibrer ces deux tendances diamétralement opposées.

1.2.1   Prendre des risques calculés

L'entreprise s'attend, lorsqu'elle engage ses gestionnaires, à ce que ceux-ci prennent des risques calculés. Ils se doivent de tirer le maximum des ressources et des actifs disponibles. Pour eux, le fait d'« oser » représente souvent la différence entre un bon rendement des ressources, évalué à 10 %, un rendement conservateur de 5 % ou un rendement spéculatif de 40 %.

Dans l'introduction du nouveau Coke, qui deviendra le Coke Classique, les gestionnaires de Coca-Cola avaient calculé minutieusement la réaction du public et préparé avec soin l'introduction du nouveau produit. Rien n'avait été laissé au hasard depuis l'intervention de

Roy Stout, docteur en économie de l'université d'État de la Caroline du Nord et directeur du département de la recherche en marketing de Coca-Cola, au début des années 1980, auprès de la direction générale de Coca-Cola. Il avait posé la question suivante : « Puisque nous avons plus de distributeurs automatiques, que nous dominons le marché des débits de boissons, que nous avons plus d'espace sur les étalages, que nous dépensons plus pour la publicité et que notre prix est compétitif, pourquoi perdons-nous des parts de marché[3] ? »

Le seul élément qu'il restait à analyser était la fabrication du produit. Il n'y avait pas de corrélation entre la connaissance du nom et les habitudes d'achat des consommateurs. Coca-Cola se devait donc de prendre un risque. Face à l'évidence, on a procédé à une multitude d'expertises afin d'assurer l'implantation d'un nouveau goût pour le Coca-Cola. Les administrateurs, qui étaient conscients du risque, ont investi beaucoup de ressources et se sont battus pour atténuer la perception négative des clients. Après plusieurs années d'efforts, Roberto Goizueta, président de Coca-Cola, a convoqué la presse le 23 avril 1985 pour annoncer qu'après 99 années d'existence, le goût du Coca-Cola allait changer. La suite est connue. Les fêtes du centième anniversaire ne seront pas aussi joyeuses que prévu.

Plus près de nous, l'aventure de Chez Cora a attiré les journalistes des revues liées au monde des affaires. Ce succès québécois est l'œuvre d'une Gaspésienne, d'origine grecque, Cora Tsouflidou. Après avoir traversé des épreuves personnelles – un divorce, une tentative d'association dans la restauration au cours de laquelle, durant plus de 20 mois, elle travaillera chaque jour de 7 heures jusque tard dans la nuit et, finalement une dépression qui durera 5 longs mois – Mme Tsouflidou prendra le risque de vendre sa maison de Boisbriand et, avec l'argent, ouvrira un premier restaurant Chez Cora en mai 1987. Elle aura appris de ses expériences que « l'attrait de la nouveauté d'un concept peut entraîner le succès mais qu'il n'en garantit jamais la longévité » et que « lorsqu'on baisse ses prix pour attirer ou conserver une clientèle, on finit malgré tout par la perdre, puisque de toute façon il y aura toujours quelqu'un de plus fou ou de plus désespéré pour baisser davantage sa tarification[4] ».

Quelques mois après son ouverture, elle prend une seconde décision risquée, car, constatant que le petit-déjeuner est le repas le plus populaire, elle décide de changer la vocation de son restaurant, qui deviendra alors une source intarissable de gastronomie matinale. Le dimanche 25 février 1990, la journaliste Johanne Mercier vante les mérites, dans *La Presse,* du restaurant aux menus santé composés de fruits frais, et de la bonne humeur communicative qui y règne. Avant que les concurrents ne l'imitent, Cora décide d'ouvrir un second restaurant à Laval. Le succès de ce deuxième restaurant sera aussi grand que celui du premier. En avril 1990, elle se sent d'attaque pour se lancer dans la grande aventure et rêve d'ériger 3, 5, 15, 50 petits restaurants Chez Cora !

Un jour, Martine Latourelle a le coup de foudre pour ce concept et veut acquérir le premier restaurant Chez Cora. Une discussion s'ensuit et Martine Latourelle se retrouve à la tête du restaurant, mais l'opérera selon les règles de fonctionnement établies par Cora Tsouflidou. Puis ce sera au tour de Martha Giroux de convaincre Cora Tsouflidou de s'associer pour le lancement du troisième établissement Chez Cora. Cette cascade d'occasions d'affaires, de prises de décision et d'audace, fera de Chez Cora une formule gagnante dans la restauration. Aujourd'hui, les Québécoises et les Québécois sont friands des déjeuners santé et des brunchs

---

3. Thomas Oliver. *La vraie Coke Story*, Issy-les-Moulineaux, Éditions Michel Lafon, 1989, p. 152.
4. Cora Tsouflidou. *Déjeuner avec Cora*, Montréal, Libre Expression, 2001, p. 72-73.

du dimanche qui font de Chez Cora une destination de choix. Cora Tsouflidou a pris des risques et son entreprise a été couronnée de succès. Toutes les décisions ne comportent pas un degré de risque aussi important pour la survie de l'entreprise. Par contre, si anodine soit-elle, chaque décision qui est prise trace la ligne de conduite de l'entreprise. En effet, une décision prise constitue une référence et une orientation pour la prochaine décision. C'est pourquoi il faut bien analyser chaque décision afin qu'elle s'effectue dans le cadre défini par la mission de l'entreprise. Les décisions prises par les dirigeants de Coca-Cola et Chez Cora auraient pu avoir des répercussions catastrophiques pour ces entreprises.

Dans la pratique courante, un conseil d'administration conservateur ne voudra pas d'un acheteur qui prend des risques, par exemple en décidant d'acheter des produits d'un fournisseur ayant une mauvaise réputation ou cumulant de nombreux litiges. À l'opposé, un conseil d'administration aimant pousser sa chance à l'extrême en prenant des décisions spéculatives aura de la difficulté à tolérer un acheteur trop prudent ou préférant attendre que les produits fassent leurs preuves avant d'en recommander l'achat. La vie d'un acheteur peut être valorisante et agréable quand les actionnaires, les utilisateurs et les clients sont heureux des résultats obtenus par le service de l'approvisionnement ; par contre, sa vie peut devenir difficile et stressante lorsqu'il adopte des mesures impopulaires ou prend des décisions pouvant ébranler la confiance que des personnes de son entourage ont placée en lui.

1.2.2   Faire l'analyse et décider

Un acheteur suit un processus d'analyse de situations ou de problèmes (figure 1.1). Ce processus peut s'appliquer tant durant ses études que dans sa future pratique. Chaque étape du processus a une fin, soit la prise de décisions en connaissance de cause. Ce processus comprend les étapes suivantes :

1. **La préparation : lire et comprendre le problème** Les problèmes concernent des événements ou des situations qui comportent des enjeux et ont des conséquences sur l'évolution courante de l'entreprise. Ces problèmes ne sont pas toujours clairs ou complets, tant en théorie qu'en pratique. Afin de combler le manque de données, l'étudiant ou le gestionnaire doit avoir recours à la théorie, aux documents disponibles, à ses propres expériences, à ses intuitions, aux discussions avec d'autres collègues, à la recherche en bibliothèque ou dans Internet, ou encore il doit formuler des hypothèses logiques. À la fin, l'étudiant ou le gestionnaire doit bien maîtriser les diverses facettes du problème qu'il aura à solutionner.

2. **L'analyse de cas** Résoudre un problème n'est pas simple. On doit faire appel à des compétences personnelles, telles que l'intuition, mais aussi s'appuyer sur des bases théoriques. De plus, il faut avoir la capacité de déterminer les enjeux et les conséquences d'une décision et savoir bien communiquer cette décision, une fois qu'elle est prise. Pour ce faire, la méthodologie ayant le mieux fait ses preuves comporte la collecte des données pertinentes reliées au problème soulevé, la description du problème, l'analyse des enjeux, des causes et des conséquences, la formulation des objectifs, l'élaboration et l'évaluation des options, le choix d'une option, et la planification et l'implantation de l'option choisie. Cette méthodologie est employée par de grands gestionnaires lorsqu'ils doivent prendre une décision ou présenter un problème à leurs collègues de travail en vue d'orienter un choix d'entreprise. Regardons plus en détail chacune des étapes.

■ **Figure 1.1**   Vue d'ensemble de l'analyse de cas

Source : Michel G. Bédard, Paul Dell'Aniello et Danielle Desbiens. *La méthode des cas. Guide d'analyse, d'enseignement et de rédaction,* Boucherville, Gaëtan Morin Éditeur, 1991, p. 4.

2.1 *La collecte des données pertinentes*   Cette étape consiste à identifier les faits saillants et les données qui sont pertinents ainsi que les informations provenant de la haute direction, les données reliées à une bonne compréhension de l'entourage, la détermination des liens existants entre les intervenants dans la chaîne d'approvisionnement (nous y reviendrons au chapitre 2 lorsque nous parlerons de l'objectif d'achat) et les personnes ayant un intérêt dans la situation présentée.

2.2 *La description du problème*   Reconnaître le problème consiste à détecter ce qui tracasse l'acheteur ou son entreprise. Cela requiert un investissement en ressources pour parvenir à une solution. Tout problème a son importance et mérite d'être réglé. Dans un processus de gestion du temps, l'acheteur, s'il a la responsabilité de trouver une solution, doit faire ressortir le caractère urgent du problème soulevé pour que celui-ci reçoive une plus grande attention.

2.3   *L'analyse des enjeux, des causes et des conséquences*   Il faut déterminer les enjeux, les causes et les conséquences du problème, et non se contenter de décrire les symptômes ou ses effets sur l'entreprise. C'est une étape de raisonnement qui fait appel à une démarche inductive et analytique. C'est aussi à cette étape que les liens entre les différentes données seront décelés, ce qui permettra d'en arriver à une estimation finale de la situation et à une décision. Il faut chercher à comprendre les facteurs internes et externes entourant la situation ainsi que les préférences des décideurs. L'acheteur établit le rendement attendu, les résultats obtenus et les écarts constatés pour chaque facteur de l'environnement. Chaque situation est différente ; c'est pourquoi on aurait tort de croire que tous les problèmes peuvent être étudiés de façon mécanique et rationnelle, et que les réactions d'une personne sont les mêmes face à des problèmes similaires et répétitifs.

2.4   *La formulation des objectifs*   Les objectifs permettront d'identifier le fil directeur à prendre en compte lors de la prise de décision. En étant bien formulés, ceux-ci déterminent le bien-fondé des critères qui permettront de mesurer le succès de la décision. C'est aussi à cette étape que les contraintes et les limites opérationnelles seront envisagées dans la résolution de la problématique soulevée. À titre d'exemple, il est possible que la solution à une problématique soit d'effectuer un investissement important en capitaux, mais qu'elle soit inapplicable parce que la limite de crédit de l'entreprise est atteinte. Un autre exemple serait de tenter de résoudre le problème en ayant recours à l'expertise d'un membre de l'entreprise, mais que celui-ci ne soit pas disponible à temps pour prendre la décision.

2.5   *L'élaboration et l'évaluation des options*   À cette étape-ci, il est nécessaire de proposer des solutions et de les analyser en pesant le pour et le contre de chacune d'elles et en apportant une conclusion. L'analyse comprendra, notamment :
- une liste des critères et des priorités qui servent à évaluer les options, telles que le risque impliqué, l'objectif désiré, la perte ou les gains financiers, l'importance du facteur temps, l'effort à déployer pour atteindre un résultat, la disponibilité des ressources humaines, financières et matérielles, et les préférences des hauts dirigeants de l'entreprise ;
- une liste des contraintes éventuelles que l'option proposée représentera pour l'entreprise, son industrie et son marché.

L'acheteur qui entreprend l'étude des options est souvent aux prises avec trois difficultés : une conception étroite des gestionnaires, qui croient être les seuls à détenir des options valables en raison de leur expérience ; la simplification à outrance des options que les gestionnaires trouvent aux problèmes complexes, et le piège que tend la logique, à savoir que des gestionnaires trouvent adéquate l'explication d'une option sans avoir fait de recherche systématique pour appuyer celle-ci.

2.6   *Le choix d'une option*   L'acheteur recommande une option afin de régler le problème. L'acheteur fait appel à son intuition, à son jugement, tout en utilisant ses connaissances théoriques et ses expériences positives. Il importe de planifier l'implantation de cette option en tenant compte de ses aspects humain, matériel, technologique, écologique, environnemental, culturel, juridique, politique et autres. L'acheteur ne doit pas sous-estimer les obstacles potentiels, tels que les ressources, et se demander si l'option choisie résout le problème le plus important et entraîne la disparition des autres problèmes majeurs. Il doit circonscrire ces derniers et montrer comment ils peuvent être surmontés. La recommandation doit être écrite, au même titre qu'une politique ou une procédure.

2.7 *La planification et l'implantation de l'option choisie* Au cours de cette étape, il faut établir la liste de toutes les tâches à entreprendre pour mettre en œuvre la recommandation. Pour chacune des tâches, l'acheteur détermine une personne responsable de son exécution, fixe les délais et attribue les ressources requises en précisant leur provenance. Ces tâches doivent être classées par priorités (degré d'urgence), par fonctions (marketing, production, approvisionnement, personnel, finances et autres) ou selon leur durée (jours, semaines ou mois). L'acheteur doit aussi s'assurer de lier les étapes à une rétroaction éventuelle, qui consiste à revenir à l'origine de la démarche pour vérifier si la problématique est définitivement réglée.

3. **La rédaction du rapport** L'acheteur pourra être appelé à produire un rapport relié à la problématique analysée. La rédaction du rapport pourrait prendre la forme suivante :
   - La description du problème : un bref énoncé du problème principal à résoudre et son degré d'urgence.
   - L'analyse des enjeux, des causes et des conséquences de ce problème.
   - La formulation des objectifs et la liste des critères qui auront servi à évaluer les options.
   - L'élaboration et l'évaluation des options en procédant à une énumération des avantages, des inconvénients et des risques pour l'entreprise de chacune d'entre elles.
   - Le choix de l'option et son degré de pertinence, particulièrement en ce qui concerne les bénéfices ou les coûts pour l'entreprise.
   - La planification et l'implantation de l'option choisie en indiquant brièvement la marche à suivre pour la mettre en place.

1.2.3   Faire participer les autres

L'image de l'acheteur autocratique est révolue. Le succès de l'acheteur repose sur sa capacité de susciter l'esprit d'initiative, de mobiliser les énergies autour d'une vision unique, de valoriser les idées et les suggestions du personnel, de stimuler l'esprit d'équipe et de donner un pouvoir de décision à chaque personne.

Claude Béland, ex-président du Mouvement Desjardins, exprime bien comment la pensée de son fondateur basée sur la participation de chaque membre aura permis de construire un des mouvements coopératifs les plus performants du Québec.

Dans la foulée des premiers théoriciens de la coopération, Alphonse Desjardins croyait [...] que la raison doit dominer et civiliser l'instinct, l'agressivité et le goût du pouvoir. Dotés d'une commune nature et d'une moins commune dignité personnelle, les êtres humains sont doués d'intelligence et d'affectivité, facultés qui devraient les inciter à collaborer pour améliorer leur capacité de satisfaire leurs besoins, au lieu de les dresser les uns contre les autres [5].

---

5. Pierre Poulin. *Histoire du Mouvement Desjardins. Tome I.* 1900-1920, Montréal, Québec Amérique, 1990, p. 7.

Cette philosophie se perpétue, selon les données au 31 octobre 2002, dans 748 caisses populaires et d'économie présentes dans 954 municipalités et fortes d'un actif global de 89,9 milliards de dollars, ce qui fait du Mouvement Desjardins le réseau de services financiers le plus important du Québec. Ce grand succès s'appuie sur l'engagement et le soutien de la communauté locale en vue de répondre à ses propres besoins financiers.

1.3   Les droits du service de l'approvisionnement

Pour exercer sa fonction convenablement, le service de l'approvisionnement dispose de deux droits, à savoir faire préciser la demande d'achat et garder la mainmise sur le fichier des fournisseurs.

1.3.1   Faire préciser la demande d'achat

Dès qu'une demande d'acquisition de produits parvient au service de l'approvisionnement, l'acheteur doit comprendre ce qu'il lui faut acquérir. Il questionnera alors le département qui fait la demande afin de connaître les raisons qui ont suscité ce besoin et les mesures à prendre pour satisfaire à la demande reçue.

La meilleure décision à prendre peut consister à ne pas donner suite à la demande, car le besoin est mal défini, à aider le service client à déterminer le besoin à combler par l'achat, à offrir une option différente, telle que l'utilisation d'un produit substitut déjà en stock, ou encore à procéder à l'achat.

1.3.2   Garder la mainmise sur le fichier des fournisseurs

L'acheteur recherche constamment des sources d'approvisionnement afin d'améliorer les résultats par rapport aux sept critères définis au début du présent chapitre. Ses compétences lui permettent de sélectionner ces nouvelles sources. Celles-ci doivent être les plus fidèles possible à la culture d'entreprise et au mode de fonctionnement de l'entreprise que l'acheteur représente.

C'est ainsi que l'acheteur est en droit de déterminer le prix et les conditions commerciales rattachés au contrat signé avec tous les fournisseurs. La confusion entre les renseignements transmis aux fournisseurs sera évitée si les directives proviennent d'un point central. Les acheteurs devraient avoir le droit de centraliser l'information, car ils travaillent constamment avec les fournisseurs et utilisent le même vocabulaire avec toutes les sources. D'autre part, dans une telle situation, le fournisseur n'a pas à interpréter le désir de plusieurs personnes et à tenter de plaire à plusieurs maîtres.

De nos jours, l'information que requièrent les représentants des fournisseurs comprend beaucoup plus d'éléments techniques. Plusieurs utilisateurs veulent discuter directement avec le représentant (en approvisionnement, cette approche s'appelle «démarchage»). L'acheteur tentera de faciliter la rencontre entre les deux groupes. Toutefois, l'acheteur interviendra si ces rencontres génèrent un achat. Afin de coordonner les relations avec le fournisseur, l'acheteur peut indiquer à celui-ci que toute demande d'acquisition d'un produit nécessite un numéro de bon de commande, que seul le service de l'approvisionnement peut émettre.

1.4   Les obligations du service de l'approvisionnement

Malgré le droit qu'accorde l'entreprise ou un département à l'acheteur, aucune demande d'achat ne peut transgresser les éléments suivants et l'acheteur a l'obligation de les respecter:

- **Les lois en vigueur** Les gouvernements votent des lois et l'acheteur du service de l'approvisionnement est tenu de les respecter.
- **Le code de déontologie d'une profession** Ce code définit des règles de conduite régissant l'exercice d'une profession. L'annexe 1.1 à la fin de ce chapitre présente le code de déontologie des acheteurs pour les membres de l'Association canadienne de gestion des achats.
- **Le code de conduite de l'entreprise** L'entreprise peut imposer un code de conduite à ses employés. Ce code définit les comportements prescrits entre les différents intervenants de l'entreprise et avec les fournisseurs.
- **Les politiques et les procédures d'approvisionnement de l'entreprise** Le manuel des politiques et des procédures constitue un guide permettant d'uniformiser le mode de fonctionnement au sein d'une entreprise ou d'un service. L'encadré suivant peut vous servir de guide dans la rédaction d'un manuel de politiques et de procédures pour un service des achats.

Le contenu minimal d'un manuel de politiques et de procédures

Pour être complet, un manuel doit préciser les valeurs et le mode de fonctionnement de l'entreprise. Parmi les sujets examinés, citons la vision de l'entreprise, ses buts, ses objectifs, les règles régissant le traitement des employés, les droits des acheteurs, les rapports entre l'acheteur et son environnement, le code de déontologie de l'entreprise quant à ses relations avec ses fournisseurs, la confidentialité de certains renseignements, la reconnaissance du pouvoir de décision de l'acheteur, le processus de qualification des fournisseurs, la rédaction des ententes, le processus d'approvisionnement, le mode de fonctionnement lors de l'émission de bons de commandes, les différentes tâches du service de l'approvisionnement, les politiques de gestion des ressources ainsi que la procédure à appliquer lorsque des défauts ont été détectés (sur les marchandises, les factures, les frais de transport, etc.).

Ce manuel devra être enrichi avec le temps. Chaque situation vécue apportera une recommandation et une décision. Une situation se termine par la rédaction d'un rapport, la diffusion de l'information, l'ajout au manuel et l'inscription du sujet à la table des matières du manuel.

- **Ses propres obligations contractuelles** Au fil des années, l'entreprise signera de nombreuses ententes avec des fournisseurs. L'acheteur ne peut transgresser les ententes qui sont en vigueur au moment d'une demande d'approvisionnement. Prenons l'exemple d'une demande d'une variété de café au fournisseur B alors que l'entreprise a une entente avec le fournisseur A qui lui a fourni les équipements en échange de la vente du café. Étant donné que l'entente avec le fournisseur A est toujours en vigueur, la demande au fournisseur B devra être rejetée même si le fournisseur A n'a pas la variété de café désirée.

1.5 La typologie des structures organisationnelles

Chaque personne qui travaille dans une entreprise doit répondre aux attentes de l'entreprise et à ses attentes personnelles. En ce qui concerne les attentes de l'entreprise, chaque département doit mettre à profit les ressources humaines, monétaires, énergétiques, matérielles et informationnelles pour atteindre certains objectifs. Au début d'une période, l'entreprise fixe à chaque département des objectifs conformes à la mission de l'entreprise, réalisables, quantifiables et évaluables.

Pour ce qui est des attentes personnelles, chaque être humain a des valeurs morales, des besoins à satisfaire et des désirs. L'individu est responsable des valeurs communes d'un groupe, qui constituent une des raisons d'être du groupe.

Dans le cas du service de l'approvisionnement, il faut ajouter les attentes des autres. En effet, comme l'acheteur est constamment en contact avec de nombreux fournisseurs, il est en mesure de répondre efficacement à leurs désirs. Son habileté et ses compétences permettront ainsi à l'entreprise d'acquérir rapidement les produits et les services nécessaires au bon fonctionnement de l'ensemble des services.

Un service des achats doit donc être structuré, au même titre que les autres départements de l'entreprise. Il existe différents types de structures organisationnelles pouvant s'appliquer au service de l'approvisionnement. Étant donné les responsabilités de ce service, il est de rigueur de lui accorder une position hiérarchique importante. Ainsi, la direction peut adopter une approche technique ou stratégique. Selon l'approche technique, le service de l'approvisionnement tente de répondre à une demande à partir des règles établies par l'entreprise en ce qui a trait aux relations avec les fournisseurs et aux demandes admises. Selon l'approche stratégique, la direction définit la structure et les règles du service des achats au regard des objectifs de l'entreprise qui se dégagent de sa mission.

1.5.1 La structure formelle

La structure formelle détermine les niveaux d'autorité des individus. L'autorité peut se définir selon les fonctions (comme le marketing, l'approvisionnement, la production, les ressources humaines et les finances), les secteurs géographiques (comme les provinces maritimes, le Québec, l'Ontario et les provinces de l'Ouest) ou les produits (comme les produits de consommation et les produits industriels). Il n'existe aucune règle permettant de choisir la meilleure répartition de l'autorité.

La structure formelle répartit le personnel d'une entreprise en deux catégories : l'autorité hiérarchique (*line*), qui a la responsabilité d'atteindre les objectifs de l'entreprise le plus efficacement possible, et l'autorité de conseil (*staff*), qui fournit une expertise à l'autorité hiérarchique, vu l'étendue des responsabilités de cette dernière.

Lors d'un sondage effectué en 1993 par la Corporation des approvisionneurs du Québec inc., plusieurs acheteurs indiquaient que les entreprises avaient de la difficulté à définir les niveaux d'autorité de la fonction « approvisionnement ». La figure 1.2 indique une structure hiérarchique possible pour un service de l'approvisionnement.

■ Figure 1.2   Structure hiérarchique d'un service de l'approvisionnement

Le vice-président approvisionnement, qui relève du président ou du directeur général, est responsable de la bonne gestion de toutes les sorties de fonds de l'entreprise. Le directeur de l'approvisionnement des services, qui relève du vice-président approvisionnement, est responsable de la bonne gestion des contrats de service que l'entreprise requiert. Quant au directeur de l'approvisionnement des produits, qui est placé sous l'autorité du vice-président approvisionnement, il doit prendre toutes les décisions relatives aux produits à acquérir. Le directeur des ententes, qui relève aussi du vice-président approvisionnement, se charge de tous les contrats qui lient l'entreprise à des fournisseurs privilégiés, à des groupes d'achat ou à des consortiums en approvisionnement. Il prend aussi des décisions coopératives, comme la participation à une grappe industrielle, et soutient la tendance de l'entreprise.

De leur côté, les approvisionneurs, qui relèvent d'un des directeurs, tentent d'optimiser les sept critères de l'approvisionnement, tout en respectant les valeurs et le mode de fonctionnement de l'entreprise, ainsi que l'environnement de l'entreprise. Les logisticiens, qui sont placés sous l'autorité du directeur de l'approvisionnement des produits, contrôlent les flux de produits en provenance des fournisseurs, à l'intérieur de l'entreprise et en direction des clients. Les acheteurs, qui relèvent des approvisionneurs, ont la responsabilité du processus entier d'acquisition des produits. Quant aux gestionnaires des stocks, qui relèvent des logisticiens, ils contrôlent le niveau de stocks appartenant à l'entreprise. Pour leur part, les gestionnaires du trafic, qui relèvent également des logisticiens, appliquent les règles de transport pour les produits en maximisant la productivité des transporteurs choisis par les approvisionneurs ou les acheteurs. Enfin, les commis aux achats, qui sont sous l'autorité des acheteurs, travaillent avec ces derniers afin de faire respecter les critères fixés à l'origine de la transaction.

Outre qu'elles se basent sur un document qui décrit les responsabilités rattachées aux différentes fonctions, les entreprises reconnaissent l'influence de certaines personnes dans leur évolution. Sur papier, ces personnes ont les mêmes droits et les mêmes pouvoirs que les autres, mais leur personnalité leur confère une plus grande influence. Cette structure organisationnelle prend alors le nom de structure informelle. À titre d'exemple, voyons ce qui est arrivé lors du choix du premier président d'Agropur. Cette société reconnaissait du charisme à Omer Deslauriers. Non seulement il était un des membres fondateurs du Syndicat coopératif de Granby, mais il en était une cheville ouvrière. Outre son poste officiel, il était l'instigateur de plusieurs innovations. C'est à cause de son engagement qui allait au-delà de sa fonction proprement dite qu'Omer Deslauriers, alors secrétaire du Syndicat coopératif de Granby, a été choisi comme président de la Société coopérative du canton de Granby, qui est devenue plus tard Agropur, un fleuron de l'industrie laitière québécoise.

1.5.2   La structure matricielle ou structure par projet

La structure matricielle est utilisée principalement dans des entreprises qui traitent différents projets et qui doivent recourir à une répartition des ressources communes. Le tableau 1.1 montre de quelle façon trois acheteurs peuvent travailler à quatre projets différents. Ce type de structure s'applique dans le cas des projets de construction, d'agrandissement ou de financement, ou encore dans les campagnes de publicité. Les acheteurs redeviennent disponibles à la fin du projet. L'entreprise les affecte alors à un autre projet.

Dans le tableau 1.1, l'acheteur 1 travaille aux projets 1 et 2, l'acheteur 2 travaille aux projets 2 et 4 et l'acheteur 3 s'occupe du projet 3. Au moment où un nouveau projet arrivera, l'acheteur 1, 2 ou 3 se verra confier la responsabilité d'assister l'équipe du nouveau projet.

■ **Tableau 1.1**   **Structure matricielle**

	Projet 1	Projet 2	Projet 3	Projet 4
Acheteur 1	X	X		
Acheteur 2		X		X
Acheteur 3			X	

1.5.3   La structure étoilée

Les entreprises ayant recours à la structure étoilée possèdent l'expertise leur permettant d'exécuter tous les mandats que leur confie un client. À titre d'exemple, la firme d'avocats Lavery De Billy a une conception basée sur le traitement spécialisé de toutes les demandes d'un client. Ainsi, le client pourra avoir recours à des spécialistes dans plusieurs domaines chez le même fournisseur. Les dossiers requérant l'intervention d'avocats spécialisés dans le droit du travail, le droit des assurances, le droit des sociétés, le droit fiscal ou toute autre spécialité du droit seront traités par des avocats possédant une expertise dans le domaine en question. Le client n'aura qu'à sélectionner un cabinet d'avocats pouvant fournir l'expertise dont il a besoin.

Il en est de même pour un service de l'approvisionnement qui, pour répondre aux demandes qui lui sont faites, dispose de spécialistes dans l'acquisition de services, de produits, de stock d'entretien et de réparations, et dans les ententes avec les fournisseurs.

■ **Figure 1.3**   **Structure étoilée**

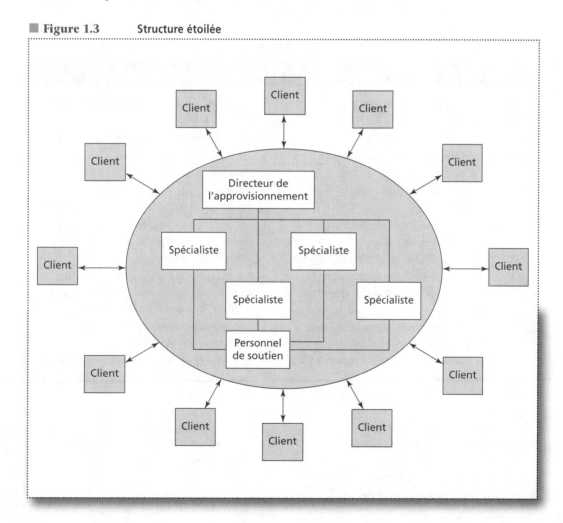

1.5.4   La structure centralisée et la structure décentralisée

La centralisation complète d'un service de l'approvisionnement donne aux acheteurs la responsabilité totale de l'approvisionnement de l'entreprise. En contrepartie, une structure décentralisée donne la liberté à chaque service de l'entreprise d'effectuer lui-même les achats dont il a besoin.

Les entreprises choisissent normalement une structure qui emprunte à la fois à la structure centralisée, où le contrôle prime, et à la structure décentralisée, dont le fondement est la liberté décisionnelle. Plusieurs entreprises ont traduit cette option mitoyenne par les expressions «centre de coûts» ou «centre de profits». Cependant, peu importe la structure adoptée, l'entreprise doit pouvoir compter sur celle qui lui permettra de répondre le plus efficacement possible aux attentes des clients et de la direction générale, et de réaliser les objectifs du service des achats. Le tableau 1.2 présente les avantages que comportent ces deux structures; mentionnons qu'un avantage chez l'une correspond à un désavantage chez l'autre.

■ **Tableau 1.2**   Avantages de la structure centralisée et de la structure décentralisée

Structure centralisée	Structure décentralisée
• L'expertise est concentrée.	• La prise de décisions est répartie entre plusieurs personnes.
• Il n'est pas nécessaire de former beaucoup d'individus.	• La réaction aux imprévus est meilleure.
• Le processus de sélection des produits et des sources est standardisé.	• La flexibilité est maximale lorsqu'il s'agit de répondre aux besoins locaux.
• Le processus nécessite moins d'écritures administratives.	• Les dirigeants sont plus motivés, car l'entreprise accentue le contrôle local.
• Les politiques et les procédures de l'entreprise sont mieux comprises, car elles sont interprétées par moins d'individus.	• Un plus grand nombre de personnes peuvent observer l'introduction de nouvelles sources.
• L'entreprise réduit certains coûts, car elle achète de plus grandes quantités.	• L'entreprise est plus compétitive sur le marché local parce qu'elle fait une analyse locale de la concurrence.
• L'entreprise peut répartir de façon plus équitable les stocks entre les clients dans le cas d'une allocation de ressources ou d'une pénurie de la part des fournisseurs.	• Les utilisateurs assument une plus grande responsabilité.
• Le fournisseur croit davantage les promesses de l'acheteur, car il contrôle la distribution des biens.	• Il existe dans le personnel un sentiment de participation aux activités de l'entreprise.
• Il est plus facile d'implanter une technologie nouvelle.	• Lors d'achats internationaux, l'entreprise désire maintenir une présence dans les économies régionales.
• L'entreprise a un meilleur contrôle sur la qualité des intrants.	

La haute direction sait que la centralisation et la décentralisation comportent des coûts. Par contre, ces deux formules engendrent des bénéfices quantitatifs et qualitatifs. L'entreprise choisira la structure qui entraînera le plus grand écart entre les coûts et les bénéfices. Cette décision doit être rationnelle. Les entreprises sont composées de personnes auxquelles le pouvoir de dépenser confère une certaine autorité dans la communauté locale. Il arrive souvent que les gestionnaires fassent passer leur intérêt avant celui de l'entreprise parce qu'ils ont l'impression d'obtenir le meilleur prix.

La figure 1.4 montre l'évolution des coûts et des bénéfices d'une structure par rapport à l'autre, ce qui peut guider le gestionnaire dans la décision qu'il a à prendre. On peut observer dans cette figure que la structure centralisée coûte moins cher à l'organisation que la structure décentralisée. Par contre, les bénéfices sont plus élevés dans la structure décentralisée. Le gain, soit la différence entre les deux courbes, est à son maximum dans une structure qui n'est ni trop centralisée ni trop décentralisée.

La différence entre la courbe des bénéfices et la courbe des coûts indique à la haute direction et aux gestionnaires la latitude que chaque personne a dans le processus de décentralisation. La haute direction voudra garder son organisation décentralisée et accentuer l'autonomie d'une division, d'une filiale, d'un service ou d'un individu — que nous appellerons «entité» — dans la mesure où :
- cette entité travaille en harmonie avec les autres entités quant au partage des ressources communes de l'entreprise, que sont notamment le capital, le service de la recherche et les ressources humaines ;
- cette entité n'entre pas en concurrence dans des territoires d'achat communs avec d'autres entités, par exemple, en offrant un meilleur prix à un acheteur local servi par un fournisseur ou un représentant d'une autre entité de l'entreprise ;
- cette entité n'entreprend pas une négociation directe avec des fournisseurs communs aux autres entités ;

■ **Figure 1.4**   **Évolution des coûts et des bénéfices des deux structures**

Source : Paul Holgren. *Comptabilité analytique de gestion,* Montréal, Les Éditions HRW, 1977, p. 701. Reproduit avec l'autorisation des Éditions Études Vivantes, une division de Groupe Éducalivres.

- cette entité travaille seule et ne veut pas soutenir les autres entités, particulièrement dans le transfert des ressources, comme le stock;
- cette entité respecte ses objectifs et ceux de la direction générale.

1.6   Les compétences de l'acheteur

Un service de l'approvisionnement regroupe de nombreuses compétences qui peuvent être mises au service des clients, des fournisseurs et des actionnaires. Par l'entremise du Collège de Bois-de-Boulogne, une équipe d'approvisionneurs professionnels s'est penchée sur les compétences requises pour exercer cette profession. Par la suite, cette institution d'enseignement collégial a développé une attestation d'études collégiales afin de démontrer les applications et l'étendue de ces compétences dans le monde des affaires d'aujourd'hui. L'acheteur, se situant au niveau tactique, appliquera les concepts définis de l'approvisionnement, alors que l'approvisionneur, qui se trouve au niveau stratégique, aura la possibilité d'influencer les résultats de l'entreprise.

Sur le plan technique, on reconnaît 10 compétences que doit posséder l'acheteur[6]. Examinons de plus près ces compétences.

1. **La définition du besoin** comprend la recherche des attentes du demandeur; la vérification des spécifications afin de sauvegarder les principes de transparence, d'équité et d'accessibilité entre les sources d'approvisionnement potentielles; la validation de la pertinence d'acheter; la reconnaissance des objets substituts ou complémentaires; le respect du cycle d'approvisionnement, qui débute par la manifestation du désir jusqu'au paiement final du fournisseur; la standardisation des désirs selon les modes de fonctionnement de l'entreprise.

2. **L'exploration du marché** s'effectue sur la base de la mise à jour des informations requises concernant les différents champs d'activité reliés à l'entreprise; l'utilisation des ouvrages de référence disponibles sur le marché; la construction d'une banque de données; la sélection des fournisseurs potentiels; la certification des fournisseurs; le développement des sources d'approvisionnement; la recherche de produits; etc.

3. **La gestion des stocks** inclut le suivi et le respect des modèles de gestion des stocks préconisés par l'entreprise; le calcul des quantités à commander en fonction des prévisions; les stratégies visant à réduire les stocks dans la chaîne d'approvisionnement de l'entreprise; la gestion de la disposition des surplus d'actifs; le respect des contraintes environnementales reliées aux stocks; la maîtrise du flux des matières.

4. **La négociation** est la capacité de sélectionner une méthode d'acquisition; la planification d'une approche de négociation; l'application d'un modèle de négociation approprié à la situation; la facilitation d'une relation ouverte entre les divers intervenants de l'entreprise et les fournisseurs; la gestion des conflits en cas de litige.

5. **L'analyse** tient compte de l'utilisation d'une approche systémique; du contexte de l'environnement externe de l'entreprise tel qu'il est défini dans l'objectif d'achat; de l'interprétation des résultats; du calcul du coût total pour l'entreprise; de la préparation d'une recommandation

---

6. Le profil des compétences est tiré de l'attestation d'études collégiales Gestion de l'approvisionnement (LCA.72), qui a été mise sur pied par le Collège de Bois-de-Boulogne avec la collaboration des approvisionneurs du Québec. Tous droits réservés.

en fonction des critères d'approvisionnement; de la rédaction d'un plan d'action de la recommandation; du développement et de l'utilisation des mesures de performances.

6. **La connaissance et le respect des lois, des politiques, des valeurs et des modes de fonctionnement de l'entreprise** inclut l'assurance de l'application des politiques et des procédures régissant l'approvisionnement; la conformité à un système de qualité; le respect du code de déontologie lié à la profession d'approvisionneur; le suivi des lois et les règlements d'ordre public; l'application des dispositions du Code civil en matière de contrat; la participation à la rédaction d'un contrat, d'une entente; le respect des dispositions techniques, commerciales et légales inscrites dans un contrat intervenu avec un fournisseur; le respect de l'image de l'entreprise conformément à son mandat; la participation à l'élaboration de politiques et de procédures en approvisionnement; la documentation de dossiers d'achat.

7. **L'utilisation des outils technologiques,** tels que des logiciels de bureautique, des logiciels reliés à sa fonction, le réseau Internet.

8. **La capacité de travailler en équipe** comprend la démonstration de son expertise dans le domaine des relations avec les fournisseurs; le développement de son réseau à l'interne; la coordination des efforts d'une équipe multidisciplinaire; la compréhension des prérogatives de chaque groupe ou individu de l'entreprise.

9. **La capacité de communiquer** comprend la capacité d'extraire l'information pertinente d'un texte quelconque; la rédaction des documents d'affaires; la préparation et la présentation d'une approche; la possibilité de s'exprimer correctement à l'oral et à l'écrit dans les langues officielles (français et anglais); la pratique d'une écoute active; la promotion du rôle du service de l'approvisionnement à l'intérieur et à l'extérieur de l'entreprise.

10. **La manifestation des compétences personnelles,** telles que l'esprit d'initiative et la créativité; la capacité de tenir compte de la dimension psychologique de l'individu; l'esprit critique, l'ouverture d'esprit, la diplomatie, l'autonomie et l'intégrité; l'habileté de vendre ses idées; la capacité de réagir efficacement aux urgences; celle de gérer les priorités; celle de travailler efficacement même dans l'incertitude.

Le niveau stratégique requiert non seulement des compétences supplémentaires de gestionnaire d'un service à l'intérieur d'une entreprise, mais aussi une capacité de bien maîtriser tous les éléments inclus dans l'objectif d'achat. Bref, un acheteur de catégorie tactique doit mettre au service de l'entreprise l'ensemble de ces compétences. Il y ajoutera d'autres compétences et améliorera ses méthodes lorsqu'il atteindra le niveau stratégique. Nous examinerons ces compétences les unes après les autres. Cependant, il faut se rappeler que plusieurs compétences interviennent lorsque l'acheteur répond à une demande.

1.6.1　La définition du besoin à combler

À l'origine du processus d'acquisition de produits, l'acheteur doit connaître les attentes de la personne qui fait la demande. Une demande d'acquisition d'un produit s'actualise lorsqu'une personne la traduit sous forme de besoin. L'expression de ce besoin parvient au service de l'approvisionnement de différentes façons, soit par un formulaire, un coup de téléphone ou une visite. Plus l'organisation est grande, plus ce besoin se manifestera sous une forme structurée. Dès que la demande est reçue, l'acheteur doit s'assurer qu'il sait avec précision ce qu'il doit acquérir. S'il a un doute, il devra interroger la personne qui a fait la demande. Il est essentiel de bien comprendre le besoin et d'ordonner ses éléments selon leur importance. Quand l'acheteur aura bien saisi la demande, il pourra y donner suite en toute confiance.

1.6.2   L'exploration du marché

Une entreprise est toujours à l'affût de nouveaux fournisseurs qui lui permettront d'être plus productive. De nos jours, l'acheteur a de plus en plus la possibilité de découvrir de nouvelles sources, comme les revues spécialisées, le service des ventes, les répertoires, le réseau Internet, les chambres de commerce ou les consulats et les ambassades. Afin de s'y retrouver dans toute cette information, l'acheteur devra se munir d'une technique de recherche. Au-delà de la recherche de nouvelles sources, l'exploration du marché signifie qu'il doit maintenir à jour ses connaissances dans le champ d'activité de son entreprise. L'acheteur tentera d'être « proactif » face aux occasions qu'offre le marché et d'évoluer avec celles-ci.

1.6.3   La gestion des stocks

De nos jours, la gestion des stocks a une importance cruciale pour une entreprise. Lorsque l'entreprise a un niveau trop élevé de stock, cela signifie qu'elle aura à absorber des coûts de stockage en plus de s'exposer à des risques de désuétude, de bris, de vol ou autre situation similaire. Lorsque l'entreprise manque de stock pour servir un client, cela signifie qu'elle se retrouve en situation de pénurie et, partant, de manque à gagner, ou qu'elle devra acheter en urgence, ce qui dans les deux cas affectera la profitabilité de l'entreprise. L'acheteur se doit donc de bien déterminer le niveau de stock à maintenir en appliquant les différentes techniques de détermination des quantités et du moment optimal d'achat des produits requis par l'entreprise. Étant donné l'importance de cette compétence dans les activités d'un acheteur, les auteurs y ont consacré quelques chapitres dans le présent manuel.

1.6.4   La négociation des ententes

Le processus de négociation est un art qui s'apprend avec le temps. La première qualité d'un bon négociateur est de porter de l'intérêt aux relations humaines. Le processus de négociation vise à réduire les écarts entre les propositions du fournisseur et les besoins du client. Il n'est pas nécessaire de chercher à tout négocier. Plutôt, une excellente préparation permettra de déterminer les écarts importants et de réduire le temps requis pour finaliser une entente satisfaisante pour les deux parties.

Durant la négociation, le négociateur utilise un langage simple et précis de même qu'un langage non verbal afin d'améliorer sa présentation générale, le tout sans ternir sa réputation ni renoncer à son intégrité. Il importe qu'un acheteur se fixe des objectifs de négociation. Ces objectifs doivent être réalistes. Ils constituent les résultats que l'acheteur espère obtenir à la fin des pourparlers. L'acheteur atteindra plus efficacement ses objectifs s'il connaît son propre style ainsi que celui de son interlocuteur. Il pourra, par la suite, déterminer l'attitude à prendre pour chaque point à discuter. Ces attitudes [7] consistent à se montrer tour à tour :

7.   Roger Perrotin et Pierre Heusschen. *Acheter avec profit*, Éditions d'Organisation, 1999, p. 91 à 94.

- méthodique, c'est-à-dire à appliquer scrupuleusement (et sans innover) certaines techniques d'achat pour satisfaire les demandes que lui ont adressées les divers services de son entreprise ;
- réceptif, c'est-à-dire être ouvert au dialogue et prêter une attention soutenue aux propos de son interlocuteur afin de commenter ceux-ci et de manifester son accord ou son désaccord ;
- déterminé, en demandant à l'interlocuteur des explications détaillées sur chaque point ;
- conciliant, en démontrant sa volonté d'éviter des situations conflictuelles avec l'interlocuteur ;
- «battant», c'est-à-dire décidé à remporter la bataille sur le point en discussion.

1.6.5   L'analyse des propositions

Un service de l'approvisionnement efficace développe la capacité de bien analyser les propositions reçues du marché et de choisir la meilleure. Un bon acheteur ne se préoccupe pas uniquement du prix ; il examine aussi tout ce qui l'entoure en assurant à l'utilisateur que le produit qu'il lui fournira sera complet.

Prenons l'exemple d'un acheteur qui reçoit une demande pour acquérir un ordinateur. Lorsqu'il analysera les propositions reçues, il aura veillé, au nom de l'utilisateur, à ce que l'ordinateur soit déjà configuré et inclue les câbles, les manuels d'instructions, les CD-ROM et les disquettes, que le fournisseur ait précisé en quoi consistent le service après-vente, les garanties et les conditions d'échange, que les logiciels soient inclus dans l'offre, que le formulaire du permis d'utilisation des logiciels soit rempli, etc. Bref, les utilisateurs actuels ne s'attendent pas de la part des acheteurs à ce qu'ils associent simplement un prix à une acquisition ; ils recherchent plutôt une solution complète à une demande.

1.6.6   La connaissance et le respect des lois, des politiques, des valeurs et des modes de fonctionnement

Un service de l'approvisionnement fonctionne à l'intérieur d'une société. Cette société établit des règles, des normes, des lois, une éthique, des politiques. Un acheteur se doit de connaître celles-ci et de ne pas les transgresser. L'exemple 1.1, basé sur une situation vécue, permettra de comprendre l'importance de cette compétence.

EXEMPLE 1.1

La petite entreprise québécoise ABC avait une entente avec Inter-Transport pour expédier de Montréal à Vancouver des marchandises d'une valeur de 60 000 $. Au départ, ABC prenait une assurance d'Inter-Transport, car, selon la loi, en cas de perte totale, le transporteur avait une responsabilité limitée à 4,41 $ le kilo. Comme les marchandises expédiées par ABC pesaient, à chaque expédition, 8 000 kilos, la couverture maximale admissible selon la loi était de 35 280 $ (4,41 $ × 8 000 kilos). ABC prenait une assurance supplémentaire avec Inter-Transport dont le montant équivalait à la différence, soit 24 720 $ (60 000 $ − 35 280 $).

Un jour, ABC a décidé de signer un contrat avec une compagnie d'assurances indépendante ; cette entente couvrait l'ensemble de ses expéditions canadiennes, incluant la différence de 24 720 $ pour chaque expédition à Vancouver. Or, Inter-Transport, qui avait été avisée de la démarche d'ABC, n'a pas informé son client qu'à l'occasion, une partie de la livraison était faite par un sous-traitant. Ce dernier empruntait des routes américaines pour effectuer le trajet. Lors d'une expédition, le sous-traitant a eu un accident mortel aux États-Unis. La marchandise d'ABC a été une perte totale. ABC a donc réclamé à Inter-Transport la somme de 35 280 $ et à sa compagnie d'assurances, la somme de 27 720 $. La compagnie d'assurances a refusé de rembourser ABC, car la protection demandée par ABC portait sur les expéditions canadiennes, alors que l'accident avait eu lieu aux États-Unis. Cet accident a causé une perte importante pour cette petite entreprise.

Une meilleure connaissance des lois aurait probablement permis à ABC de mieux se protéger contre une telle perte. L'acheteur doit donc connaître la réglementation qui s'applique à chaque entente. Lorsqu'il possède cette compétence, il apporte une plus grande sécurité à l'entreprise qui l'emploie. De plus, l'acheteur est appelé à suivre les politiques et les procédures de l'entreprise. Ces politiques et ces procédures constituent le cadre opérationnel en matière d'approvisionnement. Elles pourront être transgressées uniquement avec l'approbation de la personne qui a approuvé ces modes de fonctionnement.

1.6.7   L'utilisation des outils technologiques

De nos jours, il y a plusieurs logiciels et outils électroniques mis à la disposition des entreprises afin de leur permettre d'être plus productives dans la gestion du temps, de mieux coordonner les informations et de mieux gérer les différents départements. L'acheteur se doit de bien connaître les outils technologiques utilisés par l'entreprise et même participer à leur implantation.

1.6.8   La capacité de travailler en équipe

Le service de l'approvisionnement traite des demandes provenant d'êtres humains. Afin d'offrir le meilleur service possible, l'acheteur doit comprendre les besoins de chaque client, développer un réseau de relations et participer à la vie de l'entreprise. Chaque client agit en fonction de ses perceptions, de ses motivations et de ses attentes. Par ailleurs, il réagit positivement ou négativement selon son degré de satisfaction. Afin de combler les besoins manifestés par son client, l'acheteur doit collaborer avec lui de façon régulière.

1.6.9   La capacité de communiquer

Le service de l'approvisionnement doit communiquer les résultats de ses recherches au moyen d'un vocabulaire compréhensible pour le client. La communication inclut l'écoute, la transmission de l'information et le questionnement. Il y a deux situations fréquentes qui réduisent le degré de confiance du client envers l'acheteur. La première est celle où l'acheteur ne cherche pas à connaître exactement ce que désire le client, mais tente plutôt d'interpréter sa pensée. Quant à la seconde, il s'agit de celle où l'acheteur donne un espoir au client tout en sachant que la demande ne pourra pas être comblée parce que l'entreprise n'en obtiendra pas le bénéfice voulu, ou que la demande va soit à l'encontre de l'orientation de l'entreprise, soit des lois ou règles en vigueur.

Dans son travail, l'acheteur doit être capable d'utiliser le maximum d'éléments mis à sa disposition. Sa formation lui permettra de communiquer une recommandation qui satisfera autant l'entreprise que le client. Lors de la diffusion de la recommandation, l'acheteur doit préciser le risque relié à la décision d'acquérir un produit et la façon d'atténuer ce risque.

1.6.10 La manifestation des compétences personnelles nécessaires

Lorsqu'il arrive dans l'entreprise, le nouvel acheteur apporte tout un bagage de compétences personnelles qu'il mettra au service de celle-ci. Parmi les plus pertinentes, nous devons mentionner l'esprit d'innovation et la gestion du temps, bien que plusieurs autres compétences soient aussi nécessaires pour améliorer sa productivité et sa valeur au sein de l'entreprise.

◼ L'esprit d'innovation

L'acheteur doit introduire dans son environnement beaucoup de nouveaux produits, de nouveaux modes de fonctionnement et de nouvelles technologies. Pensons seulement à l'évolution technologique qu'a connue le service de l'approvisionnement. En 1985, chaque bon de commande était dactylographié ou écrit manuellement et expédié par la poste. Avec l'explosion des outils de communication modernes, ces méthodes sont dépassées. Par contre, il faut faire un choix : télécopier le bon de commande ou l'expédier par un moyen de communication électronique privé ou public ? Il faut que l'acheteur examine les différentes options, et soit à l'affût des nouvelles approches qui arriveront sur le marché sous peu. L'acheteur est un agent de changement dans une entreprise. La croyance selon laquelle l'être humain résiste au changement n'a pas sa place dans un service de l'approvisionnement.

◼ La gestion du temps

Au fil de ses multiples contacts à l'intérieur de l'entreprise, l'acheteur risque d'être beaucoup sollicité, et la qualité des services qu'il doit rendre pourrait s'en ressentir. Afin d'éviter de ternir la réputation qu'il s'est acquise grâce à ses efforts, il doit gérer son temps efficacement. Ses rapports avec les utilisateurs comportent de nombreux imprévus et il doit être prêt à y faire face. Une simple évaluation des tâches à remplir dans une journée lui permet de les ranger en deux catégories : les tâches réactives et les tâches proactives. Les tâches réactives nécessitent une attention immédiate, tandis que les tâches proactives peuvent être planifiées par l'acheteur. En calculant sommairement la portion d'une journée de travail consacrée à ces deux types d'activités, l'acheteur pourra mieux gérer son temps.

Ainsi, si l'expérience permet à l'acheteur de savoir que 60 % de son travail se compose de tâches réactives, il saura qu'il doit y consacrer quatre heures et demie dans une journée de travail de sept heures et demie. Il lui restera trois heures pour faire des tâches proactives. Il est important pour un acheteur de se garder du temps afin de mettre à jour ses dossiers, d'enrichir son expertise et d'améliorer son mode de fonctionnement. Sinon, il risquera d'éprouver davantage de stress et de perdre une partie de sa motivation.

La patience n'est plus une vertu. L'acheteur recherche une réponse immédiate à son besoin. Il doit pouvoir joindre le représentant en tout temps. Il y a quelques années, un avocat devait accompagner ses clients pour la négociation finale d'un contrat. À présent, le client se déplace et l'avocat reste à son bureau. De cette manière, il peut faire plusieurs transactions en même temps et recevoir en plus des communications de la part d'autres clients. Cela rend sa journée beaucoup plus rentable. Même le gouvernement, qui était jadis patient, lance maintenant des ultimatums.

Cette précipitation comporte toutefois des inconvénients. Par exemple, on peut songer aux maladies industrielles reliées au stress. En outre, chaque fois que l'acheteur doit travailler dans des situations où il a peu de temps de réaction, il s'ensuit un coût d'acquisition du produit plus élevé. Enfin, dans une situation de réaction, l'impatience et l'anxiété font en sorte qu'on doit revenir constamment aux mêmes tâches, ce qui diminue la productivité.

Un acheteur fait souvent face à des situations où le temps lui manque. Il développera ainsi des habiletés qui l'amèneront à être plus performant dans les situations pressantes. Lorsqu'il planifie son temps et utilise efficacement les outils de communication dont il dispose, l'acheteur se révèle compétent.

Résumé

Dans ce chapitre, nous avons vu que l'acheteur doit s'efforcer de bien comprendre son environnement de travail et les attentes de l'entreprise envers lui. L'approvisionnement comporte un rôle, des activités, des règles, des droits et des obligations, le tout s'inscrivant dans une structure organisationnelle. Il y a de grandes variations entre ce que nous avons démontré au cours de ce chapitre et ce qui existe sur le terrain. La raison en est fort simple : la majorité des dirigeants d'entreprise n'ont découvert que récemment que l'approvisionnement est une fonction importante. Malheureusement, c'est lors des mouvements économiques sur le marché rendant difficile la rentrée de fonds dans l'entreprise que l'approvisionnement gagne ses lettres de noblesse. Les dirigeants s'attendent à ce que l'approvisionnement contribue directement à la réduction des coûts.

En plus du contrôle des sorties de fonds auprès des fournisseurs, le service des achats doit sécuriser l'entreprise à propos des incertitudes et des menaces provenant du marché. Son rôle majeur est d'optimiser le rendement des sept critères de son environnement immédiat, à savoir un approvisionnement de la meilleure qualité, une livraison sans délai, une livraison au lieu désiré, la prestation d'un service professionnel, un approvisionnement provenant de la meilleure source et un approvisionnement au prix le plus bas. Pour parvenir à cette fin, l'entreprise devra parfois faire des compromis déchirants.

Pour que cette optimisation soit réelle, les acheteurs doivent respecter certaines règles. Ainsi, ils doivent prendre des risques calculés, faire participer à la prise de décisions les autres membres de l'entreprise et analyser les situations en profondeur. En retour, l'acheteur est en droit de s'attendre à ce que son entreprise étudie les demandes des clients, contrôle toutes les relations avec les fournisseurs et définisse la manière d'analyser les propositions reçues.

Dans ce chapitre, nous avons aussi étudié certaines structures organisationnelles dans lesquelles la fonction «approvisionnement» occupe la place qui lui revient. Dans la structure formelle, le service de l'approvisionnement est au centre d'ententes basées sur des demandes de produits. Dans la structure matricielle ou de projets, l'acheteur soutient les gestionnaires de projets et, dans la structure étoilée, l'acheteur spécialiste traite selon sa compétence propre une partie de la demande reçue.

Enfin, nous avons décrit les 10 compétences d'un acheteur qui travaille dans une entreprise. Certaines de ces compétences doivent être approfondies par une formation continue, par des lectures régulières et par des échanges avec des personnes qui exercent la même profession. L'approvisionnement est en constante évolution. Il appartient à l'acheteur de tenir à jour ses compétences afin d'apporter la contribution maximale aux bénéfices de l'entreprise.

Questions

1. Pourquoi les décisions d'achat se prennent-elles généralement en équipe?

2. Définissez le rôle de l'acheteur dans une entreprise.

3. Que veut dire «l'acheteur doit apporter la meilleure contribution à l'entreprise»?

4. Nommez les étapes du processus de résolution d'un problème.

5. Déterminez les éléments importants dans le contenu d'un rapport sur la résolution d'un problème.

6. Nommez les droits fondamentaux d'un acheteur.

7. Nommez les obligations d'un acheteur.

8. Nommez 10 éléments contenus dans un manuel de politiques et de procédures.

9. Pourquoi une entreprise est-elle divisée en services ou départements?

10. Avec quels services d'une entreprise l'acheteur travaille-t-il?

11. Quels sont les sept critères qu'un acheteur doit optimiser?

12. La structure organisationnelle d'un service de l'approvisionnement dans une entreprise d'envergure fait intervenir trois types de direction. Quels sont-ils?

13. En quoi consiste la structure étoilée?

14. Donnez cinq avantages de la centralisation et cinq avantages de la décentralisation.

15. Nommez cinq compétences d'un acheteur.

16. Décrivez trois compétences d'un acheteur.

17. Pourquoi est-il important qu'un acheteur sache ce qu'il doit acheter ?

18. À quoi s'expose un acheteur qui transgresse les lois d'ordre public ?

19. Pourquoi est-il important qu'un acheteur apporte des compétences personnelles au sein de l'entreprise ?

20. Nommez cinq principes du code de déontologie des acheteurs.

21. Pourquoi une entreprise a-t-elle un manuel de politiques et de procédures ?

22. « Un acheteur doit toujours refuser des cadeaux d'affaires de ses fournisseurs. » Comment réagissez-vous à cette affirmation ?

Exercices
d'apprentissage

1. Donnez des exemples dans lesquels l'acheteur peut prévoir des incertitudes sur le marché qui peuvent modifier les enjeux et les conséquences pour une entreprise.

2. Donnez des exemples démontrant comment l'acheteur peut apporter la meilleure contribution possible à l'entreprise.

3. Selon vous, pourquoi le service de l'approvisionnement occupe-t-il maintenant une place plus importante dans l'entreprise ?

4. Faites une structure formelle comportant des niveaux d'autorité sur la base des fonctions, sur une base géographique et selon les marques d'un produit.

5. Pourquoi une entreprise a-t-elle intérêt à décentraliser sa prise de décisions ?

6. Comment un acheteur peut-il apporter une contribution dans le secteur manufacturier ? dans le secteur du commerce de détail ? dans le domaine des services ?

7. Comment un acheteur peut-il démontrer aux dirigeants de l'entreprise qu'il représente une valeur ajoutée pour celle-ci ?

8. « Nul n'est censé ignorer la loi. » Que veut dire cette maxime pour un acheteur ?

9. « Un acheteur se doit d'obtenir le meilleur prix. » Commentez cet adage.

10. Voici une liste d'avantages liés soit à la centralisation, soit à la décentralisation du service de l'approvisionnement. Faites deux colonnes : en haut de la première, écrivez Centralisation, et en haut de la deuxième, écrivez Décentralisation. Placez la lettre correspondant à l'énoncé dans l'une des deux colonnes.

    a) Favoriser la standardisation des matières achetées.

    b) Favoriser l'autonomie.

    c) Mettre l'accent sur un service plus direct et personnalisé.

    d) Assurer la rapidité d'action.

    e) Obtenir des escomptes de quantité plus élevés.

f) L'expertise est concentrée.

g) Un plus grand nombre de personnes peuvent observer l'introduction de nouvelles sources d'approvisionnement.

h) Il est plus facile de contrôler la qualité.

i) Le moral des troupes est à la hausse, car plus de gens se sentent impliqués.

j) Il est plus facile de répartir équitablement les stocks entre les différents clients (ateliers, divisions, filiales, etc.) dans le cas d'une allocation de ressources ou d'une pénurie chez les fournisseurs (il est pratiquement impossible de trouver du lave-glace au Québec et en Ontario dans les marchés à grande surface).

k) L'entreprise est plus compétitive sur le marché local parce qu'elle a fait une analyse locale de la concurrence.

l) La prise de décision est répartie entre plusieurs personnes.

m) Il est plus facile d'implanter une nouvelle technologie.

n) Les procédures et les politiques sont mieux comprises car elles sont interprétées par moins d'individus.

o) Il n'est pas nécessaire de former beaucoup d'individus.

11. Voici une liste des principaux inconvénients de la centralisation et de la décentralisation du service de l'approvisionnement. Faites deux colonnes : en haut de la première, écrivez Centralisation et, en haut de la deuxième, écrivez Décentralisation. Placez la lettre correspondant à l'énoncé dans l'une des deux colonnes.

a) Il est difficile de faire face aux urgences et aux particularités locales.

b) Le coût de traitement des petits achats dépasse souvent la valeur des produits achetés.

c) Une grande polyvalence est exigée de la part des acheteurs.

d) Le traitement des réponses aux besoins est plus lent.

e) On constate une perte des escomptes de quantité.

f) Il y a des difficultés de fonctionnement dans le cas d'une entreprise ayant plusieurs usines et centres de distribution, situés dans des secteurs géographiques différents et éloignés.

g) Les gens se sentent moins impliqués.

h) Il n'est pas possible de compter sur les escomptes de quantité.

i) La qualité du contrôle interne des achats n'est pas toujours égale, car plusieurs intervenants différents sont impliqués, et leur connaissance et leur compréhension des procédures n'est pas toujours ce qu'elle devrait être.

j) Il est difficile de répondre aux besoins locaux.

k) La qualité des intrants est plus difficilement assurée.

l) Il y a beaucoup d'écritures administratives.

Exercices
de compréhension

1. L'étudiant ira dans un centre d'achats et tentera de déterminer, par une analyse de la concurrence entre les boutiques, comment devrait se comporter l'acheteur envers la philosophie des propriétaires d'une boutique sur le plan de la gestion du risque.

2. «Le service de l'approvisionnement n'est qu'un centre de dépenses qui ne génère aucun profit.» Êtes-vous d'accord avec cette affirmation? Commentez-la.

3. «Le service de l'approvisionnement doit absolument travailler en vase clos afin de contrôler au maximum ses ressources humaines, matérielles et financières.» Êtes-vous d'accord avec cette affirmation? Commentez-la.

4. Que signifie l'expression «avoir la responsabilité de la prise de décisions»?

5. Le métier d'acheteur est-il un métier risqué? Pourquoi?

6. Quels liens existe-t-il entre un approvisionneur, un acheteur technicien, un logisticien et un gestionnaire du trafic?

Exercices
de recherche

1. Demandez à un acheteur quel type de structure organisationnelle est en vigueur dans son entreprise et quelles raisons motivent ce choix.

2. Demandez à un acheteur de décrire ses responsabilités et ses droits.

3. Nommez cinq critères apparaissant dans une offre d'emploi, tirée d'un journal, pour un poste au service de l'approvisionnement.

Cas 1
À la pêche au contrat!

Un jeune acheteur, Pierre Desjardins, se voit confier de plus en plus de responsabilités par son supérieur. Ce dernier est réellement satisfait de son rendement. Les contrats que cet acheteur doit négocier sont de plus en plus importants. Pierre se sent parfaitement à l'aise dans cette situation. Il prépare très bien ses rencontres en vue des négociations éventuelles et il connaît ses limites. D'ici quelques mois, Pierre devra s'occuper de deux contrats d'envergure qui viendront à échéance. Le premier contrat, qui touche le domaine des équipements de sécurité, a été octroyé annuellement depuis trois ans à la firme Les Équipements Konar ltée et le second, qui appartient au domaine de la boulonnerie, a été accordé annuellement depuis deux ans à la firme Jacques Rivet inc.

Dernièrement, le représentant d'un concurrent de Jacques Rivet inc., Timothée Poisson, après un bon repas avec Pierre, l'a invité à une fin de semaine de pêche à l'île d'Anticosti, tous frais payés. Le but de M. Poisson est de maintenir de bonnes relations d'affaires avec cet acheteur; de plus, il sait que Pierre est un grand amateur de pêche. Pierre se demande s'il doit accepter l'invitation de M. Poisson.

Question

Pouvez-vous conseiller Pierre Desjardins?

Cas 2
Regard sur une décision d'achat

Pauline Turgeon, une acheteuse travaillant dans le secteur de la transformation, évalue la possibilité de faire l'acquisition d'une nouvelle technologie pour son entreprise. Son employeur lui demande de préparer un dossier d'achat complet que cette dernière devra présenter à la haute direction afin qu'elle puisse prendre une décision éclairée.

Question

Démontrez, à l'aide de tous les éléments étudiés dans le chapitre, comment Pauline pourra arriver à ses fins. Plus précisément, comment planifieriez-vous votre gestion du temps et quels sont les points que vous devrez étudier pour satisfaire à cette demande?

Cas 3
Un dilemme théorie/pratique

Jacques Gagné, un jeune acheteur qui a été recruté directement sur les bancs d'école, fait face à un dilemme. En effet, il a appris qu'un acheteur doit garder la mainmise sur les relations avec les fournisseurs. Or, le directeur des opérations de l'entreprise détermine en tout temps la source d'approvisionnement de ses achats.

Question

Si vous étiez Jacques Gagné, comment vous y prendriez-vous pour faire respecter votre droit?

Annexe 1.1

Le code de déontologie de l'Association canadienne de gestion des achats

I. Valeurs et normes de comportement éthique

a) Valeurs

Les membres prendront leurs décisions et agiront en se basant sur les valeurs suivantes :

- Honnêteté et intégrité
  Maintenir un standard d'intégrité irréprochable dans toutes relations d'affaires tant à l'intérieur qu'à l'extérieur des entreprises pour lesquelles ils travaillent.

- Professionnalisme
  Contribuer au développement des normes rigoureuses de compétences professionnelles chez leurs subordonnés.

- Gestion responsable
  Utiliser avec le maximum d'efficience les ressources dont ils ont la charge, et ce, dans le meilleur intérêt de leur employeur.

- Intérêt du public
  S'abstenir d'utiliser leurs fonctions pour leur bénéfice personnel et rejeter et dénoncer toute pratique commerciale irrégulière.

- Conformité aux lois en ce qui concerne : a) les lois du pays dans lequel ils pratiquent ; b) les statuts et règlements de la Corporation ; c) les obligations contractuelles.

b) Normes de comportement éthique

Les membres doivent s'engager à :

- Garder bien en vue dans toute transaction les intérêts de leur employeur, croire en sa politique et mettre tout en œuvre pour la réaliser.

- Être réceptifs aux conseils avisés de leurs collègues, sans pour autant compromettre les responsabilités de leur fonction.

- Acheter en évitant les préjugés et en s'efforçant d'obtenir la valeur maximale pour chaque dollar dépensé.

- Se tenir à la fine pointe du progrès tant du point de vue de l'achat des matières que des procédés de fabrication et établir des méthodes pratiques dans l'exercice de leurs fonctions.

- Participer à des programmes de perfectionnement professionnel de façon à améliorer leur savoir et leur rendement.

- Être honnêtes et sincères dans toute transaction et dénoncer toute pratique malhonnête en affaires.

- Recevoir avec promptitude et courtoisie tous ceux et celles qui se présentent dans le but de traiter d'affaires avec eux.

- Se conformer au code de déontologie de l'Association canadienne de gestion des achats ainsi qu'à celui de la Corporation et des instituts affiliés, et encourager les autres à faire de même.

- Conseiller et aider leurs collègues acheteurs dans l'exercice de leurs fonctions.

- Collaborer avec tous les organismes et individus travaillant à promouvoir les activités de la profession d'approvisionneur et à en rehausser le prestige.

II. Règles de conduite

Dans l'application de ces préceptes, les membres devraient se conformer aux principes directeurs suivants :

a) Divulgation d'intérêts

Tout intérêt personnel susceptible d'influencer l'impartialité d'un membre ou qui pourrait être raisonnablement considéré comme tel, en ce qui concerne toute question relative à ses fonctions, doit être porté à la connaissance de son employeur.

b) Caractère confidentiel et exactitude des renseignements

Les renseignements confidentiels reçus dans l'exercice de leurs fonctions doivent être respectés et ne devraient pas être utilisés à des fins personnelles. Aussi, les renseignements fournis devraient être exacts et présentés de façon à ne pas induire en erreur.

c) Concurrence

Bien que le maintien de rapports suivis avec un fournisseur représente un avantage pour l'employeur du membre, tout arrangement qui pourrait entraver la bonne marche d'une concurrence loyale doit être évité.

d) Cadeaux d'affaires et marques d'hospitalité

En vue de préserver l'image et l'intégrité du membre, de son employeur et de la profession, les cadeaux d'affaires ne devraient pas être acceptés, sauf les articles de peu de valeur. Les gestes raisonnables d'hospitalité constituent dans une certaine mesure une expression de courtoisie admise dans le cadre des relations d'affaires. La fréquence et la nature des cadeaux ou des marques d'hospitalité acceptées ne devraient pas faire qu'en acceptant de tels cadeaux ou marques d'hospitalité les membres puissent être influencés dans leur prise de décisions ou donner l'apparence qu'ils l'ont été.

e) Discrimination et harcèlement

En tout temps, le membre ne fera pas de discrimination ni de harcèlement envers toute personne avec laquelle il ou elle entretient des relations d'affaires.

f) Environnement

Reconnaître sa responsabilité envers la protection de l'environnement et respecter les objectifs ou la mission de l'organisation pour laquelle le membre travaille.

g) Interprétation

En cas de doute sur l'interprétation de ces règles de conduite, les membres devraient se référer au Comité de déontologie de la Corporation.

III. Procédures de renforcement

Ces procédures s'appliquent, sauf si elles sont régies par une législation provinciale.

Les cas d'infraction présumée au code de déontologie seront adressés à la Corporation pour être étudiés par le Comité de déontologie.

a) Processus de plaintes

- Les allégations d'un manquement au Code de déontologie doivent se faire par écrit par le témoin à la Corporation du membre.

- Sur réception de la plainte, la Corporation fera parvenir un accusé de réception au plaignant et avisera le membre en cause par écrit de la nature de la plainte tout en expliquant au membre qu'il fait l'objet d'une enquête.

b) Enquête

- Le Comité de déontologie mènera une enquête, au cours de laquelle le membre en cause aura l'occasion de présenter sa version des faits.

- Le Comité de déontologie devra, dans un délai raisonnable, soumettre son rapport au président de la Corporation. Le rapport devra inclure la nature de la plainte et la décision quant à son renvoi ou à la sanction à y appliquer.

- Le président fera par la suite parvenir la décision au membre en cause, lequel aura trente jours pour en appeler.

- Si le membre en cause décide d'en appeler, sa demande doit être faite par écrit au président.

- Le président convoquera alors le Comité d'appel avec les témoins, le membre en cause et toute personne pouvant apporter des informations nouvelles sur le cas.

- Le Comité d'appel fera connaître sa décision dans les trente jours de la réception de la demande d'appel. Sa décision est finale et sans appel.

c) Les sanctions

- Tout membre jugé coupable est passible, selon les circonstances et la gravité de l'accusation, d'une réprimande, d'une suspension ou de voir son nom rayé de la liste des membres. Les détails des cas d'infraction au Code de déontologie peuvent être publiés de la manière que la Corporation jugera appropriée.

- L'application des sanctions sera faite selon les exigences de la Corporation du membre.

Chapitre

2

Le processus d'approvisionnement

Chaque expérience qui vous amène à affronter la peur décuple votre force, votre sagesse et votre confiance. Vous devez toujours vous surpasser.

Eleanor Roosevelt

Objectif général

Démystifier la notion de service en matière d'approvisionnement ou ce qu'on appelle le processus d'approvisionnement.

Objectifs spécifiques

- Décrire les six étapes du processus d'approvisionnement.

- Expliquer le concept d'approvisionnement mix (les quatre « O », soit l'objet, l'objectif, l'organisation et l'opération d'achat).

- Appliquer l'effet de levier sur l'approvisionnement et sur les ventes.

- Être en mesure de considérer tous les acteurs directs ou indirects lors d'une acquisition.

- Comprendre le concept de ratio du rendement de l'actif.

- Préciser ce qu'on entend par l'évaluation après l'achat.

Domco

◇DOMCO

Domco inc. est une société canadienne inscrite aux Bourses de Montréal et de Toronto, et son siège social est situé à Farnham, en Estrie. Elle figure parmi les chefs de file nord-américains de la fabrication de couvre-sols vinyliques. Domco inc. est aussi associée par son actionnaire majoritaire, Tarkett-Sommer, à un des deux grands manufacturiers mondiaux de couvre-planchers. Par l'entremise de ses trois groupes de produits, les couvre-sols résidentiels Domco, les couvre-sols commerciaux Azrock et les carreaux vinyliques de luxe Nafco, Domco offre l'une des gammes de produits de qualité les plus complètes que l'on puisse trouver dans l'industrie des couvre-sols. Domco tient en haute estime la compétence et le dévouement de ses quelque 1 300 employés des usines de Farnham, de Houston au Texas et de Florence en Alabama. Domco est de plus un distributeur de produits haut de gamme destinés à des applications spéciales ainsi que de produits écologiques.

Dans toutes les décisions d'achat, il est nécessaire de trouver le juste milieu entre les différents éléments en présence. La philosophie de Domco est de ne faire aucun compromis sur l'élément qualité (la qualité signifiant pour Domco un produit se conformant aux spécifications approuvées à chaque livraison), car l'expérience lui a démontré que les produits qui respectent les spécifications réduisent les coûts des produits finis en augmentant la productivité de l'entreprise et en diminuant les rejets et les réclamations. Bien sûr, Domco doit aussi recevoir les quantités requises dans les délais à un juste coût afin de rester compétitive sur le marché dans un contexte de partenariat avec ses fournisseurs.

André R. Marcil
Directeur corporatif du matériel

Introduction

Les principales activités du service de l'approvisionnement tournent autour de la gestion des relations avec les fournisseurs, qui procurent les produits et les services[1] nécessaires au bon fonctionnement de l'entreprise. Comme nous l'avons vu au chapitre 1, les comportements et les décisions des acheteurs apporteront deux types de contribution à l'entreprise, soit la participation à la mission de l'entreprise et l'information à donner à celle-ci en ce qui concerne les dangers qui proviennent du marché.

---

1. Dans le chapitre 2, les auteurs incluront les produits et les services dans l'un des 4 « O », soit l'objet d'achat.

Dans ce chapitre, nous tenterons de comprendre le processus d'approvisionnement, qui est la base de la notion de service en matière d'approvisionnement. Ce processus s'inscrit dans une approche globale dont le but est d'acquérir un produit ou un service dont l'entreprise a besoin et qui se manifestera par une demande d'achat dûment autorisée. Le cœur de ce processus est la définition de l'approvisionnement mix, où l'acheteur définit les grandes lignes qui rendront sa recherche productive et l'aideront à prendre une décision judicieuse. Une fois mieux éclairé sur les attentes du demandeur, l'acheteur pourra entreprendre la recherche d'un fournisseur sur le marché.

2.1   Les étapes du processus d'approvisionnement

Comme nous l'avons vu lors de l'étude des compétences de l'acheteur, il est important de bien comprendre le besoin d'un utilisateur. Ce besoin prendra la forme de spécifications ou, dans le cas d'un service, de la valeur du service, en tenant compte du résultat à atteindre et de la manière d'y parvenir. Une fois bien identifié, ce besoin deviendra, pour l'acheteur, un objet à acheter. L'exemple suivant vous permettra de mieux comprendre la différence entre l'objet et le besoin. En tant qu'être humain, vous avez besoin de vous nourrir pour survivre. Lorsque vous avez le goût de manger du poulet, votre besoin à combler est celui de manger, alors que votre objet est l'aliment lui-même, soit le poulet. Il en est de même pour une entreprise. Celle-ci a différents besoins qu'elle tente de combler par des objets. Prenons maintenant l'exemple d'une entreprise qui a besoin d'être informée. Son désir pourrait alors prendre la forme d'un logiciel de communication électronique qui lui apporterait l'information nécessaire. Le logiciel deviendra donc l'objet à acheter.

La figure 2.1 montre les étapes du processus d'achat dans une entreprise du secteur privé. Pour un organisme du secteur public, la négociation s'effectue avec l'utilisateur et précède l'exploration

■ Figure 2.1   Processus d'approvisionnement

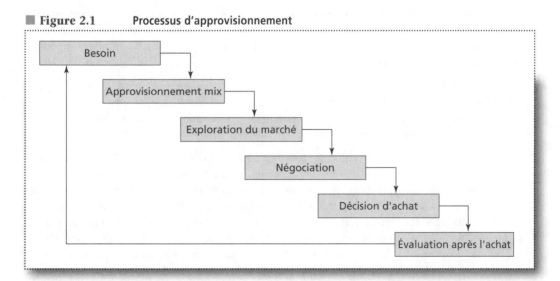

du marché, car le choix du fournisseur est basé sur le principe du plus bas soumissionnaire conforme et que, selon les règles du secteur public, l'ouverture des propositions a lieu en public.

Un cheminement complet s'effectue au moment de chaque acquisition. La durée d'une étape peut être très variable. Par ailleurs, le processus peut s'arrêter à tout moment, dès que l'acheteur croit qu'il se dirige vers une impasse. Il est impossible de passer à la prochaine étape avant d'être satisfait de l'étape en cours. Il appartient à chaque entreprise de définir cette satisfaction. Par exemple, les organismes publics prendront beaucoup de temps à définir l'approvisionnement mix parce qu'ils doivent faire preuve d'accessibilité, de transparence et d'équité envers chacune de leurs sources d'approvisionnement, tandis que les entreprises privées adopteront une approche différente par rapport à l'approvisionnement mix parce qu'elles n'ont pas les mêmes règles de conduite à respecter. Nous verrons maintenant en détail chacune des étapes du processus d'approvisionnement.

2.2   L'éveil du besoin

Quatre approches permettent de décrire l'éveil du besoin : l'approche instinctive, l'approche provoquée, l'approche planifiée et l'approche contractuelle. Selon l'approche instinctive, l'entreprise a appris par expérience à déterminer un événement ou à reconnaître une réaction instinctive qui déclenche le processus d'approvisionnement. Ce serait le cas pour un manque de stock sur les tablettes, pour un produit qui a atteint le stade du réapprovisionnement ou pour un avertissement émanant d'une personne.

En vertu de l'approche provoquée, l'entreprise est alertée par un phénomène soudain ou extérieur. Ainsi, la panne d'un équipement engendre le désir d'acheter des pièces de rechange ; ou encore la mauvaise qualité de copies donnera lieu à un appel effectué auprès d'un fournisseur de photocopieurs.

Dans l'approche planifiée, l'entreprise détermine, selon ses ressources, le moment où elle entreprendra le processus menant à l'achat d'un produit ou d'un service ; par exemple, la révision du contrat du service de sécurité à la fin de l'entente ou le choix du moment de poursuivre un client pour non-paiement de son compte.

Enfin, selon l'approche contractuelle, l'entreprise s'engage par contrat à effectuer un processus d'approvisionnement, comme pour l'entretien de certains équipements. Cela peut être l'obligation de procéder à l'entretien de moteurs d'avion après un certain nombre d'heures de vol ou encore d'acheter un certain volume durant une période donnée.

Cette première étape revêt une double signification. D'abord, elle incite l'entreprise à étudier les motivations susceptibles d'être liées au produit ou au service. Ensuite, elle lui permet de déterminer l'urgence et l'importance de l'objet à combler. Dans le cas d'une entreprise qui possède plusieurs camions, tant et aussi longtemps que les camions sont sur la route et que l'entreprise paie un coût d'entretien raisonnable, rien ne laisse prévoir l'éveil d'un processus d'approvisionnement. Par contre, si les camions sont en mauvais état, l'entreprise prêtera attention aux propositions de fournisseurs désirant remplacer ses camions ou commencera une démarche pour acquérir des camions supplémentaires. La figure 2.2 illustre ce processus.

■ Figure 2.2   Processus d'achat de camions

2.3   L'approvisionnement mix

L'approvisionnement mix consiste à définir quatre (4) variables (les quatre « O ») qui résument la procuration remise par le demandeur ou l'entreprise en vue de faire l'acquisition d'un produit ou d'un service. Les quatre variables sont les suivantes :

- **L'objet d'achat** est la description précise du produit, du service, du logiciel, de l'assurance, etc. L'acheteur comprend ce qu'il doit acheter, mais il n'est pas responsable de la description précise de l'objet ; le demandeur ou l'utilisateur est mieux placé dans l'entreprise pour bien définir ce qu'il désire acquérir.

- **L'objectif d'achat** comprend les éléments requis pour juger de la pertinence de l'achat, de la gestion des compromis entre les attentes de l'entreprise et les offres probables des fournisseurs, de la détermination du bénéfice attendu de cet achat, de l'impact sur la mission de l'entreprise, de la possibilité de regrouper ses achats pour obtenir de meilleurs avantages, etc. Pour mettre au point cet objectif, l'acheteur obtient des données provenant de la haute direction, de l'environnement, de la chaîne d'approvisionnement et de l'interprétation des sept critères de l'approvisionnement.

- **L'organisation d'achat** est le capital humain de l'entreprise impliqué dans la décision d'acheter. Nous pouvons penser à l'utilisateur, au décideur, à l'acheteur, à la personne qui peut influencer la décision, à l'expert, au financier, au conseiller juridique, etc.

- **L'opération d'achat** est la maîtrise de l'acte d'achat et la production des documents requis pour commander les objets requis pour l'entreprise.

2.3.1 Le premier « O » : l'objet

Selon la définition du dictionnaire Larousse, un « objet » est une chose considérée comme un tout, fabriquée par l'homme et destinée à un certain usage. Une entreprise ne fait pas uniquement l'acquisition d'un produit ou d'un service, mais d'une combinaison des deux. Dans certains cas, la partie « produit » prendra plus d'importance que le service ; dans d'autres, l'expertise sera davantage mise en évidence. La figure 2.3 permet de mieux comprendre le principe évoqué.

Figure 2.3   Ligne de l'objet

L'objet peut aussi prendre la forme de quelque chose d'autre. À titre d'exemple, de l'assurance n'est, au moment de l'achat, ni un produit ni un service. C'est lors d'un sinistre subi par l'entreprise que l'assurance prendra la forme de produits ou de services requis pour corriger les dommages. Il arrive régulièrement qu'une entreprise achète des objets dont elle obtiendra l'usufruit plus tard.

Comme nous l'avons dit ci-dessus, le demandeur est responsable de la description précise de l'objet. Par contre, l'approvisionneur doit s'assurer de répondre aux deux critères suivants :

- la description complète de l'objet tiendra compte des combinaisons possibles de toutes les caractéristiques requises pour le définir, telles que les spécifications, la performance du service, les fonctionnalités du logiciel, l'entretien, etc. Elle permettra à l'approvisionneur d'obtenir la meilleure entente possible pour l'entreprise ;

- la description de l'objet permettra de respecter les principes de transparence, d'équité et d'accessibilité envers les sources d'approvisionnement potentielles.

■ Description complète

La description complète de l'objet correspond à un ensemble de caractéristiques connues et inconnues qui définissent l'expression de la demande (voir la figure 2.4). Ces caractéristiques peuvent être réparties selon cinq catégories :

Figure 2.4   Description complète d'un objet

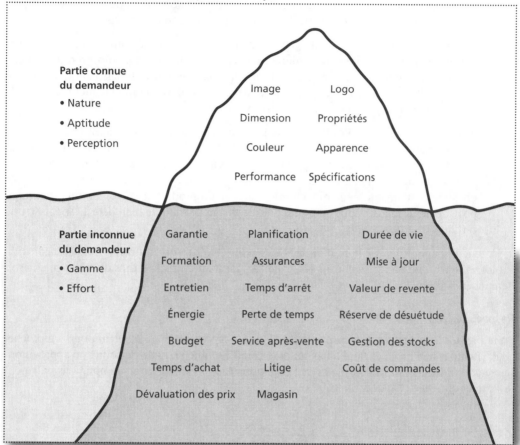

- **La nature de l'objet et ses propriétés physiques, chimiques et biologiques** Par exemple, une aspirine Bayer doit être blanche, ronde, marquée du mot «Bayer» en croix, composée d'un aggloméré de poudre et soulager le mal de tête. Dernièrement, le gouvernement du Canada a forcé une importante entreprise pharmaceutique à retirer ses produits des tablettes, car le contenu de chaque pilule différait, ce qui pouvait représenter un danger pour la santé de la population;

- **L'aptitude objective de l'objet à répondre aux désirs du client** Par exemple, un consommateur qui veut préparer des états financiers sélectionnera un logiciel comptable plutôt qu'un logiciel de traitement de texte, ou encore, un client peut désirer une télévision qui permette la transmission d'images pouvant être reproduites sur un écran au fur et à mesure de leur réception;

- **La perception psychologique et symbolique de l'objet** Par exemple, devenir propriétaire d'une Harley-Davidson, marque renommée de motocyclette, peut être le signe qu'on est connaisseur en matière de motocyclettes ou encore qu'on s'identifie à un groupe de motards; de la même manière, la couleur d'une chaise peut avoir de l'importance, car elle devra s'intégrer au décor de la réception de l'entreprise;

- **La gamme de l'objet** Il peut s'agir d'un produit durable (les immobilisations d'une entreprise, par exemple la machinerie), d'un produit non durable (un produit tangible utilisé généralement dans un temps limité, par exemple un aliment) ou d'un service (une activité ou un avantage qui donne lieu à une entente commerciale, par exemple un service de maintenance ou des soins médicaux);

- **L'effort pour acquérir l'objet** Ce peut être un produit d'achat courant (un produit de consommation que l'entreprise a l'habitude d'acheter fréquemment, avec un effort minimal de comparaison, par exemple un produit sanitaire ou de la papeterie), un produit nécessitant un achat réfléchi (un produit requérant une base d'évaluation, par exemple un camion ou un équipement technologique) ou un produit de spécialité (un produit qui possède des caractéristiques uniques ou une image de marque bien définie appelant une certaine attention).

L'acheteur aura intérêt à bien définir l'objet pour éviter toute confusion possible. Lorsqu'il explorera le marché, sa recherche en sera facilitée, car il aura pris le temps de cibler ce que son demandeur désire.

Respect des principes

En respectant les principes de transparence, d'équité et d'accessibilité, l'acheteur pourra approcher adéquatement le marché et faire appel au plus grand nombre possible de sources d'approvisionnement afin de répondre aux attentes de l'entreprise, tout en s'assurant de remplir adéquatement le mandat que celle-ci lui a confié.

2.3.2 Le deuxième «O»: l'objectif

Le deuxième «O» de l'approvisionnement mix, soit l'objectif, est la recherche des motifs de l'entreprise qui régiront la façon de transiger avec les fournisseurs. La figure 2.5 présente un bref résumé du contenu d'un objectif d'achat. L'objectif peut se dégager de la combinaison des six facteurs suivants:

- les motivations;
- l'influence de la haute direction;
- les bénéfices;
- la lecture de l'environnement;
- la chaîne d'approvisionnement;
- les critères de l'approvisionnement.

■ **Figure 2.5**   Résumé de l'objectif d'achat

■ Les motivations

Les motivations sont les raisons qui incitent le demandeur à entreprendre le processus d'approvisionnement. Ces motivations proviennent des influences sociales et circonstancielles. Les influences sociales résident dans la personnalité, le rôle exercé dans l'entreprise, le niveau hiérarchique, la culture personnelle, les expériences vécues et les compétences. Quant aux influences circonstancielles, elles comprennent entre autres l'importance de l'achat pour l'entreprise, le facteur temps et les différents aspects financiers.

■ L'influence de la haute direction

La haute direction d'une entreprise influence les décisions d'achat à partir des trois grandes lignes directrices suivantes :

- **La culture, les valeurs et les modes de fonctionnement de l'entreprise** L'être humain naît et grandit dans une culture qui modèle ses relations avec les autres et avec son environnement. Ce sont ces acquis culturels qui lui permettront d'accomplir toutes les activités qu'attend de lui la société à laquelle il appartient. Il en est de même pour une entreprise, qui est dirigée par des êtres humains. La culture d'une entreprise est constituée par son histoire et par un ensemble de connaissances acquises dans un ou plusieurs domaines. Les valeurs des dirigeants de l'entreprise représentent les lignes de conduite à respecter sur le plan moral, intellectuel, physique, etc. Les modes de fonctionnement sont les règles de conduite que doit suivre chaque employé de l'entreprise. Nous devrions être en mesure de reconnaître ces notions et ces principes à travers les politiques et les procédures écrites et approuvées par les dirigeants de l'entreprise.

- **La mission de l'entreprise** Les dirigeants d'entreprise définissent une mission qui oriente l'action de l'ensemble de leurs employés. Cette mission prend la forme de buts, de plans d'affaires, de plans stratégiques, de plans d'action, d'objectifs, etc. La mission situe l'entreprise dans son domaine d'activité pour une période de 5 à 10 ans. Les buts permettent de fractionner la vision des dirigeants en différentes étapes. Les objectifs doivent être mesurables et réalisables et préciser statistiquement les buts. Enfin, les tactiques sont les moyens employés pour atteindre les objectifs. L'encadré Ashland Chimie inc. présente un exemple d'une entreprise qui a une vision basée sur trois aspects.

- **L'équilibre de l'entreprise** L'entreprise a une âme qui lui permet d'avoir une place dans le monde des affaires. Cette âme se compose d'un ensemble de ressources matérielles, de ressources humaines, d'actifs, de potentiel financier, etc. Les dirigeants doivent analyser chaque composante de cet ensemble afin d'établir l'écart qui existe entre l'équilibre actuel et les buts à atteindre. Parmi ces tâches d'analyse se trouve une des notions les plus importantes pour l'approvisionnement, soit celle des bénéfices attendus, que nous abordons maintenant en raison de son importance.

Ashland Chimie inc.

Dans son rapport annuel de 1996, le président d'Ashland Chimie inc., Dave D'Antoni, décrit ainsi la mission de son entreprise : « La vision d'Ashland Chimie inc. porte sur trois aspects, à savoir la satisfaction de l'entreprise, de la communauté et des employés. En ce qui concerne l'entreprise, Ashland Chimie est rentable, professionnelle et responsable ; en outre, elle est orientée vers la croissance et la satisfaction de sa clientèle en offrant des produits et des services de haute qualité, ce qui ne l'empêche pas d'être à l'écoute de ses employés et de la communauté. Pour ce qui est de cette dernière, Ashland Chimie en est un membre actif et responsable. L'entreprise se conforme aux lois et aux règlements des gouvernements de manière à assurer la meilleure protection possible aux employés, à la communauté et à l'environnement. Quant aux employés, Ashland Chimie reconnaît qu'ils représentent son actif le plus important. La société s'engage à maintenir en poste, à former, à développer et à récompenser les employés enthousiastes, intelligents, qui travaillent en équipe et cherchent à assurer le succès de l'entreprise. » Ce message permet à toutes les personnes qui ont été, sont ou seront en relation avec Ashland Chimie de juger de l'évolution de cette entreprise à travers les gestes qu'elle pose.

■ Les bénéfices

Au fil du temps, l'acheteur génère toute une série de bénéfices pour l'entreprise. Les gestes qu'il pose, ses propos, la formation continue qu'il acquiert et ses échanges avec d'autres acheteurs contribuent à la réalisation des objectifs visés par l'entreprise qui l'emploie. Parmi les bénéfices attendus du service de l'approvisionnement, mentionnons l'effet de levier, l'amélioration du rendement de l'actif, la centralisation de l'information, le maintien de la position concurrentielle de l'entreprise, une meilleure image de l'entreprise sur le marché et un lieu de formation. Nous examinerons maintenant ces différents bénéfices.

L'effet de levier   Cet effet montre le résultat sur le bénéfice d'une variation à la hausse ou à la baisse du coût d'achat. L'exemple 2.1 illustre l'effet de levier.

EXEMPLE 2.1

Le chiffre d'affaires d'un distributeur de supports en acier pour arbres de Noël est de 900 000 $ annuellement. Le prix de vente unitaire est de 10 $ alors que le distributeur paye 7,50 $ l'unité. Les dépenses d'exploitation de l'entreprise imputables au produit totalisent 125 000 $ (voir le tableau 2.1).

■ Tableau 2.1   Résultats de l'entreprise

Postes	Coût unitaire	Total
Ventes	10,00 $	900 000 $
Coût d'achat	7,50 $	675 000 $
Profit brut	2,50 $	225 000 $
Frais d'exploitation	1,39 $	125 000 $
Profit net	1,11 $	100 000 $

Si l'entreprise réduit son coût d'achat de 1 %, on obtient les résultats indiqués au tableau 2.2.

■ Tableau 2.2   Résultats découlant d'une réduction de 1 % du coût d'achat

Postes	Coût unitaire	Coût total	Pourcentage	Coût total
Ventes	10,00 $	900 000 $		900 000 $
Coût d'achat	7,50 $	675 000 $	− 1,00 %	668 250 $
Profit brut	2,50 $	225 000 $		231 750 $
Frais d'exploitation	1,39 $	125 000 $		125 000 $
Profit net		100 000 $	+ 6,75 %	106 750 $

Ainsi, le profit net passe de 100 000 $ à 106 750 $, soit une hausse de 6 750 $ ou 6,75 %. Ce phénomène s'appelle l'effet de levier sur l'approvisionnement. On calcule l'effet de levier sur l'approvisionnement (ELA) de la façon suivante :

$$ELA = \frac{\text{\% de variation du profit net}}{\text{\% absolu de variation du coût d'approvisionnement}}$$

$$= \frac{\dfrac{106\,750 - 100\,000}{100\,000} \times 100}{\left| \dfrac{675\,000 - 668\,250}{675\,000} \times 100 \right|}$$

$$= \frac{6,75\,\%}{1\,\%}$$

$$= 6,75 \text{ fois}$$

Ce résultat indique que chaque variation de 1 % du coût d'achat provoque une variation à la hausse de 6,75 % du profit net (1 % × 6,75 fois).

Le tableau 2.3 indique les résultats qu'obtient l'entreprise lorsqu'elle réduit son coût d'achat de 5 %.

Tableau 2.3   Résultats découlant d'une réduction du coût d'achat de 5%

Postes	Coût unitaire	Coût total	Pourcentage	Coût total
Ventes	10,00 $	900 000 $		900 000 $
Coût d'achat	7,50 $	675 000 $	− 5,00 %	641 250 $
Profit brut	2,50 $	225 000 $		258 750 $
Frais d'exploitation	1,39 $	125 000 $		125 000 $
Profit net		100 000 $	+ 33,75 %	133 750 $

Ainsi, le profit net passe de 100 000 $ à 133 750 $, soit une hausse de 33 750 $ ou 33,75 %. On calcule l'effet de levier sur l'approvisionnement (ELA) comme suit :

$$\text{ELA} = \frac{\%\ \text{de variation du profit net}}{\%\ \text{absolu de variation du coût d'approvisionnement}}$$

$$= \frac{\dfrac{133\ 750 - 100\ 000}{100\ 000} \times 100}{\left| \dfrac{675\ 000 - 641\ 250}{675\ 000} \times 100 \right|}$$

$$= \frac{33,75\ \%}{5\ \%}$$

$$= 6,75\ \text{fois}$$

Ces résultats montrent que chaque variation de 5 % du coût d'achat entraîne une variation à la hausse de 33,75 % du profit net (5 % × 6,75 fois). La progression est donc linéaire par rapport au tableau 2.2.

Le tableau 2.4 illustre la situation d'une entreprise qui veut porter son profit net à 133 750 $ en adoptant une stratégie d'accroissement basé sur un volume accru d'unités et non sur une augmentation des prix de vente.

Tableau 2.4   Résultats découlant d'une stratégie d'accroissement des ventes

Postes	Coût unitaire	Coût total	Pourcentage	Coût total
Ventes	10,00 $	900 000 $	+ 15,00 %	1 035 000 $
Coût d'achat	7,50 $	675 000 $		776 250 $
Profit brut	2,50 $	225 000 $		258 750 $
Frais d'exploitation	1,39 $	125 000 $		125 000 $
Profit net		100 000 $	+ 33,75 %	133 750 $

Pour trouver le pourcentage d'augmentation des ventes nécessaires qui permettra d'obtenir le même bénéfice qu'avec une réduction des achats de 5 %, on utilise la règle de trois, soit :

225 000 $ correspond à 258 750 $

900 000 $ correspond à X

En isolant X, on trouve 1 035 000 $

et $\dfrac{1\,035\,000 - 900\,000}{900\,000} \times 100 = 15\,\%$

Ainsi, l'entreprise doit accroître ses ventes de 15 % pour obtenir le même profit qu'avec une réduction des achats de 5 %. L'augmentation des ventes peut se faire soit par un volume accru d'unités, soit par un prix de vente plus élevé, ou par une combinaison des deux. Ce phénomène s'appelle l'effet de levier sur les ventes (ELV).

$$ELV = \frac{\%\text{ de variation du profit net}}{\%\text{ de variation des ventes}}$$

$$= \frac{\dfrac{133\,750 - 100\,000}{100\,000} \times 100}{\dfrac{1\,035\,750 - 900\,000}{900\,000} \times 100}$$

$$= \frac{33{,}75\,\%}{15\,\%}$$

$$= 2{,}25 \text{ fois}$$

Ces résultats indiquent que, pour chaque augmentation de 15 % des ventes, le profit net s'accroît de 33,75 % (15 % × 2,25 fois).

Le tableau 2.5 présente une situation dans laquelle l'entreprise a la possibilité de réduire son coût d'achat de 5 %, mais doit pour cela accroître ses frais d'exploitation de 15 000 $.

■ **Tableau 2.5** **Résultats découlant d'une réduction du coût d'achat de 5 % et d'un accroissement des frais d'exploitation de 15 000 $**

Postes	Coût unitaire	Coût total	Pourcentage	Coût total
Ventes	10,00 $	900 000 $		900 000 $
Coût d'achat	7,50 $	675 000 $	− 5,00 %	641 250 $
Profit brut	2,50 $	225 000 $		258 750 $
Frais d'exploitation	1,39 $	125 000 $	+ 12,00 %	140 000 $
Profit net		100 000 $		118 750 $

Les résultats de ce scénario indiquent que l'offre reçue permettra une augmentation de 18 750 $ du profit net. L'entreprise aura donc intérêt à investir. L'ELA sera alors le suivant :

$$\text{ELA} = \frac{\text{\% de variation du profit net}}{\text{\% absolu de variation du coût d'approvisionnement}}$$

$$= \frac{\dfrac{118\,750 - 100\,000}{100\,000} \times 100}{\left| \dfrac{641\,250 - 675\,000}{675\,000} \times 100 \right|}$$

$$= \frac{18,75\,\%}{5\,\%}$$

$$= 3,75 \text{ fois}$$

Ces résultats indiquent que, pour chaque réduction de 5 % du coût d'achat qui engendre une hausse des frais d'exploitation de 15 000 $, le profit net s'accroît de 18,75 % (5 % × 3,75 fois).

Le tableau 2.6 illustre une situation dans laquelle l'entreprise vise un profit net de 133 750 $ en se basant sur une stratégie d'accroissement des ventes basée sur un volume accru d'unités. Pour atteindre son objectif, elle doit augmenter ses frais d'exploitation de 75 000 $.

■ **Tableau 2.6**   **Résultats découlant d'une stratégie d'accroissement des ventes**

Postes	Coût unitaire	Coût total	Pourcentage	Coût total
Ventes	10,00 $	900 000 $	48,33 %	1 335 000 $
Coût d'achat	7,50 $	675 000 $		1 001 250 $
Profit brut	2,50 $	225 000 $		333 750 $
Frais d'exploitation	1,39 $	125 000 $	+ 60,00 %	200 000 $
Profit net		100 000 $	+ 33,75 %	133 750 $

Ainsi, pour atteindre son objectif, l'entreprise devra accroître ses ventes d'un peu plus de 48,33 %. Il appartient alors à ses dirigeants de statuer sur sa capacité d'accroître ses ventes d'un tel pourcentage. Dans ce cas, l'ELV deviendra:

$$\text{ELV} = \frac{\text{\% de variation du profit net}}{\text{\% de variation des ventes}}$$

$$= \frac{\dfrac{133\,750 - 100\,000}{100\,000} \times 100}{\dfrac{1\,335\,000 - 900\,000}{900\,000} \times 100}$$

$$= \frac{33,75\,\%}{48,33\,\%}$$

$$= 0,6983 \text{ fois}$$

Ces résultats indiquent que, pour chaque augmentation de 48,33 % des ventes, le profit net s'accroît de 33,75 % (48,33 % × 0,6983 fois). Comme le résultat est inférieur à 1, on peut conclure qu'il n'y a pas d'effet de levier en tant que tel.

L'amélioration du rendement de l'actif   Les entreprises se soucient du rendement de leurs actifs. Pour obtenir une amélioration du rendement de l'actif, le gestionnaire utilise des ratios — un ratio étant un rapport entre deux grandeurs économiques ou financières. L'amélioration du rendement de l'actif (RA) provient de la multiplication du ratio du rendement des investissements (RRI) par le ratio de la marge bénéficiaire (RMB).

$$
\begin{array}{ccccc}
\text{RA} & = & \text{RRI} & \times & \text{RMB} \\
\text{(rendement} & & \text{(ratio du rendement} & & \text{(ratio de la marge} \\
\text{de l'actif)} & & \text{des investissements)} & & \text{bénéficiaire)}
\end{array}
$$

d'où :

$$
\text{RRI} = \frac{\text{Ventes}}{\text{Actifs}}
$$

et :

$$
\text{RMB} = \frac{\text{Profit net}}{\text{Ventes}}
$$

Pour calculer le rendement de l'actif, imaginons que l'entreprise distributrice de supports en acier pour arbres de Noël dont nous avons parlé précédemment possède un actif total de 350 000 $. Avec des ventes de 900 000 $ et un profit net de 100 000 $, le rendement de l'actif sera le suivant :

$$
\text{RRI} = \frac{900\ 000\ \$}{350\ 000\ \$}
$$

$$
= 2,57 \text{ fois}
$$

et :

$$
\text{RMB} = \frac{100\ 000\ \$}{900\ 000\ \$}
$$

$$
= 0,111
$$

Le ratio du rendement de l'actif sera alors :

$$
\begin{array}{rl}
\text{RA} & = \text{RRI} \times \text{RMB} \\
& = 2,57 \text{ fois} \times 0,111 \\
& = 0,2853 \text{ ou } 28,53\ \%
\end{array}
$$

Par conséquent, chaque dollar d'actif donne à l'entreprise un rendement de 28,53 %. C'est ainsi qu'à partir de tableaux et d'exemples, on peut évaluer le ratio du rendement de l'actif et obtenir des résultats intéressants pour l'entreprise.

Revenons à la situation dans laquelle une réduction de 5 % du coût d'achat fait passer le bénéfice net de 100 000 $ à 133 750 $. La valeur du RRI ne sera pas modifiée, mais celle du RMB deviendra la suivante :

$$
\text{RMB} = \frac{133\ 750\ \$}{900\ 000\ \$}
$$

$$
= 0,1486
$$

Le ratio du rendement de l'actif sera alors le suivant:

$$RA = RRI \times RMB$$
$$= 2,57 \text{ fois} \times 0,1486$$
$$= 0,3819 \text{ ou } 38,19\%$$

Ainsi, une variation à la baisse de 5% du coût d'achat donne maintenant une variation de 9,66% du rendement de l'actif (38,19% − 28,53%).

La centralisation de l'information   La position du service de l'approvisionnement lui permet de recueillir auprès du marché des renseignements sur le mouvement des prix, les stocks disponibles, les nouvelles sources d'approvisionnement, les produits substituts, les nouveaux produits, les nouvelles technologies, la capacité du marché et les fusions et acquisitions d'entreprises. Bref, ce service est à l'écoute du marché. L'entreprise recueille ainsi une information pertinente qui autrement aurait exigé d'elle des ressources substantielles.

De nos jours, les nouvelles technologies de l'information prennent de plus en plus de place dans les entreprises. On peut définir l'information comme étant constituée de données structurées qui réduisent l'incertitude ou augmentent les connaissances du destinataire sur des faits passés, présents ou projetés concernant ses objectifs sociaux, économiques et culturels. Il est important pour l'entreprise de saisir la bonne information au bon moment. Le service de l'approvisionnement est un centre nerveux pour l'arrivée de l'information dans l'entreprise. Ainsi, les acheteurs ont des contacts avec les fournisseurs qui proviennent de l'extérieur de l'entreprise; ils sont également d'excellents lecteurs de nouvelles et d'articles de toutes sortes; enfin, ils possèdent un réseau de relations parmi les autres acheteurs. Un acheteur se doit d'écouter et d'analyser l'information qu'il a en sa possession. Par contre, il doit garder secrète l'information privilégiée, comme le stipule le code de déontologie de cette profession.

Le maintien de la position concurrentielle de l'entreprise   La recherche constante de la meilleure productivité pour chaque dollar dépensé, d'un meilleur coût total et de l'anticipation des risques touchant l'approvisionnement permettent à l'entreprise de maintenir une position concurrentielle sur un marché donné ou de répondre aux exigences de nouveaux marchés. Le rendement d'une entreprise privée peut être mesuré au moyen de ses objectifs de ventes et de profits, par sa position concurrentielle et par la croissance de son marché. En revanche, comment peut-on évaluer le rendement d'une entreprise privée face aux objectifs d'équité, de transparence, de libre concurrence, de libéralisation des marchés, de développement démographique et de promotion de l'économie sur les marchés étrangers? La fonction «approvisionnement» doit pourtant tenter d'atteindre ces objectifs, ce qui représente un défi de taille.

Pour les sociétés d'État, cependant, ce type de bénéfices est vu sous un angle différent. L'État est à la fois protecteur, fournisseur de services, procureur, administrateur et entité démocratique. Ces multiples définitions de l'État imposent aux gestionnaires des sociétés d'État une vision différente de la notion de bénéfices à générer. Les gouvernements communiquent les différents rôles des entreprises publiques au moyen des discours politiques, des lois, des règlements, des directives, des publications, des décrets, des jugements, etc. C'est ainsi que les fonctionnaires exerçant la fonction «approvisionnement» dans les entreprises d'État sont tenus de respecter scrupuleusement une procédure et un mode de fonctionnement. Chaque mesure prise au regard de la procédure s'alignera sur les buts visés par le gouvernement et non sur les règles suivies par le monde des affaires.

Lorsque les entreprises privées et les sociétés d'État interagissent sur le même marché, il n'est pas rare d'assister à des attaques des unes contre les autres. Pour comprendre ce phénomène, examinons la situation du Canadien National et du Canadien Pacifique au cours des années où le CN était la propriété exclusive du gouvernement fédéral alors que le CP était une entreprise privée. Un des présidents du CP, Edward Beatty, a un jour déclaré : «C'est une bien étrange anomalie : plus l'exploitation du réseau national est déficitaire, plus les impôts du Canadien Pacifique augmentent. Toutefois, lorsque les chemins de fer nationaux prospèrent en détournant la clientèle du Canadien Pacifique, nous perdons plus de revenus que nous ne récupérons d'impôts.» De son côté, le CN se devait, en tant que société d'État, de louvoyer : d'une part, il voulait rapporter de l'argent au gouvernement pour que celui-ci puisse soutenir ses politiques sociales et économiques ; d'autre part, il désirait que les profits obtenus puissent servir à l'amélioration du réseau ferroviaire. Comme on peut le constater, le bénéfice est divergent malgré une concurrence sur le même marché. Aujourd'hui, le CN est maintenant reconnu comme une entreprise privée et agit comme le CP. Par contre, le gouvernement oblige le CN à maintenir les services sur certains tronçons non rentables au plan économique, mais rentable au plan politique. Le CN a donc toujours un lien avec les instances gouvernementales fédérales.

Une meilleure image de l'entreprise sur le marché   Les entreprises dépensent beaucoup de ressources pour se créer une image et pour la maintenir. Ainsi, les mesures et les attitudes adoptées par le service de l'approvisionnement influencent la réputation de l'entreprise sur le marché. Lorsqu'un acheteur agit professionnellement avec un fournisseur, celui-ci aura tendance à citer cette entreprise durant ses rencontres avec ses autres clients. Cette publicité, qui est gratuite, augmente la confiance du public envers l'entreprise. Or, une telle confiance se répercutera sur la commercialisation de la marque de commerce de l'entreprise.

Un lieu de formation   Le service de l'approvisionnement est un lieu de formation idéal pour les nouveaux gestionnaires. C'est d'ailleurs la raison pour laquelle plusieurs gestionnaires appelés à une carrière intéressante dans l'entreprise font un stage dans ce centre nerveux de l'entreprise afin d'améliorer leur résistance au stress lié à la prise de décisions stratégiques, aux relations multiples avec les clients de l'entreprise, aux réactions suscitées par une pénurie, etc. Bref, un peu de temps passé dans ce service constitue un excellent investissement.

■ La lecture de l'environnement

Les acheteurs effectuent des recherches et des analyses, car le marché propose de plus en plus de façons de répondre à un objet ou à un besoin. Ainsi, on pourrait définir l'analyse de l'approvisionnement comme étant l'examen complet, méthodique, indépendant et périodique des facteurs internes et externes de l'entreprise en vue d'accepter un plan d'action, d'obtenir la plus grande valeur de la part des fournisseurs et d'améliorer la productivité du service de l'approvisionnement.

Reprenons les différents éléments de la définition précédente. L'examen doit être complet, en ce sens qu'il doit permettre de réviser toutes les données qu'on possède sur les objets à acquérir. Il doit être méthodique, c'est-à-dire qu'il doit inclure une série ordonnée d'opérations qui permettront à l'entreprise d'obtenir les bénéfices qu'elle recherche. En outre, cet examen doit être indépendant; autrement dit, il doit être effectué par un groupe n'ayant aucun lien avec les services ou les divisions de l'entreprise. Ce groupe a le devoir de concentrer ses efforts sur le meilleur choix pour l'entreprise. Cependant, il doit pour cela pouvoir jouir de la confiance des services et des divisions ainsi que de la haute direction. Enfin, l'examen doit être périodique, c'est-à-dire que l'analyse de l'approvisionnement doit être revue régulièrement, et non seulement en période de crise.

Pour ce qui est des **facteurs politiques et juridiques,** il s'agit des gouvernements, lesquels votent des lois qui auront un effet sur les stratégies et sur les tactiques du service de l'approvisionnement. Malgré le fait que les gouvernements devraient, en principe, jouer un rôle mineur qui se limite à la protection du territoire, au contrôle des travaux publics, à l'exploitation des services publics et à la réglementation permettant de maintenir la concurrence, la santé et l'instruction de la population, ils interviennent aussi dans l'économie pour trois raisons principales. Ce sont la protection des entreprises les unes à l'égard des autres, la protection du public face aux entrepreneurs sans scrupules et la défense des intérêts globaux de la société face aux activités individualistes des entreprises. La législation devient de plus en plus importante. Il y a peu de secteurs de l'économie qui ne soient pas assujettis à une montagne de lois.

Les **facteurs démographiques** résident dans les caractéristiques de la population, l'explosion de la population sur la planète, la diminution de la taille de la famille, l'abandon de valeurs régissant la société, le vieillissement de la population, les modifications se produisant au sein de la famille, le déplacement de la population et l'instruction des membres de la société. Les changements intervenant dans la population influencent l'évolution et la position concurrentielle des fournisseurs susceptibles d'apporter les produits et les services à l'entreprise. Ces changements auront aussi un effet sur la position concurrentielle des entreprises. L'encadré ci-dessous, dont le texte est tiré du livre *Les rôtisseries St-Hubert* [2], montre comment l'aspect démographique influe sur l'évolution des entreprises qui sont appelées à répondre à des changements demandés par les consommateurs.

Question de synergie

Partout, les entreprises d'avant-garde se remettent en question, modernisent leur organisation et réajustent leurs produits. Les hiérarchies s'aplanissent au profit du travail d'équipe. Fini le temps des grosses organisations aux directives centralisées. On mise désormais sur la flexibilité et la créativité de chacun. Question de « synergie », on se réunit, on « communique » et on est « à l'écoute » des collègues, sans oublier, le premier concerné… le client. St-Hubert n'échappe pas à la tendance. D'autant que la situation démographique a changé. À la vieille souche canadienne-française se sont ajoutés de nouveaux arrivants des quatre coins du monde amenant avec eux une diversité de goûts, de valeurs et d'expériences. Quant aux « pure laine », plus aisés et plus instruits que leurs parents, ils recherchent des mets et des décors plus raffinés. Impossible, pour les restaurateurs, de ne pas tenir compte de cette évolution.

---

2. Béatrice Richard. *Les rôtisseries St-Hubert – 50 ans de grands succès,* Montréal, Stanké, 2001, p. 116, 120 et 125.

Ces constats ne sont pas tombés du ciel. En fait, St-Hubert sort du plus long exercice de «remue-méninges» de son histoire. Trois mois durant, l'entreprise a été analysée et remise en question dans ses moindres détails. À la faveur de groupes de discussion réunissant actionnaires, détenteurs de franchise, cadres et employés, chacun a été invité à évaluer sans complaisance la performance des rôtisseries, c'est-à-dire à distribuer les bons et les mauvais points, tant dans l'organisation du travail que dans le contenu des assiettes. Tout a été scruté à la loupe, des méthodes de gestion aux plats offerts en passant par le service, l'accueil et les techniques de cuisson du fameux poulet Bar-B-Q — on les veut encore plus chauds, plus tendres à l'intérieur, plus croustillants à l'extérieur! — sans oublier l'image de l'entreprise...

Mené de main de maître par Jean Saine, un expert reconnu en marketing, le projet a porté fruit.

...

La nouvelle formule maintient une certaine unité. Partout on retrouve la synthèse de tentatives qui ont gagné la faveur du public: le St-Hub, un resto-bar séparé de la salle à manger — laquelle offre une section grillades —, une verrière et une salle d'activités pour les enfants.

...

Dans la foulée de cette refonte gastronomique, les diététistes font leur entrée dans les cuisines. C'est dans l'air du temps. Depuis quelques années, les Québécois se soucient de leur ligne et de la santé de leurs artères. Ils veulent manger moins gras et s'inquiètent de la teneur calorique de leurs repas. Spécialité de la maison, le poulet n'a plus à faire ses preuves sur le plan diététique. Mais les frites qui l'accompagnent ne conviennent plus à tous. Qu'à cela ne tienne, on intègre au menu des pommes au four, des légumes verts et des salades à profusion.

...

Pour leur part, les fournisseurs sont triés sur le volet. Leurs produits ou services constituent en effet les ingrédients de base de la qualité et du bon goût St-Hubert. Aussi doivent-ils observer scrupuleusement les normes élevées de la chaîne et, surtout, partager ses valeurs: qualité, service, propreté et... innovation. Par conséquent, le fournisseur St-Hubert fait plus que vendre un produit. Il participe activement au succès de l'entreprise en restant toujours à l'affût des nouveautés et en suggérant de nouveaux équipements. Il conseille ou guide les membres du réseau sur le plan des normes de conservation et de préparation des aliments. De leur côté, les dirigeants de St-Hubert ont toujours encouragé cet esprit d'équipe et le sentiment d'appartenance qui en découle. Fidèle à ses fournisseurs, l'entreprise a su créer au fil des ans un climat de confiance mutuelle fécond. Le résultat s'impose de lui-même: tant de créativité, de motivation et d'efforts conjoints assurent à la chaîne un approvisionnement varié, continu et de qualité à des prix concurrentiels.

Les **facteurs économiques** sont reliés à la société capitaliste dans laquelle nous vivons, où la monnaie est le principal moyen de paiement des échanges commerciaux. Ainsi, la monnaie génère le revenu, la valeur du produit ou du service, l'épargne, le profit, le coût du crédit, le salaire, l'inflation de même que le prix des échanges locaux, régionaux et internationaux. Le commerce s'internationalise de plus en plus. L'économie d'un pays est de moins en moins liée aux entreprises qui œuvrent sur son territoire ou à la compétitivité de ses produits, car la mobilité des marchandises, du savoir-faire, des capitaux et de l'information s'étend maintenant à l'ensemble de la planète. IBM, à Bromont, est une entreprise spécialisée dans la fabrication de la mémoire pour les ordinateurs. Son produit fini constitue donc une composante des ordinateurs dont l'assemblage s'effectuera dans une autre usine, sur un autre territoire. Il en va de même pour Duracell, dont une usine canadienne fabrique des piles d'une catégorie, comme la AA, pour un vaste territoire, alors qu'une autre usine dans le monde fabrique les piles D vendues sur le territoire canadien. Il n'y a donc plus de lien entre le lieu de fabrication et le lieu de vente. Les relations traditionnelles en affaires doivent s'adapter aux stratégies mondiales des entreprises.

Les **facteurs sociaux**, dont il faut tenir compte, consistent dans la culture et les valeurs d'une société, sachant que les sources d'approvisionnement se trouvent maintenant à l'échelle de la planète et que les échanges de produits et de services s'effectuent de plus en plus rapidement, voire instantanément. Le service de l'approvisionnement doit donc s'adapter au mode de fonctionnement des différentes sociétés malgré la croyance selon laquelle le client a toujours raison. La mondialisation des marchés où œuvre le fournisseur influencera les habitudes des acheteurs, ne serait-ce que sur le plan de la langue utilisée, des horaires ou des façons d'effectuer des transactions. L'encadré Amway et la révolution du consommateur illustre les modifications que certaines entreprises ont apportées pour répondre aux changements d'habitudes de consommation de leurs clients [3].

Amway et la révolution du consommateur

Amway est aujourd'hui une entreprise florissante parce qu'elle a pris la tête d'une révolution en matière de consommation qui place la facilité, la qualité et le service personnel au premier plan. Vous rappelez-vous de l'époque où :

- il fallait faire vos opérations bancaires entre 9 heures et 14 heures du lundi au vendredi ? Si vous aviez oublié d'aller chercher de l'argent à la banque le vendredi après-midi, c'était tant pis pour vous jusqu'au lundi suivant ;

- il était impossible d'acheter du lait, du pain ou de l'aspirine après 21 heures ?

- l'épicier n'acceptait que les paiements « en argent comptant » et ne prenait ni les chèques ni les cartes de crédit ?

- la compagnie de téléphone — et non vous — était le propriétaire de votre téléphone et vous aviez le choix entre deux ou trois modèles et quelques couleurs ? Un installateur venait le brancher chez vous et vous ne pouviez plus le déplacer, parce que la prise n'était pas enfichable.

---

3. James W. Robinson. *Un empire de liberté – l'histoire de la société qui a transformé l'image du commerce au détail : AMWAY*, Saint-Hubert, Les éditions Un monde différent ltée, 1999, p. 57 à 59.

Je me souviens de chacun de ces «en ce temps-là» quand je pense à «ce qui se faisait avant et ce qui se fait maintenant». Je présume que vous pourriez vous aussi dresser une liste des changements qui ont révolutionné votre vie. Aujourd'hui, j'achète par catalogue, je réserve mes voyages par Internet, je fais des courses 24 heures sur 24 et je ne crains jamais de manquer d'argent liquide parce que je suis toujours près d'un guichet automatique, même si je me trouve à des milliers de kilomètres de chez moi.

La facilité et la qualité passent avant tout, parfois même avant le prix. Nous sommes des consommateurs plus occupés que jamais; pourtant, nous avons plus de choix qu'avant, en particulier avec l'augmentation spectaculaire de l'accès à l'information et aux techniques modernes. Le besoin d'une vaste gamme de nouveaux produits à l'échelle planétaire, associé à une concurrence mondiale grandissante, oblige les entreprises à changer également leurs procédés. Certains changements considérés comme nouveaux et révolutionnaires dérivent en fait de ce qui a déjà été essayé et confirmé. La vente au porte-à-porte et les achats sur catalogue font partie de l'histoire des petites villes du monde rural américain. Les familles de fermiers et celles qui habitaient loin des grandes villes n'avaient tout simplement pas le choix.

Amway représente donc un retour à une conception du commerce plus personnelle et plus conviviale et, en même temps, cette entreprise adopte avec empressement de nouvelles manières de mettre au point des produits et des services, de les livrer, de les vendre et de les acheter. C'est un commerce extrêmement personnalisé à une époque où règne la technique de pointe. Amway a aujourd'hui du succès parce qu'elle n'a pas oublié ou abandonné le rôle des individus dans l'équation du commerce global.

Les **facteurs technologiques** sont devenus la force motrice de l'économie capitaliste. En effet, l'innovation technologique permet aux entreprises et aux consommateurs de profiter de nouveaux produits et services qui améliorent constamment leur compétitivité ou leur niveau de vie. De nos jours, les changements technologiques ne cessent de s'accélérer, ce qui rend leur maîtrise de plus en plus ardue. Pour faire face aux possibilités infinies de la technologie, les fournisseurs consacrent une part de plus en plus importante de leurs dépenses à la recherche et au développement dans leurs activités prépondérantes.

Les **facteurs culturels** sont les croyances, les valeurs et les normes qui permettent aux membres d'une société d'exprimer une opinion face aux produits et aux services qui leur sont proposés. Les messages, le style de vie et les valeurs des clients influencent le service des ventes de l'entreprise et, par ricochet, le service de l'approvisionnement. La culture se transmet de génération en génération, principalement par l'entremise de la famille. Les minorités ethniques, les établissements scolaires et les institutions religieuses participent aussi à la transmission des valeurs. Par exemple, des religions interdisent la consommation de certaines viandes. Cela aura un effet direct sur la mise en marché de certains produits.

Les **facteurs écologiques** proviennent d'une préoccupation de plus en plus marquée de la société pour les politiques relatives à la gestion des surplus, les ressources naturelles non renouvelables, le coût croissant de l'énergie, l'aggravation de la pollution et la gestion des ressources naturelles. Cette pression que la société exerce force le service de l'approvisionnement à se tourner vers des produits écologiques et recyclables, à étudier des manières de disposer des déchets et à travailler avec de nouveaux fournisseurs vendant des objets recyclés. Plus personne n'a les moyens de gaspiller les ressources. L'eau, l'air, la nature et les matières premières sont la propriété de tous, et il y a une prise de conscience devant la fragilité de l'environnement qui se détériore plus vite qu'il ne se régénère. Dans un avenir proche, les produits recyclés seront un intrant dans l'entreprise.

La **taille du marché**, sa croissance, sa distribution, sa rentabilité, son potentiel d'approvisionnement et son expertise intéressent le service de l'approvisionnement. Quatre éléments importants du marché influencent l'orientation et la compétitivité de l'entreprise, soit les clients de l'entreprise, le public et les groupes de pression, la position de l'entreprise face à ses concurrents et les sources d'approvisionnement. Georges Chetochine avance ce qui suit au sujet de l'avenir de la distribution et de l'équilibre du marché :

> L'industriel aujourd'hui, s'il n'a pas une marque forte, s'il n'a pas la demande du consommateur, est condamné à subir les volontés du distributeur. Depuis le temps que l'on parle d'alliance stratégique, de relation gagnant/gagnant avec la distribution, si cela avait donné des résultats, on le saurait. La réalité est simple et brutale : il n'y a pas de coopération possible avec la distribution si l'industriel n'est pas supporté par une forte marque. Cela conduit les entreprises à faire des prix, donc à délocaliser leur production vers des pays à main-d'œuvre moins chère. Si le chômage persiste dans les années à venir, les fabricants réagiront. La plus grande faiblesse de la distribution, c'est sa force face aux fabricants. Les acheteurs des grandes centrales reçoivent des instructions précises. Ils ne doivent pas dévoiler leurs sentiments, ils doivent traiter le fournisseur de la façon la plus déstabilisante possible et montrer que le produit qu'on leur apporte ne représente rien à leurs yeux. Plus ils sont durs, plus ils obtiennent. Cette façon de travailler crée des inimitiés que les distributeurs ne soupçonnent pas. Comme l'industriel représente plus d'emplois et d'électeurs que la distribution, rien ne dit que les monopoles de distribution ne trouveront pas un jour sur leur chemin une volonté très forte de les ramener à des tailles plus raisonnables, voire de leur interdire d'opérer tout simplement en leur mettant des bâtons dans les roues[4].

■ La chaîne d'approvisionnement

Il faut étudier cette chaîne à l'échelle industrielle, c'est-à-dire considérer l'ensemble des entreprises du secteur. À titre d'exemple, les entreprises GM, Ford, Chrysler, Toyota, Honda, Mercedes, Renault, Fiat, Porsche et autres font partie de l'industrie automobile. Cette industrie doit, pour pouvoir offrir des objets, posséder d'abord des matières premières, de la main-d'œuvre, du capital, de l'énergie et une « recette ». Puis, l'industrie commence la transformation des matières premières et utilise la main-d'œuvre et l'énergie pour générer des objets. Dans une troisième étape, les objets sont distribués par des entreprises spécialisées à cette fin. Les objets sont ensuite offerts à des clients, des utilisateurs, des consommateurs qui utiliseront l'usufruit et la performance de ces objets. Dès que le marché aura atteint un certain niveau de saturation,

---

4. Georges Chetochine. *Quelle distribution pour 2020? Les nouveaux enjeux du commerce*, Paris, Éditions Liaisons, 1998, p. 161-162.

les distributeurs déclareront un surplus. Ce surplus sera géré par la chaîne et pourra être revendu, réutilisé, recyclé, réusiné ou tout simplement jeté.

Chaque entreprise participe à au moins un des maillons de la chaîne. Ainsi, le fabricant d'automobiles Chrysler fait partie du secteur manufacturier. Les concessionnaires automobiles représentant Chrysler sont dans le secteur de la distribution. Chaque entreprise a un regard différent sur l'industrie selon la place qu'elle y occupe. Le futur concessionnaire devra donc conclure une entente avec le fournisseur Chrysler s'il veut vendre ces automobiles à des consommateurs. Ce sont l'ensemble des maillons et des relations nécessaires au fonctionnement de l'industrie qui composent la chaîne d'approvisionnement. L'acheteur de la concession Chrysler et l'acheteur de la voiture Chrysler verront la chaîne d'approvisionnement sous un angle différent.

■ Les critères de l'approvisionnement

Le service de l'approvisionnement travaille à l'aide de sept critères (la quantité, la qualité, le délai, le lieu, le service, la source et le coût) à propos desquels il doit parfois faire des compromis. Le demandeur voudrait obtenir la perfection à tous les points de vue, mais certains facteurs de l'environnement peuvent créer des obstacles. Le demandeur reçoit alors l'objet qui est disponible, et ce dans des conditions qui ne sont peut-être pas idéales.

2.3.3   Le troisième « O » : l'organisation

L'organisation du processus d'approvisionnement comprend deux aspects, soit la structure de l'entreprise et son mode de fonctionnement. La structure de l'entreprise influence la décision d'achat et y réagit. Plusieurs personnes de l'entreprise peuvent être appelées à intervenir dans la décision d'achat. Parmi les rôles les plus reconnus, citons :

- l'initiateur : la personne qui entreprend la démarche en suggérant le désir d'acheter ;
- l'influenceur : la personne qui, directement ou indirectement, excerce une influence sur la décision finale ;
- le décideur : la personne qui détermine les différents aspects de la décision en apportant des réponses aux questions « Est-il opportun d'acheter ? », « Quoi ? », « Où ? », « Quand ? », « Combien ? » et « Comment ? » ;
- l'acheteur : la personne qui procède à la transaction ;
- l'utilisateur : la personne qui exploite le fruit de l'objet acquis.

D'autres rôles complémentaires devraient se joindre à ce groupe tels que des spécialistes sur les plans juridique, comptable, de l'ingénierie, des ressources humaines, de l'environnement, etc.

Le mode de fonctionnement explique la démarche à suivre pour répondre à la demande. Entre la formulation de la demande d'achat et sa réalisation, plusieurs embûches se manifesteront, lesquelles donneront lieu à des compromis ou à des solutions. Si un problème de financement survient, il faudra alors modifier le désir, accepter un compromis, vérifier la volonté de procéder à l'achat ou changer l'approche face aux sources d'approvisionnement.

Guy Lafleur, un des meilleurs hockeyeurs du siècle dernier, fournit un excellent exemple au sujet des compromis qu'il faut faire entre la situation souhaitée et la situation possible. Il mentionne en effet sa volonté d'« acheter » un peu de liberté à travers le désir de piloter un hélicoptère : « Piloter un hélicoptère [...] m'emballe ; mais je n'ai pas le temps de m'y consacrer autant que je le souhaiterais. J'aime la sensation de liberté et de détente que cette activité me procure [5]. » C'est pourquoi il aime acheter tous les objets qui se rapportent à l'hélicoptère, car il relie celui-ci au besoin de liberté et de détente qu'il tente de combler. La demande d'achat ne s'effectuera qu'au moment où il réglera son problème de temps, lequel représente un frein. S'il persiste à vouloir satisfaire son désir, Guy Lafleur devra réorganiser son horaire de manière à se laisser suffisamment de temps pour piloter un hélicoptère.

2.3.4   Le quatrième « O » : l'opération

L'opération consiste à déterminer le procédé qui sera appliqué pour l'acquisition de l'objet. Pour l'acheteur, l'opération se définit par des règles précises qui permettent à n'importe qui de se substituer à lui et d'obtenir en tout temps le même résultat. C'est la partie de ce travail que l'acheteur doit tenter de déléguer. L'acheteur doit s'efforcer d'amener chaque utilisateur à suivre le procédé de façon uniforme. Une délégation bien planifiée permettra à l'acheteur de libérer une partie de son temps, laquelle pourra être consacrée à l'amélioration des ententes et des communications avec le marché. L'opération du processus d'approvisionnement comprend quatre étapes, à savoir l'émission du bon de commande, la relance, la réception et le paiement.

▧ L'émission du bon de commande

L'émission du bon de commande représente un contrat, une entente entre deux parties. Un bon de commande est un document de transaction qui contient l'information suivante :

- l'information générale sur les parties, à savoir leur nom, leur adresse, la date, etc. ;
- la description de l'objet, c'est-à-dire la quantité, les caractéristiques du produit, ses dimensions, l'emballage, les spécifications, la valeur du service, etc., le fournisseur ne devant en aucun temps être appelé à interpréter un des éléments descriptifs de l'objet ;
- la détermination du prix, des escomptes, des ristournes, des remises, des clauses de protection de prix, des clauses d'indexation, de la monnaie choisie ;
- la détermination des engagements particuliers de chaque partie, soit les modalités de paiement, les dates de livraison, les conditions de transport, la responsabilité, la propriété de la marchandise durant le transport, les assurances, l'avance, l'acompte, les arrhes, l'arbitrage, le droit de retour, la garantie, le service après-vente, les références contractuelles écrites dans un contrat séparé sous forme de dispositions (générales, techniques, commerciales et juridiques), la valeur résiduelle, et ainsi de suite.

L'acceptation des obligations mentionnées sur le bon de commande (voir la figure 2.6) doit intervenir avant l'expiration du délai de validité de l'offre. Le fournisseur acceptera la commande et les conditions qui la régissent en signant le bon de commande ou en émettant un accusé de réception. La signature des deux parties indique que le contrat a une valeur juridique. Les parties doivent s'assurer que les signataires ont la capacité de passer un contrat, c'est-à-dire qu'elles ont reçu par délégation le pouvoir de négocier le contrat tel qu'il est présenté.

---

5. Jean Bouchard. « Le défi que s'est donné mon fils », *7 jours,* 28 février 1998, p. 14.

▓ Figure 2.6   **Exemple de bon de commande**

Une entente peut aussi être conclue par téléphone. Par contre, l'acheteur n'est pas dans l'obligation de se conformer aux conditions d'un contrat. Cette absence de formalisme s'appuie sur le consensus.

▓ La relance

La relance auprès du fournisseur permet à l'acheteur de clarifier l'information contenue dans le bon de commande. Afin d'éviter d'exercer sur le fournisseur une pression indue et de l'irriter, il est préférable de le relancer dans un délai raisonnable après l'émission du bon de commande. Avec tact, l'acheteur peut demander au fournisseur s'il éprouve de la difficulté à respecter l'échéance.

▓ La réception

Le contrôle de la marchandise à l'entrepôt décharge dans certaines circonstances l'une ou l'autre partie des différentes responsabilités mentionnées au contrat d'achat en ce qui concerne la conformité des produits commandés, à savoir :

- le transporteur, lorsque le réceptionnaire constate que la quantité et l'emballage extérieur de chaque contenant sont conformes à ce que l'entreprise devait recevoir ;
- le fournisseur, lorsque le produit a subi une inspection en règle soit à la réception, au laboratoire ou par le demandeur.

Les anomalies constatées à la réception doivent faire l'objet d'un règlement entre le fournisseur et l'entreprise. Il n'est pas recommandé d'accorder au réceptionnaire la responsabilité de refuser une livraison ; celui-ci devrait plutôt communiquer avec le service de l'approvisionnement s'il détecte une anomalie. L'entreprise devra prendre l'habitude d'accepter toute la marchandise qui lui est destinée ou de la refuser en entier. En effet, les transporteurs n'aiment pas servir d'entrepôt mobile ou se trouver au centre d'un litige. La rentabilité d'une entreprise de transport dépend essentiellement du renouvellement constant de la marchandise à transporter.

Dans le cas d'un service, la validation à l'effet que l'objet est conforme à ce qui a été commandé repose sur l'inspection effectuée par un responsable de l'entreprise désigné à cette fin. Lors de l'acquisition d'un service, le service de réception validera la conformité du service auprès du fournisseur et non auprès du transporteur. Il est à noter que l'achat d'un service de transport est considéré comme un achat de service auprès d'un fournisseur.

▓ Le paiement

Le paiement met fin à la transaction d'achat. Aussi, dans ce cas, il est préférable de traiter chacune des transactions séparément. Si l'une des factures est erronée, il vaut mieux entrer en communication avec le fournisseur pour corriger la situation que de se faire justice soi-même, c'est-à-dire de déduire un crédit attendu des sommes dues au fournisseur sans son consentement. C'est une question d'éthique et de maintien d'une bonne relation d'affaires.

2.4   L'exploration du marché et la négociation

Si le besoin manifesté est intense et si l'approvisionnement mix est clairement défini, il y a beaucoup de chances pour que les intervenants réagissent de façon positive et veuillent poursuivre le processus d'approvisionnement en abordant les troisième et quatrième étapes, soit l'exploration du marché et la négociation. Dans le cas contraire, la suite du processus peut être renvoyée à plus tard, à moins que celui-ci ne prenne tout simplement fin, ce qui viendra ajouter aux archives du service de l'approvisionnement.

Il existe plusieurs types de sources que l'acheteur doit examiner, soit les sources personnelles (la famille, les amis, les voisins, les connaissances), les sources commerciales (la publicité, les représentants, la réputation du produit, la marque, le conditionnement), les sources publiques (les catalogues de références, les tests de comparaison, les articles de revues) et celles qui sont liées à des expériences positives (l'utilisation du produit, l'examen, l'essai d'un échantillon). En tant que client, l'acheteur doit-il acheter à un détaillant ? à un grossiste ? à un distributeur ? au fabricant ? au fournisseur du fabricant ? au fournisseur des matières premières ? Il s'agit d'une décision importante qui influencera les ententes qu'il fera en matière d'approvisionnement. Les auteurs ont consacré le chapitre 3 aux recherches du fournisseur, à sa relation avec l'entreprise, à la détermination des prix et à la négociation.

2.5   La décision d'achat

À l'issue de l'exploration du marché, l'acheteur devra adopter une position de manière à répondre à la demande reçue. Parmi les critères de décision, citons l'intention d'acheter, ses préférences, le contexte social, l'importance de la source, la volonté de se conformer aux normes, le désir d'agir selon ses valeurs, l'influence de l'entreprise, la position de l'entreprise dans la chaîne de distribution et le risque perçu.

2.6   L'évaluation après l'achat

La décision d'aller de l'avant dans l'achat d'un objet requiert une rétroaction. Cette étape axée sur le renforcement permet de modifier les probabilités d'achat dans la période à venir et met à l'épreuve le niveau de confiance envers le processus d'approvisionnement entrepris. C'est là la meilleure occasion pour le service de l'approvisionnement de promouvoir sa profession en tentant d'améliorer son approche et ses techniques, de mieux connaître ses sources d'approvisionnement et de mieux comprendre les attentes des clients. Malheureusement, on passe trop souvent par-dessus cette étape étant donné que l'objet est déjà acquis. Pourtant, il ne faudrait pas oublier que cette démarche, qui requiert peu de temps, permet au service de l'approvisionnement d'enrichir ses connaissances et d'offrir un meilleur service à l'avenir.

Résumé

Dans ce chapitre, nous avons examiné le processus d'achat d'un produit ou d'un service. Les étapes à franchir sont la détermination du besoin, la planification de l'approvisionnement mix, l'exploration du marché, la décision d'achat et l'évaluation après l'achat.

Le cœur de l'orientation du processus repose sur l'approvisionnement mix. Ce concept provient de la définition des quatre « O », à savoir l'objet, l'objectif, l'organisation et l'opération d'achat. Pour l'acheteur, l'objet doit être défini et permettre de respecter les principes de transparence, d'équité et d'accessibilité entre les fournisseurs potentiels.

Questions

1. Qu'est-ce que l'approvisionnement mix (les quatre « O »)?

2. À quoi correspond l'objet dans l'approvisionnement mix?

3. Quelles sont les étapes du processus d'approvisionnement?

4. Quelle est la différence entre le secteur privé et le secteur public en matière de processus d'approvisionnement?

5. Comment se manifeste l'éveil du besoin dans une entreprise?

6. Qu'est-ce qui différencie l'approche des bénéfices dans l'entreprise privée et dans l'entreprise publique?

7. Que représente l'effet de levier? Quelle est l'utilité de le calculer?

8. Est-il possible d'obtenir un effet de levier dans le cas d'une augmentation des ventes? Pourquoi?

9. Quels ratios permettent de trouver le rendement de l'actif?

10. Quelle est l'expression mathématique illustrant l'effet de levier par rapport à une variation du coût des achats?

11. Quelle est l'expression mathématique illustrant l'effet de levier par rapport à une variation des ventes?

12. Quelles sont les six étapes du processus d'approvisionnement?

13. Définissez ce qu'est un objet complet.

14. Comment les facteurs psychologiques influencent-ils la décision d'achat?

15. Énumérez les bénéfices à prendre en compte par le secteur de l'approvisionnement.

16. Comment les données internes influencent-elles le processus d'approvisionnement?

17. Comment une bonne lecture de l'entourage peut-elle influencer une décision d'achat?

18. Comment l'objectif d'achat influence-t-il la décision d'achat?

19. Expliquez les critères de l'approvisionnement.

20. Qu'est-ce que l'évaluation après l'achat?

Exercices
d'apprentissage

1. Énumérez des objets qui ne sont, selon vous, ni des produits ni des services.

2. Comment peut se manifester l'éveil du besoin, qui correspond à la première étape du processus d'approvisionnement?

3. Quelles données externes peuvent influencer un acheteur?

4. Donnez un exemple d'un environnement économique qui joue un rôle prépondérant pour un acheteur.

5. Donnez un exemple d'un environnement technologique qui joue un rôle prépondérant pour un acheteur.

6. Donnez un exemple d'un environnement écologique qui joue un rôle prépondérant pour un acheteur.

7. Nommez trois types d'erreurs qui conduiront l'acheteur à arrêter le processus d'approvisionnement.

8. «Le poste "Stock de marchandises" dans un bilan financier peut être révélateur de l'importance qui lui est accordée et peut fournir une base de comparaison avec d'autres entreprises du même secteur d'activité.» Donnez un exemple de cette affirmation.

Exercices
de compréhension

1. Précisez les données externes dans le cas d'un approvisionnement fait chez un manufacturier d'extincteurs.

2. Si le chiffre d'affaires d'un distributeur de chaussures est de 1 million de dollars, que le prix de vente d'une paire de chaussures est de 50 $, qu'il lui en coûte 30 $ pour ses achats et que ses dépenses d'exploitation sont de 200 000 $, dont 150 000 $ sont rattachés aux coûts d'entreposage. a) Calculez l'effet de levier sur l'approvisionnement dans le cas où il y a une baisse de 5 % du coût d'achat et de 2 % des coûts d'entreposage. b) Quelle devrait être l'augmentation des ventes pour que le profit net soit le même que dans le cas des baisses du coût d'achat?

3. Quel serait le ratio du rendement de l'actif dans le cas du problème précédent si l'actif était de 400 000 $? Si l'on tient compte de la baisse de 5 % du coût d'achat et de 2 % des coûts d'entreposage, quel sera l'effet sur le ratio du rendement de l'actif?

4. Un manufacturier de briquets à essence, qui a un chiffre d'affaires de 5 millions de dollars annuellement, une marge bénéficiaire brute de 40 % ainsi qu'un bénéfice net évalué à 5 % du chiffre d'affaires, désire augmenter son bénéfice afin de financer l'agrandissement de son usine. Pour ce faire, il embauche trois représentants commerciaux qui œuvreront

dans des territoires à peine exploités par l'entreprise. L'embauche de ces représentants créera des frais d'exploitation de 100 000 $. Cependant, le président de l'entreprise espère augmenter ses ventes de 7,5 %.

a) Calculez l'effet de levier sur les ventes et interprétez le résultat obtenu.

b) L'entreprise entreprend un vaste programme de recherche en approvisionnement qui coûtera 40 000 $ mais qui devrait diminuer le coût des achats de 6 %. Calculez l'effet de levier sur l'approvisionnement et interprétez le résultat obtenu. Ne tenez pas compte de l'effet sur les ventes calculé en a).

c) Si l'entreprise implante les deux stratégies précédentes en même temps, quel sera l'effet en pourcentage sur le bénéfice ?

5. Un distributeur de roulements à billes désire augmenter sa marge bénéficiaire brute, qui se situe actuellement à 750 000 $. Le coût de ses marchandises vendues représente 75 % de son chiffre d'affaires. Ses frais d'exploitation sont de 100 000 $. Afin d'augmenter son bénéfice, le distributeur entreprend une campagne de publicité qui lui permettra d'augmenter ses ventes de 10 %. Cette même campagne lui coûte 50 000 $. De plus, un nouveau manufacturier de roulements à billes vient de s'implanter à quelques kilomètres du site d'affaires du distributeur. Sa stratégie de départ est de vendre ses produits finis au coût de production afin de pénétrer le marché très concurrentiel des roulements à billes. Cela aide grandement l'acheteur du distributeur. En effet, après avoir fait un calcul, celui-ci découvre qu'il économisera 8 % sur le coût des roulements à billes achetés sans que cela occasionne des dépenses exorbitantes (les dépenses causées par cette baisse du coût d'achat sont presque nulles).

a) Calculez l'effet de levier sur les ventes ainsi que l'effet de levier sur l'approvisionnement dans le cas où l'on utilise une stratégie à la fois et interprétez les résultats obtenus.

b) Par rapport au bénéfice net, y a-t-il un avantage à utiliser les deux stratégies en même temps plutôt qu'une ?

Exercices
de recherche

1. Dans le contexte d'une visite industrielle ou d'un stage dans une entreprise, examinez le processus d'approvisionnement de l'entreprise en question pour voir s'il est analogue à celui qui est présenté dans ce chapitre.

2. Une entreprise qui désire fonctionner selon une nouvelle philosophie de gestion, telle que le juste-à-temps, verra-t-elle son ratio du rendement de l'actif croître ou subir une baisse par rapport à sa situation de départ ? Expliquez votre réponse.

3. Rendez-vous dans une entreprise de votre choix. Demandez à l'acheteur s'il connaît l'effet de levier sur l'approvisionnement et quelle en est l'utilité. Si ce dernier répond négativement, démontrez-le-lui par un exemple qui lui permettra de justifier son poste (ses démarches journalières).

Cas
Une nouvelle venue dans l'équipe des directeurs

Marie Laflèche vient d'être engagée par la firme Jouets Internationaux inc. Son supérieur immédiat lui a indiqué lors des entrevues de sélection que l'entreprise venait de créer un poste d'acheteur pour la première fois de son histoire. Marie a une formation scolaire dans ce domaine. Son supérieur, qui est enthousiasmé par son choix, désire intégrer Marie Laflèche en l'invitant à participer à la réunion de planification avec les autres directeurs de l'entreprise. Il lui révèle alors les deux questions qui seront posées à l'occasion de cette réunion :

1. À quel moment les directeurs de l'entreprise devront-ils solliciter l'expertise de Marie Laflèche ?

2. Quels bénéfices supplémentaires peuvent-ils s'attendre à obtenir avec l'arrivée de la nouvelle acheteuse ?

Question

Pouvez-vous aider Marie Laflèche à préparer des réponses aux deux questions qui seront posées lors de la réunion des directeurs de l'entreprise ?

Chapitre

3

Les sources d'approvisionnement

C'est l'action et non le fruit de

l'action qui importe. Vous devez

faire ce qui est juste, il n'est

peut-être pas en votre pouvoir,

peut-être pas en votre temps,

qu'il y ait des fruits. Toutefois

cela ne signifie pas que vous deviez

cesser de faire ce qui est juste,

vous ne saurez peut-être jamais

ce qui résulte de votre geste, mais

si vous ne faites rien, il n'en

résultera rien.

Gandhi

Objectif général

Comprendre les concepts de sélection des sources d'approvisionnement et de qualification de ces mêmes sources.

Objectifs spécifiques

- Décrire les différents moyens de s'approvisionner.
- Connaître les avantages de traiter avec un seul fournisseur plutôt qu'avec plusieurs.
- Distinguer les avantages de l'approvisionnement direct auprès du manufacturier de ceux de l'approvisionnement effectué à l'aide d'un intermédiaire.
- Connaître et utiliser le marketing à rebours.
- Appliquer les six étapes de la qualification des fournisseurs.
- Se familiariser avec la théorie des prix et la négociation en matière d'approvisionnement.
- Connaître les avantages qu'a un acheteur à procéder par un appel d'offres.
- Connaître les délais reliés à la réalisation d'un contrat d'achat.
- Connaître quelques modèles d'évaluation des sources d'approvisionnement.
- Appliquer le modèle du niveau d'indifférence dans un contexte d'approvisionnement.

TELUS Québec et ses fournisseurs : une relation gagnant-gagnant

TELUS Québec est membre de TELUS Corporation, le deuxième groupe national de télécommunications au Canada. Établie à Rimouski, où se trouve son siège social, la société exploite le deuxième réseau de télécommunications en importance au Québec. Elle est reconnue dans l'industrie pour ses innovations, sa maîtrise des réseaux à haut débit, ainsi que la qualité de son réseau IP de fibres optiques (Carrier Class). Par son appartenance au groupe TELUS, TELUS Québec compte également des partenaires prestigieux, dont Verizon, le plus important fournisseur de services câblés et sans fil aux États-Unis.

Depuis plus de 75 ans, TELUS Québec fait sa marque dans les télécommunications et les technologies de l'information. Aujourd'hui, l'entreprise dessert l'ensemble des régions et des grands centres du Québec. Elle assure partout à ses clients un guichet unique de solutions Internet, données, voix et sans fil (avec TELUS Mobilité), supportées par un réseau pancanadien de classe mondiale. L'entreprise se positionne comme leader, entre autres, dans l'Internet Haute Vitesse, les intranets et les extranets, la sécurité informatique, l'interconnexion de réseaux et l'hébergement de serveurs et de sites Web. TELUS Québec est perçue dans le marché comme l'un des fournisseurs les plus polyvalents en raison de la diversité de son offre globale.

Cette société de télécommunications se distingue par son expertise de haut niveau et l'approche personnalisée de son service à la clientèle. L'entreprise a d'ailleurs été récompensée sur le plan provincial pour la qualité de sa stratégie de service. Ses technologies d'avant-garde, son travail d'équipe inspiré, son leadership et sa bonne gestion planifiée constituent ses meilleurs gages de réussite pour l'avenir. Par sa capacité à mettre l'intelligence en réseau, TELUS Québec se présente comme un des acteurs majeurs de la nouvelle économie.

TELUS Québec favorise la relation gagnant-gagnant dans le choix de ses fournisseurs de biens et de services. Son approche dans la sélection de ses fournisseurs repose prioritairement sur la capacité de ceux-ci à lui procurer des produits et des services offrant une qualité de haute performance. Sa décision d'acquérir ou non un produit (bien ou service) plutôt qu'un autre est influencée par plusieurs caractéristiques liées à ce produit, à son acquisition et à son utilisation. En effet, cette société recherche des produits de qualité, exempts de défaut, qui sont d'utilisation facile, disponibles rapidement et en quantité suffisante en un lieu précis. Elle mise, de plus, sur des produits obtenus au meilleur coût possible, respectueux de l'environnement, et offrant la meilleure garantie disponible, le tout à la satisfaction ultime de ses clients.

Pour permettre à TELUS Québec de faire le meilleur choix possible, le fournisseur doit se conformer à la plupart des caractéristiques mentionnées, en plus de se qualifier selon un programme reconnu de sélection et de certification. Par la suite, la méthode d'évaluation de cette société lui permet de mesurer le rendement de ses fournisseurs à l'aide d'indicateurs de performance évolutifs, ce qui entraîne nécessairement la mise en place d'un processus d'amélioration continue. C'est de cette façon que TELUS Québec entend poursuivre sa relation de partenaire avec ses fournisseurs, tout en demeurant à l'avant-garde en matière de gestion de la chaîne d'approvisionnement.

Gilbert Roy
Directeur du secteur Approvisionnements
TELUS Québec

Introduction

Les fournisseurs représentent des intervenants de premier niveau pour les entreprises. Lors de la prise de contrôle de Donohue, un des fleurons de l'industrie québécoise avec son chiffre d'affaires de plus de 2 milliards et de ses 6 400 employés, Gannett et le *New York Times* ont vécu des heures d'angoisse. En effet, ces deux importants clients étaient inquiets de la venue de Quebecor comme actionnaire important. L'auteur Charles-Albert Poissant écrit:

Deux des gros clients de Donohue, à savoir Gannett et le *New York Times* avaient chacun dans son contrat d'achat de papier une clause lui permettant d'y mettre fin si le contrôle de la compagnie changeait. Ces observations furent rapportées par Walsh, tant au comité exécutif qu'au conseil. Il indiqua aussi la vive inquiétude des clients de la privatisation, normale en cette période de flottement où le comportement du futur acquéreur reste inconnu. Quebecor et le nouveau venu Maxwell allaient-ils s'approvisionner de papier journal au détriment des anciens clients, surtout dans les périodes de rareté? Les gros clients seront assurés: leur contrat sera respecté [1].

L'histoire pour Gannett et le *New York Times* finit bien. Elle aurait pu tourner à leur désavantage. Ainsi, la recherche de nouvelles sources d'approvisionnement devient une fonction importante pour le service de l'approvisionnement. Le fait de vivre à l'âge de l'information permet aux acheteurs d'ouvrir leurs horizons sur des sources possibles à l'échelle planétaire. Historiquement, la nécessité d'effectuer la recherche de nouvelles sources provenait du fait que la matière première se faisait de plus en plus rare. Par la suite, les crises économiques ont forcé les entreprises à essayer de trouver des sources moins coûteuses. De nos jours, la recherche en approvisionnement est un procédé de planification proactif visant à prévenir les entreprises face aux changements qui se produiront.

Tout acheteur recherche un fournisseur idéal, celui qui se rapproche le plus des attentes, des valeurs et du mode de fonctionnement de l'entreprise qu'il représente. Parmi les qualités du fournisseur accompli, citons les suivantes: il satisfait en tout temps aux exigences de l'entreprise, il

---

1. Charles-Albert Poissant. *Donohue, l'histoire d'un grand succès québécois,* Montréal, Québec Amérique, 1998, p. 209 et 210.

n'est pas nécessaire de le relancer, il est flexible, il livre le lot optimal, il garantit un produit sans défaut ni rejet, il possède une assistance technique accessible, il offre un prix juste et des conditions avantageuses, il vise la réduction maximale des documents administratifs, il inspire confiance, il présente une stabilité financière, il corrige les anomalies rapidement, il assume le risque qu'il prend et il s'améliore constamment. Bref, il constitue une source qui servira de modèle à toutes les autres sources.

L'acheteur suit deux étapes lors du choix d'une source, soit la sélection et la qualification. À l'étape de la sélection, il faut tout d'abord trouver la source, avant de se demander si, pour satisfaire le besoin, il vaut mieux avoir une source unique ou multiple ; s'il est préférable d'acheter ou de fabriquer le produit ; de faire appel à la sous-traitance ; de louer le bien ou le service ; de travailler sous une forme traditionnelle ou selon une pyramide ou une hiérarchie de fournisseurs ; de traiter avec le manufacturier ou avec un intermédiaire. Comment recommander une option par rapport à l'option opposée ? En dernier recours, l'acheteur peut utiliser l'approche du marketing à rebours pour sélectionner ses sources ou adhérer à un groupement d'achat qui lui permettra de combiner un volume d'achat afin d'approcher des sources différentes, si l'acheteur devait acquérir son propre volume. Nous verrons ces différents points dans ce chapitre.

Quant à l'étape de la qualification, il s'agit d'un processus qui permet d'évaluer les sources sélectionnées. Certaines méthodes mathématiques simples reliées à une évaluation par points aident à déterminer le fournisseur ou encore l'objet requis pour répondre à la demande reçue. Ces méthodes comprennent le niveau d'indifférence, la grille de pondération, différents modèles d'évaluation tels que le modèle de la prépondérance, les modèles conjonctif, disjonctif, lexicographique, d'attente-valeur ou du point idéal. Peu importe la manière de procéder, le but est de trouver la source idéale.

Un des éléments importants du choix d'un fournisseur est la détermination du prix, élément qui donnera une valeur à la transaction. Nous consacrerons une partie du présent chapitre à cette question. Il est important de noter que le prix fait partie du coût total. La définition du coût total sera vue plus en profondeur dans ce livre. Pour sa part, le prix tire son origine des relations basées sur le marché et sur les fournisseurs. Faire la sélection et la qualification des sources, c'est en quelque sorte attribuer une valeur à un fournisseur, à un achat ou à une série de transactions. Immanquablement, le prix se dresse entre le désir ultime et ce que l'entreprise est en mesure de payer. Il va sans dire que certaines décisions sont difficiles à prendre.

Pour terminer le chapitre, nous verrons certaines obligations relatives aux délais entourant la réalisation d'une entente. Nous finirons notre analyse des sources d'approvisionnement par la présentation de modèles d'évaluation qui permettront à l'acheteur de prendre une décision éclairée et rationnelle.

3.1   La sélection des sources

Grâce à l'utilisation de répertoires, de revues spécialisées, d'émissions de radio et de télévision, l'acheteur procède à une sélection des sources potentielles. Au préalable, il aura pris soin de bien déterminer la source recherchée. L'annexe 3.1 présente une liste des répertoires disponibles permettant de sélectionner de nouvelles sources. Cependant, en raison du fait que de nouveaux répertoires apparaissent régulièrement offrant de nouvelles possibilités à l'acheteur, cette annexe ne doit être considérée qu'à titre d'indicatif.

Les sources peuvent aussi provenir de représentants qui scrutent le marché, d'un réseau informatique tel qu'Internet, de fichiers de l'acheteur sur les fournisseurs, de visites chez les fournisseurs actuels, d'un programme de publicité orchestré par le fournisseur, de la réception d'échantillons, de rencontres avec les collègues de l'acheteur ou d'autres relations professionnelles.

Dans un article publié en 1988, Caroline Reich [2] énumère certaines caractéristiques que possède le fournisseur idéal recherché par plusieurs entreprises :

- Le fournisseur doit recourir à l'informatisation autant ou davantage que ses clients et offrir un excellent service de tenue de dossiers et de production de rapports de consommation.

- Le fournisseur doit disposer d'un système de facturation flexible.

- Le fournisseur doit vérifier les délais d'exécution des commandes et mettre tout en œuvre pour les respecter. S'il ne le peut pas, il doit avertir son client rapidement.

- Le fournisseur doit être disposé à négocier un contrat global, à long terme, pour les produits ou les services usuels et doit même en faire la suggestion.

- Le fournisseur doit être en mesure de répondre à tous les besoins de ses clients, et pas seulement à une partie de ces besoins.

- Le territoire attribué aux représentants du fournisseur devrait être assez restreint pour leur permettre de consacrer le temps voulu à chaque acheteur.

- Le fournisseur doit entretenir de bons rapports avec les fabricants et les grossistes auprès desquels il s'approvisionne.

- Le fournisseur doit enregistrer un profit raisonnable et faire des affaires depuis longtemps.

- Le fournisseur doit posséder une certaine flexibilité en matière d'expédition et de transport, notamment en assurant un emballage et une facturation séparés des commandes de chaque service de l'entreprise.

Une fois que l'acheteur se sera assuré de la présence de ces différentes caractéristiques chez le fournisseur, il lui restera à examiner ses prix ! Obtenir un tel succès n'est pas une sinécure. Pour chaque situation, l'acheteur tente de définir le fournisseur idéal. Caroline Reich a décrit sa perception du fournisseur recherché. Ce n'est pas la même dans tous les cas. Pour chaque demande, l'acheteur dresse un portrait du fournisseur désiré, mais aussi de celui qui s'adapte le mieux à l'approche que préconise l'entreprise. En effet, plusieurs entreprises prônent une position claire quant au type de rapports qu'elles veulent avoir avec les sources d'approvisionnement. Nous verrons maintenant ces différentes approches.

---

2. Adapté de Caroline Reich. « Le choix du bon fournisseur vous fait économiser plus que de l'argent », *Purchasing World,* mars 1988.

3.1.1   Avoir une ou plusieurs sources

Au cours du processus de sélection des sources potentielles, l'acheteur se demande s'il fera affaire avec un ou plusieurs fournisseurs. Malgré l'adage disant qu'il est préférable de ne pas mettre tous ses œufs dans le même panier, il existe certains avantages à traiter avec une seule source. Le tableau 3.1 indique les avantages reliés aux deux options.

Comme on peut le voir, il n'est pas facile pour une entreprise de choisir une orientation vers une source unique ou vers des sources multiples. En pratique, l'entreprise éprouve une préférence pour certaines sources par rapport aux autres. Ainsi, il n'est pas rare de rencontrer des acheteurs qui accordent 70 % du volume de marchandises à un fournisseur, 20 % du volume à un deuxième et 10 % du volume à un troisième. Avec une telle approche, les acheteurs se ménagent une porte de sortie dans le cas où une source ne pourrait répondre adéquatement à leurs demandes. Cette méthode sera judicieuse si la répartition s'effectue logiquement, sans discrimination, sans transgression du code de déontologie de la profession et dans le respect des lois sur la concurrence.

■ **Tableau 3.1**   **Avantages reliés à l'utilisation d'une ou de plusieurs sources**

Source unique	Plusieurs sources
• Propriété exclusive de certains procédés, brevets essentiels	• Maintien de la compétitivité entre les fournisseurs
• Rendement hors pair de la part du fournisseur	• Assurance en ce qui a trait à l'approvisionnement en cas d'imprévu sur le marché
• Commande trop petite pour être divisée	• Augmentation de l'indépendance envers un fournisseur
• Économie d'échelle relativement au coût du transport et du produit lui-même	• Respect d'une politique de l'entreprise qui achète
• Produit fabriqué à partir de moules, de matrices ou de plaques	• Exigence ou incitation provenant d'une réglementation gouvernementale
• Réduction plus facile des coûts administratifs	• Flexibilité plus grande chez les fournisseurs quant au développement technologique
• Stratégie de flux de marchandises réduisant considérablement les stocks	• Possibilité de fixer ses propres normes face aux inventaires à détenir
• Échange de l'information stratégique	• Introduction plus facile d'une nouvelle source
• Entente stratégique avec un fournisseur	
• Adhésion à la culture et aux valeurs de la haute direction	

3.1.2   Acheter ou fabriquer un produit

Au cours du processus de sélection, l'acheteur doit déterminer s'il est préférable pour l'entreprise d'acheter le produit recherché ou de le fabriquer. Au-delà de la décision économique, il existe plusieurs raisons qualitatives de choisir une option plutôt qu'une autre (voir le tableau 3.2).

De nos jours, le choix des entreprises s'est grandement modifié. Auparavant, l'entreprise recherchait une intégration verticale, c'est-à-dire qu'elle fabriquait les composantes, les sous-ensembles et les produits finis. Maintenant, elle concentre ses efforts sur les facteurs clés, sur sa

■ **Tableau 3.2**   **Raisons motivant l'achat ou la fabrication d'un produit**

Achat	Fabrication
• La quantité requise est trop faible pour justifier la mise en route de la production.	• L'entreprise possède l'expertise.
• Le système de production n'est pas en mesure de fournir un produit de même qualité.	• Elle a des ressources sous-utilisées.
• Le fournisseur offre un meilleur service que le système de production interne.	• Elle conserve le contrôle sur le développement technologique du produit.
• Le fournisseur possède un droit, un brevet ou une technologie qu'il est impossible d'utiliser.	• Elle prévoit une meilleure rentabilité à long terme.
• Le coût global de l'option est inférieur.	• Elle croit que cette option est la meilleure.
• Le système actuel de production est en panne ou en période de maintenance.	• Elle veut réduire le nombre de ses fournisseurs.
• Les fluctuations de la demande varient trop, ce qui crée une pression sur le système de production en place.	• Elle n'a pas confiance en une source extérieure.
• Le fournisseur apporte à l'entreprise un avantage concurrentiel autre que le produit fourni, tel que le développement de la clientèle sur un autre territoire, une meilleure position sociopolitique ou un profit indirect provenant d'autres mandats.	• Elle ne veut pas être dépendante d'une source.
	• Les employés exercent une pression sur l'entreprise pour garder la maîtrise de la fabrication.
• L'entreprise ne désire pas investir dans l'achat d'équipements.	• L'entreprise fait un choix purement émotif.
• L'entreprise fait un choix purement émotif.	

compétence uniquement, laissant à des fournisseurs le soin d'apporter certaines parties du produit fini. C'est ainsi qu'un comptable agréé, qui a pris l'habitude de confier certains services comptables à un client, demandera une expertise fiscale à un confrère spécialisé dans cette matière. Son opinion sera alors plus éclairée. On observe de plus en plus cette situation dans la médecine telle qu'elle se pratique aujourd'hui. Le rôle du médecin généraliste demeure, mais des spécialistes en tous genres gravitent autour de lui, l'aidant à poser des diagnostics là où son expertise est moins grande.

3.1.3   Faire appel à la sous-traitance

La sous-traitance est un mode d'acquisition de biens ou de services visant à accroître la capacité d'une entreprise de répondre à une demande. Les sous-traitants se divisent en deux catégories : les permanents et les occasionnels.

Les sous-traitants permanents interviennent lorsque l'entreprise donne la responsabilité de certaines activités à des fournisseurs. On peut penser aux cas suivants : les services d'entretien, de transport, de cafétéria, de recherche, d'informatique, d'imprimerie, de téléphonie, de sécurité ou autres. À certains moments, un sous-traitant peut se voir confier la fabrication de certaines composantes d'un produit parce qu'il possède une technologie, une main-d'œuvre spécialisée ou un autre avantage concurrentiel.

En ce qui concerne les sous-traitants occasionnels, ils soutiennent l'entreprise au moment d'une demande accrue du marché ou d'un arrêt de production (arrêt de travail dû au bris d'une machine, à une grève, à un incendie, à une tempête de verglas, etc.). Le tableau 3.3 indique les avantages et les inconvénients du recours à la sous-traitance comme source d'approvisionnement pour une entreprise.

Ce mode de sélection est de plus en plus populaire au Québec. C'est pourquoi le monde des affaires s'est doté d'un organisme à but non lucratif unique au monde, Sous-traitance industrielle Québec (STIQ), dont la mission est de favoriser l'établissement et le renforcement de relations d'affaires entre les entreprises. Les services offerts par la STIQ portent sur la recherche, l'évaluation et le développement de sous-traitants. Par exemple, la STIQ a exécuté un mandat pour Marconi Canada, un chef de file reconnu mondialement dans la conception, la fabrication et la vente de produits électroniques de haute technologie tels que les systèmes d'avionique, les systèmes de communications, de radar et de navigation au sol, le matériel électronique destiné au transport de surface et les composantes électroniques spécialisées. Marconi voulait se doter d'un logiciel capable de rechercher des sous-traitants, d'évaluer leur rendement de même que celui des sous-traitants actuels, et ce grâce à des répertoires électroniques. La STIQ a alors reçu le mandat de développer, de faire fonctionner et d'améliorer le logiciel en question pour le service de l'approvisionnement de Marconi. Dans cet exemple, la STIQ a obtenu un mandat de sous-traitance de la part de Marconi pour contrôler les opérations reliées au logiciel. Ce logiciel servira à perfectionner le mode de fonctionnement choisi par le fournisseur.

■ **Tableau 3.3**   Avantages et inconvénients de la sous-traitance

Avantages	Inconvénients
• La sous-traitance a pour effet de changer certaines faiblesses de l'entreprise en forces.	• La sous-traitance entraîne une sous-utilisation des ressources internes.
• La sous-traitance permet de transformer des frais fixes en frais variables.	• L'entreprise risque de faire une mauvaise sélection.
• L'entreprise confie à la sous-traitance les activités de son choix qui correspondent à des besoins qu'elle désire combler.	• L'entreprise court le risque de sous-traiter de futurs facteurs clés.
• La sous-traitance facilite la gestion des ressources humaines.	• Le fournisseur est susceptible d'augmenter ses prix lors du renouvellement du contrat.
• L'entreprise améliore son image en incorporant les forces du sous-traitant dans son procédé.	• L'entreprise risque de ne pas tenir compte du poids que représentent les frais indirects.
• La sous-traitance réduit les coûts de recherche et développement.	• En raison d'une mauvaise évaluation, l'entreprise risque de ne pas bénéficier de la relation avec le sous-traitant.
• L'entreprise tire profit de la qualité des produits offerts par le sous-traitant.	• Le passage d'un mode de fonctionnement à un autre peut causer des problèmes de continuité et d'ajustement dans l'activité sous-traitée.
• L'entreprise peut faire une meilleure gestion de la trésorerie.	• Les ressources humaines de l'entreprise risquent de réagir face à une éventuelle perte d'emplois.
• La sous-traitance entraîne la transparence quant aux coûts.	• L'entreprise fait faire un profit au sous-traitant.
• La sous-traitance apporte une solution à un problème interne.	
• La sous-traitance permet à l'entreprise d'augmenter sa capacité de production.	
• La sous-traitance donne lieu à un repositionnement des facteurs clés de l'entreprise.	

3.1.4   Louer le bien ou le service

La location est une disposition contractuelle par laquelle un locateur établit des règles avec un locataire concernant l'utilisation d'un bien appartenant au locateur. Lorsque l'acheteur choisit cette option, il se trouve à faire intervenir plusieurs fournisseurs. Si l'on prend l'exemple de la décision de louer des automobiles d'une valeur totale de 500 000 $ pour le service des ventes, l'acheteur traitera avec les intermédiaires suivants :

• le locateur, qui est propriétaire des automobiles ;

- le bailleur de fonds, qui prend le risque financier de la transaction, soit 500 000 $;
- le prêteur, qui avance les fonds de 500 000 $;
- le fabricant, qui garantit l'entretien et la maintenance des automobiles ;
- l'assureur, qui protège les automobiles au nom du locataire ;
- le locataire, qui reçoit le droit d'utiliser l'automobile ;
- l'utilisateur, qui dispose de l'automobile.

Bref, ce mode requiert une excellente compréhension du rôle joué par chacun dans l'attribution d'un contrat. Le tableau 3.4 énumère les avantages et les inconvénients reliés à cette option.

Aujourd'hui, tout se loue. Certaines entreprises font de la location leur spécialité. Dernièrement, le Salon du livre religieux de Montréal a eu à prendre une décision concernant la location de kiosques. Cet événement qui dure trois jours a lieu tous les deux ans. Durant les premières années de ce salon, les kiosques étaient loués au coût de 5 000 $ par an. Pour acheter des kiosques, le Salon devait débourser la somme de 12 000 $, soit un rendement de l'investissement sur 3 événements ou 6 ans. L'acheteur du Salon a recommandé aux organisateurs de conclure des ententes de

▣ Tableau 3.4 Avantages et inconvénients de la location

Avantages	Inconvénients
<ul><li>La location permet d'augmenter la capacité de production de l'entreprise pendant une très courte période.</li><li>La location permet d'utiliser l'équipement avant d'en faire l'acquisition définitive.</li><li>La location fait bénéficier l'entreprise d'un équipement plus récent.</li><li>La location permet à l'entreprise de se maintenir à la fine pointe de la technologie lors du renouvellement du bail.</li><li>Le coût du bail est une dépense.</li><li>La location permet de transférer certaines parties de la maintenance au locateur.</li><li>La location permet à l'entreprise d'avoir une immobilisation en ne réduisant que partiellement son fonds de roulement.</li></ul>	<ul><li>L'entreprise paie un profit au locateur.</li><li>Un contrat de location exige l'adoption d'un processus d'approvisionnement.</li><li>Certaines clauses d'une entente de location d'un bien peuvent irriter l'une ou l'autre des parties, comme la durée d'utilisation, les assurances ou l'entretien.</li><li>L'entreprise est obligée de prendre le service complet du locateur même lorsqu'elle n'a besoin que d'une partie du service.</li><li>Le contrat de location peut comporter des coûts cachés qui deviennent importants à la fin de l'entente.</li><li>La location exige de l'entreprise qu'elle travaille avec plusieurs fournisseurs.</li></ul>

six ans avec les éditeurs, les diffuseurs et les libraires, terme pour lequel l'investissement devenait une option intéressante. Faute d'une telle entente, le risque pour le Salon était trop élevé pour justifier l'achat des kiosques. Un contrat exhaustif a lié tous les intervenants et assuré l'engagement de chacun pour la durée minimale de trois événements. La commande de fabrication des kiosques a découlé de cette entente. L'annexe 3.3 présente les différentes clauses d'un contrat de location.

3.1.5   Travailler selon une pyramide ou une hiérarchie de fournisseurs

L'approvisionnement selon une pyramide ou une hiérarchie de fournisseurs est un processus d'organisation des fournisseurs qui vise à réduire le nombre d'interactions et le contrôle des différentes sources d'approvisionnement. L'acheteur n'a alors qu'à traiter avec les fournisseurs de premier niveau. Les fournisseurs de premier niveau supervisent les fournisseurs de deuxième niveau, et ainsi de suite. C'est le cas de General Motors. D'ailleurs, John McMillan écrit : « jusqu'au début des années 1980, General Motors assemblait les sièges automobiles dans ses usines, achetant les composantes (comme les structures, les ressorts ou les tissus) à 8 à 10 fournisseurs. Maintenant, elle achète les sièges à un fournisseur qui a la responsabilité d'acquérir les pièces d'autres fournisseurs[3] ». C'est ainsi que certaines entreprises canadiennes et québécoises font des composantes de sièges pour les automobiles de General Motors sans avoir reçu le contrat de General Motors.

Fedrick Markos, ancien vice-président de Hydro-Québec et chargé de cours à HEC-Montréal, croit que l'industrie automobile adoptera sous peu le modèle de gestion de l'approvisionnement pyramidal des Japonais. En effet, selon certaines statistiques, General Motors produit 6 millions de véhicules par année et a besoin de 6 000 acheteurs pour traiter avec 1 500 fournisseurs, alors que Toyota produit 3,6 millions de véhicules avec 340 acheteurs et 180 fournisseurs de premier niveau. Les 180 fournisseurs traitent avec 4 700 fournisseurs de deuxième niveau. Quant à ces derniers, ils traitent avec 31 600 fournisseurs de troisième niveau. La figure 3.1 permet de comparer l'approche traditionnelle avec l'approche pyramidale pour un fabricant de jeux de société.

L'industrie automobile qualifie ses sources selon le niveau qu'occupe chacune d'elles. Ainsi, certains fournisseurs sont de premier niveau, c'est-à-dire qu'ils reçoivent leurs mandats directement du fabricant automobile. La pression qui s'exerce sur cette source est énorme, car une accumulation d'erreurs peut reléguer ce type de fournisseur au deuxième niveau ; par conséquent, il ne recevra qu'une partie du volume obtenu par le fournisseur de premier niveau. La concurrence entre les niveaux exige des fournisseurs une amélioration continue de leurs produits.

---

3. John McMillan. « Managing suppliers incentive systems in Japanese and U.S. industry », *California Management Review,* été 1990, p. 38-55 ; notre traduction.

■ Figure 3.1   Approche traditionnelle et approche pyramidale

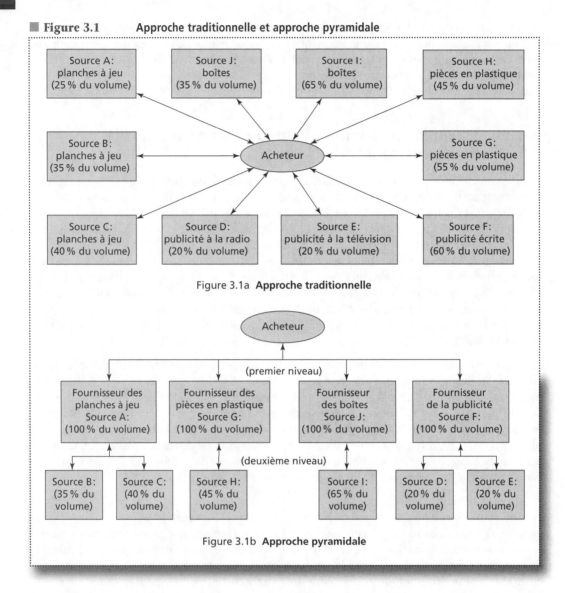

Figure 3.1a **Approche traditionnelle**

Figure 3.1b **Approche pyramidale**

3.1.6   Traiter avec le manufacturier ou un intermédiaire

L'acheteur qui recherche une réduction du coût d'acquisition d'un objet se doit d'aller au-delà de la chaîne de distribution traditionnelle. Le désir très répandu d'éliminer les intermédiaires, tels que les agents manufacturiers, les grossistes, les détaillants et les courtiers, vise à permettre à l'entreprise de récupérer la marge de profit prise par chacun d'eux. Le fait de payer plus cher un objet parce qu'il provient d'un intermédiaire plutôt que du manufacturier va à l'encontre de la mission de l'approvisionnement. Pourtant, les manufacturiers souhaitent pouvoir s'appuyer sur un réseau d'intermédiaires. Ce paradoxe s'explique. Un acheteur cherche auprès de ses intermédiaires une justification pour maintenir ses relations d'affaires avec eux, espérant obtenir d'autres bénéfices que le bénéfice économique. Sur ce point, Georges Chetochine[4] écrit :

les choses sont simples pour les distributeurs classiques s'exprimant à partir de petits points de vente. S'ils gèrent bien leurs achats, leur personnel, leur image de prix et s'ils savent fidéliser leurs clients, s'ils sont suffisamment vigilants et ouverts aux nouvelles technologies, rien de bien méchant ne devrait leur arriver dans un futur proche... Tout laisse à penser que la distribution, dans tous les secteurs, va se concentrer, devenir omnipuissante et essentiellement de nature financière... Le troisième millénaire, du moins dans le cadre de la distribution sera organisé, concentré et efficace.

Le tableau 3.5 énumère les avantages et les inconvénients de traiter avec un intermédiaire. Malgré les inconvénients mentionnés dans ce tableau, les fabricants tendent de plus en plus à recourir à des intermédiaires pour la distribution des produits qu'ils fabriquent.

■ Tableau 3.5   Avantages et inconvénients du recours à un intermédiaire

Avantages	Inconvénients
• L'entreprise a la possibilité d'acheter de plus petites quantités. • Elle peut faire financer les frais d'entreposage par l'intermédiaire. • Elle obtient un service plus personnalisé. • Elle reçoit son approvisionnement plus rapidement. • L'intermédiaire se trouve proche de l'entreprise. • L'entreprise peut acheter plusieurs produits au même endroit. • Elle peut obtenir du crédit. • Elle peut s'approvisionner sur un marché local. • Elle bénéficie de la connaissance de l'intermédiaire sur les produits complémentaires et sur les substituts. • Elle obtient une correction plus rapide des anomalies. • Elle investit constamment dans le canal de distribution.	• L'intermédiaire conserve la différence entre le coût d'acquisition et le prix de vente. • Il est moins au fait des progrès technologiques. • Il se préoccupe peu de recherche et de développement. • Il est à la merci du service qu'offre le manufacturier. • La diffusion de l'information sur les produits est plus grande, ce qui amène l'entreprise à s'interroger sur la ligne de produits offerte.

---

4. Georges Chetochine. *Quelle distribution pour 2020 ? Les nouveaux enjeux du commerce*, Paris, Éditions Liaisons, 1998, pages 96, 97 et 169.

L'importance relative de la distribution   La distribution ne représente pas un facteur-clé pour le fabricant; elle n'est pas sa raison d'être. De plus en plus, les manufacturiers ont besoin de fonds pour investir dans la recherche et le développement de nouveaux objets. Plus ils conservent le contrôle de certains secteurs, plus cela requiert de capitaux. C'est pourquoi ils préfèrent sous-traiter la distribution en s'adressant à des spécialistes plus performants qu'eux-mêmes.

La mondialisation des marchés   La mondialisation des marchés a compliqué la distribution des biens. Alors qu'antérieurement les entreprises effectuaient un simple déplacement des marchandises, aujourd'hui elles font face à une gestion de la logistique qui est devenue une fonction stratégique majeure dans le succès d'une entreprise. En effet, la logistique, telle qu'elle est définie actuellement, vise à optimiser la coordination dans la chaîne de distribution — laquelle comprend le fabricant, le distributeur et le client — pour favoriser le meilleur mouvement des biens au coût le plus bas possible. Au chapitre 9, les auteurs traiteront, de manière approfondie, la notion de logistique ainsi que les nouvelles réalités qu'elle engendre.

La force de vente   Lorsque le fabricant possède sa propre force de vente, il doit gérer des ressources humaines et faire des dépenses reliées à un réseau de vente. Ainsi, il est préférable de recourir à un intermédiaire, dont la force de vente représente plusieurs lignes de produits.

La gestion des stocks   La gestion des stocks est devenue une spécialité, et ses spécialistes se trouvent chez les intermédiaires. En effet, les intermédiaires ne peuvent vivre que grâce à la marge qui existe entre le coût d'acquisition du bien et le prix de vente. Alors que le fabricant contrôle 100 % de ses coûts, l'intermédiaire tente d'obtenir un profit avec des marges brutes variant de 15 % à 25 %. La principale dépense d'une entreprise de distribution demeure l'acquisition de stocks. Très rapidement, les intermédiaires ont compris l'importance de bien gérer le niveau de stocks et ils ont acquis une expertise dans ce domaine.

La maîtrise de l'information   Les technologies de l'information exercent une pression additionnelle sur le fabricant qui voudrait tout contrôler lui-même. Les choses avancent si rapidement que chacun a sa spécialité et se doit de maîtriser une partie de l'information considérable qui déclenche et oriente les transformations requises par le mouvement des biens.

L'approvisionnement dans une situation d'urgence   Autrefois, la présence du stock sur les lieux de transformation constituait la garantie de l'approvisionnement. Les clients du fabricant supportaient les stocks requis pour entretenir leurs équipements. Plus tard, ce sont les clients qui ont demandé au fabricant de prendre en charge les stocks. Aujourd'hui, le fabricant a recours à des intermédiaires pour gérer les stocks. En effet, au lieu de garder toutes les pièces de plomberie au cas où il y aurait un bris de tuyaux, le fabricant se tourne maintenant vers des distributeurs qui font la gestion des tuyaux en se basant sur la probabilité que 4 ou 5 de ses entreprises tout au plus auront besoin d'un tuyau rapidement durant le délai de réapprovisionnement. L'intermédiaire aura donc réduit la quantité minimale de tuyaux de 10 à 5.

L'emballage et le conditionnement   L'emballage et le conditionnement des produits constituent une dépense importante lors de la transformation des biens. Le fabricant tente de protéger, au-delà des exigences ou des besoins, les biens durant leur transport, alors que l'expertise de l'intermédiaire, qui manipule quotidiennement ces biens, permet d'obtenir l'emballage approprié à leur protection.

3.1.7   Détenir du stock additionnel en cas de force majeure ou faire confiance à ses fournisseurs

Depuis quelques années, on se préoccupe davantage de la garantie de l'approvisionnement en cas d'urgence ou de force majeure. Pensons à la tempête de verglas que le sud-ouest du Québec a connue en 1998, à l'inondation majeure qui s'est produite dans la région de Winnipeg en 1997 ou encore à l'inondation qui est survenue au Saguenay en 1996, aux guerres en Irak en 1990 et en 2003, à la panne majeure d'électricité qui a affecté plus de 50 millions de personnes en 2003, ou à la grève générale des travailleurs du Venezuela au début de 2003. Le service de l'approvisionnement doit établir un plan d'urgence en cas de problème ou de crise.

Une pièce se brise. La production s'arrête. Le magasin n'a aucune pièce de rechange. Les profits s'envolent. L'entreprise est en état d'alerte. Une des premières personnes appelées sur les lieux de la catastrophe est l'acheteur. À partir de ses réponses, la stratégie de remise en marche s'amorcera. Des situations comme celle-ci surgissent fréquemment de nos jours. Jadis, pour éviter un bris majeur, un approvisionnement risqué ou répondre à des cas de force majeure, la solution consistait à posséder un stock de sécurité. Mais aujourd'hui, alors que l'on se soucie d'optimiser la rentabilité du stock, les ruptures de stock sont gérées par les acheteurs.

Pour la direction, en cas d'urgence, la notion de service rendu à l'entreprise l'emportera sur le coût. Même dans une telle éventualité, l'acheteur doit régulariser la situation au moindre coût. Pour lui, le coût de rupture est une composante du coût total. Sa décision tiendra compte du coût total le plus bas, qu'il obtiendra en additionnant le coût d'acquisition et le coût de rupture.

Pour minimiser les répercussions d'un événement perturbateur, l'acheteur aura franchi au préalable les sept étapes suivantes[5] :

1. Il se munira d'une capacité autonome d'information : établira les enjeux, évaluera le coût de rupture et déterminera les priorités quant aux services à rendre.

2. Il prévoira divers scénarios avec des équipes de travail dans l'entreprise et avec la direction.

3. Il construira un réseau avec des fournisseurs, des partenaires d'affaires et d'autres acheteurs.

4. Il déterminera le pouvoir de décision de chaque intervenant, laissant le soin à chacun de prendre des risques calculés à l'avantage de tous.

5. Il organisera un groupe de travail, qui comprendra un décideur dont les responsabilités seront axées sur la résolution de la crise.

6. Il établira les règles, les politiques, le mode de fonctionnement et les responsabilités des différents acteurs.

7. Il s'appuiera sur son jugement, qui constitue le principal atout dans une situation de crise.

Lorsqu'un cas d'urgence ou de force majeure survient, les différents acteurs doivent entrer en action. Il faut que ceux-ci puissent appliquer selon leur bon jugement les règles établies. Cependant, au cours d'une situation de crise, une ressource importante est trop souvent

---

5. Jean-Pierre Ménard. «Alerte, une crise au service de l'approvisionnement », *Revue Expéditeur*, vol. 10, n° 3, avril 1997, p. 17.

oubliée : la prise de contact avec d'autres acheteurs. Ceux-ci constituent un réseau de profes-sionnels dont la contribution permettra de gagner du temps, de multiplier les options et de réduire le risque. Les membres de l'Association canadienne de gestion des achats ont la chance d'avoir accès à un réseau de plus de 8 000 acheteurs, dans tous les domaines, au Canada. La plupart d'entre eux ont eu l'occasion de vivre des situations similaires.

3.1.8   Utiliser le marketing à rebours

Le marketing à rebours est une approche imaginative, car elle demande à l'acheteur de faire une offre à une source d'approvisionnement. L'offre doit être complète et apporter une réponse aux questions suivantes.

Pourquoi ? En approchant un fournisseur en vue de l'intégrer dans la stratégie globale de l'entreprise, l'acheteur doit définir parfaitement le rôle que l'entreprise veut le voir jouer, le type d'approvisionnement qui s'établira avec lui et ses possibilités de profit.

Quoi ? L'acheteur décrit les objets inclus dans l'offre.

Qui ? Il faut que l'offre comprenne le nom des personnes qui seront responsables de la négociation de l'entente et celui des personnes qui auront la tâche d'évaluer la relation.

Comment ? L'acheteur doit décrire les règles entourant l'approvisionnement (les transac-tions périodiques) et le mode d'évaluation des transactions.

Où ? Cette question doit aller au-delà de l'aspect géographique. Il est important, en effet, de préciser aussi le type de fournisseur recherché, à savoir un fournisseur local ou de classe mon-diale, le nombre de points de livraison, le nombre de sources sollicitées à l'échelle mondiale ainsi que tous les aspects relatifs au flux des marchandises transigées.

Quand ? Un calendrier d'approvisionnement doit être établi, car il aura une influence directe sur la rentabilité des transactions.

Combien ? Il est nécessaire que le fournisseur connaisse le volume qui se transigera avec lui de façon globale et par transaction.

Quel prix ? Le prix d'acquisition d'un objet peut être déterminé sur la base du coût, du marché ou de la position concurrentielle. Le prix basé sur le coût tient compte du coût de revient de fabrication qui est prévu. Quant au coût basé sur le marché, une recherche en mar-keting indiquera un prix de vente, qui se traduira par un coût d'acquisition. L'entente reflétera alors le montant d'argent disponible pour conclure la transaction avec le fournisseur. Enfin, en ce qui concerne le coût basé sur la position concurrentielle, pour faire une percée sur le marché, le service du marketing doit offrir un prix meilleur que celui de la concurrence. Le coût d'ac-quisition indiqué sur le contrat devra concorder avec la position concurrentielle souhaitée.

Le fournisseur qui reçoit l'offre doit y trouver son profit ; à ce titre, il peut accepter, refuser ou modifier la proposition reçue. Le plus grand défi pour l'acheteur est de ne pas se tromper dans l'adoption de sa stratégie. Le choix du fournisseur doit en effet s'aligner sur la stratégie globale de l'entreprise. Régulièrement, les deux parties doivent s'asseoir ensemble pour évaluer la relation ou pour la réorienter. Par exemple, un acheteur travaillant dans un hôpital peut approcher un four-nisseur du service de la nutrition et lui faire une offre plutôt que d'attendre une proposition de ce dernier. Ainsi, il lui dira que les repas doivent être conformes au *Guide alimentaire canadien,* être diversifiés, obéir à un cycle de quatre semaines (le même repas ne reviendra pas au menu avant quatre semaines) et représenter un coût unitaire de 3,25 $, incluant le prix de la nourriture, de la main-d'œuvre et de la logistique. Quant au fournisseur, il peut accepter ou refuser cette offre.

3.1.9   Joindre un groupement d'achat

Jean Nollet et Martin Beaulieu[6] définissent le groupement d'achat comme un cadre permettant la consolidation des achats de diverses organisations. Le groupement possède sa propre autonomie, ce qui lui permet de définir sa mission, ses buts et ses orientations. L'entreprise devient un membre du groupement. Il y a donc des possibilités de friction si les orientations prises par le groupement divergent de celles de l'entreprise. Malgré tout, les groupements d'achat par secteur existent et font partie de la réalité du monde des affaires. Au Québec, citons quelques groupements majeurs comme Métro-Richelieu dans le domaine de l'épicerie, Rona dans la quincaillerie, Novexco dans la papeterie de bureau, les 11 groupes d'achats régionaux dans le secteur de la santé, le regroupement des universités, etc. Le tableau 3.6 résume les avantages et les inconvénients pour les membres d'un groupement d'achat.

L'émergence des portails sur Internet pourrait rendre de plus en plus populaires les groupements d'achat. Les entreprises, en devenant membres d'un site, devront s'investir dans le groupement si elles veulent retirer le maximum de bénéfices de leur adhésion. À l'inverse, un groupement permet d'aider les acheteurs à mieux gérer les objets reliés à la raison d'être de l'entreprise.

■ **Tableau 3.6**   Avantages et inconvénients d'un groupement d'achat

Avantages	Inconvénients
• Meilleurs prix • Plus grande facilité d'obtenir des rabais de volume • Réduction des coûts administratifs reliés aux opérations d'achat • Concentration des expertises et des ressources • Amélioration des communications avec les fournisseurs • Réduction du temps d'amortissement de certaines immobilisations • Augmentation du nombre de services offerts aux membres • Accès à une image corporative	• Méfiance de certains membres envers le groupement • Perte du contrôle de certains achats effectués directement par les membres à leur avantage, mais au détriment du groupement • Interdiction faite au fournisseur de traiter séparément avec certains membres en absence d'une entente entre celui-ci et le groupement • Obligation de se conformer à certaines règles liées au mode de fonctionnement du groupement

6. Jean Nollet et Martin Beaulieu. « Tirer le plein potentiel d'un groupe d'achat », *Gestion,* vol. 27, n° 4, hiver 2003, p. 9 à 16.

3.1.10 Les fournisseurs de classe mondiale

Voici une approche utilisée dans les entreprises qui ont plusieurs sites de fabrication localisés dans divers pays. L'acheteur d'un des sites remarque un fournisseur de sa région dont la performance est excellente et croit qu'il pourra en faire bénéficier les autres sites de l'entreprise. C'est d'ailleurs pourquoi, dans le processus de qualification d'un fournisseur, l'acheteur s'intéressera en particulier à la capacité de production et de distribution du fournisseur à une échelle plus grande. Après que le fournisseur aura fait la preuve de son rendement, l'entreprise l'appuiera dans la distribution des objets vers les autres territoires de fabrication. Ce fournisseur bénéficiera alors de l'expertise de l'entreprise sur le plan de la distribution et garantira l'utilisation de sa propre capacité de production ; de son côté, l'entreprise bénéficiera des bons services du fournisseur dans tous ses territoires de fabrication. Comme on le voit, cette relation est profitable pour les deux parties.

3.2 La qualification des fournisseurs

Il existe plusieurs méthodes pour évaluer une source. Parmi celles-ci, citons l'évaluation informelle, la rencontre avec la source, la réputation du fournisseur ou du produit, l'évaluation d'échantillons, un système formel d'évaluation, un système de notation pondérée et le processus de qualification des fournisseurs. Nous examinerons cette dernière méthode, qui s'avère la plus complète étant donné qu'elle englobe les autres méthodes d'évaluation.

Le processus de qualification des fournisseurs poursuit les buts suivants :

- déterminer le fournisseur idéal (celui qui donnera la meilleure performance) ;
- améliorer un des critères de l'approvisionnement mix ;
- obtenir davantage des sources actuelles ;
- distinguer les aspects stratégiques de l'entreprise qui influenceront la stratégie d'approvisionnement ;
- obtenir un certain respect de la part du marché grâce à une démarche sérieuse ;
- conclure des ententes mutuellement profitables ;
- réduire le nombre de fournisseurs ;
- mieux positionner l'entreprise sur le marché face à ses concurrents ;
- passer d'un climat basé uniquement sur des relations à un climat basé sur l'intégration.

Ainsi, la qualification des fournisseurs est un processus d'évaluation structuré qui vise à découvrir les fournisseurs capables de procurer à l'entreprise les objets dont elle a besoin. Ce processus tente de générer plusieurs types de bénéfices, tels qu'une meilleure gestion des fournisseurs, une réduction du coût total de l'approvisionnement, une amélioration de la qualité, de meilleures relations de travail autant à l'intérieur de l'entreprise qu'à l'extérieur de cette dernière, un approvisionnement à plus long terme, l'échange de certains renseignements, un meilleur processus de résolution de problèmes, la réduction du nombre de documents administratifs, une motivation différente face au marché et une productivité accrue des ressources. Pour être efficace, le processus de qualification doit être structuré, flexible, simple, global, précis, créatif et rentable.

Trois éléments s'avèrent essentiels dans cette démarche, à savoir :

- l'intégration des fournisseurs au système actuellement en place ;
- la reconnaissance d'un fournisseur susceptible d'aider l'entreprise en ce qui concerne la rentabilité, la productivité et la position concurrentielle ;
- l'établissement d'un processus basé sur la consultation, le travail en équipe et la participation des autres services de l'entreprise.

Le processus de qualification des fournisseurs comporte six étapes, soit la définition des besoins à combler, l'établissement des objectifs à réaliser, l'évaluation des fournisseurs, le choix d'une base réduite de fournisseurs, l'établissement d'une relation étroite et l'évaluation du processus de qualification des fournisseurs. La première étape, qui consiste à définir les besoins à combler, comprend la définition du mandat, la consultation dans l'entreprise et à l'extérieur de l'entreprise, l'établissement des ressources nécessaires et la composition d'une équipe.

Pour ce qui est de la deuxième étape, soit l'établissement des objectifs à réaliser, il s'agit de définir des objectifs quantifiables, mesurables et réalisables. Pierre Beaulé, directeur du service de l'approvisionnement à l'Université du Québec à Montréal, propose la liste suivante de critères de qualification :

- la qualité, qui comprend le système de contrôle et d'amélioration de la qualité, la formation du personnel et la certification ISO ;
- la livraison, soit les délais, la flexibilité et la localisation de la source ;
- l'appareil de production, qui inclut le système de planification et de contrôle, la gestion des stocks à toutes les étapes, le retrait des produits défectueux, le contrôle des temps de production et le désir de partager la technologie utilisée ;
- le prix, soit le prix initial du produit, la surcharge possible, l'escompte et les coûts associés (comme la livraison) ;
- la position financière, à savoir la rentabilité (profits bruts et nets, liquidités) et la croissance (ventes, profits et actifs) ;
- la technique, qui comprend la technologie utilisée, la formation du personnel, la R et D (recherche et développement) sur les produits et le niveau d'informatisation ;
- le management et l'organisation, c'est-à-dire la structure de l'entreprise (les tâches, les fonctions, la spécialisation), les compétences des dirigeants et des cadres supérieurs, la compatibilité avec les valeurs et le mode de fonctionnement de l'entreprise, l'avantage concurrentiel, la compréhension des facteurs de succès et les plans à long terme sur une expansion ou sur d'autres changements ;
- le service après-vente, soit la formation du personnel de soutien et l'accessibilité des pièces ;
- l'attitude et la volonté, à savoir la volonté du fournisseur de faire affaire avec l'entreprise, les relations contractuelles passées (les problèmes éprouvés et le processus suivi pour les résoudre), la possibilité de s'entendre à long terme et la compréhension du fournisseur quant aux objectifs de l'entreprise et à son contexte ;
- la gestion des ressources humaines, qui comprend les relations de travail passées et actuelles de même que le type de formation donnée et sa fréquence ;

- l'approvisionnement, soit les objectifs poursuivis dans ce domaine, le processus d'inspection, de retrait et de retour des produits défectueux ainsi que la formation du personnel ;
- les autres critères, c'est-à-dire la taille de l'entreprise du fournisseur par rapport à l'entreprise cliente, le type de clients servis et la satisfaction de ces derniers, et enfin la localisation du fournisseur et la facilité de communiquer avec lui.

À la troisième étape, qui est l'évaluation des fournisseurs, l'entreprise devrait disposer d'une méthode systématique et quantifiable pour donner une note à chaque critère évalué. Une méthode courante consiste à utiliser une grille de pondération (voir l'exemple 3.2, page 100). Lors de la quatrième étape, soit le choix d'une base réduite de fournisseurs, l'entreprise dresse une liste des fournisseurs qui répondent à ses besoins et à ses objectifs. Il s'agit d'un premier tri. La cinquième étape consiste dans l'établissement d'une relation étroite. L'entreprise sélectionne alors une ou plusieurs sources qui devraient répondre aux besoins précisés à la première étape du processus. Elle pourra alors établir avec cette source ou ces sources une relation basée sur la poursuite de ses objectifs et sur la satisfaction de ses besoins actuels et futurs. La dernière étape est l'évaluation du processus de qualification. Après un certain temps, l'entreprise procède à l'analyse des écarts entre ses objectifs et les résultats qu'elle a obtenus.

3.3   Le coût d'acquisition

Le coût d'acquisition aura des répercussions majeures sur les autres services de l'entreprise, pouvant aller jusqu'à menacer la survie de celle-ci. Le coût d'acquisition ne représente pas uniquement le prix directement payé pour un objet. Il inclut le prix de départ du fournisseur, le coût du transport, le coût de l'emballage, les frais de douane, le taux de change des devises, les frais de financement et d'autres frais inhérents à l'acquisition de l'objet. Le choix de l'acheteur se portera sur le coût d'acquisition le plus bas. Nous verrons maintenant une composante importante du coût d'acquisition, soit le prix, incluant l'image et l'interprétation du prix, la provenance des différents prix de même que les remises, les rabais, les réductions et les escomptes.

Dans ses pourparlers avec les fournisseurs, l'acheteur discute du prix, qui représente la valeur d'un objet pour chaque fournisseur. Le coût d'acquisition est donc constitué de l'ensemble des prix d'achat et des efforts que l'entreprise doit investir pour obtenir l'usufruit de l'objet. Ainsi, pour le fournisseur, le prix s'établit à partir d'éléments provenant soit de l'environnement général (la conjoncture économique, les lois et la réglementation, ses propres politiques, les habitudes d'achat de ses clients), soit du marché (la concurrence, le cycle de vie du produit, l'offre et la demande, l'effort pour se procurer l'objet) ou encore des initiatives des fournisseurs qui désirent obtenir un bénéfice différent. La liberté de l'acheteur d'influencer les échanges commerciaux jouera un rôle important dans la détermination du coût d'acquisition de l'objet. Cette liberté s'établit en fonction des marchés, qui sont :

1. Le marché concurrentiel, ce qui veut dire que le marché n'exerce aucune contrainte, permettant ainsi une liberté et une fluidité dans les échanges.

2. Les marchés non concurrentiels, ce qui veut dire que le cadre du marché concurrentiel ne s'applique pas. Parmi ces marchés non concurrentiels, citons :

a) les monopoles d'État, c'est-à-dire lorsque les autorités politiques déterminent les prix, comme c'est le cas au Québec pour l'électricité, dont le gouvernement a fixé le prix plancher ;

b) les oligopoles, c'est-à-dire lorsqu'un petit nombre de sources s'attribue le contrôle de la valeur de l'objet, comme c'est le cas pour l'essence au Québec ;

c) les sources uniques, ce qui implique qu'une seule source est capable d'offrir l'objet, soit à cause d'un avantage concurrentiel que la source a développé, soit parce que celle-ci a obtenu, par ses efforts, un brevet lui assurant l'exclusivité. Normalement, après un certain temps, lorsqu'il y a un profit à faire sur le marché d'une source unique, la concurrence apparaît, entraînant la détermination du prix selon un marché devenu concurrentiel ;

d) les immobilisations acquises par l'entreprise au fil de son histoire. C'est le cas lorsque, par exemple, l'acheteur peut acheter certaines pièces de rechange uniquement auprès du fabricant d'origine ;

e) les lourdeurs administratives de l'entreprise lorsqu'il faut traiter avec plusieurs fournisseurs. Prenons l'exemple d'un acheteur qui voudrait acheter une calculatrice imprimante pour un demandeur ; son premier réflexe sera de consulter le catalogue de son fournisseur d'articles de bureau afin de ne pas avoir à initier une relation d'affaires avec un autre fournisseur ;

f) les modes de fonctionnement de l'entreprise, qui imposent à l'acheteur de traiter avec une source. C'est le cas, par exemple, lorsque la haute direction de l'entreprise impose une homogénéité des ordinateurs dans ses différentes usines.

Enfin, l'acheteur ne doit pas mésestimer les lois régissant la détermination des prix, dont la plus connue est la Loi sur la concurrence, ainsi que les pratiques relatives aux marges, aux remises, aux rabais ou à d'autres avantages similaires. Toutes ces dispositions visent à laisser libre cours à la concurrence des prix sur le marché, à empêcher la formation de coalitions, de cartels, de collusions, à éviter la tricherie, la discrimination entre distributeurs, l'utilisation d'une force abusive dans la détermination du prix, les rabais illusoires, les remises occultes ou tout autre comportement répréhensible. Les lois sont votées par les gouvernements, et la transgression de ces dernières mérite d'être dénoncée et punie. Sans compter que de telles pratiques peuvent ternir la profession tout entière.

3.3.1   L'image et l'interprétation du prix

Un acheteur doit connaître l'interprétation que fait le fournisseur de la notion de prix. Pour l'un, le prix de vente provient de son prix de revient ajouté à son bénéfice (concepts américain et européen). Pour l'autre, le prix de vente moins son bénéfice détermine son prix de revient (concept asiatique). Cette nuance peut avoir un effet majeur sur le véritable prix à payer pour obtenir l'objet. Ainsi, une entreprise japonaise fabriquant des chaînes stéréo détermine, à partir de plusieurs études, un prix de vente sur le marché québécois. À partir de ce prix de vente, elle enlève le profit qu'elle recherche, ce qui lui laisse le coût de fabrication. L'entreprise japonaise tentera de fabriquer le meilleur produit en fonction du coût de fabrication établi. Par contre, l'entreprise nord-américaine établit la qualité du produit recherché par le consommateur. Par la suite, elle calcule son coût de fabrication et son profit, ce qui donne le prix de vente de la chaîne stéréo. Bref, l'entreprise japonaise a ciblé le prix de vente avant de fabriquer le produit, alors que l'entreprise nord-américaine a défini le produit avant de fixer le prix de vente.

Avant de décider d'un prix, il faut que l'acheteur s'assure que le fournisseur choisi fera un bénéfice raisonnable. Un fournisseur qui vend à perte est une bombe à retardement qui constituera un risque important pour l'acheteur. En effet, le fait de reprendre la sélection et la qualification d'un nouveau fournisseur exige des ressources que l'entreprise ne tient pas à investir. La rentabilité de la transaction, à savoir qu'un bénéfice reviendra à chacune des parties, est une affaire d'éthique pour l'acheteur.

Par contre, un acheteur ne doit pas se laisser influencer par la notion de prix psychologique, c'est-à-dire avoir une idée préconçue du prix en l'associant à un autre paramètre. Par exemple, certains acheteurs font une relation entre le prix payé et la qualité d'un fournisseur. Un fournisseur habile démontrera à l'acheteur la qualité du produit offert pour ensuite lui faire accepter un écart entre le prix de vente réel et le prix que son client est prêt à payer. Dans la préparation de la rencontre portant sur la fixation du prix, l'acheteur analysera les différentes possibilités. L'entreprise s'attend à ce que ce dernier achète au bon prix et non sur la base d'un prix établi selon une perception.

3.3.2   La provenance des différents prix

Pour qu'il y ait un consentement sur le prix de la transaction, il doit y avoir au départ une offre. L'offre proviendra de l'une ou l'autre des parties. L'acceptation de l'offre par l'autre partie déterminera la valeur de l'objet qui sera acquis. Une offre doit être sérieuse, c'est-à-dire marquer une volonté réelle de s'engager, et complète, autrement dit comporter tous les éléments essentiels d'une entente. Si un des éléments est manquant, l'offre ressemblera plutôt à une invitation à des pourparlers. Ainsi, le prix indiqué dans le pare-brise d'une voiture représente une invitation à passer une entente ou un contrat, car il est fonction de la description complète de l'objet, soit la voiture, et d'une volonté sérieuse de transiger. De même, une enseigne « à vendre » d'un agent immobilier représente une invitation à conclure une entente, car la personne désirant faire l'acquisition de l'immeuble présentera éventuellement une offre avec l'intention d'en faire l'acquisition.

En général, le prix peut avoir plusieurs origines. La figure 3.2 permet de situer les prix selon quatre blocs, soit les prix inférieurs au marché, les prix négociés, les prix du marché et les prix supérieurs au marché. Une relation saine avec un fournisseur requiert que les deux parties y trouvent leur profit.

■ Le prix de dumping

Par définition, un prix de dumping signifie que le prix du fournisseur est inférieur à son coût de fabrication. Par exemple, un fournisseur étranger peut obtenir une subvention gouvernementale d'aide à l'exportation de ses produits afin de lui permettre d'être plus concurrentiel sur les marchés étrangers. Il se trouve donc avantagé par rapport aux fournisseurs nationaux qui sont incapables de concurrencer ses pratiques.

■ Figure 3.2   Courbe de la provenance des prix

Source : Roger Perrotin et Pierre Heusschen. *Acheter avec profit,* Paris, Éditions d'Organisation, 1999, p. 98.

■ Le prix d'appel

Le prix d'appel s'obtient lorsque le fournisseur décide volontairement d'offrir à l'acheteur un prix plus bas que le prix du marché. Par exemple, un fournisseur offrira un prix exception-nellement bas dans le but d'obtenir un premier contrat avec une entreprise. Cette façon de procéder est populaire dans les commerces de détail qui proposent certains produits à un prix inférieur tout en sachant que les consommateurs achèteront aussi d'autres produits offrant une marge bénéficiaire plus intéressante. Au bout du compte, le fournisseur obtiendra son bénéfice sur l'ensemble des objets achetés au lieu d'un bénéfice sur chaque objet vendu.

■ Le prix de détresse

Ce prix a cours lorsque le fournisseur agit pour une raison de survie ou de récupération d'actif. C'est le cas, par exemple, lorsqu'un fournisseur veut liquider des surplus ou est forcé de vendre du stock parce qu'il est dans une situation financière précaire.

■ Le prix erroné

Dans une relation d'affaires, il arrive parfois que le fournisseur donne à l'acheteur un prix erroné qui peut être à son avantage ou à son désavantage. Ce prix sera à l'avantage de l'acheteur s'il se trouve dans les prix inférieurs au marché et il sera à son désavantage s'il se trouve dans les prix supérieurs au marché.

▦ Le prix négocié

Le prix négocié est le prix obtenu à la suite d'une négociation au cours de laquelle les parties ont fixé la valeur de l'objet. Cette entente peut être privée ou semi-privée. Il y a deux types de prix négociés : le prix net à l'achat, et le prix comprenant une remise à la fin d'une période. Le prix net à l'achat s'avère semi-privé, car il est indiqué sur la facture. En effet, si par mégarde cette facture est envoyée à la mauvaise adresse, il y a de fortes chances pour que le prix négocié soit connu des clients ou des concurrents, ou encore qu'un prix spécial ne soit pas attribué aux fins prévues. Par exemple, un distributeur d'une matière première achète un wagon de 80 000 kilos de cette matière à un prix net pour le projet A, lequel n'utilise finalement que 60 000 kilos ; ce distributeur pourra donc utiliser les 20 000 kilos restants en tant qu'avantage concurrentiel pour le projet d'un autre client. La remise en fin de mois permet de préserver la confidentialité du prix final ; par contre, il faudra remplir davantage de documents administratifs pour y avoir droit. Ce choix relève du type de relation qui existe entre le fournisseur et le client.

▦ La négociation

La négociation est une série d'entretiens, d'échanges de points de vue, de démarches, qui sont entreprises entre deux ou plusieurs parties afin de parvenir à un accord commercial. Chaque point discuté peut influencer le prix payé pour un objet. C'est la principale raison pour laquelle le prix négocié représente un compromis entre les parties compte tenu des autres éléments inclus dans l'accord.

Le processus de négociation comporte quatre étapes, soit la préparation, la rencontre, la négociation et la rédaction de l'entente.

• Première étape : la préparation

Une bonne préparation de la négociation tient compte des facteurs de l'environnement, comporte la définition de la demande d'achat (qui a été vue en détail au chapitre 2), et examine les variables reliées à la rédaction de l'entente éventuelle.

Les facteurs de l'environnement sont les suivants :

- les influences internationales, telles que les économies prédominantes dans le secteur d'activité, les avantages politiques de certains concurrents, les nouvelles sources (fournisseurs) de substitution ou complémentaires, la valeur de l'argent, les modalités de transport, les particularités culturelles des autres pays, l'environnement géopolitique du fournisseur et la garantie de l'approvisionnement ;

- le canal de distribution en amont, soit la façon dont le produit arrivera à destination, incluant le transport, les sous-traitants et les tarifs douaniers ;

- les aspects légaux reliés à l'entente, c'est-à-dire les garanties, les procédures de règlement des litiges, les documents nécessaires aux paiements et la détermination du cadre juridique ;

- la philosophie de gestion, c'est-à-dire la place de l'informatique dans le développement de la relation, la culture et les valeurs des parties, les efforts touchant la réduction des coûts (il y aura beaucoup de discussions à cet effet, car il ne s'agira plus simplement de négocier un prix, mais d'acquérir un coût), l'importance de la réduction des niveaux de stock et la fixation des standards de qualité.

Les variables reliées à la rédaction de l'entente éventuelle représentent les conditions ou les clauses de l'entente, dont voici les principales :

- la durée de l'entente ;
- la limitation de l'utilisation de la gamme de produits ;
- l'expansion de la gamme de produits ;
- l'introduction de nouveaux produits dans la gamme actuelle ;
- l'évolution de l'échange de l'information ;
- les différents aspects financiers ;
- la formation du personnel ;
- les campagnes de publicité ;
- la liste des personnes-ressources ;
- le choix des personnes habilitées à approuver certains accords en cours de négociation ;
- la confidentialité de certains renseignements ;
- le mode d'évaluation du rendement ;
- le calendrier de présentation des rapports ;
- l'accessibilité des produits ;
- les exclusivités ;
- le contrôle de la relation ;
- la mise à jour des connaissances ;
- la contribution de chaque partie à la publication d'un catalogue ;
- les garanties offertes pour chaque produit ;
- les conditions à remplir pour respecter les garanties ;
- le retour des marchandises ne répondant pas aux attentes du client ;
- la documentation et les brochures ;
- le matériel de publicité ;
- les échantillons ;
- les variations dans les listes de prix ;

- les programmes d'incitation à la vente ;

- les programmes destinés aux usagers ;

- l'évaluation de la concurrence ;

- les bénéfices attendus ;

- les autres clauses particulières à chaque contrat.

Chacun de ces points peut être négocié. Il est important pour l'acheteur de bien préparer ce qu'il doit négocier ainsi que ses attentes pour chacun de ces points.

• Deuxième étape : la rencontre

Selon le contexte, il faudra déterminer si une rencontre s'impose. Dans l'affirmative, une des parties devra organiser la rencontre et communiquer à l'autre partie le lieu, la date, l'heure, le nom des personnes présentes, le contenu et le déroulement, le matériel requis, etc. Il faut s'attendre à ce que les réunions, dans un proche avenir, prennent la forme de vidéoconférences. De plus, les rencontres réuniront des équipes multidisciplinaires et non deux personnes, comme c'était le cas dans l'approche traditionnelle.

• Troisième étape : la négociation

Au début de la négociation, l'organisateur de la rencontre ouvre celle-ci et présente les participants, explique le déroulement et fait un bref exposé du thème qui sera abordé. Pendant la rencontre, il s'assure du progrès de la discussion, note les points sur lesquels les parties s'entendent et veille à ce que soit respecté le temps alloué à chaque point. À la fin de la séance, il résume les points qui ont été réglés et procède à une évaluation de la rencontre. Les résultats de celle-ci peuvent être de trois ordres :

- il y a entente, et les parties passent à l'étape de la rédaction de celle-ci ;

- une seconde rencontre devra être planifiée ;

- les parties conviennent qu'il n'y aura pas d'entente.

Durant les échanges, l'acheteur choisit le chemin susceptible de le conduire au succès. La communication entre les parties démontrera l'influence, les émotions, les réactions, la satisfaction ou l'insatisfaction et la position de chacune d'elles. L'annexe 3.2 présente 13 tactiques que l'acheteur peut utiliser pour parvenir à ses fins au cours de la rencontre de négociation.

• Quatrième étape : la rédaction de l'entente

À la quatrième étape, les différents points faisant l'objet de l'entente sont rédigés. Dès que les parties sont d'accord avec le libellé du document, elles signent ce dernier. Autrefois, une bonne entente se mesurait au nombre d'années durant lesquelles elle était appliquée. De nos jours, étant donné que 70 % des ententes stratégiques ne donnent pas les bénéfices escomptés, celles-ci sont constamment réévaluées et améliorées.

EXEMPLE 3.1   Exemple d'une négociation

Les dirigeants d'une entreprise désirent renouveler une partie de la flotte de camions. Ils doivent donc rencontrer les trois grands manufacturiers de l'industrie automobile. L'acheteur de l'entreprise devra pour sa part préparer son dossier de négociation. Lors de sa préparation, l'acheteur demandera aux utilisateurs de décrire l'objet désiré. Puis il vérifiera si l'objet décrit est complet et respecte les principes de transparence, d'équité et d'accessibilité entre les sources (dans le chapitre 2, l'objet d'achat). Par la suite, l'acheteur recueillera et analysera son objectif d'achat, incluant les attentes de la haute direction, et évaluera ce que l'entourage de l'entreprise peut lui apporter; il analysera les données reliées aux différents fournisseurs et déterminera avec les dirigeants de l'entreprise les compromis qui seraient acceptables lors de la négociation (dans le chapitre 2, l'objectif d'achat). Par la suite, il déterminera quelles seront les personnes qui participeront à la prise de décision et à la négociation (dans le chapitre 2, l'organisation d'achat). L'acheteur finira sa préparation en déterminant la manière dont se dérouleront ses relations avec les fournisseurs (dans le chapitre 2, l'opération d'achat).

Une fois la préparation terminée, il invitera les fournisseurs à proposer une entente à l'entreprise. Par la suite, il analysera les données fournies et invitera les fournisseurs à une phase de négociation. L'acheteur validera les points importants pour l'entreprise et décidera de l'approche qu'il privilégiera pour les atteindre (une des approches par point décrites à l'annexe 3.2). Lors de la phase de négociation, chaque point en suspens sera discuté, et des compromis devront être négociés pour l'ensemble des points en suspens. Lorsqu'elles se seront mises d'accord sur l'ensemble des points à discuter, les parties décideront de l'opportunité de faire des affaires ensemble. Si c'est le cas, les parties passeront à la quatrième étape, soit la rédaction de l'entente.

▨ Le prix affiché

Une des façons de connaître le prix de la transaction consiste à regarder l'étiquette des produits. Cette procédure est souvent utilisée dans les magasins qui offrent leurs produits directement au public.

▨ La liste de prix

Certaines ententes spécifient que les prix peuvent fluctuer à la baisse ou à la hausse au fil du temps. Le fournisseur préparera alors une liste de prix comprenant une date d'entrée en vigueur, alors que le contrat indiquera la manière d'interpréter cette liste de prix. Le tableau 3.7 donne un exemple de prix basé sur un volume d'achat.

Ainsi, l'acheteur aura le choix d'acheter le produit 3325 dans un volume de 1 à 1 000 unités à 0,18 $ l'unité, de 1 001 à 5 000 unités à 0,17 $ l'unité, de 5 001 à 10 000 unités à 0,16 $ l'unité, de 10 001 à 20 000 unités à 0,15 $ l'unité ou de 20 000 unités ou plus à 0,14 $ l'unité. À l'aide d'autres renseignements, il choisira le prix correspondant le mieux à ce que recherche son entreprise.

▨ Le prix au comptant

Le prix au comptant est le prix qui provient de l'offre, de la demande et des stocks. Ce prix est généralement obtenu par des mouvements boursiers, des décisions politiques qui s'y rattachent et des prévisions sur l'évolution du marché. Comme l'écrit Marie de Varney :

■ **Tableau 3.7**   Liste de prix du fournisseur ABC

Produit	Prix unitaire				
	De 1 à 1 000 unités	De 1 001 à 5 000 unités	De 5 001 à 10 000 unités	De 10 001 à 20 000 unités	20 001 unités ou plus
3325	0,18 $	0,17 $	0,16 $	0,15 $	0,14 $
4123	0,21 $	0,19 $	0,17 $	0,15 $	0,14 $
5530	0,33 $	0,32 $	0,31 $	0,30 $	0,30 $
6518	0,28 $	0,28 $	0,28 $	0,26 $	0,26 $

Les produits de base sont souvent considérés comme des indicateurs de la croissance pour maintes raisons, et en particulier celle-ci, évidemment : un pays en pleine croissance achète des matières premières ; dans le cas contraire, il regarde à la dépense. La récession économique que traversent la plupart des pays industriels depuis quelques années est la cause première du plafonnement de la consommation et, par conséquent, de la baisse des prix[7].

■ L'appel d'offres

Le service de l'approvisionnement utilise fréquemment l'appel d'offres pour obtenir un prix. Un appel d'offres complet et bien préparé ne laisse place qu'à une inconnue, soit la détermination du prix. L'appel d'offres est utilisé dans deux cas distincts, à savoir :

* lors d'une procédure d'appel à la concurrence entre plusieurs fournisseurs selon laquelle des demandes d'achat sont approuvées et des sources d'approvisionnement sont choisies en fonction des conditions établies ;

* lors d'une opération, appuyée par un cahier des charges, par laquelle l'acheteur éventuel de biens, de fournitures ou de services invite des fournisseurs potentiels à faire une proposition précise (soumission, devis, offre de service) en vue de la conclusion d'une entente.

Dans ces deux cas, l'appel d'offres vise à solliciter des propositions du marché sans garantir la volonté de transiger. Il existe deux types d'appels d'offres :

* L'appel d'offres sur invitation, où seuls les fournisseurs qui ont été approchés par l'entreprise peuvent soumissionner. Cette manière de faire comporte des avantages et des inconvénients (voir le tableau 3.8).

* L'appel d'offres public, qui consiste en un avis diffusé au public permettant à toutes les entreprises de soumissionner. Tout comme l'appel d'offres sur invitation, cette forme comporte des avantages et des inconvénients (voir le tableau 3.9).

---

7. Marie de Varney. *Les matières premières*, Paris, Le Monde Éditions, 1995, p. 122.

■ **Tableau 3.8**   Avantages et inconvénients de l'appel d'offres sur invitation

Avantages	Inconvénients
• Il s'agit d'une procédure assez rapide et peu coûteuse dans le contexte d'un organisme public. • Elle s'adresse à des fournisseurs choisis. • Elle permet de cibler l'expertise des fournisseurs. • Le choix s'effectue rapidement. • Cette procédure évite les problèmes qui pourraient survenir avec des fournisseurs peu recommandables.	• Cette procédure ne respecte pas les règles démocratiques. • Elle élimine des fournisseurs potentiels. • Elle favorise certaines sources au détriment d'autres. • Elle peut susciter la réplique des fournisseurs qui n'ont pas été invités. • Elle ne garantit pas le meilleur prix à l'entreprise.

■ **Tableau 3.9**   Avantages et inconvénients de l'appel d'offres public

Avantages	Inconvénients
• Cette procédure est une sollicitation juste et équitable des sources. • Le principe d'équité est respecté. • L'entreprise a plus de chances d'obtenir le meilleur prix. • Cette procédure laisse agir la libre concurrence entre les sources. • Elle laisse peu de place à l'interprétation de l'approvisionnement mix.	• Cette procédure limite le choix au bien ou au service décrit. • Il s'agit d'un processus long et coûteux. • Cette procédure n'est pas flexible dans les situations d'urgence. • L'entreprise risque de recevoir des soumissions de la part de fournisseurs peu recommandables. • Cette procédure laisse peu de place aux avantages qualitatifs des fournisseurs. • Le rendement démontré par les fournisseurs n'est pas considéré dans la décision concernant l'attribution d'un contrat. • Il y a beaucoup de documents administratifs à remplir.

La culture d'entreprise détermine le type d'appel d'offres voulu. Par contre, les organismes publics doivent suivre des règles très strictes en cette matière, comme la *Loi sur l'instruction publique* ou les Accords intergouvernementaux de libéralisation du commerce conclus par les gouvernements du Québec, de l'Ontario et du Nouveau-Brunswick. Ainsi, un appel d'offres public doit être publié dans un quotidien connu ou diffusé par Internet auprès d'organismes qui rendront l'information accessible aux soumissionnaires potentiels. L'encadré qui suit présente des exemples d'appels d'offres publics.

Appels d'offres

Émetteur : Ville de Québec   Début de l'affichage : 18/08/20X0

Catégorie : Villes et municipalités   Fin de l'affichage : 04/09/20X0

Construction d'un système de contrôle de la migration du biogaz, secteur boulevard Rochette et rue Bertrand, arrondissement Beauport—PRE2003-124-VQ-32318

Description des travaux : Fourniture, installation et mise en service complète d'un réseau de collecteurs et d'une station de pompage et d'évacuation du biogaz.

Documents d'appel d'offres : Disponibles chez BÂTIMO (1) (2).

Informations techniques :

Dépôt des soumissions : Au plus tard le 4 septembre 20X0 à 14 h 15, date et heure de l'ouverture publique (3).

Le 13 août 20X0

Serge Tremblay
L'assistant-greffier de la Ville

Réfection des rues Henry-Deyglun, Falardeau et Fauvet — PRE2002-002 & PRE2003-081-VQ-31881

Description des travaux : Réfection des conduites d'aqueduc et d'égouts pluvial et domestique sur une longueur approximative de 460 mètres sur les rues Henry-Deyglun, Fauvet et Falardeau, ainsi que le démantèlement du poste de pompage d'égout domestique et la réfection et le démantèlement d'égout de surface au ruisseau Pincourt. Sont également inclus la réfection des branchements du service d'aqueduc et d'égouts, de la structure de chaussée et des bordures sur une longueur approximative de 453 mètres.

Documents d'appel d'offres : Disponibles chez BÂTIMO (1) (2) et chez

Groupe Messier inc., 13345, Mgr Larose, Québec (Québec) G5A 4P3 ou au (123) 840-4444 (2).

Dépôt des soumissions : Au plus tard le 5 septembre 200X à 14 h 15, date et heure de l'ouverture publique (3).

Le 13 août 20X0

Serge Tremblay
L'assistant-greffier de la Ville

Avis aux soumissionnaires

(1) MERX (http://www.merx.com) ou au 1-400-964-3333 ou

CONSTRUCTO (http://www.constructo.ca) ou au 1-400-482-2222.

(2) L'obtention des documents est sujette à la tarification de ces organismes.

(3) Les soumissions seront reçues à l'Hôtel de Ville, 26, rue du Sablier, bureau 251, Québec, G1R 4Z9.

Renseignements administratifs : Service des approvisionnements au (123) 641-5555.

Des garanties financières et d'autres exigences peuvent être indiquées dans les documents d'appel d'offres.

À moins d'indication contraire, cet appel d'offres est assujetti à l'annexe 502.4 de l'Accord sur le commerce intérieur (A.C.I.) et, lorsque applicable, à l'Accord de libéralisation des marchés publics du Québec et de l'Ontario (A.Q.O.).

La Ville n'encourt aucune responsabilité du fait que les avis écrits ou documents quelconques véhiculés par système électronique soient incomplets ou comportent quelque erreur ou omission que ce soit. En conséquence, tout soumissionnaire doit s'assurer, avant de soumissionner, d'obtenir tous les documents reliés à cet appel d'offres.

La Ville ne s'engage à accepter ni la plus basse ni aucune des soumissions reçues.

Nous devons déterminer à cette étape le moment auquel un contrat sera formé entre l'émetteur de l'appel d'offres et un soumissionnaire. La Cour suprême du Canada reconnaît le principe selon lequel un contrat pourrait prendre naissance dès la présentation d'une soumission, les conditions de ce contrat étant prévues au dossier d'appel d'offres. La Cour d'appel du Québec ajoutera dans l'affaire 9071-8214 Québec inc. c. Rock Lessard Québec inc. que l'obligation faite à l'émetteur de respecter le principe établi par la Cour suprême du Canada ne s'applique qu'à des soumissionnaires conformes.

Le document préparatoire à un appel d'offres s'appelle le cahier des charges. L'acheteur suivra les principes de transparence, d'accessibilité, d'équité et d'égalité entre les soumissionnaires lors de la rédaction du cahier. Ce cahier décrit en détail, dans un caractère lisible, l'objet et les règles du contrat. L'obligation[8] de l'entreprise envers les offres reçues est indiquée dans les clauses du cahier des charges. Les clauses contenues le plus souvent dans les appels d'offres sont les suivantes :

- les instructions à suivre pour remplir la soumission ;

- les dates de remise des offres ;

- la manière de choisir le fournisseur conforme, les offres retenues devant accepter toutes les clauses du cahier des charges sous peine d'être exclues ;

- la non-obligation de l'entreprise qui fait l'appel d'offres d'accepter l'offre la plus basse, un tel choix devant toutefois être justifié et ne pas contrevenir à l'éthique de l'acheteur envers ses sources ;

- l'obligation du fournisseur de posséder tous les permis requis pour remplir les obligations envers l'objet ;

- l'énumération en détail de l'objet d'achat, incluant toutes les normes requises ;

- les garanties financières requises ;

---

8. Le Code civil du Québec énonce très clairement à l'article 1375 que les obligations doivent être de bonne foi, tant au début des relations contractuelles que lors de leur exécution ou extinction.

- les obligations de l'entreprise faisant l'appel d'offres entre l'attribution du contrat et la mise en vigueur des obligations contractuelles, nommées les obligations implicites de diligence;

- des clauses de révision des structures de prix en cours de contrat;

- des clauses de pénalité ou de bonis pour les jours au-delà ou en deçà de la fin prévue des travaux;

- les recours pour les soumissionnaires rejetés;

- le cautionnement ou la garantie de soumission, soit un montant qui, sans limiter la demande, varie généralement entre 5% et 10% de la valeur du contrat, pour couvrir un des quatre types de risque suivants: les cautionnements de soumission, d'exécution, de paiement de la main-d'œuvre et des matériaux (dits aussi de gages et matériaux) et d'entretien.

Les appels d'offres peuvent provenir d'entreprises privées ou d'organismes publics. Les premières sont régies par leurs manuels des politiques et des procédures au sujet des appels d'offres, tandis que les seconds sont régis par des lois et des règlements imposés par les gouvernements provinciaux ou municipaux.

▨ Le prix de dissuasion

Le fournisseur propose à l'acheteur un prix qui indique clairement son absence d'intérêt à faire affaire avec ce dernier.

▨ Les luxes techniques

Si l'acheteur perçoit que l'objet a une valeur psychologique plus élevée que sa valeur réelle, le fournisseur pourra profiter de cet avantage pour donner un prix supérieur au marché et conclure la transaction. C'est le cas de l'or et de certains métaux précieux dont il est difficile d'établir le prix et la valeur psychologique.

3.3.3   Les remises, les rabais, les réductions et les escomptes

Dans un premier temps, nous définirons les termes clés de cette section. La remise est une somme accordée à la suite de la réalisation d'un objectif fixé au préalable. Par exemple, pour un achat de 200 000 $, l'entreprise accorde une remise de 1%. Le rabais est une diminution faite sur le prix. Par exemple, le prix courant moins 15%. La réduction est un montant accordé sur une certaine valeur d'achat. Par exemple, on accorde 2 $ sur un achat de 100 $. Enfin, l'escompte est une réduction qu'on accorde pour raccourcir le délai de paiement. Par exemple, on accorde un escompte de 2% si le montant est payé dans les 30 jours.

Lors d'une discussion sur la fixation des prix, le fournisseur peut offrir une diminution des prix basée sur des obligations que l'acheteur doit respecter. Chaque avantage pécuniaire se négocie indépendamment des autres. Ces avantages peuvent prendre différentes formes. À titre d'exemple, le tableau 3.10 présente certains avantages pécuniaires supplémentaires qu'un important grossiste en fournitures de bureau peut obtenir d'un fabricant de papeterie. La colonne de gauche indique les titres des paragraphes de l'entente alors que la colonne de droite énumère les conditions ou l'interprétation reliées au type d'avantage.

Bref, pour le grossiste, tous ces points négociés influencent le prix qu'il aura à payer pour le bien. D'autres clauses semblables peuvent s'ajouter au contrat. Mais peu importe les avantages offerts, l'acheteur devra comprendre chaque point touchant le prix afin d'en faire une administration adéquate pour le meilleur intérêt de l'entreprise.

■ **Tableau 3.10   Avantages et conditions d'une entente entre un grossiste et un fabricant**

Avantages accordés sur le prix par le fabricant	Conditions rattachées aux avantages
• Pénétration du marché	• Le fabricant accorde une meilleure « colonne » de prix pour chaque produit acheté.
• 2 %, 10 jours sur le paiement rapide des factures (2/10 ; N30)	• Il accorde une réduction de 2 % si le paiement final de chaque facture est fait en moins de 10 jours, sinon le paiement sera complet, sans escompte, dans les 30 jours.
• Escompte de 10 % sur le prix du produit en promotion	• Cet avantage s'applique pourvu que le produit soit annoncé dans une circulaire ou utilisé pour une promotion radiophonique ou télévisée. Le contrôle s'effectue par une preuve documentée de la promotion.
• Réduction de 3 % sur le prix des produits montrés en couleur dans le catalogue du grossiste et réduction de 1,5 % sur le prix des produits montrés en noir et blanc	• Cet avantage s'applique à chaque produit inclus dans le catalogue du grossiste. Le contrôle s'effectue par la remise au fabricant de deux exemplaires du catalogue.
• Rabais de 1 % des achats pour une valeur d'achat annuelle de plus de 500 000 $; rabais de 1,5 % pour une valeur de 750 000 $ et de 2 % pour une valeur de 1 000 000 $	• La valeur d'achat doit être respectée sur la base de la valeur pécuniaire.
• Rabais de 5 % la première année de l'introduction d'un nouveau produit	• Le grossiste doit avoir une localisation dans l'entrepôt pour le produit pour une période minimale de trois mois.
• Réduction de 1 % sur le prix unitaire pour la première commande de chaque mois	• Le fabricant doit s'assurer de la concentration maximale de produits à acheter pour cette commande.
• Réduction de 1 % sur le prix unitaire pour chaque commande dont le volume représente un demi-camion et réduction de 1,5 % pour un volume représentant un camion complet	• Le fabricant doit s'assurer de la dimension de chaque produit pour contrôler cet avantage offert.

■ **Tableau 3.10**   Avantages et conditions d'une entente entre un grossiste et un fabricant *(suite)*

Avantages accordés sur le prix par le fabricant	Conditions rattachées aux avantages
• Remise de 1 % sur le prix d'une catégorie de produits lors d'un programme d'incitation aux ventes du grossiste	• Cet avantage est conditionnel à l'approbation du fournisseur quant à l'élaboration du programme.
• Protection du prix : 30 jours avant ou après l'annonce d'une modification de prix. S'il s'agit d'une augmentation, le prix sera majoré pour ce grossiste 30 jours après la date d'introduction officielle sur le marché. S'il s'agit d'une baisse de prix, le fournisseur paiera, à la date d'introduction officielle, la différence de prix pour la marchandise en entrepôt à la condition que les produits aient été commandés dans les 45 jours précédant cette date	• Le grossiste doit appliquer la politique de l'entreprise en matière de prévision des ventes à la suite de l'annonce d'une hausse de prix. Dans le cas d'une baisse de prix, le grossiste doit soumettre un document à l'appui.
• Droit de retour de la marchandise chaque mois de mars et de septembre, dans le cas des produits standard seulement, à la condition que les emballages soient complets, faciles à revendre, et que ces produits aient été commandés dans un délai de neuf mois précédant la date du retour, le tout au prix unitaire de la commande originale moins 5 %	• Le grossiste doit soumettre un document à l'appui.

3.4   Les délais reliés à la réalisation d'un mandat

La volonté de transiger avec une autre partie exige que la durée soit définie clairement. L'acheteur doit connaître les termes rattachés à une entente ainsi que les délais requis pour une éventuelle révocation de l'entente. Les termes peuvent être futurs et certains, c'est-à-dire fixés dans le temps à la suite d'une série d'événements connus, ou indéterminés.

En effet, sur le plan juridique, une offre acceptée qui comporte un délai précis s'appelle un délai irrévocable. L'une ou l'autre des parties ne peut renoncer à ses engagements pendant ce délai, sinon elle contreviendra aux articles sur les fautes contractuelles ou de mauvaise foi dans la formation de l'entente, selon le Code civil. Par contre, une procédure peut être entreprise si, durant ce délai, il y a un risque quant à la garantie d'un bien ou à la sécurité des êtres humains.

Un autre type de délai s'avère impératif lors de la formation d'un contrat, soit les clauses de caducité d'une entente. Une entente devient caduque en raison de l'expiration du temps fixé ou des attitudes de l'autre partie. L'annexe 3.4 présente 10 clauses de caducité qui dictent la fin d'une entente.

Afin de ne pas avoir de mauvaise surprise, l'acheteur devrait s'assurer que toutes les clauses de délai font partie intégrante de l'entente avec un fournisseur. Il est à noter que la notion de délai d'exécution est suspendue, selon la loi, dans les cas de force majeure, que l'on peut résumer par l'adage « à l'impossible nul n'est tenu ». Pour prendre un exemple, pensons aux faits causés par les personnes (tels que les révolutions, les incendies, les guerres, les grèves, les vols, les maladies ou les accidents), aux caprices de la nature (les tempêtes de neige ou de verglas, les tremblements de terre ou les inondations) ou aux faits provoqués par les autorités (les lois, les règlements et les décrets). Dans tous ces cas, l'obligation de respecter le délai d'exécution est éteinte.

3.5   L'évaluation

L'acheteur est appelé à prendre une décision sur les sources avec lesquelles il transigera. Afin de fixer son choix, il lui faut prendre du temps pour évaluer les offres reçues. Plusieurs techniques l'aideront à faire cette évaluation. Nous en proposons quelques-unes, mais une technique personnelle peut tout aussi bien faire l'affaire si elle favorise la prise de décisions. Ce processus d'évaluation peut être divisé en trois parties, à savoir les modèles connus, l'analyse du coût de cession et l'analyse du niveau d'indifférence.

Certaines décisions sont de type qualitatif, c'est-à-dire qu'elles sont basées sur l'intuition, sur les préférences, sur la réputation, etc. D'autres décisions sont de type quantitatif, car elles permettent de prendre une décision fondée sur une interprétation mathématique des résultats.

3.5.1   Les modèles connus

À l'aide d'une analyse rationnelle, l'acheteur déterminera une manière d'évaluer le résultat de ses recherches et des offres reçues. Il peut ainsi considérer six modèles pour effectuer son évaluation.

Le modèle de la prépondérance   Lorsqu'un objet dépasse ses concurrents en ce qui a trait aux attentes du client, il est évident qu'il sera choisi de préférence à toutes les autres offres. Ainsi, ce modèle entraîne l'élimination d'une option qui serait inférieure à une autre.

Le modèle conjonctif   L'acheteur peut catégoriser les offres en deux familles : celles qui sont acceptables et celles qui ne le sont pas. Par exemple, toute offre de service qui comportera un coût supérieur de 20 % par rapport aux attentes sera rangée dans la famille des offres non acceptables. L'acheteur sélectionnera donc une offre parmi celles qui sont acceptables.

Le modèle disjonctif Selon ce modèle, l'acheteur retient uniquement les offres qui ont dépassé le seuil acceptable dans un certain nombre de catégories. Par exemple, pour être conservée, une offre doit avoir obtenu 75 % dans 4 des 10 catégories relatives à des besoins.

Le modèle lexicographique C'est le principe de l'entonnoir selon lequel les offres sont évaluées par ordre d'importance des critères, ce qui amène l'élimination d'offres à chaque critère évalué. Par exemple, toutes les offres seront évaluées selon le critère des coûts. Celles qui passeront cette étape avec succès seront évaluées selon la qualité. Puis, les offres restantes seront évaluées selon la quantité. Et ainsi de suite, jusqu'à ce qu'il ne reste plus qu'une offre.

Le modèle attente-valeur L'acheteur donne un poids à chaque critère d'évaluation. Après avoir défini les critères recherchés lors de l'élaboration de l'approvisionnement mix, il pondère ceux-ci. Le critère ainsi pondéré permettra de faire une évaluation scientifique des offres reçues des différentes sources. La source obtenant la meilleure note sera retenue. L'outil utilisé s'appelle la grille de pondération. L'encadré suivant présente un exemple de grille de pondération ainsi que son fonctionnement.

EXEMPLE 3.2   Grille de pondération : évaluation d'entrepreneurs électriques

Première étape : la réception du mandat

Un acheteur reçoit le mandat d'évaluer trois offres d'entrepreneurs électriques. Après avoir effectué une recherche préliminaire, il établit les paramètres de comparaison suivants : le nombre d'employés du fournisseur détenant des cartes de compétence, le temps requis pour accepter un contrat de travail, la durée de garantie après-vente, le coût des produits que l'entrepreneur utilisera pour faire le travail et le coût horaire unitaire des électriciens.

Deuxième étape : la préparation des paramètres d'évaluation

Dans une deuxième étape, l'acheteur établit les notes accordées à chaque paramètre et l'importance relative de ceux-ci (voir le tableau 3.11).

Troisième étape : l'exploration du marché

À la troisième étape, l'acheteur reçoit les informations des fournisseurs, qu'il inscrira dans deux tableaux, un pour les données (voir le tableau 3.12), l'autre pour l'analyse (voir le tableau 3.13).

Quatrième étape : la recommandation

L'acheteur recommandera le fournisseur A avec une note de 91,5 malgré le fait que l'investissement requis soit plus élevé. Son second choix sera le fournisseur B.

Tableau 3.11   Attribution d'une note à chaque paramètre

Paramètres	Pondération	Attribution
Nombre d'employés du fournisseur détenant des cartes de compétence	25 %	Plus de 10 = 100 % Moins de 10 = nombre/10 multiplié par la pondération
Temps requis pour accepter un travail	10 %	Plus court délai divisé par le délai multiplié par la pondération.
Durée de garantie après-vente	10 %	Le délai sur le plus long délai multiplié par la pondération
Coût des produits utilisés par l'entrepreneur pour effectuer le travail	20 %	Le plus bas prix plus la marge divisé par le prix plus la marge multiplié par la pondération
Coût horaire unitaire des électriciens	35 %	Le plus bas prix plus la marge divisé par le prix plus la marge multiplié par la pondération

Tableau 3.12   Collecte des données

Paramètres	Fournisseur A	Fournisseur B	Fournisseur C
Nombre d'employés du fournisseur détenant des cartes de compétence	12	25	7
Temps requis pour accepter un travail	2 jours	1 jour	4 jours
Durée de garantie après-vente	18 mois	12 mois	18 mois
Coût des produits utilisés par l'entrepreneur pour faire le travail	Plus 10 %	Plus 15 %	Plus 12 %
Coût horaire unitaire des électriciens	60 $/h	54 $/h	72 $/h

■ **Tableau 3.13** Analyse des données

Paramètres	Fournisseur A	Fournisseur B	Fournisseur C
Nombre d'employés du fournisseur détenant des cartes de compétence	$100\% \times 25 = 25$	$100\% \times 25 = 25$	$(7/10) \times 25 = 17,5$
Temps requis pour accepter un travail	$(1/2) \times 10 = 5$	$(1/1) \times 10 = 10$	$(1/4) \times 10 = 2,5$
Durée de garantie après-vente	$(18/18) \times 10 = 10$	$(12/18) \times 10 = 6,67$	$(18/18) \times 10 = 10$
Coût des produits utilisés par l'entrepreneur pour faire le travail	$(10\%/10\%) \times 20 = 20$	$(10\%/15\%) \times 20 = 13,4$	$(10\%/12\%) \times 20 = 16,67$
Coût unitaire à l'heure des électriciens	$(54/60) \times 35 = 31,5$	$(54/54) \times 35 = 35$	$(54/72) \times 35 = 26,25$
Total	$25 + 5 + 10 + 20 + 31,5 = 91,5$	$25 + 10 + 6,67 + 13,4 + 35 = 90,17$	$17,5 + 2,5 + 10 + 16,67 + 26,25 = 72,92$

Les tableaux 3.11 à 3.13 montrent qu'il est possible d'évaluer des fournisseurs pour un produit ou un service donné. La grille de pondération est aussi utilisée pour évaluer la perfomance d'un fournisseur au fil du temps. Ainsi, à partir de l'exemple suivant, l'entreprise désire évaluer la performance du fournisseur ABC.

■ **Tableau 3.14** Évaluation du fournisseur ABC après 5 mois

| Paramètres | Description | Mois | | | | | |
		1	2	3	4	5	Total
Qualité	Nombre d'unités acceptées (A)	1380	1290	1185	1400	1197	6452
	Nombre total d'unités reçues (B)	1500	1400	1300	1500	1300	7000
	Nombre de certificats reçus à temps (C)	140	128	117	141	123	649
	Nombre total de certificats reçus (D)	150	140	130	150	130	700
Quantité	Nombre de lignes en rupture (E)	23	28	18	22	33	124

■ **Tableau 3.14**   **Évaluation du fournisseur ABC après 5 mois** *(suite)*

| Paramètres | Description | Mois | | | | | |
		1	2	3	4	5	Total
	Nombre de lignes commandées (F)	500	450	425	500	430	2305
Temps	Nombre de livraisons en retard (G)	5	3	5	1	3	17
	Nombre total de livraisons (H)	20	27	23	18	21	109
Lieu	Nombre de livraisons au bon endroit (I)	19	26	19	16	18	98
	Nombre total de livraisons (J)	20	27	23	18	21	109
Service	Nombre de commandes urgentes remplies à temps (K)	5	5	7	8	9	34
	Nombre total de commandes urgentes (L)	7	5	8	8	9	37
	Nombre d'appels pour revoir le contrat (M)	5	5	4	4	3	21
	Nombre total d'appels (N)	12	13	11	10	9	55
Coûts	Nombre de factures erronées (O)	8	6	4	3	1	22
	Nombre de factures traitées (P)	28	23	25	16	19	111

■ **Tableau 3.15**   Résultats de l'évaluation du fournisseur ABC après 5 mois

Paramètres	Description : calcul	Pondération p	1	2	3	4	5	Total
Qualité	Acceptations: (A/B) * p	15 %	13,8	13,8	13,7	14,0	13,8	13,8
	Certificats: (C/D) * p	5 %	4,7	4,6	4,5	4,7	4,7	4,6
Quantité	Quantité suffisante: $\left(1-\left(\dfrac{E}{F}\right)\right) * p$	15 %	14,3	14,1	14,4	14,3	13,8	14,2
Temps	À temps: $\left(1-\left(\dfrac{G}{H}\right)\right) * p$	20 %	15,0	17,8	15,6	18,9	17,1	16,9
Lieu	Livraison: (I/J) * p	20 %	19,0	19,3	16,5	17,8	17,1	18,0
Service	Urgent: (K/L) * p	15 %	10,7	15,0	13,1	15,0	15,0	13,7
	Appels: $\left(1-\left(\dfrac{M}{N}\right)\right) * p$	5 %	2,9	3,1	3,2	3,0	3,3	3,1
Coûts	Factures adéquates: $\left(1-\left(\dfrac{O}{P}\right)\right) * p$	5 %	3,6	3,7	4,2	4,1	4,7	4,0
Total		100 %	84,0	91,4	85,2	91,8	**89,5**	88,3

Note : Toutes les valeurs sont en pourcentage.

À la lecture du tableau 3.15, on peut conclure que le meilleur mois serait le 4ᵉ avec une pondération totale de 91,8 %. De plus, la moyenne des 5 mois nous donne une pondération de 88,4 %. Les 2ᵉ, 4ᵉ, et 5ᵉ mois seraient au-dessus de la moyenne.

Le modèle du point idéal   Ce modèle suggère une décision à prendre au regard des probabilités que des événements surviennent. L'outil utilisé est l'arbre de décision, dont un exemple est présenté à la figure 3.3.

EXEMPLE 3.3   Arbre de décision

L'arbre de décision est une visualisation graphique permettant à l'acheteur d'évaluer les probabilités qu'un événement survienne. La branche qui donnera le moins haut niveau de risque et la réalisation la plus probable représentera le choix de l'acheteur.

Par exemple, un acheteur doit choisir quotidiennement entre trois quantités de pain à fabriquer. Il ne peut reporter sa décision sur une autre journée, car la mission de l'entreprise indique que la marchandise vendue est toujours fraîche. Alors les surplus sont jetés. Le tableau 3.16 présente les ventes possibles.

▓ Tableau 3.16   Ventes possibles de pains

Quantité	Probabilités de vendre cette quantité
100	25 %
150	40 %
200	35 %

Une pénurie de marchandise coûte 10 $ à l'entreprise alors qu'un surplus constitue une perte de 2 $. L'arbre de décision présenté à la figure 3.3 permettra à l'acheteur de déterminer la quantité de pains à produire.

La décision de l'acheteur sera de produire 150 pains, car la somme totale du risque associé à cette branche est de 50 $, alors que le risque pour la branche de 100 pains est de 550 $ et que le risque pour la branche de 200 pains est de 90 $.

▓ Figure 3.3   Arbre de décision pour déterminer la quantité de pains à produire

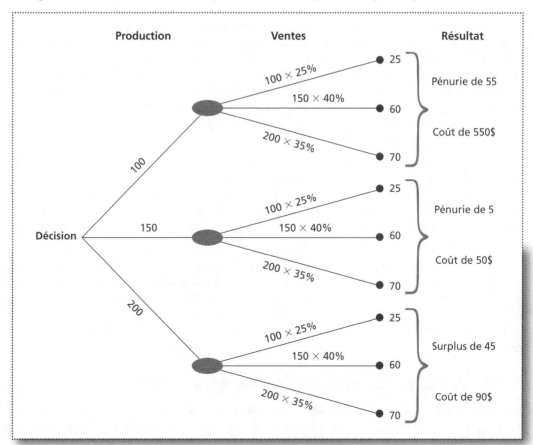

3.5.2   L'analyse du coût de cession

Lorsque l'acheteur utilise l'analyse du coût de cession pour déterminer le point d'indifférence, il recherche trois zones :

- la zone où l'option A est supérieure à l'option B ;
- la zone où l'option A est égale à l'option B (le point d'indifférence) ;
- la zone où l'option A est inférieure à l'option B.

Le coût de cession provient de la différence entre le coût que l'entreprise paie directement pour acquérir l'objet et le coût d'option provenant du fournisseur. Le coût direct payé pour l'acquisition d'un objet est le coût payé au fournisseur dans une relation directe pour l'acquisition d'un objet. Il faut inclure dans ce coût le prix facturé par le fournisseur ainsi que tous les coûts qui permettent de rendre l'objet accessible à l'utilisateur. Le coût du transport, les frais de douane, les frais financiers et le taux de change des devises ne sont que quelques exemples de coûts additionnels qui s'ajoutent au prix pour en déterminer le coût d'acquisition.

Quant au coût d'option, il consiste dans la possibilité pour une entreprise de générer un profit grâce à l'utilisation de ses ressources dans une activité rentable ou grâce au fait d'avoir un fournisseur qui soit aussi un client. L'exemple suivant permettra de se représenter ce qu'est le coût d'option pour une entreprise. Un cabinet d'avocats utilise l'expertise d'un avocat afin qu'il prépare une cause pour laquelle il ne peut présenter d'honoraires ; cependant, faute de temps, il doit refuser un mandat lucratif. Si l'avocat en question était disponible, le second mandat aurait été accepté et il en aurait retiré un profit. Par contre, comme il a accepté un mandat qui n'est pas rentable, le profit est perdu à jamais. Il en est de même pour un imprimeur qui accepterait un mandat pour occuper sa presse au prix coûtant et qui ne serait pas disponible lorsqu'on lui offrirait un mandat rentable.

Dans l'exemple 3.4, nous expliquerons la notion de coût de cession. Un imprimeur reçoit deux offres de cabinets d'avocats pour régler un litige auquel il est mêlé : le premier cabinet acceptera le mandat pour un prix forfaitaire de 5 000 $; le second l'acceptera pour un prix forfaitaire de 6 000 $. L'imprimeur en question choisira le premier cabinet d'avocats, car le prix de la transaction est de 1 000 $ inférieur à celui que propose le second cabinet. Le coût de cession sera donc de 5 000 $.

Par contre, une autre donnée non négligeable interviendra dans la décision de l'imprimeur. Le second cabinet d'avocats est aussi un client de l'imprimeur et ses demandes en services d'imprimerie apportent à l'imprimeur un profit de 1 500 $. L'évaluation finale de l'offre du second cabinet sera alors de 4 500 $ (6 000 $ − 1 500 $). L'imprimeur optera par conséquent pour le second cabinet d'avocats. Le coût de cession sera de 4 500 $ tandis que la valeur de la transaction sera de 6 000 $.

3.5.3   L'analyse du niveau d'indifférence

L'analyse du niveau d'indifférence permet à l'acheteur de déterminer la quantité pour laquelle le fait de fabriquer lui-même le produit sera équivalent au fait de l'acheter. Le point de jonction se nomme le point d'indifférence. Abordons cette analyse par un exemple.

EXEMPLE 3.4

Un acheteur doit choisir entre les deux options suivantes :

a) recommander l'option A, soit fabriquer le produit désiré (OF) ;

b) recommander l'option B, soit acheter le produit désiré (OA).

Dans le cas de OF, les frais de départ de la production (frais fixes) sont de 1 000 $ et les frais de production (frais variables) sont de 20 $ par unité.

L'acheteur obtiendra les résultats finaux suivants :

$$
\begin{aligned}
1 \text{ unité} &= 1\ 000 + (1 \times 20) = 1\ 020\ \$ \\
10 \text{ unités} &= 1\ 000 + (10 \times 20) = 1\ 200\ \$ \\
25 \text{ unités} &= 1\ 000 + (25 \times 20) = 1\ 500\ \$ \\
50 \text{ unités} &= 1\ 000 + (50 \times 20) = 2\ 000\ \$ \\
100 \text{ unités} &= 1\ 000 + (100 \times 20) = 3\ 000\ \$
\end{aligned}
$$

Dans le cas de OA, le prix d'achat est de 40 $ par unité.

L'acheteur obtiendra les résultats finaux suivants :

$$
\begin{aligned}
1 \text{ unité} &= (1 \times 40) = 40\ \$ \\
10 \text{ unités} &= (10 \times 40) = 400\ \$ \\
25 \text{ unités} &= (25 \times 40) = 1\ 000\ \$ \\
50 \text{ unités} &= (50 \times 40) = 2\ 000\ \$ \\
100 \text{ unités} &= (100 \times 40) = 4\ 000\ \$
\end{aligned}
$$

L'acheteur peut déduire que, pour moins de 50 unités, il vaut mieux recommander l'achat que la fabrication, que pour 50 unités les deux options s'équivalent (c'est le point d'indifférence) et qu'au-delà de 50 unités, la recommandation sera la fabrication plutôt que l'achat. Sous une forme mathématique, l'acheteur obtiendra le point d'indifférence en équilibrant les deux options, soit en déterminant la valeur de Z :

$$
\begin{aligned}
\text{OF} &= \text{OA} \\
1\ 000 + 20\ Z &= 40\ Z \\
20\ Z &= 1\ 000 \\
Z &= 50
\end{aligned}
$$

La figure 3.4 illustre le résultat.

■ **Figure 3.4**   **Décision de fabriquer ou d'acheter un produit**

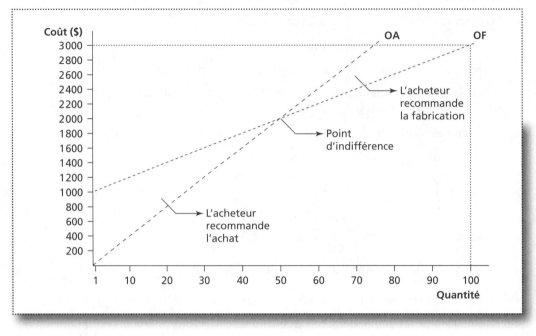

Résumé

Dans ce chapitre, nous avons vu plusieurs aspects de la relation qu'une entreprise établit avec ses sources d'approvisionnement. En premier lieu, il faut sélectionner un fournisseur. L'entreprise doit considérer de nombreux facteurs pour choisir une source parmi celles qui la sollicitent. Ainsi, traitera-t-elle avec une source ou avec plusieurs sources? Fabriquera-t-elle le produit elle-même ou l'achètera-t-elle? Fera-t-elle appel à la sous-traitance? Louera-t-elle le bien ou le service? Travaillera-t-elle de façon traditionnelle ou selon une pyramide ou une hiérarchie de fournisseurs? Chaque orientation amène une entreprise à se différencier par rapport à une autre quant à son mode de fonctionnement.

Nous avons ensuite examiné les différents aspects relatifs à la qualification d'un fournisseur. Consécutivement à la sélection des sources, l'acheteur doit déterminer lesquelles seront susceptibles de combler la majorité des besoins des clients de l'entreprise. Ainsi, une entreprise qui a choisi de fonctionner avec un seul fournisseur devra examiner l'ensemble des sources pour trouver celle qui pourra répondre à ses attentes.

Puis, nous avons étudié la question du prix. Le prix peut être envisagé sous trois angles, à savoir l'image et l'interprétation du prix, la provenance des différents prix de même que les remises, les rabais, les réductions et les escomptes, qui modifient la valeur de la transaction.

Ensuite, nous avons abordé les délais qui sont reliés à la réalisation d'un mandat et qui lient les parties au moment de leur transaction. Il existe deux types de délais: les clauses à respecter et les clauses de caducité. Les premières clauses obligent les parties à donner suite à leur engagement. Les secondes consistent dans les règles qui mettent fin à une entente.

Enfin, nous avons passé en revue les différents modèles qui permettent à l'acheteur d'évaluer des sources ou des propositions. Il est à noter qu'une technique personnelle peut être tout aussi valable, pourvu qu'elle favorise la prise de décisions. Parmi ces modèles, citons l'analyse du coût de cession et l'analyse du niveau d'indifférence.

Questions

1. Énumérez trois caractéristiques qu'un fournisseur devrait posséder pour faire en sorte que les relations d'affaires soient harmonieuses avec son client.

2. Quelle est la différence entre la sélection et la qualification des fournisseurs?

3. Donnez trois avantages et trois inconvénients reliés au fait de traiter avec une source unique.

4. Donnez trois avantages et trois inconvénients reliés au fait de recourir à un sous-traitant.

5. Donnez trois avantages et trois inconvénients reliés au fait de traiter avec un intermédiaire tel qu'un détaillant.

6. Donnez trois avantages et trois inconvénients reliés au fait de louer le bien ou le service plutôt que de l'acheter.

7. Qu'est-ce que le marketing à rebours?

8. Qu'est-ce que le coût de cession?

9. Qu'est-ce que le point d'indifférence?

Exercices
d'apprentissage

1. Il existe deux types de sous-traitance, soit la sous-traitance permanente et la sous-traitance occasionnelle. Dans quels cas utilise-t-on l'un ou l'autre type de sous-traitance dans l'entreprise?

2. Donnez deux raisons pour lesquelles il est préférable de louer un outil plutôt que de l'acheter.

3. Quel est le principal avantage de fonctionner à l'aide d'une pyramide de fournisseurs?

4. Citez deux inconvénients reliés au fait de traiter directement avec un manufacturier plutôt que de passer par un détaillant.

5. Pourquoi un acheteur ne peut-il pas pratiquer le marketing à rebours tout de suite après son embauche dans une entreprise?

6. Quels sont les six modèles d'évaluation des offres reçues?

7. Relevez deux situations dans lesquelles un contrat peut devenir caduc.

8. Voici une liste d'avantages reliés au travail dans un service de l'approvisionnement avec un ou plusieurs fournisseurs pour un produit donné. Indiquez pour chacun de ces avantages s'il s'agit d'un fournisseur unique ou de plusieurs fournisseurs.

   a) Assurance en ce qui a trait à l'approvisionnement en cas d'imprévu sur le marché.

   b) Commande trop petite pour être divisée.

   c) Respect d'une politique de l'entreprise qui achète.

   d) Économie d'échelle relativement au coût du transport et du produit lui-même.

   e) Réduction plus facile des coûts administratifs.

   f) Augmentation de l'indépendance envers un fournisseur.

   g) Stratégie de flux des marchandises réduisant considérablement les stocks.

   h) Échange de l'information stratégique.

   i) Maintien de la compétitivité entre les fournisseurs.

   j) Rendement hors pair de la part du fournisseur.

   k) Produit fabriqué à partir de moules, de matrices ou de plaques.

9. Au moment de prendre la décision d'acheter ou de fabriquer un produit, quels éléments, parmi ceux mentionnés ci-dessous, feront pencher la balance en faveur d'un achat, et quels sont ceux qui, au contraire, la feront pencher en faveur de la fabrication?

   a) Le fournisseur offre un meilleur service que le système de production interne.

   b) L'entreprise veut réduire le nombre de ses fournisseurs.

   c) L'entreprise a des ressources sous-utilisées.

   d) L'entreprise ne désire pas investir dans l'achat d'équipements de production.

   e) L'entreprise possède l'expertise.

   f) Les employés exercent une pression sur l'entreprise pour garder la maîtrise de la fabrication.

   g) Le système actuel de production est en panne ou en période de maintenance.

   h) L'entreprise ne veut pas être dépendante d'une source.

   i) La quantité requise du bien est trop faible pour justifier la mise en route de la production.

   j) Le système de production n'est pas en mesure de fournir un produit de la même qualité.

   k) Les fluctuations de la demande sont trop grandes, ce qui crée une pression sur le système de production en place.

10. Voici une liste des avantages qu'il y a à traiter soit avec un manufacturier, soit avec un intermédiaire. Sélectionnez la source adéquate.

   a) L'entreprise qui achète obtient un service plus personnalisé.

   b) L'entreprise source est souvent plus avancée dans le domaine de la recherche et du développement.

c) L'entreprise source se trouve souvent à proximité de l'entreprise qui achète.

d) L'entreprise qui achète peut régler ses réclamations (litiges) plus rapidement.

e) L'entreprise peut faire financer les frais d'entreposage par l'entreprise fournisseuse.

f) L'entreprise source a une marge de profit moins élevée.

g) L'entreprise peut s'approvisionner sur le marché local.

h) L'entreprise a la possibilité d'acheter de plus petites quantités.

i) L'entreprise peut acheter plusieurs produits au même endroit.

j) L'entreprise qui achète peut bénéficier de très bons escomptes sur quantité.

11. Voici une liste d'énoncés sur la location comme moyen de s'approvisionner. Quels sont ceux qui plaident en faveur d'une location pour un bien ou un service donné au lieu d'en faire l'achat?

a) La location permet d'augmenter la capacité de production de l'entreprise pendant une très courte période.

b) Elle exige que l'entreprise travaille avec plusieurs sources.

c) Elle permet l'utilisation de l'équipement avant une acquisition éventuelle.

d) Elle fait bénéficier l'entreprise d'un équipement ou d'un outil plus récent.

e) L'entreprise doit prendre le service de location en entier même si elle n'a besoin que d'une partie du service.

f) Certaines clauses d'un contrat de location peuvent être irritantes (durée, assurances, maintenance).

g) Le coût du contrat de location est une dépense.

12. Quels énoncés parmi les suivants feraient en sorte que nous pourrions être en faveur de la sous-traitance pour faire fabriquer un produit donné par une source extérieure?

a) La sous-traitance nous permet d'augmenter notre capacité de production.

b) Elle entraîne une sous-utilisation des ressources.

c) Les ressources humaines de l'entreprise risquent de réagir à une éventuelle perte d'emplois.

d) La sous-traitance a pour effet de changer certaines faiblesses de l'entreprise en forces.

e) Elle permet de transformer des frais fixes en frais variables.

f) Elle peut permettre de réduire les coûts de recherche et de développement pour l'entreprise.

g) L'entreprise peut tirer profit de la qualité des produits offerts par une source extérieure.

h) L'entreprise peut confier à une source externe les activités de son choix qui correspondent à des besoins qu'elle désire combler.

i) La sous-traitance donne lieu à un repositionnement des éléments stratégiques de l'entreprise.

j) La source externe risque d'augmenter ses prix lors d'un renouvellement de contrat.

Exercices
de compréhension

1. Dans une stratégie de négociation acheteur-fournisseur, de quelle façon vous y prendriez-vous, en tant qu'acheteur, pour vous assurer d'obtenir le prix désiré ?

2. Quel fournisseur de structures d'acier pour des cadres de portes d'acier une entreprise devrait-elle privilégier dans le cas où le premier fournisseur propose un prix de vente de 125 000 $, où le deuxième fait un prix de 100 000 $ et où le troisième suggère un prix de 140 000 $? Précisons que le premier fournisseur est également un client de l'entreprise, avec lequel celle-ci fait un profit de 20 000 $ pour la même période. De plus, le dernier fournisseur, qui est aussi un client, rapporte à l'entreprise un profit de 45 000 $ pour la même période.

3. Les responsables de l'approvisionnement et de la production d'une entreprise forment un comité afin de décider s'il vaut mieux fabriquer un produit que de l'acheter. Si l'entreprise fabrique elle-même ce produit, cela engendrera des coûts fixes de 35 000 $ par année. Le coût d'achat de la matière est de 32 $ par unité. Le coût de la main-d'œuvre, lui, est de 7 $ par unité. Cependant, si l'entreprise achète ce produit directement du fournisseur, le prix d'achat sera de 46 $ par unité. Que devrait décider ce comité ? Dressez un graphique illustrant les courbes de coûts.

4. L'acquisition de socles en bois coûte 22 $ par unité. Par contre, si l'entreprise décide de les fabriquer, cela coûtera 15 000 $ en frais fixes (équipements, outillage, etc.), et si l'on ajoute les frais variables (coût de la main-d'œuvre et de la matière, etc.), cela coûtera 16 $ par unité. Pour quel volume de production reviendrait-il au même de faire l'acquisition de socles en bois ou de les produire ? Faites un graphique illustrant les courbes de coûts et déterminez à quel moment l'entreprise devrait acheter les socles en bois et à quel moment elle devrait les fabriquer.

5. Un sous-traitant connu propose de fabriquer les socles en bois de l'entreprise (voir la question précédente) à un coût de 18 $ par unité, ce qui évitera à celle-ci de faire faire à sa main-d'œuvre des heures supplémentaires et abaissera par le fait même ses coûts de fabrication variables à 14 $ par unité. Quelle décision l'entreprise devrait-elle prendre maintenant qu'elle dispose de ces nouvelles données ? Faites un graphique illustrant les coûts des trois options et précisez tous les points d'indifférence, qu'ils soient pertinents ou non.

6. Un de vos amis d'enfance songe à devenir consultant dans le domaine de la conception mécanique. Il aura évidemment à traiter une multitude de plans sur ordinateur, et il devra se procurer un ordinateur ayant une assez grande puissance afin de concevoir et de produire des plans le plus rapidement possible. Il se demande s'il serait plus avantageux pour lui de faire l'acquisition d'un ordinateur tout équipé ou encore de le louer. Pouvez-vous le conseiller ?

7. Quelle stratégie de distribution un fabricant devrait-il utiliser dans le cas d'un nouveau produit sur un canal de distribution déjà existant ?

8. Quelle est la principale différence entre une remise, un rabais, une réduction et un escompte dans la détermination d'un prix?

9. Vous désirez faire l'acquisition d'un camion jouet. Vos critères d'achat sont les suivants:

   a) Résistance aux impacts

   b) Esthétique

   c) Volume (espace) du jouet

   d) Prix

   De plus, vous avez déterminé le degré d'importance à accorder à chaque critère. Il est respectivement de 30%, 10%, 20% et 40%.

   Vous savez après avoir fait des recherches qu'il existe trois fournisseurs capables de combler votre désir, soit: Tounga, Prider Fishe et Tikkle Likes. Vous avez pu dénicher, dans la revue dédiée aux consommateurs *Surveillez-les,* l'information selon laquelle une cote (de 0 à 1) est attribuée à chacun des critères, et ce pour chaque fournisseur (voir le tableau ci-après).

Critères	Fournisseurs		
	Tounga	Prider Fishe	Tikkle Likes
Résistance aux impacts	0,8	0,5	0,3
Esthétique	0,5	0,8	0,7
Volume	0,7	0,4	0,5
Prix	0,2	0,6	0,6

   Sur la base de ces informations, pour quel fournisseur devriez-vous opter?

10. Quatre individus veulent se procurer une voiture, soit un étudiant, un ecclésiastique, un parent et un président de compagnie. Chacun d'eux mentionne ses préférences en accordant une pondération aux trois critères que sont le confort, la tenue de route et le prix (voir le tableau suivant).

Critères	Individus			
	Étudiant	Ecclésiastique	Parent	Président
Confort	0,1	0,3	0,3	0,7
Tenue de route	0,2	0,3	0,2	0,3
Prix	0,7	0,4	0,5	0

   De plus, grâce à *Surveillez-les,* une revue qui s'adresse aux consommateurs, vous avez trouvé ces informations concernant quatre types de véhicules présentant les mêmes critères d'évaluation que ceux mentionnés ci-dessus.

	Type de véhicule			
Critères	Coccinelle	Tord Export	Minda Civil	Tatillac
Confort	0,1	0,3	0,5	1,0
Tenue de route	0,4	0,4	0,7	0,6
Prix	1,0	0,7	0,5	0,1

Sur la base de ces informations, vers quel fournisseur de voitures chacun des quatre individus devrait-il s'orienter?

Exercices
de recherche

1. Trouvez dans votre entourage trois entreprises qui adoptent un processus de qualification de leurs fournisseurs. Demandez-leur quels sont leurs critères de qualification. Y a-t-il un lien entre les différents critères utilisés par ces trois entreprises?

2. Demandez à l'acheteur d'une entreprise manufacturière quels moyens il utilise pour déterminer avec le plus d'exactitude possible les coûts fixes et les coûts variables reliés à la fabrication et à l'achat de biens.

3. Essayez d'apprendre comment une entreprise située près de chez vous applique le processus d'appel d'offres.

4. Dans cette entreprise, quelles sont les politiques rattachées aux approvisionnements dans le cas d'un appel d'offres?

Cas
Une grève qui n'avait pas été prévue

Un jeune acheteur qui a été recruté directement sur les bancs d'école fait face à un dilemme. En effet, il a appris que le fait de traiter avec un seul fournisseur pour un produit donné était nettement préférable à celui de faire affaire avec plusieurs fournisseurs. Il met donc en pratique ce qui lui a été enseigné, soit d'utiliser une seule source dans le cas d'un produit, et ce afin de diminuer le nombre excessif de fournisseurs qui sont sur les listes de l'entreprise. Le problème, c'est que même s'il compte sur de très bons fournisseurs pour les différents produits, les employés d'un des fournisseurs viennent de déclencher une grève, ce qui rend la livraison du produit impossible. Ce produit est par surcroît indispensable à l'entreprise. L'acheteur n'a prévu aucune clause dans le contrat entre les deux parties qui puisse lui venir en aide.

Question

Que feriez-vous à la place de cet acheteur?

Annexe 3.1
Liste de répertoires permettant de sélectionner de nouvelles sources [9]

1. *Abi Inform*

Banque de données sur les affaires en général. Comprend approximativement 800 publications contenant des informations non colligées qui ont trait au monde des affaires et aux secteurs connexes. Donne l'information applicable à plusieurs types d'entreprises et d'industries.

2. *BRS After Dark*

Donne plusieurs banques de données qui sont accessibles à un taux réduit en dehors des heures d'affluence.

3. *Canadian Business & Current Affairs* (DIALOG et disque)

Donne un index d'articles publiés dans plus de 500 périodiques traitant des affaires au Canada et 10 journaux. Procure des notes descriptives sur diverses informations concernant des entreprises, des produits et des industries.

4. *Dialog Information Services*

Source d'information assez complète qui donne un accès instantané à des résumés d'articles et de rapports, à des données financières détaillées et à des listes de directeurs d'entreprise, à des statistiques, des résumés de nouvelles et à des articles complets. Ce service donne accès à plus de 350 banques de données dans tous les champs reliés au monde des affaires.

5. *Info Globe*

Plusieurs banques de données dans trois catégories : nouvelles, données financières et informations gouvernementales.

6. *Dun & Bradstreet*

Canadian Dun's Market Identifiers : utile pour localiser les fournisseurs d'un millier de produits au Canada ; comprend 357 000 entreprises canadiennes.

European Dun's Market Identifiers : une information détaillée sur plus de 1,5 million d'entreprises localisées dans 36 pays européens.

Electronic Yellow Pages : répertoire d'information sur plus de 8,2 millions d'entreprises et de professionnels répartis aux États-Unis.

Million Dollar Directory : informations complètes sur les affaires de plus de 160 000 entreprises publiques aux États-Unis.

---

9. D'après le Séminaire sur la recherche en approvisionnement de l'Association canadienne de gestion des achats.

7. FP Online

Pleine documentation du *Financial Post,* de la revue *Maclean's,* de la *Survey of Industrial,* de la *Survey of Mines & Energy Resources* et du *Directory of Directors.*

8. Kompass

Banque de données mondiales répertoriant par ordre alphabétique les produits et les services, les sources d'approvisionnement, les renseignements sur les entreprises et les agences, et les marques de commerce.

9. Management Contents

Répertoire d'articles portant sur plus de 120 journaux, comptes rendus et transactions aux États-Unis et à l'étranger.

10. Sympacriq

Donne le répertoire des produits vendus au Québec provenant des manufacturiers, des distributeurs et des grossistes.

11. Predicasts

PTS Prompt (Predicast Overviews of Markets and Technology): information internationale sur les entreprises, sur les marchés, sur les produits et sur les technologies.

Forecasts: plus de 5 000 entrées fournies chaque mois sur le marché actuel, prévisions à moyen terme et à long terme sur des produits spécifiques, sur les industries, sur les tendances, etc.

F & S Index: répertoire révisé chaque semaine donnant plus de 4 500 sommaires (une ou deux lignes) sur l'évolution des affaires dans le monde et résumant la presse commerciale.

New Product Announcements/Plus (NPA/Plus): procure une information rapide concernant les nouveaux produits, la nouvelle technologie, les fusions et les acquisitions, les accords de licence et autres événements commerciaux. Cette information est fournie par les entreprises elles-mêmes ou par leurs agents commerciaux.

12. BOSS (Business Opportunities Sourcing System)

Répertoire publié en 1990 par le ministère de l'Industrie, du Commerce et de la Technologie de l'Ontario.

13. Business Periodicals Index

Répertoire de plus de 160 journaux publiés dans plusieurs pays traitant de presque tous les aspects du monde des affaires.

14. Canadian Periodical Index

Répertoire de journaux canadiens qui traitent des affaires en général.

15. Canadian Statistic Index

Liste bibliographique des publications statistiques canadiennes. Elle comprend les publications des gouvernements fédéral et provinciaux, celles des sociétés d'État, des maisons d'édition commerciales, des associations et groupes professionnels. Les publications régulières du Bureau de la statistique du Canada sont incluses (à l'exception des données sur le recensement).

16. Canadian Trade Index

Répertoire des manufacturiers canadiens présenté par ordre alphabétique et également selon leur localisation. Il comprend une liste par catégorie de produits fabriqués par ces manufacturiers faisant affaire au Canada.

17. Fraser's Canadian Trade Directory

Répertoire des manufacturiers canadiens présentés par ordre alphabétique et par produit. Il donne aussi la liste des marques de commerce utilisées. De même, il comprend la liste des entreprises étrangères (incluant leurs agents ou distributeurs) qui font affaire au Canada.

18. Répertoire des produits offerts au Québec

Publié par le Centre de recherche industrielle du Québec (CRIQ), ce répertoire donne la liste des manufacturiers, des distributeurs et des grossistes qui font affaire au Québec avec la liste des produits offerts.

19. Made in Ontario

Répertoire du ministère de l'Industrie, du Commerce et de la Technologie de l'Ontario listant plus de 12 000 manufacturiers et 40 000 produits vendus dans cette province.

20. Commercial News USA

Répertoire décrivant certains produits vendus aux États-Unis, que les ambassades et les consulats utilisent pour promouvoir les produits américains.

21. Microlog

Répertoire de publications gouvernementales (dans tous les domaines) et de plus de 150 organismes de recherche (publics et privés).

22. Point de repère

Répertoire de plus de 265 publications de langue française. Comprend principalement les périodiques publiés au Québec et une soixantaine de titres provenant d'Europe.

23. Scott's Directories

Répertoire régional et industriel qui donne une liste alphabétique des manufacturiers localisés dans une région donnée. Les manufacturiers sont également listés par produit. On y trouve une liste d'agences gouvernementales et une liste de référence du SIC USA avec le repertoire du SIC de Statistique Canada.

24. *Thomas Register of American Manufacturers*

Information sur approximativement 148 000 compagnies manufacturières nord-américaines comprenant plus de 50 000 classes de produits et plus de 110 000 marques de commerce.

25. *Trade Publication's Buyers' Guides*

Numéro annuel spécial publié par la plupart des journaux commerciaux : se veut un guide de l'acheteur.

26. *Protégez-vous*

Revue publiée par l'Office de la protection du consommateur du Québec, qui décrit aux consommateurs le résultat des analyses effectuées sur une famille de produits destinés au même usage.

27. *Guide du transport*

Répertoire publié par les éditions Bomart, qui liste les compagnies de transport routier faisant affaire dans les différentes zones nord-américaines.

Annexe 3.2

■ **Les 13 tactiques à la disposition de l'acheteur**

Tactiques	Exemple
1. **Partir à la découverte** L'acheteur vérifie les arguments préparés par l'autre partie, cherche à connaître les motivations de cette dernière ou recueille une information complémentaire. Puis il accepte la position de l'autre partie.	*L'acheteur:* Nous avons reçu votre offre. Une clause indique que nous devons payer le transport. Pourquoi ? *Le fournisseur:* Nous savons que nous ne sommes pas compétitifs dans ce domaine. Nous y travaillons, mais nous ne voulons pas perdre l'occasion de faire des affaires à cause du transport. *L'acheteur:* Nous comprenons. Nous nous occuperons donc du transport.
2. **Attaquer l'autre partie dans le but de susciter une réaction ou de faire monter la pression** La partie adverse perdra beaucoup d'énergie en répondant à l'agression. Cela laissera la place à des solutions provenant d'un changement de perception de la demande.	*L'acheteur:* Une entreprise de votre importance nous demande de nous occuper nous-mêmes du transport ! Sans une clause sur le transport, dites adieu à une entente possible. (Une discussion s'amorce.)
3. **Utiliser un leurre** L'acheteur choisit un point de discussion sur lequel aucun accord n'est possible. Les parties se battent résolument jusqu'à la rupture. L'acheteur passe à un deuxième point de discussion aussi problématique que le premier. Finalement, il propose un accord selon lequel une partie accepte le premier point et l'autre partie, le second.	*L'acheteur:* Vous payez 50 % des frais de transport. *Le fournisseur:* Cela ne fait pas partie de l'entente proposée. (Une discussion suit.) *L'acheteur:* Vous êtes responsable des réclamations en cas de litige sur le transport. *Le fournisseur:* Nos structures ne nous permettent pas de prendre une telle responsabilité. *L'acheteur:* Alors, payez 50 % des frais de transport et nous nous occuperons des litiges, s'il y en a.

■ **Les 13 tactiques à la disposition de l'acheteur** *(suite)*

Tactiques	Exemple
4. **Commencer par une demande excessive** L'acheteur choisit un point et annonce des exigences très élevées. Il laisse la partie adverse argumenter. Avec le temps, l'acheteur propose une solution moins contraignante, qui sera acceptée avec soulagement par l'autre partie.	*L'acheteur:* Vous payez 100 % des frais de transport. *Le fournisseur:* D'accord, mais notre prix sera majoré de 15 %. *L'acheteur:* Nous paierons 50 % des frais de transport, mais votre prix demeurera identique à votre offre initiale.
5. **Donner pour recevoir** L'acheteur négocie certains points à l'avantage de la partie adverse. À un moment donné, un point important arrive dans la discussion et l'acheteur remet sur la table la série de points accordés antérieurement dans le but d'obtenir un accord qui lui soit favorable sur le dernier point.	*L'acheteur:* Vous choisissez le transporteur. *Le fournisseur:* Non, c'est vous qui le choisissez. *L'acheteur:* D'accord, nous le choisirons, mais vous demeurez propriétaire de la marchandise en transit. *Le fournisseur:* Non, vous êtes propriétaire. *L'acheteur:* Bon. Mais vous réglez les litiges. *Le fournisseur:* C'est plutôt votre responsabilité. *L'acheteur:* D'accord, mais vous paierez les frais de transport. *Le fournisseur:* Non, c'est à vous de les payer. *L'acheteur:* Vous avez obtenu notre accord sur le choix du transporteur, sur la propriété de la marchandise en transit et sur le règlement des litiges: vous pourriez faire un effort en payant 50 % des frais de transport. *Le fournisseur:* Ça va.
6. **Proposer une alternative** L'acheteur soumet deux options à l'autre partie, qui choisira celle qui l'avantage, ce qui conviendra de toute manière à l'attente de l'acheteur.	*L'acheteur:* Vous payez 50 % des frais de transport ou vous prenez la responsabilité de régler les litiges. *Le fournisseur:* Nous paierons 50 % des frais de transport.
7. **Faire intervenir dans la négociation un associé inconnu** L'acheteur prétend que son associé ou son patron n'acceptera pas un point tel qu'il est présenté.	*L'acheteur:* Mon client interne ne sera pas très content d'assumer toutes les responsabilités touchant le transport. Assumez 50 % des frais de transport pour démontrer votre bonne foi. *Le fournisseur:* D'accord.

■ **Les 13 tactiques à la disposition de l'acheteur** *(suite)*

Tactiques	Exemple
8. **Manier le lasso** L'acheteur tourne autour de la question pour interpréter à sa satisfaction l'information communiquée par la partie adverse.	*L'acheteur :* Comment faites-vous la livraison chez vos autres clients ? *Le fournisseur :* Trois fois par semaine, nous louons un camion pour faire la livraison. *L'acheteur :* Quel secteur couvrez-vous ? *Le fournisseur :* Nous faisons la livraison dans un rayon de 100 kilomètres autour de notre usine. *L'acheteur :* Dois-je comprendre que nous aurons droit à ce service, car nous sommes à 90 kilomètres de chez vous ? Pour les deux autres fois, nous paierons les frais de transport.
9. **Faire appel au saucissonnage** Utiliser une analyse globale de la dépense pour faire une offre sur une base unitaire.	*L'acheteur :* Nous savons que les frais de transport seront de 100 000 $ l'an prochain pour 1 000 livraisons. Nous voudrions payer 5 $ par commande qui seraient ajoutés sur la facture afin de faciliter la procédure administrative. Cela ne représente que 50 % de moins en ce qui concerne les frais de transport. *Le fournisseur :* D'accord, nous procéderons ainsi.
10. **Utiliser un langage positif** L'acheteur choisira des mots positifs pour présenter sa proposition.	*L'acheteur :* Nous sommes prêts à donner 5 $ par commande pour vous permettre d'amortir vos frais de transport. Avons-nous un accord sur ce point ? *Le fournisseur :* Oui.
11. **Susciter l'espoir de progrès dans la négociation** L'acheteur fait valoir à la partie adverse qu'un accord sur un point permettra d'aborder le point suivant, qui n'est pas acquis pour celle-ci. Il s'agit pour elle d'une possibilité de progresser.	*L'acheteur :* Un accord sur les frais de transport est essentiel si l'on veut passer au point touchant le volume. *Le fournisseur :* C'est bon : nous paierons 50 % des frais de transport, mais vous demeurez responsable des autres aspects reliés au transport. *L'acheteur :* La proposition est intéressante. Passons au prochain point.

■ **Les 13 tactiques à la disposition de l'acheteur** *(suite)*

Tactiques	Exemple
12. **Faire un échange sous forme de condition** L'acheteur utilise la formule «si... alors». Une réponse positive de la partie adverse à la demande rattachée au «si» permet de continuer la discussion sur la proposition «alors».	*L'acheteur:* Si nous arrivons à un accord sur les frais de transport, alors vous pourrez obtenir une plus grande part de notre volume. *Le fournisseur:* Nous paierons 50 % des frais de transport pour un volume accru de 20 %, et 75 % pour un volume accru de 30 %. *L'acheteur:* D'accord. Regardons maintenant la question du volume.
13. **Peser le pour et le contre** L'acheteur présente les arguments positifs et négatifs en mettant l'accent sur les arguments positifs afin de démontrer à la partie adverse le bien-fondé du point qu'il veut faire accepter.	*L'acheteur:* Si vous payez 50 % des frais de transport, les deux parties seront satisfaites et nous pourrons investir dans la relation, nous associer pour plusieurs années et rechercher un volume supérieur. De votre côté, la rentabilité de cette entente sera réduite de quelques dollars seulement. *Le fournisseur:* Face à de tels arguments, nous acceptons de payer 50 % des frais de transport.

Source: Adapté de Jean-Paul Durand. *Le langage des achats,* Poitiers, Éditions Méthodes et Stratégies, 1995, p. 97-101.

Annexe 3.3
Les clauses d'un contrat de location

Un contrat de location comprend plusieurs clauses, dont les plus répandues sont les suivantes :

1. La description du produit

La description doit être suffisamment précise pour que chaque partie puisse distinguer le bien entre plusieurs biens. Il est important d'avoir une excellente description de ce bien en cas de dommage ou de perte du bien durant la période de l'entente.

2. La durée de l'entente

Il faut déterminer le délai d'exploitation du bien au-delà duquel les règles régissant la fin de l'entente s'appliqueront. Certains contrats permettent de mettre prématurément fin au contrat sous certaines conditions, telles que l'amélioration technologique du bien ou la maintenance rendue impossible par les conditions du marché.

3. Le paiement du loyer

Chaque partie déterminera le prix du loyer, le délai requis entre chaque paiement, les clauses relatives à l'augmentation du loyer durant l'entente et les coûts d'utilisation variables qui se rattachent à celle-ci.

4. Les assurances

Chaque partie doit savoir qui assurera les dommages causés au bien, qui paiera la police et quel est le processus de règlement des litiges.

5. Le droit d'utilisation

Il faut établir une distinction entre une exploitation normale du produit et une exploitation abusive ou hors des limites permises. Le locataire doit recevoir du locateur une formation adéquate en vue d'une exploitation normale.

6. Les clauses d'entretien

Chaque partie doit savoir ce qu'elle a l'obligation de faire pour maintenir le bien dans un bon mode de fonctionnement. Les parties doivent aussi connaître les conditions qui s'appliquent à la suite de la perte de jouissance du bien durant la période de maintenance.

7. Les règles régissant la fin de l'entente

Sur le marché, il existe deux types de règles : le locataire remet le bien à la fin de l'entente ou il acquiert ce bien aux conditions établies à l'origine de la transaction.

Annexe 3.4
Les clauses de caducité d'une entente

Lors de la rédaction d'une entente d'approvisionnement, les termes relatifs à la durée doivent être bien définis. Il arrive que pendant l'exécution d'une entente la notion de durée soit altérée. Il existe 10 clauses de caducité reconnues légalement.

1. L'une des parties désire mettre fin aux transactions à la fin du délai irrévocable fixé. Par exemple, un paragraphe de l'entente pourrait indiquer : « L'une ou l'autre des parties peut mettre fin à l'entente en signifiant à l'autre partie, dans un délai de 60 jours, sa volonté d'y mettre fin. »

2. Le délai qui lie les parties est expiré. Par exemple : « La présente entente prendra fin trois années suivant la date de la dernière signature de l'acceptation du contrat. »

3. Après un délai raisonnable, si l'entente est assujettie à un délai révocable.

4. Dans le cas du refus de l'offre de transiger. Par exemple, une offre d'achat d'un immeuble précise : « L'offre deviendra caduque si aucune réponse n'est parvenue à l'offrant dans les 10 jours suivant la réception du document. »

5. Si le tribunal fixe les modalités de la fin de l'entente.

6. Dans le cas du décès de l'une ou de l'autre des parties ou de sa mise en faillite ou sous un régime de protection.

7. Dans la cas où il y a eu des anomalies lors de la signature de l'entente, telles que des manœuvres frauduleuses (ou déclarations mensongères), des lésions (par exemple l'exploitation de l'une ou l'autre des parties, comme le spécifie la *Loi sur la protection du consommateur*) ou le recours à la peur (comme la signature d'une entente effectuée à la suite de menaces verbales ou d'une prise d'otages des membres de la famille d'une partie).

8. Dans le cas où l'objet n'est plus accessible, comme un immeuble dont la prise de possession est prévue dans six mois, ou qui est détruit par le feu (les règles juridiques ou le tribunal déterminera la responsabilité de chaque partie dans un éventuel litige).

9. Il existe des conditions suspensives ou résolutoires provenant d'événements futurs, incertains ou qui ne peuvent se produire, comme une mention dans une offre d'achat d'un immeuble selon laquelle « l'achat s'effectuera si la banque accepte le contrat de financement y afférant ».

10. Toute autre forme de caducité indiquée dans le contrat, mais qui ne contrevient pas aux lois d'ordre public.

Chapitre

4

Le concept de qualité

L'amertume d'un produit de moindre qualité dure beaucoup plus longtemps que le sourire du bas prix qu'il a coûté.

Anonyme

Objectif général

Sensibiliser l'élève au phénomène de plus en plus important de la qualité dans les entreprises.

Objectifs spécifiques

- Préciser les principales étapes de l'historique de la qualité.

- Expliquer les principales méthodes employées pour décrire la qualité dans le contexte de l'approvisionnement.

- Acquérir la terminologie relative au secteur de la qualité.

- Effectuer un contrôle de la qualité par échantillonnage ainsi qu'au moyen de cartes de contrôle.

- Se familiariser avec les normes ISO 9000 et ISO 14000.

- Nommer les types d'audit reliés à la qualité.

La qualité des produits chez Julien inc.

En 1946, Léo T. Julien fonde une entreprise spécialisée dans la fabrication d'accessoires de cuisine. À cette époque, il faisait le tour des restaurants de Québec pour promouvoir ses produits. Au fil des ans, et après quelques changements de propriété, l'entreprise Julien inc. acquiert ses lettres de noblesse dans le domaine de la conception et la fabrication de cuisines commerciales et institutionnelles. Au début des années 1990, Julien inc. se lance dans la sous-traitance de pièces en acier inoxydable pour l'industrie des électroménagers, du matériel médical et du transport. L'engouement pour l'acier inoxydable, particulièrement dans les cuisines résidentielles, lance Julien inc. sur la voie d'une croissance impressionnante.

Alliant l'expérience au savoir-faire et utilisant les plus récentes technologies de fabrication, l'entreprise se donne pour mission d'«être reconnue comme le leader nord-américain de la transformation de l'acier inoxydable». Pour accomplir cette mission, l'engagement de Julien inc. envers sa clientèle s'énonce de la façon suivante: «Fournir à chaque client la solution optimale basée sur un savoir-faire sans égal, une technologie de pointe et une qualité de produits et de service irréprochables...»

Outre sa capacité de production, la qualité des produits de Julien inc. représente sa plus grande force vis-à-vis de la concurrence. Il va sans dire que cette approche qualité doit être partagée par ses partenaires et fournisseurs. Au fil des ans, le système de contrôle de qualité de Julien inc. a évolué en fonction des besoins de ses clients. À la fin de 2002, Julien a reçu l'accréditation ISO 9001, version 2000.

Depuis lors, un processus d'audit des fournisseurs a été mis en place, et ses résultats sont probants. Ces audits ont une double fonction: ils servent évidemment à qualifier le fournisseur selon les critères de Julien inc., mais ils constituent aussi un excellent outil de communication. En effet, Julien inc. a constaté que, bien que les principes de contrôle de qualité soient en général les mêmes, une mauvaise compréhension des besoins est souvent la source de plusieurs erreurs de conformité. Cet exercice a permis à l'entreprise non seulement de sensibiliser ses fournisseurs à sa réalité, mais également d'acquérir de meilleures pratiques qu'elle a pu mettre en application par la suite.

Parallèlement, l'entreprise a élaboré un système de contrôle de qualité des pièces critiques achetées, comprenant des procédures d'échantillonnage ainsi que la description des critères de qualité qui doivent être vérifiés. L'entreprise a informatisé ce système de contrôle et a pu ainsi structurer un processus d'évaluation de la performance des divers fournisseurs dont les résultats sont analysés périodiquement. Des indicateurs de performance sont publiés et aident les différents intervenants à choisir le meilleur fournisseur pour un produit donné.

À l'échelle mondiale où la clientèle se fait de plus en plus exigeante, Julien inc. a su amener ses partenaires et fournisseurs à innover et à garantir la qualité de l'ensemble de la chaîne d'approvisionnement.

Stephen Ford
Directeur des achats

Introduction

Depuis quelques années, on entend parler de plus en plus de la qualité. En effet, ce concept est employé abondamment dans la documentation et il fait partie de la conversation de la plupart des dirigeants d'entreprise. Aujourd'hui, on sait bien qu'une entreprise qui ne se préoccupe pas de la qualité, peu importe à quel niveau hiérarchique, ne pourra survivre à long terme, surtout avec la mondialisation des marchés et les technologies de plus en plus sophistiquées.

Dans ce chapitre, nous présentons un bref historique de la qualité dans les entreprises. Puis, nous ferons la lumière sur l'ensemble des méthodes utilisées pour reconnaître la qualité. Par la suite, afin d'éviter les ambiguïtés, nous examinerons les différents concepts utilisés dans le domaine de la gestion de la qualité. Une section sera consacrée aux normes ISO 9000 et ISO 14000 en relation avec le service de l'approvisionnement, étant donné que celles-ci deviennent de plus en plus nécessaires dans les entreprises. Nous donnerons un exemple d'implantation d'une démarche qualité dans un service de l'approvisionnement et finalement nous préciserons comment on effectue des audits reliés à la qualité.

4.1   Un historique de la qualité

La qualité comme telle a toujours existé malgré le fait qu'elle n'a pas été comprise de la même façon par les agents économiques au fil des ans. Les exigences des consommateurs sont devenues de plus en plus grandes face à l'acquisition d'un produit. Ce qu'on acceptait dans les années 1960 sur le plan de la qualité pour des produits de consommation est maintenant une chose révolue. La mentalité par rapport à la qualité a changé. En effet, les années d'après-guerre ont amené des productions de masse pour compenser certaines pertes dues à la guerre. On parlait à cette époque de l'*American Way of Life*. On produisait une quantité X d'un bien quelconque, et le consommateur s'approvisionnait selon cette quantité produite. Rien n'était fait en fonction du client.

De nos jours, un manufacturier qui ne se soucie guère de ses clients ne restera pas en affaires très longtemps. Toutes les activités doivent être accomplies en fonction des exigences du client, qui demeure le roi dans l'échange commercial quel qu'il soit. Le développement du concept de qualité s'est fait en trois étapes, soit le contrôle de qualité, l'assurance qualité et la qualité totale.

4.1.1   Le contrôle de qualité

Entre 1920 et 1950, alors que le management scientifique était prépondérant, les entreprises ont commencé à considérer comme importante la vérification du produit. Un dénommé Walter A. Shewhart (dont nous parlerons un peu plus loin dans ce chapitre) a vraiment été le précurseur en matière de contrôle de qualité. À ce moment-là, on contrôlait le produit uniquement lorsqu'il était fini. Les produits impropres à la consommation étaient tout simplement mis de côté par le contrôleur de qualité, du moins ceux où l'on pouvait détecter une faille. Par la suite, on s'est rendu compte qu'il fallait vérifier qualitativement le produit à la source.

Le contrôle de qualité est maintenant effectué de façon beaucoup plus systématique. Dans la mesure du possible, chaque employé prend un peu de temps pour vérifier le travail qu'il vient d'accomplir. Autrement dit, le mot d'ordre est de bien faire du premier coup, à tous coups. De cette manière, on s'assure de la qualité du produit et d'une perte de temps minimale.

4.1.2   L'assurance qualité

Un peu plus tard, soit entre 1950 et 1970, on a assisté à la fabrication de produits demandant une plus grande expertise vu leur complexité. Par le fait même, les entreprises se sont trouvées dans l'obligation de contrôler non seulement le produit fini, mais aussi le procédé de fabrication, c'est-à-dire les machines et les outils utilisés. On a dû aussi former le personnel afin qu'il soit au courant du niveau de qualité à maintenir. Le but ultime de l'assurance qualité était de susciter une confiance sans borne envers le produit à la fois chez les clients et chez les employés de l'entreprise. Ces derniers éprouvaient alors un sentiment de fierté par rapport à l'image projetée par l'entreprise.

4.1.3   La qualité totale

Le début des années 1980 est marqué par l'entrée dans l'ère de la mondialisation des marchés et par l'immense succès que connaît la philosophie de gestion japonaise propagée par deux gourous américains, Deming et Juran, et qui concerne la qualité totale. Ce ne sont plus seulement les services de l'approvisionnement et de la production qui pratiquent la qualité totale, mais bien tous les services de l'entreprise. On n'en fait plus mystère : chaque employé doit partager cette manière de penser, du préposé à l'entretien ménager au président-directeur général. Le mot d'ordre est « Mieux vaut prévenir que guérir », car les coûts associés à la guérison sont souvent très lourds à supporter. Encore faut-il que le président-directeur général croie à ce concept.

Dans un processus d'instauration ou d'amélioration d'un programme de qualité, le plus difficile est sans aucun doute de changer la mentalité existante, surtout lorsqu'elle est très négative. Certains diront que le processus mis en place pour améliorer la qualité d'un produit coûte trop cher pour en valoir la peine. Il s'agit d'une vision à court terme. Le coût pour corriger une bévue, qu'on appelle « coût de non-qualité », est souvent beaucoup plus élevé que le coût pour prévenir cette même bévue, qu'on appelle « coût de qualité ».

La non-qualité ne se reconnaît pas seulement aux erreurs faites par les employés. L'insouciance professionnelle engendre aussi la non-qualité. Par exemple, un employé de bureau payé à temps plein qui arrive au travail vers 10 heures le matin, qui repart vers 11 heures pour aller luncher et qui revient vers 16 heures après sa partie de golf témoigne d'une non-qualité. Un conseiller financier auprès des particuliers dans une banque qui n'esquisse aucun sourire pendant l'entrevue avec son client témoigne également d'une non-qualité. Finalement, un soudeur affecté à la fabrication de classeurs qui n'enlève pas les éclats de métal après son travail de soudure dans les coins des classeurs manifeste aussi une non-qualité.

Après la Seconde Guerre mondiale, les industries japonaises ont pris conscience qu'elles pourraient relever leur économie si elles trouvaient des moyens d'améliorer la productivité et la qualité de leurs produits. C'est pourquoi le Japon a envoyé des équipes de gestionnaires dans le monde entier pour rechercher la formule qui métamorphoserait ses industries et effacerait sa réputation de fabricant de copies de mauvaise qualité. Les Japonais ont compris que les fabricants qui produiraient des biens et des services de haute qualité de façon continue pourraient retirer un triple profit, à savoir une baisse des coûts de fabrication, une augmentation des marges de profits et une augmentation des parts de marché.

Cette prise de conscience des Japonais a débouché sur une menace pour les entreprises américaines, soit la concurrence internationale en provenance d'Asie. Dès lors, John A. Young, président de Hewlett Packard, responsable d'un groupe d'étude destiné à trouver les façons d'améliorer la compétitivité des entreprises américaines sur le marché mondial, a écrit dans un rapport au début des années 1980 :

> La compétitivité de l'industrie américaine sur les marchés mondiaux s'est érodée au cours des vingt dernières années. Les déficits commerciaux, la diminution des parts du marché mondial dans le secteur des industries technologiques, la diminution du revenu dans le secteur de la fabrication, le ralentissement de la croissance, de la productivité et la stagnation des salaires attestent de son déclin [1].

Heureusement, plusieurs entreprises, tant privées que publiques, ont entrepris le virage de la qualité. Si l'on fait la synthèse des idées émanant d'entreprises comme IBM, Hewlett Packard, General Dynamics, Avon, Polaroïd, 3M, General Motors et plusieurs autres, le processus d'amélioration continue doit suivre les 10 règles d'or suivantes :

1. Le client, tant à l'intérieur qu'à l'extérieur de l'entreprise, est roi.

2. Le personnel doit vouloir appliquer la qualité totale dans ses méthodes de travail quotidiennes.

3. Il doit croire que l'amélioration a toujours sa place.

4. Il doit croire aux maximes suivantes : « Mieux vaut prévenir que guérir » et « Bien faire du premier coup ».

5. Il faut travailler en équipe pour développer une synergie autour de l'amélioration de la qualité.

6. Il faut avoir un objectif visant l'élimination des défauts.

7. Chaque personne doit participer au processus de qualité totale.

8. Il faut contrôler le processus et non les êtres humains.

9. Il faut faire participer les fournisseurs à la réalisation des objectifs.

10. Il faut établir un système de reconnaissance du mérite.

Une équipe de travail multidisciplinaire formée et engagée dans l'amélioration de la qualité connaîtra à coup sûr du succès. L'équipe doit rassurer le personnel, et valoriser la réussite plutôt que de trouver des coupables. Par la suite, l'équipe donnera une définition du mot « qualité »,

---

1. John A. Young, cité dans H. James Harrington. *Objectif qualité totale, un processus d'amélioration continue*, Montréal, Éditions Transcontinental, 1992, p. 33.

démystifiera l'expression «recherche de l'excellence», fixera des objectifs, établira un fonctionnement permettant d'atteindre et de dépasser ces objectifs, indiquera les ressources disponibles, nommera un responsable et précisera les mesures de contrôle.

Sur le plan budgétaire, il faut considérer cinq types de coûts, soit les coûts reliés à la prévention, à l'évaluation, aux défaillances internes, aux défaillances externes et aux équipements achetés. Les coûts reliés à la prévention sont les coûts servant à prévenir les erreurs, tels que la formation et les visites chez les fournisseurs. Les coûts reliés à l'évaluation consistent dans les coûts qui permettent de vérifier que le bien ou le service offert ne comporte aucun défaut. Quant aux coûts reliés aux défaillances internes, ce sont les coûts rattachés au rejet d'un extrant, incluant les rebuts, à l'exécution en double d'une opération, au retard dans l'exécution d'une opération (comme le paiement de factures ou l'envoi de lettres aux clients), aux erreurs de conception, à la perte de stocks, à la correction d'une situation, etc. Les coûts reliés aux défaillances externes comprennent les coûts rattachés à la non-satisfaction des clients, comme les coûts de remplacement de certains biens ou services, les coûts de rappel, les coûts de traitement des réclamations ou les coûts de formation du service après-vente. Enfin, les coûts reliés aux équipements achetés sont les coûts de contrôle qui visent à prévenir la distribution d'un produit défectueux dont la correction coûterait plus cher que si l'on procédait à l'étape du contrôle.

L'équipe multidisciplinaire prêtera une attention particulière aux coûts prévisibles et ne s'attardera pas aux coûts inévitables. Une entreprise fabriquant de la vaisselle peut tenter d'éliminer ses propres pertes, mais elle ne peut rien contre une mauvaise utilisation de la vaisselle par le consommateur. Il en est de même pour l'industrie automobile, qui voudra réduire le nombre de rappels des véhicules pour la correction de problèmes de carrosserie, mais ne visera pas l'élimination des pièces de carrosserie nécessaires pour remplacer les pièces abîmées lors des accidents causés par les conducteurs.

L'acheteur doit sans relâche contribuer à la satisfaction des actionnaires, des clients de l'entreprise et de ses collègues de travail. C'est la base même de la triade de la qualité.

■ **Figure 4.1** **Triade de la qualité**

■ Le système de reconnaissance du mérite

L'entreprise doit mettre en place un système de reconnaissance du mérite du personnel en matière de qualité. Selon H. James Harrington, ce système poursuit les six objectifs suivants :

1. Souligner la valeur des employés dont la contribution a été exceptionnelle de façon à les inciter à faire toujours mieux.

2. Exprimer à ces employés à quel point l'entreprise leur est redevable.

3. Établir un mode de communication efficace qui assure la visibilité des personnes reconnues.

4. Fournir toutes sortes de moyens de montrer de la reconnaissance et encourager les cadres à faire preuve d'imagination en leur faisant comprendre que plus les marques de gratitude seront variées, plus elles auront du poids.

5. Améliorer l'ambiance de travail grâce à des récompenses appropriées. Ces récompenses peuvent prendre la forme d'une rémunération pécuniaire, d'une remise en argent, d'une reconnaissance publique individuelle, d'une reconnaissance publique en groupe, d'une reconnaissance personnelle, etc.

6. Renforcer les modèles de comportement que les cadres jugent rentables.

L'acheteur mettra à contribution ses fournisseurs dans ce système de reconnaissance du mérite, qui visera également à conférer du prestige aux sources d'approvisionnement de l'entreprise.

L'évolution du concept de qualité nous donne à penser que les croyances de jadis devraient avoir complètement disparu en ce début de millénaire. Le tableau 4.1 démontre l'évolution du concept de qualité dans les entreprises.

■ Tableau 4.1   Évolution du concept de qualité

Croyances des années passées	Croyances des années à venir
• Il faut réduire le nombre de produits retournés.	• Il faut assurer le niveau de qualité dès le début de la fabrication du produit.
• Il faut accepter les produits défectueux.	• Il faut offrir un produit ou un service sans défaut.
• Il est important de contrôler la qualité.	• Il est nécessaire d'implanter un programme d'assurance qualité.
• La qualité d'un produit découle des spécifications de celui-ci.	• La qualité est fonction de ce que désire le client.
• La qualité ne vise qu'à satisfaire le client.	• Il faut être proactif et dépasser les attentes du client.
• Il faut rechercher un niveau de qualité acceptable.	• Il importe d'améliorer continuellement les équipements de transformation et les intrants.

EXEMPLE 4.1

L'exemple fourni par une entreprise fabriquant un shampooing peut nous aider à comprendre l'évolution du concept de qualité. Cette entreprise produit sa propre marque de shampooing, qu'elle remise dans un entrepôt. Elle achète des bouteilles et des capuchons en plastique, des étiquettes, différents formats de boîtes et le matériel nécessaire à l'expédition.

Il y a une quinzaine d'années, les règles du service des approvisionnements permettaient un taux de rejet des intrants de l'ordre de 3 %. La plus grande partie du travail de remplissage et d'emballage était effectuée manuellement par les employés de l'entreprise. Le tableau 4.2 présente les différents intrants reliés à la fabrication des bouteilles de shampooing.

Dans cet exemple, le coût du rejet des bouteilles s'élevait, il y a 15 ans, à 1 500 $: (100 000 unités × 0,50 $/unité) × 3 %. Au moment où une anomalie sur une bouteille était détectée, l'employé la rejetait étant donné la valeur minime de la perte.

On peut montrer qu'en supprimant le coût de rejet, l'entreprise pourrait réaliser deux économies, soit la récupération d'une perte de 1 500 $ provenant du rejet des bouteilles et l'installation d'une ligne de production automatisée qui apporterait une économie additionnelle de 0,297 $ par bouteille en main-d'œuvre seulement (la production réelle est de 48,5 bouteilles à l'heure, soit 97 000 bouteilles acceptées divisé par 2 000 heures ; le coût de la main-d'œuvre est de 14,40 $ l'heure ; en divisant 14,40 $ l'heure par 48,5 bouteilles par heure, on obtient 0,297 $ par bouteille).

S'il fallait que l'entreprise garde les 3 000 bouteilles défectueuses, le temps d'arrêt de la production s'élèverait à 6 000 heures (3 000 bouteilles à 2 heures par déversement). Cette solution inacceptable représentait pourtant il y a 15 ans la solution la moins dispendieuse. Aujourd'hui, compte tenu de la qualité exigée des intrants, ce n'est plus la solution optimale.

■ **Tableau 4.2   Intrants reliés à la fabrication des bouteilles de shampooing**

Quantité de bouteilles achetées annuellement	100 000 unités
Coût d'acquisition par bouteille	0,50 $
Salaire de chaque employé (comprenant des avantages sociaux équivalents à 20 %)	14,40 $ l'heure
Temps d'arrêt de la chaîne de remplissage pour chaque déversement	2 heures
Temps de travail annuellement (250 jours à 8 heures par jour)	2 000 heures
Profit sur chaque bouteille vendue	0,10 $
Prix de vente au distributeur	2,25 $

L'acheteur exerce une pression sur ses fournisseurs pour qu'ils lui remettent un produit sans défaut qu'il pourrait payer un peu plus cher, car sa marge de manœuvre est passée de 0,50 $ à 0,812 $ (à savoir [(100 000 × 0,50 $) + (97 000 × 0,297 $)]/97 000). Sa nouvelle marge de manœuvre est suffisante pour financer ses installations, acheter un produit un peu plus cher et même supporter une baisse de prix pour le consommateur de 2,25 $ à 2 $. Voilà un effet réel d'une exigence de qualité accrue de la part de l'entreprise cliente envers son fournisseur.

Au fil des ans, la concurrence internationale a exercé une pression à la baisse sur les prix. À qualité et à prix égaux, le consommateur encouragera l'entreprise locale. Le consommateur a aussi modifié sa perception à propos de la qualité des produits des entreprises importatrices. Au-delà de ces perceptions, les dirigeants des entreprises locales doivent se poser les questions suivantes : comment l'entreprise importatrice peut-elle avoir un produit de qualité égale à un prix égal à celui des entreprises locales malgré le fait qu'elle doit payer un coût de transport supplémentaire ? Si l'entreprise importatrice décidait d'installer une usine de production sur le marché local, avec sa technologie et son expertise, ne serait-elle pas plus performante que les entreprises locales ? Qu'arriverait-il si l'entreprise importatrice vendait son produit 2 $ plutôt que 2,25 $ à la suite du rapprochement de ses usines de production du marché à servir, occasionnant par le fait même une réduction du coût de transport ?

4.2   La reconnaissance de la qualité

Pour que l'acheteur puisse réaliser son travail de façon efficace, le service qui fait la demande doit décrire ses besoins le plus précisément possible. Il existe plusieurs moyens de reconnaître la qualité d'un produit ou d'un service. Les plus connus sont la marque de commerce, les spécifications du produit ou du service, les plans et devis, les échantillons, les normes déterminées par des associations reconnues du marché, l'étalonnage et l'analyse de la valeur d'un produit ou d'un service, l'image d'une nation, la fiabilité, la garantie, la valeur de rebut, la durabilité et l'espérance de vie.

4.2.1   La marque de commerce

On fait appel à la réputation d'une marque de commerce lorsque le service client connaît très bien une marque et est entièrement satisfait de cette dernière. On utilise également la réputation d'une marque pour faire l'acquisition d'un produit ou d'un service dans le cas où on ne peut investir ni temps ni argent dans la description complète d'un produit ou encore dans le cas où le fournisseur est unique dans son champ d'activité, comme Hydro-Québec dans le domaine de l'électricité.

Pour l'acheteur, cette façon de décrire la qualité d'un produit lui fait gagner énormément de temps, car il n'a pas à négocier un prix avec son fournisseur. Par contre, s'il prend l'habitude de travailler de cette façon avec ses fournisseurs, il risquera de perdre rapidement le pouls du marché et finira par acheter un produit qui ne sera pas le meilleur dans une situation donnée.

4.2.2   Les spécifications du produit ou du service

La méthode des spécifications du produit ou du service est la méthode la plus utilisée dans l'industrie. Il s'agit, pour le service qui fait la demande de même que pour l'acheteur, de décrire les caractéristiques du produit ou du service tant du point de vue physique et chimique que du point de vue du rendement attendu, et ce dans le but d'éviter toute ambiguïté avec les fournisseurs. Il va sans dire que cette façon de faire demande plus de temps; cependant, elle donne habituellement de bons résultats.

Il existe différents types de spécifications. Citons les suivants:

- les spécifications physiques, telles que le poids, la taille ou les dimensions;
- les spécifications chimiques, comme la composition chimique ou le degré de concentration;
- les spécifications de rendement, telles que la résistance au frottement ou la dureté;
- les spécifications qualitatives, telles que l'esthétique ou le goût;
- les spécifications de transformation, comme le type de procédé à utiliser ou la précision d'usinage à respecter;
- les spécifications industrielles, telles qu'un boîtier de protection nema 12 dans le domaine électrique ou une vis en acier inoxydable à tête fraisée;
- les spécifications gouvernementales, telles que les normes de la Commission de la santé et de la sécurité du travail ou les exigences politiques quant à la charge de travail devant être exécutée à l'intérieur des frontières du Québec.

4.2.3   Les plans et devis

La méthode des plans et devis est très utilisée dans l'industrie de la construction et dans les industries dont les produits demandent un haut degré de précision comme l'industrie aérospatiale. Cette méthode consiste à reproduire le bien commandé sur du papier conçu à cet effet; la reproduction faite à l'échelle constitue un plan. Le devis, qui sert d'accompagnement au plan, met en évidence tous les détails qui ne peuvent être inclus sur le plan, comme le pourcentage de précision de chaque matière entrant dans le produit à fabriquer ou comme les caractéristiques du rendement de chaque produit utilisé, par exemple du béton ayant une résistance en compression de 30 mégapascals et un affaissement de 75 millimètres.

Cette méthode ne laisse aucun doute quant au produit à acquérir. Elle peut susciter des réactions de la part de la concurrence, car il est plus facile de faire des comparaisons entre les produits avec cette façon de faire. Toutefois, cette méthode est longue, fastidieuse et coûteuse. Une entreprise doit être structurée suffisamment afin de faire un suivi efficace sur l'achat.

4.2.4   Les échantillons

L'acheteur peut demander à un fournisseur potentiel de lui donner un échantillon du produit qu'il désire acheter. Une fois l'échantillon reçu, il le montrera au service en cause, lequel approuvera ou non le produit suivant les caractéristiques recherchées.

Cette méthode est très utilisée dans l'industrie minière (dans les carrières, les sablières, etc.), dans l'industrie textile (le coton et la laine) ainsi que dans l'industrie agroalimentaire (les fruits et les légumes). Comme il y a un risque de variations d'un mois à l'autre dû à la différence entre les lots de production, l'entreprise qui fera l'achat doit être sur ses gardes. Pour ce faire, elle exigera un échantillon du produit à acheter.

4.2.5   Les normes déterminées par des associations reconnues du marché

Certains organismes de normalisation font autorité au Québec et au Canada. Beaucoup d'entreprises utilisent ces normes dans le but de faciliter les échanges avec les fournisseurs. Citons l'Association canadienne de normalisation (ACNOR), le Bureau de normalisation du Québec (BNQ), le Protocole national sur l'emballage (PNE), l'International Standards Organization (ISO), les normes QS9000 dans l'industrie automobile et les normes HACCP dans le domaine agro-alimentaire. On pourrait également citer quelques associations qui, sans être des firmes de normalisation, en font office en ce qui concerne la qualité aux niveaux québécois, canadien et même international. On n'a qu'à penser à l'OIQ (Ordre des ingénieurs du Québec) ou encore à la CAQ (Corporation des approvisionneurs du Québec) ou même à l'OTQ (Ordre des technologues du Québec).

4.2.6   L'étalonnage

L'étalonnage[2] (souvent appelé benchmarking[3] ou balisage) est une analyse comparative effectuée dans un contexte d'amélioration continue. Une telle analyse permettra de standardiser le niveau de qualité de l'entreprise par rapport à celui qu'on trouve sur le marché. C'est un processus long et rigoureux d'analyse du mode de fonctionnement de l'entreprise, de recherche des anomalies à corriger et de sélection des sources qui partageront leur expérience en vue de devenir des modèles d'inspiration pour les changements à entreprendre à l'intérieur de l'entreprise.

La démarche d'étalonnage comprend les six étapes suivantes :

1. Déterminer l'objet d'étude : le processus administratif, le processus opérationnel, l'expertise, la machine, l'équipement.

2. Évaluer la situation actuelle.

3. Établir le point de comparaison.

---

2. René Gélinas. *Rapport du séminaire sur les indicateurs de performance applicables au secteur de la logistique,* Montréal, Institut de formation en gestion du transport et de la logistique, 2000, 44 p.
3. Le terme *benchmark* signifie « repère ».

4. Recueillir les données.

5. Analyser les données.

6. Déterminer les objectifs à atteindre et analyser les écarts.

L'objectif de cette démarche est de comparer l'entreprise aux entreprises les plus performantes de son secteur d'activité – dans la mesure du possible, ou encore d'entreprises d'autres secteurs d'activité ayant des pratiques de gestion similaires – et de s'inspirer des meilleurs modes de fonctionnement internationaux pour s'améliorer constamment. Il s'agit donc de repérer les entreprises ou les organisations qui sont les meilleures dans un certain secteur ou pour une certaine tâche et de comprendre comment elles y arrivent. C'est pourquoi à chacune des étapes de la démarche, on devrait se poser les questions suivantes :

- Quel est le processus déficient ?

- Comment s'y prend-on à l'heure actuelle ?

- Que doit-on faire pour améliorer notre performance ?

- Qui s'y prend le mieux sur le marché ?

- Comment s'y prennent-ils ?

Xerox : exemple d'étalonnage

En 1976, la compagnie Xerox occupait de façon presque monopolistique le marché des photocopieurs depuis près de 20 ans. Les Japonais firent leur entrée sur le marché cette année-là, alors que Xerox n'avait jamais connu la concurrence. Cinq ans plus tard, les profits de Xerox avaient fondu de 50 %. C'est à ce moment-là que les gestionnaires de Xerox ont réagi. Ils ont tenté de comprendre comment leurs compétiteurs géraient leurs coûts de production, quelles technologies ils utilisaient, comment ils développaient leurs produits, comment ils les distribuaient et comment ils les expédiaient.

À la suite de cette étude comparative, les gens de Xerox ont appris beaucoup de choses : le coût de production de Xerox était le même que le prix de vente des Japonais ; Xerox visait une augmentation de la productivité de 8 % (en comparaison avec une moyenne de 3 % pour le secteur) alors que, pour concurrencer les Japonais, il aurait fallu atteindre 18 % ; Xerox prenait deux fois plus de temps que ses concurrents à mettre en marché un nouveau produit ; Xerox avait besoin de cinq fois plus d'ingénieurs que ses meilleurs compétiteurs ; le taux de non-conformité était de 30 000 PPM pour Xerox, et de 1 000 PPM pour ses meilleurs compétiteurs.

L'équipe de Xerox a dû se retrousser les manches et travailler fort pour que l'entreprise redevienne concurrentielle. En ce qui concerne le choix des partenaires, il n'est pas nécessaire qu'il s'agisse de compétiteurs directs. Dans le cas de Xerox, la compagnie avait choisi Florida Power and Light et Toyota pour la gestion de la qualité, et Cummins Engine pour la planification de la production.

Différentes sources d'information sont utiles pour effectuer une démarche d'étalonnage : des magazines et des revues spécialisées, des publications d'associations, des congrès et des conférences, des études de marché, des statistiques gouvernementales, des sondages, ainsi que les organismes suivants :

- American Society for Quality Control (ASQC) : www.asqc.org
- Industrie et commerce Québec : www.micst.gouv.qc.ca/entrep/benchmarking.html
- Benchmarking Partners : www.benchmarking.com/index.html
- American Productivity and Quality Center : www.ibc.apqc.org

Il existe quatres types d'étalonnage : l'étalonnage interne, l'étalonnage concurrentiel, l'étalonnage non concurrentiel et l'étalonnage optimal.

- L'**étalonnage interne** est effectué à l'intérieur de l'entreprise.

- L'**étalonnage concurrentiel** est fait à partir d'une comparaison avec un concurrent. C'est sans l'ombre d'un doute le plus difficile à réaliser parce qu'on doit se comparer avec les entreprises du même secteur industriel. L'avantage que l'on pourrait retirer de l'étalonnage concurrentiel consiste dans le fait que les bases de comparaison sont significatives. Par contre, l'inconvénient majeur repose sur des considérations légales et éthiques (espionnage industriel) ; en outre, les partenaires envisagés ne sont pas nécessairement coopératifs et peuvent même faire de la désinformation, et enfin, le temps de réalisation est assez long.

- L'**étalonnage non concurrentiel** est fait à partir d'une comparaison avec une entreprise qui œuvre dans un autre secteur d'activité.

- L'**étalonnage optimal** (*benchmarking leader*) est effectué par l'entreprise qui agit comme leader dans le même secteur d'activité ou encore dans un autre secteur d'activité.

■ Tableau 4.3   Planification des activités logistiques

En amont	• Planification de l'approvisionnement
	• Sélection et évaluation des fournisseurs et sous-traitants
	• Planification et ordonnancement de la réception de marchandises
	• Planification des activités sous-traitées
À l'interne	• Planification agrégée, plan directeur de production, programme de fabrication
	• Ordonnancement
	• Gestion des stocks
	• Contrôle de qualité
En aval	• Réseau de distribution
	• Planification et ordonnancement des expéditions
	• Choix des intermédiaires de distribution

4.2.7   L'analyse de la valeur d'un produit ou d'un service

L'analyse de la valeur d'un produit ou d'un service est une méthode systématique qui remet en question l'optimisation de la fonction du produit, le besoin de l'utilisateur, la qualité requise et le prix d'un produit ou d'un service pour répondre aux attentes de l'utilisateur. Nous examinerons cette approche à la section 9.2.2 (p. 340).

4.2.8   L'image d'une nation

Un produit fabriqué dans un pays donné peut être perçu comme étant de piètre qualité, ce qui aura pour effet de ne pas ajouter de valeur à l'échange commercial avec le pays importateur. Par exemple, qu'on se souvienne des années 1960 et 1970 où tous les produits qui affichaient l'inscription « Made in Japan » avaient réellement la réputation d'être des produits de qualité médiocre (ce qui a drôlement changé, surtout en ce qui concerne l'industrie automobile et l'industrie des produits électroniques). Les acheteurs de l'époque avaient énormément de réticences à acheter au Japon lorsqu'ils avaient besoin de produits de qualité.

4.2.9   La fiabilité

Avec l'avènement des nouvelles philosophies de gestion comme le juste-à-temps et la qualité totale, l'acheteur a peu de marge de manœuvre quant à la qualité ainsi qu'au délai de livraison. Pour arriver à ses fins, il exigera d'un fournisseur qu'il soit fiable, c'est-à-dire qu'il soit en mesure de livrer en tout temps le même produit ou le même service, peu importe le processus de travail requis pour y parvenir. L'acheteur ne peut plus tolérer les mauvaises surprises en matière de constance du produit ou du service.

4.2.10   La garantie

L'acheteur saura reconnaître la garantie d'un produit comme faisant partie de l'achat d'un bien. Une compagnie fournisseuse qui offre une bonne garantie sur son produit et respecte celle-ci démontre sans l'ombre d'un doute la confiance qu'elle a dans son propre produit. Le service à la clientèle (service après-vente) d'une telle compagnie ajoute par conséquent une certaine valeur au produit qu'elle met sur le marché.

4.2.11   La valeur de rebut

Il est avantageux d'acheter un produit neuf ou usagé quand on sait qu'il aura encore une bonne valeur dans la chaîne d'approvisionnement lorsqu'il sera considéré comme un rebut (la notion de logistique inversée décrite au chapitre 5 vous en donnera un bon aperçu). L'acheteur peut constater que l'achat d'un type de matériau plutôt qu'un autre lui donnera satisfaction et qu'en outre, au lieu de jeter le produit lorsqu'il sera arrivé à la phase de rebut, il pourra le revendre afin qu'il soit recyclé, réusiné ou réutilisé à d'autres fins. Par exemple, presque tous les produits polymères ou les produits en acier inoxydable ont encore une bonne valeur à l'état de rebut.

4.2.12 La durabilité et l'espérance de vie

Un produit durable est un produit qui offre une période d'utilisation supérieure à la moyenne. La décision de faire l'acquisition d'un bien durable est une autre forme de reconnaissance de la qualité. L'entreprise acheteuse n'aura pas à se départir du bien dans un court laps de temps et, par le fait même, elle pourra se consacrer davantage aux éléments primordiaux de sa gestion. Par exemple, une équipe cycliste qui fait l'acquisition de pneus en kevlar aura l'esprit beaucoup plus tranquille qu'une autre qui roule avec des pneus standard en caoutchouc, plus sujets à l'usure et aux crevaisons.

4.3 Les concepts reliés à la qualité

4.3.1 La politique en matière de qualité

Dans le jargon administratif, on emploie souvent l'expression « politique qualité ». La politique en matière de qualité d'une entreprise représente ni plus ni moins les objectifs généraux que définit la haute direction en ce qui concerne la qualité. Il faut garder à l'esprit que la politique en matière de qualité d'une entreprise découle de la mission de celle-ci, c'est-à-dire de sa raison d'être.

Dans une entreprise, il existe plusieurs types de politique. En effet, on peut trouver une politique ayant trait aux ressources humaines (par exemple une formation obligatoire) ou encore une politique relative à la santé et à la sécurité du travail. En fait, une politique sera élaborée dans chaque secteur de l'entreprise. Le tableau 4.4 présente l'exemple de la politique en matière de qualité établie par un manufacturier de poêles à bois.

La mission de ce manufacturier est de vendre des poêles à bois dans toute l'Amérique du Nord. Sa politique en matière de qualité est de faire en sorte que les clients soient pleinement satisfaits en ce qui a trait à la qualité du produit et du service. Par la suite, en fonction de la

■ Tableau 4.4   Politique en matière de qualité d'un manufacturier de poêles à bois

Mission de l'entreprise	Vendre des poêles à bois dans toute l'Amérique du Nord
Politique en matière de qualité	Donner pleine satisfaction aux clients pour tout ce qui a trait à la qualité du produit et du service
Objectif A	Devenir un fournisseur privilégié
Objectif B	Réduire le nombre de commandes en retard à deux par mois
Objectif C	Viser une rotation des stocks deux fois plus élevée qu'à la période précédente

politique adoptée, l'entreprise établira des objectifs spécifiques comme ceux-ci : devenir un fournisseur privilégié pour la plupart des clients avec lesquels elle fait affaire, réduire le nombre de commandes en retard à deux par mois, ou encore viser une rotation des stocks deux fois plus élevée qu'à la période précédente. Il est à noter qu'il peut y avoir plus de trois objectifs en ce qui a trait à la qualité. Le but n'est pas d'en avoir un grand nombre ou quelques-uns seulement, mais de respecter les engagements pris.

4.3.2   La gestion de la qualité

La gestion de la qualité représente la partie de la fonction de gestion qui détermine la politique en matière de qualité et qui la met en œuvre. Sans doute connaissez-vous déjà le fameux processus de gestion, c'est-à-dire la planification, l'organisation, la direction et le contrôle. Dans le contexte de la gestion de la qualité, la planification est en quelque sorte l'élaboration du plan de gestion ainsi que du plan d'action, tant au point de vue stratégique qu'au point de vue opérationnel. Par exemple, l'entreprise définit une façon de fonctionner en matière de qualité. Elle peut faire appel aux normes ISO 9000, que nous verrons un peu plus loin dans ce chapitre. Pour ce qui est de l'organisation, il s'agit de mettre en place toutes les ressources, qu'elles soient humaines, matérielles, financières ou informationnelles, dans le contexte du projet d'implantation de la qualité. En ce qui a trait à la direction, celle-ci consiste à diriger les ressources, à les motiver, à les former et à régler les différends entre elles pour s'assurer que les plans établis lors de la planification n'iront pas à la dérive. Finalement, le contrôle dans un projet d'implantation de la qualité vise à vérifier si ce qui a été planifié se rapproche de la réalité. L'étape du contrôle sert également à prendre les mesures nécessaires pour accorder les faits avec la planification initiale. Dans un projet de ce genre, le contrôle est effectué fréquemment, c'est-à-dire après chaque étape qui mobilise des ressources, et ce afin d'éviter l'apparition d'écarts trop importants.

4.3.3   La démarche qualité

La démarche qualité s'apparente au concept de gestion de la qualité. En fait, elle comprend un ensemble d'étapes fondamentales (voir la figure 4.2) qui permettent de mettre sur pied une gestion de la qualité. On y trouve donc premièrement les ressources. À ce stade, l'entreprise doit dresser une liste des différentes ressources dont elle dispose afin de mener à bien son projet. Celles-ci pourraient comprendre, entre autres, le directeur du projet d'implantation de la démarche qualité, le directeur du service de l'approvisionnement, les transpalettes utilisées dans l'usine et les fonds octroyés par la banque.

La deuxième étape fondamentale de la démarche qualité porte sur les procédés utilisés. De façon générale, on illustre les procédés de production à l'aide d'un diagramme de procédés, comme cela est indiqué dans un cours de gestion des opérations ou de gestion de la production au sujet de l'étude du travail. La figure 4.3 présente ce type de diagramme. Celui-ci s'avère très utile dans une démarche d'amélioration de la qualité ou de réingénierie des processus, car il permet de voir à quel endroit on n'ajoute aucune valeur au produit.

La troisième étape fondamentale est l'établissement d'une structure organisationnelle qui représente, en quelque sorte, une photographie de l'entreprise à une date donnée. Elle permet

Figure 4.2   Les étapes de la démarche qualité

Figure 4.3   Exemple d'un diagramme de procédé partiel

de constater la dépendance de certains postes vis-à-vis d'autres. La structure organisationnelle permet également d'éviter la situation où un employé relève de plusieurs supérieurs. Ce phénomène va à l'encontre d'un principe de base en gestion, mais il constitue une réalité dans l'entreprise. Cela dit, chaque entreprise devrait établir une structure organisationnelle.

La quatrième étape concerne les responsabilités de chacun. Grâce à la structure organisationnelle, on peut apprendre de qui un employé relève. Par contre, on ne connaît pas nécessairement les tâches de cet employé. Les responsabilités comprennent la description des tâches pour chaque poste de l'entreprise; cette description vise à éviter le redoublement des tâches et, par le fait même, les pertes de temps qu'il engendre.

La dernière étape englobe les procédures ou la manière de faire chaque activité. Cette étape peut sembler alourdir la démarche à mettre en place, surtout dans le cas où l'on doit écrire toutes ces procédures; cependant, elle est nécessaire dans le contexte d'une remise en question des façons de faire de l'entreprise. Par exemple, dans le cas de l'emballage d'une petite pièce métallique dans une boîte rigide en carton, la procédure pourrait être la suivante :

- la mise en forme de la boîte en carton ;
- la pose du ruban adhésif sur la fente extérieure du bas de la boîte ;
- le dépôt de la pièce métallique dans la boîte ;
- l'ajout de particules de styromousse dans la boîte afin d'éviter les vides et le bris de la boîte ;
- la fermeture de la boîte ;
- la pose du ruban adhésif sur la partie supérieure de la boîte ;
- l'étiquetage.

Bref, la démarche qualité permet à l'entreprise de composer un manuel de la qualité qui servira tout au long de la démarche visant à améliorer la qualité des produits ou des services. En fait, cette opération consiste à formaliser toutes les activités par écrit dans le but d'améliorer la productivité et de modifier les opérations qui n'apportent rien au produit ou au service. Beaucoup d'entreprises ont compris l'importance de cette démarche ces dernières années. On n'a qu'à penser au Mouvement Desjardins qui veut améliorer son service à la clientèle. Les employés qui sont en contact avec les clients deviendront des individus clés dans l'entreprise. Il faudra penser à élaborer des programmes de formation pour optimiser ce genre de service. Les dirigeants du Mouvement Desjardins ont pensé à la « réingénierie » des processus et, donc, à l'amélioration de la productivité en formalisant leurs activités et en se questionnant.

4.3.4   La maîtrise de la qualité

Afin que les employés assimilent parfaitement l'idée maîtresse d'un projet d'amélioration de la qualité, on demande à chacun d'écrire la procédure reliée au champ d'activité dans lequel il travaille. Cela a pour effet de démystifier le changement, de réduire la résistance à ce genre d'implantation et de redonner confiance aux employés. De plus, on pourra compter sur une plus grande polyvalence de la part de chaque employé parce que, si un employé est malade un jour donné, un de ses collègues pourra le remplacer au pied levé.

4.3.5   L'assurance qualité

Selon le dictionnaire de l'American Production and Inventory Control Society[4], l'assurance qualité représente l'ensemble des activités planifiées et systématiques qui font en sorte qu'un produit ou un service respecte les exigences requises quant à la qualité.

Il s'agit donc de s'assurer que le procédé fonctionnera de façon qu'aucune faille ne puisse apparaître dans le produit ou le service. Ainsi, on se préoccupera non seulement du produit ou du service, mais également des ressources humaines qui ont à fabriquer le produit ou à

---

4. *APICS Dictionary*, 8ᵉ éd., Fall Church, Virginie, 1995, p. 69.

rendre le service, de même que de la machinerie et des outils, qui serviront d'intermédiaires pour la fabrication du produit, et ce tout le long du processus, c'est-à-dire de la conception du produit jusqu'au service après-vente. L'assurance qualité peut être vue selon deux facettes, soit l'assurance interne, qui a un rapport avec les fournisseurs, avec tous les employés participant à l'extrant et avec la direction qui manifeste sa confiance, et l'assurance externe, qui a trait à la confiance du client.

À ce sujet, il existe des normes de qualité appelées ISO qui ont été établies par l'Organisation internationale de standardisation. Ces normes peuvent être d'une grande utilité pour une entreprise désirant prendre le virage de la qualité. De plus en plus d'entreprises souhaitent faire affaire uniquement avec des entreprises (fournisseuses ou clientes) qui ont reçu leur certification ISO. Les gouvernements provincial et fédéral exigent depuis plusieurs années dans leurs spécifications d'approvisionnement que les fournisseurs désirant faire affaire avec eux doivent être accrédités selon la norme de la série ISO 9000. Plusieurs entreprises clientes participent maintenant aux activités internes reliées à la démarche qualité, par exemple en collaborant à la préparation des devis dans le but de faire respecter le plus possible leurs exigences.

4.3.6 Le contrôle de qualité

Le contrôle de qualité est en quelque sorte une méthode permettant d'établir la conformité du produit en comparant les résultats obtenus avec un standard déterminé au préalable[5]. Si l'on constate un écart entre la réalité et le standard, cet écart sera corrigé par la suite.

Contrairement à l'assurance qualité, le contrôle de qualité ne touche que le produit ou le service comme tel. Dans le cas d'un service, cependant, étant donné son intangibilité, il est plus difficile de bien contrôler sa qualité. Il faut alors cerner des critères que l'on pondérera selon leur importance. Ce travail de vérification pourrait être effectué par l'acheteur au cours de son travail quotidien. Il existe plusieurs façons de contrôler la qualité dans une entreprise, qu'il s'agisse d'une entreprise qui achète un produit ou encore d'un fabricant ou d'un détaillant qui vend son produit. Il faut voir également que le contrôle de qualité s'effectue habituellement à la réception des intrants, lors du processus de fabrication des produits, ainsi qu'à l'expédition des extrants.

▒ Le contrôle de qualité sur réception

À l'arrivée des produits, on s'affairera à déceler les produits qui seront jugés non conformes en fonction de ses exigences et spécifications préétablies. Pour ce faire, on aura le choix entre :

1) vérifier tout le lot de produits qui arrive à la réception ;

2) vérifier une partie du lot de produits, ce qu'on appelle communément un échantillon ; ou encore

3) ne rien vérifier du tout.

---

5. *Ibid.*, p. 70.

Les solutions 1 et 3 peuvent être très onéreuses pour une entreprise. En effet, la solution 1 coûte cher en main-d'œuvre dans les cas où les lots sont relativement grands. Pour ce qui est de la solution 3, ses conséquences peuvent être désastreuses un peu plus tard, lorsque les produits seront rendus à l'étape du processus de production ou encore lorsqu'ils seront expédiés chez un client. Des retours de marchandises seront probablement inévitables et il en résultera de l'insatisfaction de la part du consommateur, qui détectera sans doute ce que l'on aurait dû déceler au préalable. La solution 2, c'est-à-dire le fait de prendre un échantillon dans chaque lot de pièces qui arrive à la réception, est une méthode très utilisée dans les entreprises actuellement. Pour ce faire, on doit établir ce qu'on appelle un plan d'échantillonnage.

Il existe plusieurs types de plans d'échantillonnage. On peut tester un échantillon dans un lot reçu et décider d'accepter ou de refuser le lot reçu, ce qui constitue un plan d'échantillonnage simple. On pourrait également prendre deux échantillons dans un même lot, soit un plan d'échantillonnage double. Finalement, si l'on soutire plusieurs échantillons d'un même lot pour décider d'accepter ou de refuser ce lot, cela constituera un plan d'échantillonnage multiple. La pratique la plus courante est d'utiliser un plan d'échantillonnage simple.

Nous allons donc nous attarder davantage sur le plan d'échantillonnage simple. Dans le cas où les produits répondent ou non aux spécifications établies au préalable, on l'appellera plan d'échantillonnage par attribut. Dans le cas où une certaine marge de manœuvre est tolérée à propos d'une caractéristique quelconque d'un produit donné (par exemple le poids d'une pièce), on l'appellera plan d'échantillonnage par variable. Ce dernier cas ne sera pas traité en détail dans ce manuel.

L'utilisation de l'échantillonnage requiert certaines notions de statistique, comme l'échantillonnage aléatoire, c'est-à-dire la sélection au hasard parmi un certain nombre d'articles dans le but de vérifier la conformité du produit. De plus, certains paramètres statistiques comme la moyenne, l'écart type, le coefficient de variation ou l'étendue sont également très utilisés aux fins du contrôle de qualité.

Afin de connaître exactement le nombre d'articles à vérifier (l'échantillon) de même que le nombre d'articles non conformes de cet échantillon au-delà duquel on refuse le lot, il existe différentes méthodes ou tables sur lesquelles la personne qui sera affectée au contrôle de qualité peut s'appuyer, que ce soit à la réception ou à l'expédition des marchandises. Parmi celles-ci, notons les tables MIL-STD 105D et MIL-STD 414 provenant de l'armée américaine, et les tables Dodge-Romig. De même, plusieurs organismes nationaux et internationaux de normalisation possèdent leur propre méthode d'échantillonnage, par exemple les tables ANSI (American National Standards Institute) ainsi que les tables ISO (Organisation internationale de standardisation).

Nous allons nous attarder davantage sur les tables MIL-STD 105D. En effet, elles nous seront utiles pour établir un plan d'échantillonnage par attribut. L'alternative décisionnelle suivant le contrôle d'un échantillon sera la suivante : on accepte le lot si la qualité est satisfaisante en fonction des exigences établies *a priori* ; dans le cas contraire, on refuse le lot. Cependant, comme le lot n'est pas vérifié au complet, l'échantillonnage comporte un double risque de prendre une mauvaise décision.

1. Le risque de rejeter un lot de qualité acceptable ; on l'appelle le **risque du fournisseur** (il est souvent noté α).

2. Le risque d'accepter un lot de qualité non acceptable ; on l'appelle le **risque de l'acheteur** (il est souvent noté β).

Par conséquent, à partir d'un lot de produits qui arrive à la réception, de taille (N) et d'un pourcentage maximal de produits défectueux dans l'échantillon qu'on appelle communément le niveau de qualité acceptable (N.Q.A.), on pourra déterminer, à l'aide de ces mêmes tables, la taille de l'échantillon de même que le niveau d'acceptation et de refus. Les tables nous permettent même d'anticiper le risque de l'acheteur et celui du fournisseur.

Le fameux N.Q.A. devrait vraisemblablement faire l'objet de discussions entre le fournisseur et l'acheteur avant de l'introduire dans les politiques de l'acheteur car il peut avoir un impact majeur sur les coûts de production. Il représente rien de moins qu'une caractéristique générale de la qualité de la fabrication qui entraînera dans la majorité des cas l'acceptation du lot.

EXEMPLE 4.2 Exemple d'application des tables MIL-STD 105D dans le cas d'un échantillonnage simple et d'un contrôle normal

Note: Il existe trois types de contrôle dans ce genre de tables, soit un contrôle réduit, un contrôle normal et un contrôle serré.

On doit contrôler la qualité d'ampoules électriques (elles fonctionnent ou elles ne fonctionnent pas) qui arrivent par lots de 600 unités. Le niveau de qualité acceptable (N.Q.A.) est de 2,5 %. De même, le risque du fournisseur (α) est de 5 % et celui de l'acheteur (β) est de 10 %. Selon les tables MIL-STD 105D, quelle devrait être la taille de l'échantillon à prélever de même que le nombre limite d'ampoules électriques défectueuses que l'on peut tolérer dans l'échantillon ?

À l'aide du tableau 4.5, on peut associer la taille de l'échantillon (n) à la taille du lot (N) pour effectuer trois types de contrôle, soit : réduit, normal et serré. Un contrôle est réduit lorsque l'entreprise acheteuse est, en quelque sorte, assurée d'une certaine qualité de la part de son fournisseur. D'autre part, on utilise le contrôle serré lorsqu'on détecte depuis quelques envois un taux de non-conformité anormal de la part d'un fournisseur. Dans les autres cas, on utilise habituellement un contrôle dit normal. Dans le cas présent, avec un lot de 600 ampoules et un contrôle normal, on trouve une taille d'échantillon de 80 ampoules.

■ **Tableau 4.5**   Détermination de la taille de l'échantillon en fonction de l'importance des lots et de trois niveaux de contrôle au moyen d'un plan d'échantillonnage simple

Importance des lots N (N)	Taille de l'échantillon avec un contrôle réduit	Taille de l'échantillon avec un contrôle normal	Taille de l'échantillon avec un contrôle serré
2 à 8	2	2	3
9 à 15	2	3	5
16 à 25	3	5	8
26 à 50	5	8	13
51 à 90	5	13	20
91 à 150	8	20	32
151 à 280	13	32	50
281 à 500	20	50	80
501 à 1 200	32	80	125
1 201 à 3 200	50	125	200
3 201 à 10 000	80	200	315
10 001 à 35 000	125	315	500
35 001 à 150 000	200	500	800
150 001 à 500 000	315	800	1 250
500 001 et plus	500	1 250	2 000

Source: Pierre Vandeville. *Gestion et contrôle de qualité,* Paris, Édition Afnor Gestion, 1985, p. 208, table NF X 06-022 (MIL STD 105D).

Maintenant, le tableau 4.6 va nous permettre de déterminer le nombre limite de produits défectueux tolérables dans l'échantillon pour que l'on accepte le lot, ainsi que deux valeurs qui correspondent aux risques du fournisseur et de l'acheteur. À gauche du tableau, on se réfère à la taille de l'échantillon. Chaque regroupement de données dans ce tableau contient trois chiffres. Celui du milieu représente le N.Q.A.; celui du haut, le pourcentage de produits défectueux correspondant au risque du fournisseur; et celui du bas, le pourcentage de produits défectueux correspondant au risque de l'acheteur. Finalement, dans le haut du tableau, on retrouve deux valeurs: A pour acceptation du lot, et R pour refus du lot.

■ Tableau 4.6   Détermination du nombre d'items non conformes, du risque du fournisseur et du risque de l'acheteur avec un plan d'échantillonnage simple et un contrôle normal quand on connaît la taille de l'échantillon et le niveau de qualité acceptable

Taille de l'échantillon	Niveau d'acceptation et de refus								
	A=0 R=1	A=1 R=2	A=2 R=3	A=3 R=4	A=5 R=6	A=7 R=8	A=10 R=11	A=14 R=15	A=21 R=22
2	2,53 6,5 68,4								
3	1,70 4,0 53,6								
5	1,02 2,5 36,9	7,63 10 58,4							
8	0,64 1,5 25,0	2,64 6,5 40,6	11,1 10 53,9						
13	0,394 1,0 16,1	2,81 4,0 26,8	6,63 6,5 36,0	11,3 10 44,4					
20	0,256 0,65 10,9	1,80 2,5 18,1	4,22 4,0 24,5	7,13 6,5 30,4	14,0 10 44,4				
32	0,161 0,40 6,94	1,13 1,5 11,6	2,59 2,5 15,8	4,39 4,0 19,7	8,50 6,5 27,1	13,1 10 34,1			
50	0,103 0,25 4,50	0,712 1,0 7,56	1,66 1,5 10,3	2,77 2,5 12,9	5,34 4,0 17,8	8,20 6,5 22,4	12,9 10 29,1		
80	0,064 0,15 2,84	0,444 0,65 4,78	1,03 1,0 6,52	1,73 1,5 8,16	3,32 2,5 11,3	5,06 4,0 14,2	7,91 6,5 18,6	11,9 10 24,2	
125	0,041 0,10 1,84	0,284 0,40 3,11	0,654 0,65 4,26	1,09 1,0 5,35	2,09 1,5 7,42	3,19 2,5 9,42	4,94 4,0 12,3	7,40 6,5 16,1	11,9 10 22,5

■ **Tableau 4.6**   Détermination du nombre d'items non conformes, du risque du fournisseur et du risque de l'acheteur avec un plan d'échantillonnage simple et un contrôle normal quand on connaît la taille de l'échantillon et le niveau de qualité acceptable *(suite)*

Taille de l'échantillon	Niveau d'acceptation et de refus								
	A=0 R=1	A=1 R=2	A=2 R=3	A=3 R=4	A=5 R=6	A=7 R=8	A=10 R=11	A=14 R=15	A=21 R=22
200	0,0256	0,178	0,409	0,683	1,31	1,99	3,09	4,62	7,45
	0,065	0,25	0,40	0,65	1,0	1,5	2,5	4,0	6,5
	1,15	1,95	2,66	3,34	4,64	5,89	7,70	10,1	14,1
315	0,0163	0,112	0,259	0,433	0,829	1,26	1,96	2,94	4,73
	0,040	0,15	0,25	0,40	0,65	1,0	1,5	2,5	4,0
	0,731	1,23	1,69	2,12	2,94	3,74	4,89	6,39	8,95
500	0,0103	0,071	0,164	0,273	0,523	0,796	1,23	1,85	2,98
	0,025	0,10	0,15	0,25	0,40	0,65	1,0	1,5	2,5
	0,461	0,778	1,06	1,34	1,86	2,35	3,08	4,03	5,64
800	0,0064	0,0444	0,102	0,171	0,327	0,498	0,771	1,16	1,86
	0,015	0,065	0,10	0,15	0,25	0,40	0,65	1,0	1,5
	0,288	0,486	0,665	0,835	1,16	3,47	1,93	2,52	3,52
1250	0,0041	0,0284	0,0654	0,109	0,209	0,318	0,494	0,740	1,19
	0,010	0,040	0,065	0,10	0,15	0,25	0,40	0,65	1,0
	0,184	0,310	0,426	0,534	0,742	0,942	1,23	1,61	2,25
2000	0,0026	0,0178	0,0409	0,0683	0,131	0,199	0,309	0,462	0,745
	0,0065	0,025	0,040	0,065	0,10	0,15	0,25	0,40	0,65
	0,115	0,195	0,266	0,334	0,464	0,589	0,770	1,01	1,41

Source : Ibid., p. 209-210.

Dans notre exemple, avec une taille d'échantillon de 80 ampoules électriques et un N.Q.A. de 2,5 %, on trouve les valeurs 3,32 et 11,3. Si on regarde en haut du tableau, on trouve les valeurs correspondantes suivantes : A=5 et R=6. Cela signifie que si je trouve un nombre d'ampoules électriques défectueuses plus petit ou égal à 5 dans mon échantillon de 80 ampoules, j'accepte le lot. Si j'ai 6 ampoules électriques défectueuses ou plus dans mon échantillon, je refuse le lot. Pour ce qui est de la valeur de 3,32, elle signifie qu'un fournisseur qui livrerait à l'acheteur des lots contenant 3,32 % d'articles défectueux s'en verrait refuser 5 % en moyenne. En d'autres mots, 5 lots de 600 ampoules sur un total de 100 lots seraient refusés si le fournisseur livrait 20 ampoules défectueuses dans ses lots de 600 ampoules. Enfin, la valeur de 11,3 signifie que l'acheteur acceptera en moyenne une fois sur 10 un lot contenant 11,3 % d'ampoules défectueuses si le plan d'échantillonnage est appliqué rigoureusement.

Imaginons qu'on désire avoir un niveau de qualité acceptable (N.Q.A.) de 3% au lieu de 2,5%, comme c'est le cas dans notre exemple. Dans ce type de situation, étant donné qu'à la lecture du tableau 4.6, on ne retrouve pas exactement le N.Q.A. de 3%, on pourrait procéder par interpolation linéaire entre deux valeurs voisines du tableau, ce qui nous donnerait une bonne approximation de la valeur recherchée tant en ce qui a trait au critère d'acceptation et de refus qu'aux pourcentages correspondant au risque de l'acheteur et du fournisseur.

Dans notre exemple, on avait les trois valeurs suivantes : 3,32, 2,5 et 11,3. Si l'on regarde la colonne suivante, toujours pour la même ligne dans le tableau 4.6, on retrouve les valeurs suivantes : 5,06, 4,0 et 14,2. Par interpolation linéaire, on pourrait trouver les deux valeurs correspondant à un niveau N.Q.A. de 3%. En effet :

$$\frac{5,06 - 3,32}{5,06 - X} = \frac{4,0 - 2,5}{4,0 - 3,0}$$

En isolant X, on trouve : X = 3,90 pour le premier chiffre. En ce qui concerne le dernier chiffre à trouver, on procède de la même façon, c'est-à-dire par interpolation linéaire. Dans ce cas, on a :

$$\frac{14,2 - 11,3}{14,2 - X} = \frac{4,0 - 2,5}{4,0 - 3,0}$$

On peut alors trouver que X = 12,27.

Les trois valeurs sont donc : 3,90, 3,0 et 12,27.

Par ailleurs, pour connaître notre critère d'acceptation et de refus, on pourrait procéder de la même manière. Dans ce cas-ci, les valeurs correspondantes sont A=5 et R=6 dans le cas d'un N.Q.A. de 2,5%, et A=7 et R=8 dans le cas d'un N.Q.A. de 4,0%. Par conséquent, pour un N.Q.A. de 3%, on aura :

$$\frac{7 - 5}{7 - X} = \frac{4,0 - 2,5}{4,0 - 3,0}$$

X nous donnera 5,67, que l'on arrondira à 6. Ce qui signifie que, pour un N.Q.A. de 3%, on acceptera le lot d'ampoules si l'échantillon contient 6 ampoules électriques défectueuses ou moins. On pourrait faire sensiblement les mêmes calculs pour trouver notre critère de refus du lot. On trouverait alors un R=7.

Veuillez noter que le tableau 4.6 est élaboré en fonction d'un risque α (fournisseur) de 5% et d'un risque β (acheteur) de 10%. Ce sont les niveaux de risque avec lesquels on travaille couramment dans l'industrie. Dans le cadre du présent cours, nous nous limiterons donc à ces deux risques lorsque nous développerons des plans d'échantillonnage.

Si, pour une raison quelconque, ces risques ne vous convenaient pas, il est toujours possible de développer des courbes d'efficacité de la probabilité d'acceptation des lots P(a) en fonction du pourcentage d'items non conformes 'p' dans l'échantillon et ce, pour différents critères d'acceptation des lots, à l'aide des tables de la distribution de Poisson, qui nous donnent une excellente approximation de la distribution binomiale. Cette dernière est très utile dans le cas d'un échantillonnage aléatoire sans remise, comme c'est le cas lors du contrôle de qualité à la réception d'une usine.

Pour ce qui est des plans d'échantillonnage par variable, dans le cas où l'on mesure une caractéristique comme la longueur d'un produit à la réception des pièces afin d'accepter ou de refuser un lot, il existe également des tables. Celles de l'armée américaine s'appellent les tables MIL-STD 414. La façon de procéder est sensiblement la même que pour les tables mentionnées ci-dessus, c'est-à-dire qu'à partir de la grosseur d'un lot et d'un niveau de qualité acceptable (N.Q.A.) préétabli, on peut trouver un facteur « k », qui doit être situé à l'intérieur de bornes comprenant le calcul d'une moyenne additionnée de l'écart type des valeurs mesurées dans l'échantillon, tout ceci dans le cas où l'on ne connaît pas du tout la dispersion des données dans l'échantillon. Le lecteur désireux d'en savoir davantage sur cette technique est prié de consulter des ouvrages spécialisés dans le domaine du contrôle statistique de la qualité.

■ Le contrôle de qualité durant le procédé de fabrication

Lorsque les produits sont arrivés à l'étape de la fabrication, il existe une méthode plus appropriée que les plans d'échantillonnage pour appliquer un contrôle de la qualité. En effet, il existe un instrument, développé par Walter A. Shewhart dans les années 1930, qu'on appelle les cartes de contrôle. Les cartes de contrôle sont une forme de plan cartésien où l'on fait correspondre un point à chacune des valeurs calculées d'une caractéristique donnée d'un produit, et ce sur tous les échantillons prélevés en cours de fabrication. Elles permettent de jeter un regard sur la production en cours tout en s'assurant que les caractéristiques contrôlées restent conformes aux spécifications préétablies malgré une dispersion des données inévitable, aussi minime soit-elle.

Comme pour les plans d'échantillonnage décrits précédemment, il existe deux catégories de cartes de contrôle, soit par variable et par attribut. Les cartes de contrôle par variable les plus utilisées sont : la carte de contrôle de la moyenne (X), la carte de contrôle de la médiane (M), la carte de contrôle de l'étendue (E) et, finalement, la carte de contrôle de l'écart type (S). Pour ce qui est des cartes de contrôle par attribut, les plus communes sont : la carte de contrôle du nombre d'articles défectueux (C), et la carte de contrôle de la proportion d'articles défectueux (P). Lorsqu'on emploie une carte de contrôle pour mesurer une tendance centrale (moyenne ou médiane), il est sage d'utiliser simultanément une carte de contrôle qui mesure la dispersion des données dans l'échantillon (étendue ou écart type). En effet, pour une même moyenne concernant une caractéristique dans quelques échantillons, on pourrait avoir des dispersions de données très différentes pour ces mêmes échantillons.

Pour illustrer les cartes de contrôle X et E, imaginons un processus de contrôle de qualité dans une aciérie qui fabrique de l'acier roulé à chaud. Tous les jours du mois de juin, les contrôleurs de qualité prennent un échantillon de 8 feuilles d'acier roulé à chaud d'une production de feuilles devant avoir 1/8 " et ils mesurent l'épaisseur de ces feuilles. Les résultats quant à la moyenne et à l'étendue de chacun des échantillons sont compilés dans le tableau 4.7 pour les 15 premiers jours du mois de juin.

■ **Tableau 4.7**   Résultats quant à la moyenne et à l'étendue de chaque échantillon

Jour du mois de juin	Moyenne (X) (en dixmillièmes de pouce)	Étendue (E) (en dixmillièmes de pouce)
1	0,1257	0,0034
2	0,1249	0,0048
3	0,1300	0,0097
4	0,1253	0,0023
5	0,1255	0,0052
6	0,1261	0,0017
7	0,1249	0,0036
8	0,1242	0,0088
9	0,1259	0,0021
10	0,1251	0,0008
11	0,1256	0,0041
12	0,1245	0,0012
13	0,1254	0,0024
14	0,1239	0,0076
15	0,1257	0,0033

En fonction des résultats mentionnés, on pourrait tracer les cartes de contrôle X et E (voir les figures 4.4 et 4.5). Un dernier calcul doit être exécuté avant de déterminer les limites de contrôle pour les deux cartes. On doit déterminer la moyenne de toutes les moyennes des échantillons, que l'on notera $\bar{X}$, de même que la moyenne de toutes les étendues des échantillons, que l'on désignera comme étant $\bar{E}$. $\bar{X}$ est donc égale à 0,1255 et $\bar{E}$ est égale à 0,0041.

Il existe des formules afin de trouver les limites supérieure et inférieure pour les deux types de cartes de contrôle. Dans le cas de la carte X, ces formules sont :

Limite supérieure $= \bar{X} + (A_2 \times \bar{E})$

Limite inférieure $= \bar{X} - (A_2 \times \bar{E})$

Le facteur A_2 se retrouve dans le tableau 4.8.

■ **Tableau 4.8**   Facteurs utiles pour la construction des cartes de contrôle

Nombre d'observations dans l'échantillon	Facteur A_1	Facteur A_2	Facteur B_3	Facteur B_4	Facteur D_3	Facteur D_4
2	3,760	1,880	0	3,267	0	3,267
3	2,394	1,023	0	2,568	0	2,575
4	1,880	0,729	0	2,266	0	2,282
5	1,596	0,577	0	2,089	0	2,115
6	1,410	0,483	0,030	1,970	0	2,004
7	1,277	0,419	0,118	1,882	0,076	1,924
8	1,175	0,373	0,185	1,815	0,136	1,864
9	1,094	0,337	0,239	1,761	0,184	1,816
10	1,028	0,308	0,284	1,716	0,223	1,777
11	0,973	0,285	0,321	1,679	0,256	1,744
12	0,925	0,266	0,354	1,646	0,284	1,716
13	0,884	0,249	0,382	1,618	0,308	1,692
14	0,848	0,235	0,406	1,594	0,329	1,671
15	0,816	0,223	0,428	1,572	0,348	1,652
16	0,788	0,212	0,448	1,552	0,364	1,636
17	0,762	0,203	0,466	1,534	0,379	1,621
18	0,738	0,194	0,482	1,518	0,392	1,608
19	0,717	0,187	0,497	1,503	0,404	1,596
20	0,697	0,180	0,510	1,490	0,414	1,586
21	0,679	0,173	0,523	1,477	0,425	1,575
22	0,662	0,167	0,534	1,466	0,434	1,566
23	0,647	0,162	0,545	1,455	0,443	1,557
24	0,632	0,157	0,555	1,445	0,452	1,548
25	0,619	0,153	0,565	1,435	0,459	1,541

Source : Acheson J. Duncan. *Quality control and industrial statistics*, 2e éd., Homewood, Richard J. Irwin, 1959, p. 886.

Pour ce qui est de la carte de contrôle E, les formules relatives aux limites supérieure et inférieure sont les suivantes:

Limite supérieure $= D_4 \times \bar{E}$

Limite inférieure $= D_3 \times \bar{E}$

Il est à noter que les facteurs D_3 et D_4 se retrouvent dans le même tableau que le facteur A_2. Donc, étant donné que n = 8, nous trouvons alors dans les tables que A_2 = 0,373 pour la carte de contrôle X et nous avons également D_3 = 0,136 et D_4 = 1,864. Par conséquent, les limites supérieure et inférieure pour la carte de contrôle X seront:

Limite supérieure: 0,1255 + (0,373 × 0,0041) = 0,1270

Limite inférieure: 0,1255 − (0,373 × 0,0041) = 0,1239

Les limites supérieure et inférieure pour la carte de contrôle E seront:

Limite supérieure: 1,864 × 0,0041 = 0,0076

Limite inférieure: 0,136 × 0,0041 = 0,0006

■ **Figure 4.4**   **Carte de contrôle X de la moyenne des épaisseurs de feuilles d'acier roulé à chaud par échantillon de taille 8 en dix millièmes de pouce**

■ **Figure 4.5**   Carte de contrôle E de l'étendue des épaisseurs de feuilles d'acier roulé
à chaud par échantillon de taille 8 en dix millièmes de pouce

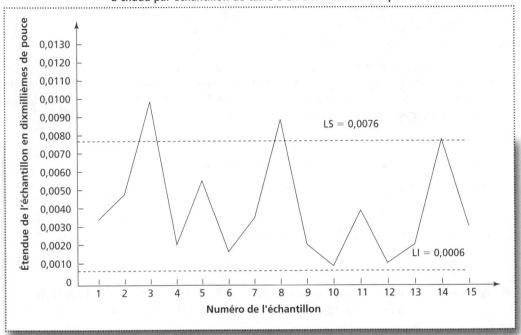

En établissant maintenant nos cartes de contrôle X et E, nous pouvons constater que les données de la troisième journée sortent des bornes que nous avons trouvées. À première vue, on devrait déclarer le lot non conforme. Cet écart est peut-être dû à une erreur humaine ou à un problème avec la machine. Comme l'écart semble isolé, il serait peu probable qu'il soit dû à un échantillon de taille trop petite. De même pour la huitième journée, on se retrouve avec une valeur en dehors des bornes calculées pour ce qui est de la carte E. Il serait sage de continuer le processus encore jusqu'à la fin du mois de juin, et même de prendre l'habitude de le faire tous les jours de l'année avant de porter des conclusions trop hâtives sur les échantillons.

Veuillez noter que nous aurions très bien pu calculer nos limites supérieure et inférieure de la carte de contrôle X à l'aide de l'écart type moyen ($\bar{S}$) au lieu d'utiliser l'étendue moyenne, comme on l'a fait. Certains contrôleurs préfèrent utiliser l'écart type plutôt que l'étendue en tant que mesure de dispersion dans la construction de cartes de contrôle. Pour ce faire, nous aurions utilisé le facteur A_1 du tableau 4.8 au lieu du facteur A_2. Les équations auraient donc été les suivantes :

Limite supérieure : $\bar{X} + A_1 \times \bar{S}$

Limite inférieure : $\bar{X} - A_1 \times \bar{S}$

Rappelons que l'écart type se calcule ainsi : c'est la racine carrée de : $(X_i - X_m)^2/(N-1)$ où X_i représente chaque valeur de l'échantillon, X_m représente la valeur moyenne de l'échantillon, et N représente le nombre d'observations dans l'échantillon.

Du même coup, si l'on désire fabriquer une carte de contrôle S basée sur l'écart type des échantillons prélevés, on devra utiliser les facteurs B_3 et B_4 que l'on retrouve également dans le tableau 4.8. Le calcul des limites supérieure et inférieure de contrôle est le suivant :

Limite supérieure : $B_4 \times \bar{S}$

Limite inférieure : $B_3 \times \bar{S}$

Finalement, les cartes de contrôle relatives à la qualité des phénomènes étudiés sont de bons outils de contrôle dans la mesure où ces mêmes phénomènes ne changent pas trop au fil du temps, et lorsque la prise de données est faite avec circonspection. On doit également se rappeler que les échantillons prélevés dans le cas de cartes de contrôle par variable dépassent rarement la taille de 25.

En ce qui concerne les cartes de contrôle par attribut, nous allons examiner la carte de contrôle P, qui représente la proportion de produits défectueux dans un échantillon. Imaginons un échantillon aléatoire de 100 jouets électroniques prélevé chaque jour durant les 20 premiers jours du mois de juillet dans une usine de fabrication de jouets. On a trouvé dans les échantillons un certain nombre de jouets défectueux, tel qu'illustré dans le tableau 4.9.

Tableau 4.9   Quantité de jouets défectueux dans des échantillons aléatoires

Jour du mois de juillet	Quantité de jouets défectueux
1	4
2	8
3	10
4	6
5	9
6	3
7	12
8	17
9	5
10	13
11	18
12	7
13	11
14	9
15	19
16	4
17	3
18	15
19	5
20	11

La première chose à faire est de déterminer le nombre moyen de produits défectueux pendant les 20 jours d'observation. Pour ce faire, on additionne tous les produits défectueux que l'on divise par le produit de la taille de l'échantillon journalier avec le nombre de jours considérés. On trouve donc : 189 / 2000 = 0,0945, que l'on appellera $\overline{P}$. À partir de là, on peut trouver les limites inférieure et supérieure de la carte de contrôle P. Elles sont établies en fonction du nombre moyen de produits défectueux trouvé plus haut.

$$\text{Limite supérieure} = \overline{P} + 2 \sqrt{\frac{\overline{P} \times (1 - \overline{P})}{n}}$$

$$\text{Limite inférieure} = \overline{P} - 2 \sqrt{\frac{\overline{P} \times (1 - \overline{P})}{n}}$$

Calculons le deuxième terme de l'équation (l'écart type) avant de trouver nos limites supérieure et inférieure. Alors :

$$\sqrt{\frac{0,0945\,(1 - 0,0945)}{100}} = \sqrt{\frac{0,076 \times 0,9055}{100}}$$

$$= 0,0293$$

Les limites supérieure et inférieure sont :

Limite supérieure = 0,0945 + 2(0,0293) = 0,1531

Limite inférieure = 0,0945 − 2(0,0293) = 0,0359

Ceci veut donc dire que les échantillons devraient tous comprendre entre 3,59 % et 15,31 % de jouets défectueux pour être dans les limites calculées. En faisant la carte de contrôle P (voir la figure 4.6), on se rend compte que les journées 8, 11 et 15 sont au-dessus des normes que l'on s'est données ; on devra donc porter une attention particulière à la production de ces trois journées. Ici, nous avons travaillé avec deux écarts types (le facteur 2 dans l'équation des limites supérieure et inférieure). Nous aurions pu décider de travailler avec trois écarts types afin d'obtenir une étendue plus grande des données entre nos deux bornes. La décision de prendre l'un ou l'autre relève souvent d'un choix d'entreprise, mais on retrouve fréquemment le calcul avec deux écarts types.

4.3.7   Le cercle de qualité

Un cercle de qualité est un groupe de travail comprenant de quatre à neuf individus qui se rencontrent sur une base régulière pour résoudre des problèmes reliés à la qualité des articles produits, à produire ou à distribuer. Normalement, le cercle de qualité adopte la philosophie et la politique qualité qui ont été déterminées par la direction de l'entreprise. Par exemple, au service de l'approvisionnement, depuis quelque temps on se rend compte que les matières premières n'arrivent pas à la date convenue sur le contrat d'achat, ce qui cause un retard dans le calendrier de production et, par le fait même, retarde les commandes aux clients. Le vice-président approvisionnements peut alors décider de former un comité qui regroupera le directeur du service de l'approvisionnement, un commis aux achats, l'adjointe administrative du service de l'approvisionnement et lui-même afin de trouver des solutions aux problèmes reliés aux approvisionnements qui se présentent à court et à long terme. Le comité peut se réunir une fois par semaine. Ce comité peut être qualifié de cercle de qualité.

■ **Figure 4.6**   Carte de contrôle P illustrant la proportion de jouets défectueux
dans 20 échantillons de taille 100

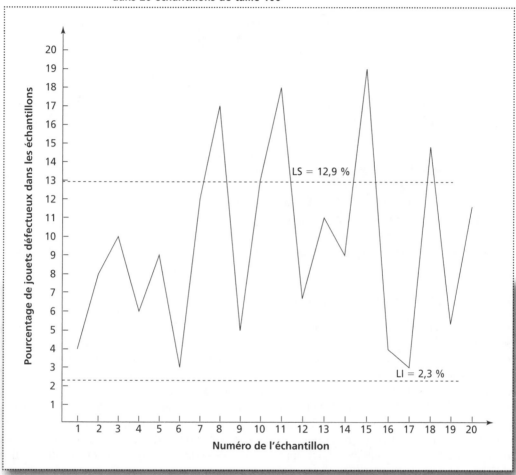

4.4   Les normes ISO

Comme nous l'avons mentionné précédemment, l'acronyme ISO signifie International Standards Organization (Organisation internationale de standardisation). L'ISO est en quelque sorte une fédération mondiale d'organismes nationaux de normalisation. À l'intérieur de l'ISO, il existe plusieurs comités techniques et sous-groupes de travail dont le but est justement d'élaborer des normes internationales. La figure 4.7 présente quelques acteurs prenant part à la préparation de normes. L'organisme canadien chapeautant ces normes est le Conseil canadien des normes (CCN). Le CCN mandate des organismes comme le Bureau des normes du Québec (BNQ), le Quality Management Institute (QMI), le Groupe québécois de certification de la qualité (GQCQ), l'Association québécoise de la qualité (AQQ) et quelques autres pour agir à titre de registraire ou d'auditeur externe au cours du processus de certification ISO dans les entreprises.

■ Figure 4.7   Divers organismes préparant des normes

4.4.1   Les normes ISO 9000

Les normes internationales les plus connues sont sans l'ombre d'un doute les normes de la série ISO 9000. Ces mêmes normes sont apparues pour la première fois en 1987 à la suite d'un effort concerté des responsables de plusieurs pays qui désiraient une certaine uniformité dans le développement des exigences relatives au domaine de la gestion de la qualité. Une première refonte des normes de la série ISO 9000 a eu lieu en 1994. La série ISO 9000 comprenait à l'époque les normes ISO 9001, ISO 9002 et ISO 9003. La norme ISO 9001 était un modèle pour l'assurance qualité en matière de conception et développement, de production, d'installation et de soutien après la vente. Elle était la norme la plus rigide, en ce sens qu'elle devait assurer la qualité de la conception du produit jusqu'au service après-vente, c'est-à-dire tout au cours de l'évolution du produit. Certaines entreprises de grande envergure (comme IPL et Pratt & Whitney) ont pris jusqu'à deux ans pour implanter cette norme dans leurs opérations.

La norme ISO 9002, quant à elle, ressemblait étrangement à la norme ISO 9001, si ce n'est que la conception du produit n'était pas incluse dans la norme comme telle. La norme ISO 9002 pouvait convenir à une entreprise qui n'effectue pas de conception, ou qui fait de la conception mais désire entamer sa démarche qualité de façon plus modeste. C'est la norme qui était implantée le plus souvent parmi les trois normes que nous avons énumérées.

Finalement, la norme ISO 9003 était un modèle pour l'assurance qualité en matière de contrôle et d'essais finaux. Cette norme était de loin la moins contraignante. Cependant, son utilisation n'assurait qu'une qualité superficielle du produit étant donné que les essais se font à la fin, c'est-à-dire lorsque le produit prend la forme d'un produit fini.

Puis, en novembre de l'an 2000, le comité technique (TC-176) responsable des normes de la série ISO 9000 a entrepris, et ce, à l'intention de toutes les entreprises à travers le monde, une seconde refonte des fameuses normes de la série ISO 9000. Ce changement s'est avéré un peu plus radical. En effet, il n'y aura plus dorénavant qu'une seule norme, appelée norme ISO 9001, version 2000, qui se veut beaucoup plus axée sur le client que ne l'étaient les normes de la série ISO 9000 en 1994. Dans ces dernières, on s'était concentré sur la formalisation de procédures rendant l'entreprise plus productive et plus sensible à ses propres déficiences en termes de contrôle de qualité, faisant ainsi de cette entreprise un acteur plus efficient aux yeux des agents économiques externes. De plus, les normes de la version 1994 visaient davantage le monde industriel que celui des services. L'annexe 4.1 présente un exemple d'implantation de la norme ISO 9001, version 1994, dans une manufacture de bottes d'hiver.

Cependant, un élément primordial de la chaîne n'était pas considéré comme tel : le client, celui-là même qui décide en fonction de ses attentes, qui paie selon les caractéristiques qu'il désire. La norme ISO 9001, version 2000 est donc beaucoup plus axée sur l'étude complète du client, depuis l'identification du type de clients désirés jusqu'à sa satisfaction la plus complète, en passant par son profil, ses attentes et ses désirs.

Pour ce faire, l'entreprise travaille désormais selon des processus (suite d'activités) qui rendent optimales la relation avec le client et l'efficacité à l'intérieur même de l'entreprise. Au lieu de travailler par secteurs compartimentés à l'intérieur de l'entreprise, on applique une approche systémique (équipe multidisciplinaire) afin de satisfaire le mieux possible celui qui est son gagne-pain, c'est-à-dire le client. En fonctionnant de cette façon pour déterminer les processus adéquats depuis la prise de commande jusqu'à la possession du bien ou du service par le client, les entreprises discernent davantage les étapes qui peuvent être modifiées, ou même carrément annulées si elles n'ajoutent pas de valeur au service rendu ou au produit vendu. Les entreprises qui désirent obtenir l'accréditation ISO 9001, version 2000 doivent demeurer à l'écoute du client du début à la fin du processus commercial en instaurant des procédés qui permettront de mesurer la satisfaction du client – et, du même coup, l'efficacité de l'entreprise – sous la forme d'indicateurs de performance. Il va sans dire que ces indicateurs aideront à déterminer les mesures correctives à prendre pour remédier aux anomalies détectées, le cas échéant.

À la différence des fameuses 20 exigences que l'on retrouvait dans la norme ISO 9001, version 1994, la structure de la norme ISO 9001, version 2000 est établie selon quatre grandes parties, qui sont[6] :

1. la responsabilité de la direction,

2. le management des ressources,

3. la réalisation du produit,

4. la mesure, l'analyse et l'amélioration.

Ce remue-ménage a pour conséquence de faciliter la compréhension de la norme et de rendre cette dernière plus accessible à tous les types d'entreprise.

La responsabilité de la direction, qui représente en quelque sorte le système de pilotage, consiste en l'implantation d'un système empathique face aux clients, à l'élaboration d'une politique en matière de qualité à l'intérieur de l'entreprise que tous les employés connaissent et

6. Jean-Michel Monin. *La certification qualité dans les services : outil de performance et d'orientation client*, Paris, Afnor, 2001, p. 193.

appliquent, à une planification de la qualité sous forme d'objectifs à atteindre, à l'organisation des ressources nécessaires au projet, à l'écriture des procédures et à la mise sur pied de réunions de gestion de la qualité. Pour ce qui est du management des ressources, il comprend l'affectation des ressources humaines, les besoins de formation, les conditions d'installation et d'environnement de travail en termes de ressources matérielles, financières et informationnelles.

Quant à la réalisation du produit, les exigences imposées par la norme ISO 9001, version 2000 s'appliquent de la prise de commande du client jusqu'au service après vente. On doit déterminer correctement les besoins du client, chercher à savoir si l'entreprise possède les moyens appropriés pour effectuer le travail demandé, gérer la conception du produit ou du service s'il y a lieu, sélectionner les fournisseurs et évaluer leur capacité de répondre aux besoins du client, élaborer des mesures de prévention et de contrôle, et utiliser des équipements adéquats pour la prestation de service ou la fabrication/distribution du produit.

Finalement, la quatrième partie, qui comprend la mesure, l'analyse et l'amélioration, fait référence au contrôle de l'entreprise et à la nécessité d'être toujours à l'affût des attentes de ses clients. Pour mener à bien cette partie, l'entreprise devrait se doter d'un système d'indicateurs de performance lui permettant de contrôler adéquatement son efficacité, tant interne que vis-à-vis de ses clients (nombre de produits non conformes ou de prestations de service inadéquates, satisfaction des clients). L'entreprise devrait également procéder de façon régulière à des vérifications internes pour être en mesure de cerner plus facilement les causes de mauvais fonctionnement d'un processus quelconque.

En résumé, les grandes améliorations introduites avec la norme ISO 9001, version 2000 sont les suivantes :

- elle offre une plus grande convivialité par rapport aux exigences à satisfaire ;

- il existe une compatibilité avec la norme ISO 14001 de 1996 (qui sera abordée à la section 4.4.2), c'est-à-dire que la norme est organisée de la même façon ;

- la norme offre une structure plus logique qui reflète le fonctionnement de l'entreprise ;

- l'ajout d'exigences vise explicitement la satisfaction des clients et l'amélioration continue ;

- l'approche est fondée sur la gestion des processus organisationnels.

Il y a une réduction importante des exigences relatives à la documentation par rapport à la version 1994 (l'annexe 4.1 décrit d'ailleurs la lourdeur administrative qu'engendrait cette version de la norme).

La norme est fondée sur huit principes universels de management de la qualité qui sont :

1. l'orientation client,

2. le leadership,

3. la participation du personnel,

4. l'approche processus,

5. le management par approche système,

6. l'amélioration continue,

7. l'approche factuelle pour la prise de décision (objectifs mesurables et cohérents avec la politique de qualité de l'entreprise),

8. les relations mutuellement bénéfiques avec les fournisseurs[7].

Les normes ISO ne sont pas obligatoires, mais si l'entreprise veut augmenter son chiffre d'affaires et sa productivité, être toujours plus près des besoins et attentes du client, accroître la mobilisation de ses ressources humaines, viser l'épanouissement et la reconnaissance de son personnel et développer des marchés dans le monde, ces normes s'avèrent presque essentielles. Elles sont connues mondialement, par conséquent elles peuvent inspirer confiance aux entreprises désireuses de conclure une transaction commerciale. Depuis quelques années, les gouvernements provinciaux et fédéral exigent de leurs fournisseurs, selon une spécification mentionnée dans leurs appels d'offres, une certification ISO. Les normes ISO ne sont pas l'effet d'une mode ; elles font plutôt partie d'une manière de voir les choses relativement au processus d'amélioration continue des opérations stratégiques et journalières.

Une série de guides peuvent assister l'acheteur dans l'implantation de telles normes. Ainsi, le guide ISO 8402 constitue un glossaire des termes reliés à la qualité. Il y a aussi le guide ISO 9000, qui est un fascicule donnant les lignes directrices pour la sélection et l'utilisation des différentes normes de la série ISO 9000. La norme ISO 9004 donne les lignes directrices aux fins de l'amélioration des performances de l'entreprise. Après avoir obtenu la certification ISO 9001, version 2000, les entreprises peuvent chercher à aller plus loin dans leur démarche de qualité (maîtrise de la norme ISO 9004) en se qualifiant pour les différents prix récompensant la qualité, comme le prix Deming ou le prix Malcolm-Baldridge. (Le guide ISO 9004-1 donne les lignes directrices concernant la gestion de la qualité et les éléments reliés à la démarche qualité selon la norme choisie [ISO 9001, ISO 9002 ou ISO 9003]. L'ISO 9004-4 est un guide visant l'amélioration de la qualité en ce qui a trait aux méthodes et aux outils). L'ISO 10013 est un guide touchant l'élaboration d'un manuel de la qualité. Ce manuel est indispensable quand on effectue une démarche qualité. L'ISO 10015 est un guide pour la formation continue. On sait qu'avec la démarche qualité, la formation continue des employés devient primordiale. La liste précédente est loin d'être exhaustive ; les comités techniques ont créé plusieurs autres guides en vue de faciliter la tâche aux personnes adoptant une telle démarche.

Les normes ISO 9000 ne permettent pas aux entreprises de faire des miracles. Toutefois, elles les aident à prendre conscience du fait qu'elles doivent établir une structure, un mode de fonctionnement et des procédés pour pouvoir maîtriser la moindre opération qui agira sur la qualité du produit que le consommateur achètera. Ces normes ne dictent pas une façon d'acheter ou de produire ; elles n'indiquent pas non plus si l'entreprise est efficiente.

Les entreprises qui étaient accréditées selon les normes ISO 9001, ISO 9002 ou ISO 9003, version 1994 avaient jusqu'à la fin du mois de novembre 2003 pour adopter la norme ISO 9001, version 2000 sous peine de perdre leur accréditation de 1994. Cependant, quelques exceptions s'appliquent pour ce qui est de ce délai. En fait, ce changement est à la discrétion du registraire qui s'occupe de l'accréditation de la norme dans ces entreprises. La procédure demeure la même en ce

---

7. Pierre Renaud, Bureau de normalisation du Québec (BNQ), Congrès international de génie industriel, Québec, octobre 2003.

qui a trait à la durée de l'accréditation, qui est de trois ans. Après ce délai, une vérification complète des processus est effectuée par un registraire afin de déterminer si l'entreprise a respecté les principes de la norme (amélioration continue) et aussi pour voir s'il existe des cas de non conformité flagrants. Des vérifications partielles sont également effectuées environ tous les ans.

4.4.2 Les normes ISO 14000

Dans la même optique, l'Organisation internationale de standardisation a mis au point récemment la série ISO 14000, un ensemble de normes permettant aux entreprises de mieux gérer leurs activités environnementales.

Ces normes définissent ce qu'est un bon système de gestion environnementale (SGE) pour une entreprise en donnant des lignes directrices et en instituant des principes fondamentaux à respecter en ce qui concerne une gestion axée sur la protection de l'environnement. Une entreprise aura la possibilité d'obtenir la certification ISO 14001 après avoir été passée au peigne fin par un registraire (auditeur externe), comme c'est le cas pour la série de normes ISO 9000. Actuellement, la firme Stablex inc., qui œuvre dans le domaine de la gestion des déchets dangereux et qui est située à Sainte-Thérèse, se trouve à l'avant-garde, étant une des premières entreprises à obtenir la certification ISO 14001. Citons également la firme Prévost Car, sise à Sainte-Claire-de-Bellechasse près de Québec, qui a aussi obtenu la norme ISO 14001.

Les raisons qui poussent une entreprise à chercher à acquérir la certification en matière de normes environnementales de ce type sont multiples. Par exemple, cette certification permet d'établir un lien de confiance entre l'entreprise, les groupes de pression, les investisseurs, les créanciers et la population en général.

En obtenant la certification ISO 14001, l'entreprise fait montre d'une certaine sensibilité face à la gestion environnementale; elle réduit ainsi les poursuites de la part de tierces parties. Étant donné que la certification améliore l'image de l'entreprise, cette dernière pourra bénéficier d'une valeur accrue de revente de ses biens. Finalement, les employés travaillant dans ce type d'entreprise éprouveront une certaine fierté de voir leur employeur faire sienne la préoccupation de plus en plus marquée que l'on observe actuellement en matière de protection de l'environnement. Cela aura également pour effet d'augmenter leur motivation et, conséquemment, la qualité de leur travail.

4.5 L'audit de la qualité

Selon Bernillon et Cerutti, « l'audit est somme toute un examen destiné à vérifier la conformité d'une situation par rapport à un référentiel préétabli dans le but de faire produire une qualité suffisante et constante[8] ». Il existe deux types d'audit ou de vérification de la qualité, soit l'audit interne et l'audit externe.

---

8. Alain Bernillon et Olivier Cerutti. *Implanter et gérer la qualité totale*, Paris, Éditions d'Organisation, 1988, p. 206.

4.5.1   L'audit interne

L'audit interne porte souvent sur un aspect spécifique de l'entreprise. En effet, on peut choisir de faire un audit sur le produit comme tel ou encore de faire une vérification dans un service donné pour déterminer si les procédés établis dans ce même service suivent la démarche qualité de l'entreprise. On peut également faire un audit chez un fournisseur dans le but d'établir une meilleure relation d'affaires ou d'élaborer un processus de qualification des fournisseurs.

4.5.2   L'audit externe

L'audit externe est effectué soit par un client ou par un registraire pour la certification ISO. Dans le cas d'un audit effectué par un client, le but est surtout de détecter les anomalies qui pourraient survenir en cours de fabrication. Le client sera à même de faire des recommandations au manufacturier, qui aura à ce moment-là à se réajuster. Ce type d'audit se produit fréquemment lorsqu'un nouveau contrat est à l'étude. L'audit fait par un client peut également avoir pour effet de créer une relation plus harmonieuse entre le client et le fournisseur. Le manufacturier connaît davantage les désirs et les préférences de son client lorsque celui-ci lui fait des critiques constructives.

Dans le cas d'un audit effectué par un registraire, c'est-à-dire par une personne habilitée à vérifier une démarche qualité et n'ayant aucun conflit d'intérêts avec l'entreprise soumise à l'audit, cela fait partie intégrante du processus visant à recevoir la certification ISO 9000. La personne qualifiée pour procéder à l'audit, qui provient d'une entreprise approuvée par le Conseil canadien des normes, doit réviser religieusement tous les aspects reliés à l'implantation de la norme choisie avant de faire des recommandations.

Parfois, l'entreprise devra apporter à sa démarche qualité des modifications mineures ou majeures en un laps de temps déterminé par le registraire. Après coup, l'auditeur externe reviendra dans l'entreprise pour vérifier si les modifications ont été effectuées. Dans le seul cas où les modifications auront été faites, on pourra poursuivre le processus de certification. Par exemple, une entreprise bien connue dans le domaine du polymère n'exécutait pas certaines opérations de production conformément au guide des méthodes qui fait partie intégrante du manuel de la qualité. L'auditeur externe a donc averti l'entreprise de s'ajuster si elle désirait toujours obtenir la certification ISO.

4.5.3   Le fonctionnement de l'audit externe

Le vérificateur doit faire un plan d'audit externe, qu'il fera parvenir à l'entreprise qui désire être soumise à un audit. Le plan comprend l'identification des personnes responsables autant chez l'entreprise faisant l'objet de l'audit que chez l'auditeur, la langue dans laquelle se fera l'audit, le plan des activités d'audit, le calendrier des réunions d'audit ainsi que les modalités de diffusion du rapport final. Par la suite, quand les deux parties s'accordent sur le plan d'audit, on prépare la réunion d'ouverture, qui sert à faire les présentations d'usage et à communiquer le déroulement exact de l'audit. Puis, l'audit proprement dit a lieu pendant une période donnée.

C'est à ce stade que l'on doit indiquer à l'entreprise soumise à l'audit les modifications à apporter ou encore l'arrêt de l'audit en raison d'un manquement grave. L'étape suivante est constituée de la réunion de clôture. L'auditeur mentionne alors les anomalies qui devront être corrigées et les points positifs qu'il a constatés.

Plus tard, l'auditeur remet son rapport final à l'entreprise. Ce rapport contiendra un plan détaillé de l'audit, une description des anomalies observées, les documents de référence de l'audit et son point de vue sur la valeur de la démarche qualité instaurée par l'entreprise. Finalement, l'auditeur doit faire un suivi de l'audit afin de vérifier si les anomalies ont bel et bien été corrigées.

Résumé

La qualité est un champ d'action qui prend de plus en plus d'importance dans les opérations stratégiques et tactiques des entreprises. En premier lieu, ce chapitre expose les principales façons de décrire la qualité d'un produit. Par la suite, on trouve un bref historique relatant l'évolution de la qualité dans les entreprises. D'autre part, il existe plusieurs concepts reliés à la gestion de la qualité, que ce soit dans le contexte du service de l'approvisionnement ou de tout autre service de l'entreprise. Les principaux concepts sont la politique en matière de qualité, la démarche qualité, la maîtrise de la qualité, l'assurance qualité, le contrôle de qualité, le cercle de qualité et la qualité totale.

Par ailleurs, la série de normes ISO 9000 prend de plus en plus d'ampleur dans la vie quotidienne des entreprises québécoises. La norme ISO 14000, qui a fait son apparition en 1996 et qui porte sur le système de gestion environnementale, est également traitée dans ce chapitre. On y décrit aussi le fonctionnement d'un audit entre un auditeur externe ou un registraire et une entreprise faisant l'objet de la vérification.

Questions

1. Quelles sont les principales façons de décrire la qualité d'un produit ou d'un service?

2. Quelle est la signification de l'acronyme ACNOR?

3. Qu'est-ce que l'étalonage et quelle est son utilité?

4. Faites un historique du concept de qualité dans les entreprises nord-américaines.

5. Qu'est-ce qu'une politique en matière de qualité?

6. Quelle est la différence entre l'assurance qualité et le contrôle de qualité?

7. Qu'entend-on par «maîtrise de la qualité»?

8. Définissez en vos propres mots le cercle de qualité. Dans quelles situations est-il utile à l'entreprise?

9. Quelle est la signification de l'acronyme ISO?

10. Que signifie le mot «audit» en matière de qualité?

11. Quelles sont les quatre grandes parties de la norme ISO 9001, version 2000?

Exercices
d'apprentissage

1. Donnez deux avantages reliés au fait de décrire la qualité d'un produit à l'aide d'une marque de commerce.

2. Dans quels secteurs utilise-t-on surtout la description d'un produit à l'aide de plans et devis? Pourquoi?

3. Faites un parallèle entre les anciennes croyances et les croyances actuelles au sujet de la qualité.

4. «Il est indispensable de concevoir une politique en matière de qualité dans le cas d'un projet d'implantation d'une démarche qualité.» Discutez cette affirmation.

5. Distinguez la fiabilité de la durabilité en matière de reconnaissance de la qualité.

6. Quelle serait la taille de l'échantillon à prélever dans le cas où l'on recevrait des lots de 15 000 unités dans le cadre d'un plan d'échantillonnage simple avec un contrôle normal?

7. Quelle serait la taille de l'échantillon à prélever dans le cas où l'on recevrait des lots de 8 000 unités dans les mêmes conditions que celles de l'exercice n° 6 ci-dessus?

8. Un acheteur s'affaire à préparer un plan d'échantillonnage. Son fournisseur l'assure que, lors de ses prochaines livraisons, il y aura un maximum de deux unités défectueuses sur 100 et qu'il devra accepter ces lots dans une proportion de 96%. L'acheteur, pour se protéger, refusera 92 fois sur 100 les lots présentant plus de 6% de produits non conformes. Déterminez la valeur du niveau de qualité acceptable, le risque du fournisseur et le risque de l'acheteur.

9. Quelle(s) méthode(s) de reconnaissance de la qualité du produit utiliseriez-vous dans les cas suivants? Il peut s'agir d'une utilisation individuelle ou familiale dans certains cas.

   1. Machine à laver
   2. Savon à lessive
   3. Alcool à friction
   4. Maison résidentielle neuve
   5. Gravier
   6. Lin du Mexique
   7. Table de salle à manger
   8. Papier mouchoir
   9. Manufacturier de boîtes de carton
   10. Bateau de croisière
   11. Stylo
   12. Collier en or
   13. Formulaire de réquisition
   14. Montre suisse
   15. Paquet de cigarettes
   16. Chauffe-eau
   17. Grille-pain
   18. Avocats (le fruit)
   19. Poutre d'acier
   20. Abri d'hiver en toile

21. Perceuse électrique

22. Banquette arrière d'auto

23. Nourriture pour chien

24. Tondeuse à gazon

25. Shampooing

26. Procédé d'usinage de précision

10. Dans quel but principalement une entreprise chercherait-elle à obtenir la certification ISO 9001 ?

11. Faites la distinction entre un audit interne et un audit externe, et mentionnez leur but respectif.

12. Comment fait-on un audit externe habituellement ?

Exercices
de compréhension

1. Qu'est-ce qui est fondamental dans l'élaboration d'une nouvelle approche comme une démarche qualité dans le cas des ressources humaines d'une entreprise ?

2. Comment feriez-vous l'implantation de la norme ISO 9001 chez un manufacturier de pelles à neige en plastique ?

3. Quel est le principal champ d'action des normes ISO 14000 ? L'implantation de ces normes dans l'entreprise exige-t-elle une mobilisation aussi grande de la part des ressources humaines que dans le cas de l'implantation des normes ISO 9000 ?

4. Comparez la performance (étalonnage) de deux fournisseurs en vous servant des données d'une année et en vous basant sur les six critères de rendement de l'approvisionnement présentés ci-dessous. Veuillez noter que chaque critère possède deux indicateurs de performance. Lequel des deux fournisseurs est le plus performant ? Quel mois affiche le meilleur rendement pour chacun des deux fournisseurs ?

Critère : quantité

    A1. Le nombre de commandes non satisfaites

    A2. Le nombre total de commandes

Critère : qualité

    B1. Le nombre d'unités acceptées

    B2. Le nombre total d'unités reçues

Critère : temps

    C1. Le nombre de livraisons en retard

    C2. Le nombre total de livraisons

Critère : lieu

    D1. Le nombre de livraisons au bon endroit

    D2. Le nombre total de livraisons

Critère : service

    E1. Le nombre de commandes urgentes livrées à temps

    E2. Le nombre total de commandes urgentes

Critère : coût

    F1. Le nombre de factures erronées

    F2. Le nombre de factures traitées

Le critère de la quantité compte pour 10 % dans la qualification (évaluation) des fournisseurs, celui de la qualité pour 20 %, celui du temps pour 25 %, celui du lieu pour 22,5 %, celui du service pour 15 % et, finalement, celui du coût pour 7,5 %.

À partir des données qui sont compilées dans les tableaux suivants, on peut déterminer le rendement de chacun des fournisseurs.

■ **Fournisseur A**

Crit/mois	1	2	3	4	5	6	7	8	9	10	11	12
A1	2	3	1	4	3	2	1	5	2	3	2	2
A2	23	25	27	22	24	21	20	24	28	24	25	23
B1	99	101	98	95	102	88	91	103	99	86	96	100
B2	104	110	114	100	108	103	99	116	107	104	105	109
C1	2	4	3	5	7	3	1	7	4	4	6	4
C2	25	27	29	24	24	22	22	26	30	27	28	29
D1	24	25	22	23	21	21	19	24	28	26	25	27
D2	25	27	29	24	24	22	22	26	30	27	28	29
E1	3	4	5	3	2	2	5	3	2	2	4	5
E2	5	6	6	4	5	4	7	6	9	3	6	6
F1	5	7	4	8	6	5	3	1	3	4	5	6
F2	27	29	32	24	26	23	22	26	27	28	30	25

■ Fournisseur B

Crit/mois	1	2	3	4	5	6	7	8	9	10	11	12
A1	3	2	4	3	5	4	7	6	1	2	3	5
A2	25	21	29	23	24	23	21	25	22	25	26	25
B1	96	104	89	97	90	93	92	103	95	99	102	91
B2	102	112	111	103	103	104	99	114	105	107	106	108
C1	5	3	4	2	3	7	7	1	5	3	8	2
C2	27	29	23	25	26	24	25	24	27	29	30	28
D1	22	24	23	21	20	20	21	25	27	24	23	26
D2	24	25	24	27	25	21	24	28	31	26	29	32
E1	2	4	3	3	1	2	3	3	4	2	3	5
E2	5	5	6	7	5	6	7	8	9	7	6	7
F1	4	6	3	9	5	4	1	3	6	5	4	8
F2	25	28	31	23	28	22	23	27	31	29	32	24

5. Établissez un plan d'échantillonnage adéquat selon les données de l'exercice d'apprentissage n° 6 dans le cas où l'on désire un niveau de qualité acceptable de 2,5 %. Que peut-on conclure quant aux risques du fournisseur et de l'acheteur si on se réfère au tableau 4.5 ?

6. Établissez un plan d'échantillonnage adéquat selon les données de l'exercice d'apprentissage n° 7 dans le cas où l'on désire un niveau de qualité acceptable de 1,5 %. Que peut-on conclure quant aux risques du fournisseur et de l'acheteur si l'on se réfère au tableau 4.5 ?

7. Imaginons que l'on reçoive des lots de 1 250 unités. Établissez un plan d'échantillonnage simple à contrôle réduit si le niveau de qualité acceptable est de 5 %. Quelle conclusion devrait-on tirer en ce qui a trait aux risques de l'acheteur et du fournisseur si l'on se réfère au tableau 4.5 ?

8. Une compagnie de fabrication de pistolets à eau reçoit des lots de 650 barillets en plastique. Elle vous demande de développer un plan d'échantillonnage simple à contrôle serré en vous mentionnant qu'elle désire avoir un niveau de qualité acceptable de 3,5 % si l'on se réfère au tableau 4.5.

9. Les données suivantes représentent des moyennes (X) et des étendues (E) de 10 échantillons de taille 7 de longueur de balles de carabine, en centimètres. Sur la base de ces données, établissez les cartes de contrôle X et E et confirmez si le procédé est sous contrôle.

N° de l'échantillon	Moyenne	Étendue
1	19,4375	0,012
2	19,4401	0,008
3	19,4389	0,009
4	19,4423	0,011
5	19,4325	0,024
6	19,4411	0,021
7	19,4405	0,018
8	19,4399	0,020
9	19,4415	0,007
10	19,4392	0,019

10. Les données qui suivent représentent la vie moyenne et l'étendue en heures de lampe pour 25 échantillons de 9 lampes chacun. Dressez les cartes de contrôle X et E afin de vous aider à déterminer si le procédé est vraiment sous contrôle.

N° de l'échantillon	Vie moyenne	Étendue
1	1100	430
2	1380	650
3	1475	195
4	1370	300
5	1080	90
6	1250	700
7	1380	920
8	1330	400
9	1650	980
10	2200	380
11	1240	610
12	1620	660
13	2300	450
14	2120	300
15	1530	650

(suite)

N° de l'échantillon	Vie moyenne	Étendue
16	1500	200
17	1300	440
18	1610	460
19	1540	680
20	820	530
21	1150	575
22	1130	380
23	1750	225
24	1320	350
25	1250	730

11. Un contrôleur de qualité s'affaire à mesurer le diamètre intérieur d'une pièce de précision dans le domaine de l'aéronautique. Il cherche à savoir si le procédé de contrôle de cette pièce est adéquat. Il décide donc de prendre 15 échantillons de taille 6 et note l'écart entre la valeur réelle du diamètre intérieur et la valeur mesurée en dix millième de pouce. Voici donc ses résultats :

N° de l'échantillon	X1	X2	X3	X4	X5	X6
1	10	8	6	11	7	12
2	9	13	10	12	8	6
3	14	11	8	13	11	8
4	5	10	7	9	9	10
5	13	6	12	8	7	9
6	9	14	13	10	8	5
7	11	7	8	12	17	13
8	8	9	11	5	10	11
9	12	15	8	13	11	16
10	4	13	6	6	12	7
11	7	9	11	10	8	12
12	9	12	5	8	8	11
13	16	11	13	6	11	7
14	8	10	12	10	9	11
15	7	11	9	8	12	6

a) Établissez les cartes de contrôle X et E pour mettre en place un contrôle adéquat du procédé.

b) Établissez la carte S (écart type). Quelles différences y a-t-il avec la carte E ?

12. Vous travaillez dans un mégacentre d'assemblage et on vous demande de contrôler la qualité d'un boulon utilisé dans le processus. Chaque jour, vous prélevez un échantillon de 1 600 boulons. Voici le pourcentage du nombre de boulons non conformes pour les 20 premiers jours de contrôle :

Jour	Pourcentage de boulons non conformes
1	10
2	7
3	9
4	12
5	13
6	12
7	13
8	4
9	1
10	4
11	2
12	8
13	3
14	7
15	5
16	3
17	2
18	5
19	4
20	3

Établissez la carte de contrôle P dans le but de contrôler le procédé à l'avenir. Que peut-on conclure ?

13. Établissez la carte de contrôle P dans le cas d'une usine de fabrication de portes d'acier qui désire gérer ses éléments non conformes (mauvaise qualité de l'acier, longueur inadéquate, etc.). Vous prenez des échantillons de 250 portes par jour durant 12 jours et vous obtenez les résultats suivants :

Jour	Pourcentage de portes non conformes
1	7
2	5
3	6
4	4
5	8
6	13
7	4
8	5
9	1
10	4
11	7
12	9

D'après vous, le procédé est-il sous contrôle?

Exercices
de recherche

1. Rendez-vous dans une entreprise près de chez vous qui a reçu sa certification ISO et cherchez à savoir ce qui a motivé le responsable des approvisionnements à implanter une démarche de cette ampleur.

2. En relation avec la question précédente, demandez à ce responsable quels sont les principaux obstacles auxquels il a fait face lors de l'implantation de la norme.

Cas 1
Une qualité douteuse

Lise Robichaud, une jeune femme dynamique travaillant depuis peu au service de l'approvisionnement d'une entreprise fabriquant des réfrigérateurs, est très perplexe quant à la qualité de l'acier reçu, destiné à la fabrication des réfrigérateurs. En effet, les livraisons qui ont été effectuées ces derniers temps ont fait l'objet de plaintes de la part de clients. Les plaintes portaient surtout sur des problèmes de rouille et de planéité du métal. On sait que le service de la réception-expédition n'est pas très bien rodé; de plus, le système d'information du fabricant est désuet et ne convient plus à ses besoins en raison de la soudaine croissance de l'entreprise. Il faut dire également que les relations d'affaires entre le manufacturier et ses fournisseurs n'ont jamais été des plus cordiales. Lise Robichaud ne sait pas ce qu'elle doit faire devant une telle situation.

Question

Que suggéreriez-vous à Lise Robichaud pour régler, ou à tout le moins améliorer, cette situation fâcheuse?

Cas 2
Une mauvaise gestion de la qualité

Chez Les Bois noirs, une entreprise spécialisée dans la confection de meubles en tous genres, André Laprise est confronté à un problème en matière de qualité de ses produits. Un client l'a appelé dernièrement pour lui faire part de sa déception quant aux spécifications non respectées concernant les dimensions des meubles qu'il a commandés. Pourtant, André Laprise est convaincu que la commande de M. Latendresse ne comportait que des produits standards fabriqués en très grande quantité par Les Bois noirs. Ce genre de situation ne pose habituellement aucun problème. Après vérification auprès du contremaître de son usine, il constate que plusieurs commandes comportent de légers défauts, sans qu'on apporte les correctifs nécessaires, aussi minimes soient-ils. L'entreprise n'est pas très sensibilisée au phénomène grandissant de la gestion de la qualité.

Question

Vous venez d'assister à un séminaire sur les bienfaits de la qualité en entreprise; quelles recommandations feriez-vous à M. Laprise?

Annexe 4.1

L'implantation d'une démarche qualité dans un service de l'approvisionnement

Nous allons maintenant illustrer la façon d'implanter une démarche qualité avec la norme ISO 9001, version 1994 dans le service de l'approvisionnement d'un manufacturier de bottes d'hiver. Cette norme répond aux 20 exigences suivantes que l'on trouve dans l'entreprise :

1. Responsabilités de la direction
2. Démarche qualité
3. Revue du contrat
4. Maîtrise de la conception
5. Maîtrise des documents
6. Contrat d'achat
7. Produit fourni par l'acheteur
8. Repérage du produit
9. Maîtrise des procédés
10. Contrôles et essais
11. Maîtrise des équipements de contrôle, de mesure et d'essai
12. État des contrôles et des essais
13. Maîtrise du produit non conforme
14. Mesures correctives
15. Manutention, stockage, conditionnement et livraison
16. Enregistrements relatifs à la qualité
17. Audit interne de la qualité
18. Formation
19. Service après-vente
20. Techniques statistiques

1. Les responsabilités de la direction

Le rôle de la direction dans une entreprise de fabrication de bottes d'hiver dans le contexte de l'implantation d'une démarche qualité est de définir et de consigner une politique en matière de qualité, comme celle-ci : « Les clients de l'entreprise doivent être toujours satisfaits du produit offert sur le marché. »

À partir de cette politique, la direction établira des objectifs relatifs à la qualité tels que les suivants : « Nous ne tolérons pas plus de 1 % de produits finis défectueux. » « Nous devons avoir absolument au moins un centimètre de laine autour du périmètre intérieur de la botte. » « Nous devons utiliser exclusivement du cuir de vache à l'intérieur de la botte. »

Un point non négligeable est l'engagement que la direction doit prendre pour amorcer le virage de la qualité. De façon concrète, cela peut se traduire par une déclaration écrite de ce type-ci : « Nous, membres de la haute direction, nous engageons à satisfaire les clients en allouant de façon optimale nos ressources, qu'elles soient humaines, financières, matérielles ou informationnelles, dans le but d'établir avec eux une relation des plus harmonieuses. »

De plus, la direction doit définir les responsabilités et les liens d'autorité qui existent dans l'entreprise. Pour ce faire, les dirigeants décriront concrètement les tâches effectuées par chaque membre de l'entreprise afin d'éviter toute confusion. Les organigrammes sont des figures qui montrent les liens d'autorité qu'on trouve dans une entreprise donnée (voir la figure 4.8).

La direction doit déterminer également qui aura la responsabilité de vérifier si le travail est conforme aux exigences du client. Quelle formation doit posséder ce vérificateur ? Aura-t-il besoin d'une formation ? Dans une manufacture de bottes, on effectue des vérifications surtout pour s'assurer de la qualité des matières premières entrant dans la botte, de la conformité des coutures, de la dimension de chaque partie de la botte et des conditions climatiques de l'usine. Dans un projet d'implantation d'une démarche qualité, la direction désignera un représentant afin de veiller à ce que la norme soit mise en œuvre de façon adéquate. Ce représentant doit être une personne qui n'a aucun lien direct avec la production afin d'éviter les conflits d'intérêts. Finalement, la direction doit vérifier régulièrement les extrants des vérifications effectuées par son représentant dans le but de connaître l'efficacité de sa démarche qualité.

2. La démarche qualité

À ce stade, on formalise par écrit toutes les opérations qui sont effectuées depuis des années. Autrement dit, on compose un manuel de la qualité incluant toutes les procédures de travail suivies par chaque employé de l'entreprise, et ce afin de respecter les spécifications données par le client.

Par exemple, on décrira la façon de fabriquer une botte. La personne responsable des approvisionnements établira une procédure décrivant le cycle complet de l'approvisionnement dans le cas de l'acquisition du cuir qui entre dans la fabrication de la botte. Elle établira également une procédure dans le cas de l'approvisionnement en pièces de rechange, car le cycle d'approvisionnement dans ce cas-ci risque d'être un peu différent, les pièces de rechange ne dépendant pas directement de la production à effectuer. Au service des approvisionnements, on pourra s'assurer que les fournisseurs faisant affaire avec l'entreprise ont obtenu une certification quant à la qualité du produit. En outre, la personne responsable des ressources humaines consignera une procédure sur le processus de recrutement des employés, de même que sur le type de rémunération de ces derniers.

Exemple d'organigramme

En ce qui touche la production proprement dite, le directeur de la production mettra sur papier des instructions concernant le contrôle de qualité. Par exemple, ces instructions peuvent consister à vérifier le travail accompli après chaque poste de travail quantitativement et qualitativement (la quantité de cuir utilisée par botte est-elle conforme aux calculs effectués au départ ? la laine est-elle bien collée à l'intérieur du cuir ? est-ce que la laine dépasse la partie supérieure de la botte ?). La personne affectée à un poste de travail doit vérifier les outils et les machines de son poste de façon régulière pour s'assurer que la fonction accomplie par cet équipement est adéquate. Par exemple, une alène qui n'arrive plus à percer le cuir entraînera automatiquement la fabrication de produits non conformes.

Le directeur de la production écrira également des instructions sur l'assurance qualité. Par exemple, pour éviter que le cuir devienne trop sec prématurément, on gardera un certain niveau d'humidité dans l'entrepôt de matières premières. Pour acquérir une laine blanche quasi immaculée, on s'assurera de faire une vérification au préalable chez chaque fournisseur potentiel. De plus, chaque inspection ou chaque vérification devrait être soigneusement notée dans des cahiers conçus à cet effet, autant en ce qui a trait au contrôle de qualité qu'à l'assurance qualité, car il faut toujours avoir à l'esprit que les paroles s'envolent, alors que les écrits restent.

3. La revue du contrat

Le manufacturier de bottes d'hiver doit vérifier sur les contrats conclus avec ses clients si les exigences sont définies adéquatement. Par exemple, si un client important désire obtenir plusieurs douzaines de paires de bottes d'hiver en caoutchouc sans laine ni cuir, et ce dans un délai relativement court, le fabricant doit être au courant de ces exigences et les respecter. Dans le cas où il ne peut se conformer à toutes les exigences du client, il devra trouver une solution qui plaira aux deux parties avant d'exécuter le contrat. Ainsi, si le client désire obtenir des paires de bottes dans un délai d'une journée alors que la chaîne de production n'est pas assez flexible et que la capacité de production prévue a atteint son maximum, le manufacturier devra négocier une livraison partielle de la commande, ce qui représente un bon compromis pour les deux parties.

4. La maîtrise de la conception

Le manufacturier de bottes d'hiver doit établir des procédures relatives à la conception, élaborer un plan détaillé pour chaque activité de conception et veiller à tenir ces plans à jour. De façon concrète, cela signifie qu'il doit planifier et écrire toutes les activités de création, en précisant d'abord les types de matériaux (cuir de porc, cuir de vache, cuir d'agneau, caoutchouc, laine, œillet d'acier, etc.) et leurs dimensions respectives. Les calculs, les analyses de même que les modifications mineures et majeures acceptées par le client doivent être documentés et tenus à jour.

Enfin, le manufacturier doit faire faire une vérification de la conception par un expert dans ce domaine. Un ingénieur ou un technicien expérimenté pourra procéder à des essais et à des tests pour mesurer la résistance au froid intense, à l'usure (frottement) et aux chocs afin de s'assurer que la conception est conforme aux exigences du client.

5. La maîtrise des documents

Bien entendu, le fait de respecter une norme comme ISO 9001 est de nature à créer une foule de documents. Ces documents (codes de procédures, instructions, figures, légendes, tableaux) doivent faire l'objet d'un examen approfondi par un vérificateur externe avant d'être diffusés dans les différents services à la suite de leur approbation. Tous les changements effectués dans une procédure donnée doivent faire l'objet d'une attention particulière. En effet, il faut veiller à apporter les changements dans le manuel de la qualité à tous les endroits dans l'entreprise où ce cahier est utilisé. Par exemple, après l'acquisition d'une nouvelle machine à contrôle numérique ultramoderne, le fabricant est appelé à modifier un procédé de fabrication relatif à la couture de la base de la botte. La personne responsable de l'implantation de la démarche qualité devra alors faire le changement dans les codes de procédures de tous les services de l'entreprise après qu'un vérificateur aura approuvé cette modification.

6. Le contrat d'achat

Dans le cas où le fabricant doit faire appel à la sous-traitance pour la fabrication d'un des produits composant les bottes d'hiver en raison d'un manque d'expertise, d'un manque de temps ou d'une capacité de production limitée, il doit s'assurer que le sous-traitant possède la compétence nécessaire, tant du point de vue de la main-d'œuvre que du point de vue technique, pour mener à bien cette commande. Une des façons les plus courantes de s'assurer de la compétence d'un sous-traitant est de lui rendre visite afin d'explorer les lieux.

Le contrat d'achat doit absolument comporter toutes les spécifications quant à la quantité, aux types de matériaux utilisés, aux dimensions, aux couleurs, à la résistance au froid et au frottement, aux pointures, etc. De cette manière, on pourra éviter toute ambiguïté. Dans le cas où il y a des plans, il faut les joindre au contrat d'achat. Cette remarque s'applique aussi lorsque le client possède un échantillon de ce qu'il désire obtenir. De plus, le client a le droit de rendre visite au manufacturier ou à son sous-traitant lors de la fabrication de sa commande dans le cas où cela a été spécifié dans le contrat.

7. Le produit fourni par l'acheteur

Il se peut qu'un client désire obtenir des bottes d'hiver avec une laine particulière provenant de Laponie. Le client qui possède cette laine peut la fournir au manufacturier. Dans ce cas, celui-ci doit consigner une procédure en ce qui a trait à l'entreposage et à l'entretien de cette laine, et la tenir à jour.

8. Le repérage du produit

Le fabricant devrait concevoir une façon de repérer facilement son produit tout le long de la chaîne de production et de distribution. Aujourd'hui, avec les systèmes de codes optiques, il est beaucoup moins ardu de déterminer à quel endroit se trouve un produit donné (une matière première, un produit en cours ou un produit fini) dans l'entreprise. De plus, cela permet de faire des inventaires plus précis. Bref, cette manière de procéder facilite le travail de tout le monde dans l'entreprise.

9. La maîtrise des procédés

Le fabricant de bottes d'hiver doit faire la preuve qu'il maîtrise parfaitement les procédés de fabrication de ses bottes. Il va de soi que des procédures et des instructions de travail sont de mise encore ici pour illustrer et formaliser les différentes façons de produire les bottes d'hiver. Pour illustrer la fabrication d'un tel produit, on peut tracer des diagrammes de processus qui montrent toutes les opérations à effectuer pour la fabrication d'une botte. On devra également décrire toutes les machines utilisées dans les procédés. Le fait d'écrire toutes ces opérations peut rendre le travail moins routinier pour un manœuvre ; la direction de l'entreprise peut d'ailleurs favoriser la polyvalence des tâches sur les lieux de production. En tout cas, dans le contexte d'une démarche qualité, toutes les opérations sont précisées et expliquées par écrit, ce qui rend la tâche d'un néophyte beaucoup moins difficile.

10. Les contrôles et les essais

Le fabricant de bottes d'hiver doit faire un contrôle au début du processus, soit à la réception des matières premières et des composantes, de manière à s'assurer de respecter les exigences de son client. Ce type de contrôle ne doit pas avoir lieu uniquement à la réception du matériel ; il doit également être fait pendant toute la durée du procédé de fabrication (après chaque poste de travail) et lorsque le produit est prêt à être utilisé. Il est important d'enregistrer tous les contrôles et essais effectués sur le produit afin de prouver au client le sérieux de la démarche qualité. Ce type de norme est basé sur la prévention. Là comme ailleurs, il vaut mieux prévenir que guérir.

11. La maîtrise des équipements de contrôle, de mesure et d'essai

Afin de s'assurer que les équipements permettant de fabriquer les bottes, de les tester et de les contrôler sont adéquats, le manufacturier devra mettre au point un programme de maintenance préventive en tâchant de déterminer la fréquence d'entretien de chaque équipement ainsi que la façon détaillée de faire la maintenance pour tous les types d'équipements et de machines. Il devra mentionner dans son registre la précision désirée afin de se conformer aux exigences de ses clients pour chaque machine.

Par exemple, une alène pour faire des trous dans le cuir pourrait être examinée tous les trois mois. Toutes les pièces faisant partie de cette alène pourraient être revues à fond. Pour ce qui est de la précision, on pourrait exiger que les trous aient 6 millimètres plus ou moins 100 microns. Lorsque les trous du poinçon auront un diamètre supérieur à cette dimension, ce poinçon ne pourra plus être utilisé dans le processus de production.

Il sera primordial de conserver des registres de maintenance pour chaque machine et chaque outil afin de connaître leur évolution dans le temps et ainsi prévenir les bris et les pannes. On devra prendre soin également de stocker les équipements de contrôle à des endroits qui préviendront leur détérioration. Par exemple, un hygromètre en métal (appareil servant à mesurer le degré d'humidité de l'air) ne devrait pas être entreposé dehors ou à un endroit très humide, et ce pour éviter la corrosion.

12. L'état des contrôles et des essais

Le fabricant de bottes doit établir une procédure à l'aide d'un marqueur ou de cartes de production indiquant si un produit est conforme ou non tout le long du processus de production.

13. La maîtrise du produit non conforme

Aussitôt qu'une botte en cours de fabrication n'est pas conforme aux standards, on doit s'assurer qu'elle ne se rendra pas jusqu'au consommateur. Lors d'un bris mineur, comme un œillet d'acier qui a été bosselé, on mettra de côté la botte, mais on ne la jettera pas nécessairement au rebut, car une petite retouche de la part de la personne responsable de la pose des œillets suffira. Cependant, si le cuir extérieur d'une botte est éraflé ou déchiré après une manipulation inadéquate, il y a de fortes chances pour que l'on rejette cette botte. Dans certains cas, un client acceptera un lot de bottes comportant des défauts après avoir examiné ces derniers et avoir obtenu un rabais du manufacturier.

14. Les mesures correctives

Pour éviter de répéter les mêmes erreurs qui rendent un produit non conforme, le manufacturier doit établir une procédure visant à trouver la cause du défaut et à prendre des mesures correctives afin que l'anomalie ne se reproduise plus. Il va de soi que les modifications apportées par les mesures correctives doivent être notées sur un registre. Par exemple, l'éraflure sur le cuir de la botte résulte peut-être d'une erreur de conduite de l'opérateur d'un chariot élévateur due à l'étroitesse des allées entre la chaîne de fabrication et les étagères d'entreposage. Pour régler ce problème, on élargira l'allée pour faire en sorte que l'opérateur puisse conduire plus librement son véhicule.

De même, il faut noter soigneusement les plaintes de clients relatives au produit ou à un aspect du service après-vente dans le but de détecter le plus rapidement possible les causes d'anomalies. Si plusieurs clients mentionnent pendant une période relativement courte que la couture du haut de la botte est fragile, on pourra être beaucoup plus vigilant quand on sera rendu à ce poste de travail lors de la fabrication des prochaines bottes.

15. La manutention, l'entreposage, le conditionnement et la livraison

Le manufacturier doit établir des procédés de manutention et de stockage qui faciliteront sa tâche. Ainsi, il doit utiliser des façons de faire qui préviendront les dommages physiques et la détérioration pendant la manutention et l'entreposage. Par exemple, il pourrait interdire l'empilement de plus de cinq boîtes contenant des bottes pour éviter que les boîtes qui sont au bas de la pile ne soient écrasées. En ce qui a trait au conditionnement, le fabricant de bottes d'hiver doit s'assurer que celles-ci seront protégées convenablement par l'emballage et par le mode de conservation jusqu'à ce que le produit soit livré aux différents clients.

Le système de marquage comme les codes à barres, qui sont utilisés fréquemment aujourd'hui, doit apparaître sur chaque unité d'emballage. Dans ce cas, il est plus aisé pour le manufacturier de repérer le lot dans lequel le produit a été fabriqué lors d'une plainte d'un client ou d'un retour massif de la marchandise. Finalement, la livraison du produit du quai de charge-ment du fabricant au quai du client doit se faire sans anicroche, surtout lorsque les termes du transport indiquent «FAB destination» (franco à bord), ce qui signifie que la responsabilité du matériel relève du manufacturier.

16. Les enregistrements relatifs à la qualité

Le manufacturier a tout intérêt à établir des enregistrements qui montrent que le produit a passé une batterie de tests. Autrement dit, il doit conserver des documents sur tout ce qui touche la démarche qualité, tant sur le plan des objectifs établis au préalable que sur celui du contrôle de qualité.

Dans le cas d'un contrat d'achat, le fabricant doit s'engager à garder tout document relatif à la qualité afin que le client puisse s'y referer pendant la durée du contrat. Il se peut, par exemple, que le client veuille vérifier sur le papier la pointure qu'il a achetée ainsi que les matériaux qui ont été utilisés dans la fabrication des bottes.

17. L'audit interne de la qualité

Le fabricant doit implanter une procédure d'audit interne afin de s'assurer que les commandes sont exécutées en bonne et due forme. L'audit sera toujours effectué par une personne respon-sable qui n'a pas d'intérêt personnel dans le domaine faisant l'objet de la vérification. Par exemple, on pourrait demander au directeur des ressources humaines de vérifier si le sous-système d'approvisionnement joue son rôle en vertu de la démarche qualité en vigueur. De même, on pourrait demander au contrôleur financier de vérifier le sous-système de production pour une commande donnée. Les conclusions tirées de l'audit doivent être divulguées à la per-sonne responsable du service soumis à l'audit afin que celle-ci ait la possibilité de prendre des mesures correctives pour rendre un produit de qualité.

18. La formation

Le manufacturier doit mettre en place un plan de formation afin que tous les employés qui ont un rôle à jouer dans la démarche qualité actuelle ou à venir soient qualifiés. Évidemment, des registres doivent être tenus en permanence par rapport au programme de formation. Par exem-ple, un acheteur qui n'a aucune notion de la gestion de la qualité peut être invité à suivre un cours dans ce domaine.

La loi 90 votée par le gouvernement québécois en 1995 va dans le même sens. En effet, chaque entreprise doit investir au moins 1% de sa masse salariale dans la formation de son personnel. Avec des politiques comme celle-ci, la société sera de plus en plus sensibilisée à la qualité comme mode de gestion et comme mode de vie.

19. Le service après-vente

Dans le cas où un service après-vente est spécifié dans le contrat d'achat, que ce soit pour l'en-tretien ou la réparation des bottes d'hiver, le fabricant doit mettre au point une procédure qui facilitera le suivi du service après-vente soit en créant un service qui s'occupera spécifiquement de cet aspect, soit en affectant une personne du service des ventes qui entrera fréquemment en contact avec les clients. L'envoi de lettres de remerciement ou de cartes d'anniversaire ou l'offre à prix modique de bombes aérosol pour protéger le cuir peuvent faire partie du service après-vente.

20. Les techniques statistiques

Une technique très utilisée en matière de contrôle de qualité est ce qu'on appelle les cartes de contrôle. Cette façon de faire permet d'effectuer un excellent suivi tout le long du processus de production tant du point de vue de la main-d'œuvre que du point de vue de l'équipement et des matériaux. De même, on effectue fréquemment les calculs de la moyenne et de l'écart type pour préciser des standards de production et des limites (inférieure et supérieure) à ne pas dépasser. Les techniques statistiques sont aussi utilisées dans le calcul des prévisions de la demande, de la planification du travail d'achat et de production et de la gestion de projet (méthode du cheminement critique — *critical path method* [CPM] — et technique d'évaluation et de contrôle de projet — *program evaluation review technic* [PERT]).

Chapitre 5

Les concepts de coût et de quantité

L'extraordinaire richesse de l'expérience humaine y perdrait de sa joie gratifiante s'il n'y avait pas de limites à dépasser. Les sommets atteints ne seraient pas aussi exaltants sans les tristes vallées à traverser.

Helen Keller

Objectif général

Familiariser le lecteur avec tous les éléments rattachés aux critères du coût et de la quantité dans le domaine de l'approvisionnement.

Objectifs spécifiques

- Décrire tous les types de stocks qui sont susceptibles d'être gérés dans une entreprise.
- Comprendre l'utilité des stocks.
- Préciser les principaux coûts pertinents dans la gestion des stocks.
- Appliquer la loi de Pareto pour classifier les stocks dans une entreprise.
- Acquérir les principales méthodes qu'on utilise pour faire des prévisions.
- Déterminer la quantité nécessaire de stock de sécurité.

IPL inc.

L'entreprise familiale IPL inc. est le leader canadien dans le domaine des produits du plastique. La revue *Affaires* affirme qu'IPL inc. fait partie des 500 entreprises les plus importantes du Québec. Cette entreprise compte plus de 500 employés. Son siège social est situé à Saint-Damien, dans la circonscription de Bellechasse, au Québec. Elle a aussi des usines à Edmunston, au Nouveau-Brunswick, à Windsor, en Ontario, ainsi qu'à Worcester, au Massachusetts. De plus, IPL inc. a des bureaux à Toronto, à Detroit, à Atlanta et à Saint Louis.

IPL inc. possède une expertise dans la fabrication à partir des procédés d'injection et d'extrusion. Son service de la recherche et du développement l'a conduite vers des créneaux où la clientèle exige des produits de très haute qualité et un respect des délais de livraison. Le défi à relever pour IPL inc. consiste à maintenir sa réputation de haute qualité tout en tentant de réduire les délais de fabrication de chaque produit.

Sa réputation a permis à IPL inc. de devenir un fournisseur attitré pour l'industrie automobile. Les normes de cette industrie sont souvent prises comme exemple dans l'établissement des standards de qualité parce qu'elles s'avèrent rigoureuses quant à la qualité et aux spécifications des produits moulés, à la quantité des stocks et aux délais de livraison. Ce respect des normes établies permet à IPL inc. de servir d'autres clients de même envergure et de mieux répondre aux demandes dans le moulage sur devis.

L'approvisionnement chez IPL inc. doit être à la hauteur de la réputation de l'entreprise sur le marché. Ainsi, elle est amenée à gérer de façon continue les critères du délai de livraison et du volume minimal en inventaire, en plus de l'entreposage. En outre, l'entreprise doit s'adapter rapidement aux changements qui se produisent chez ses clients.

Une fiabilité constante des inventaires et une accessibilité continuelle de l'information sont devenues des facteurs indispensables aux acheteurs afin qu'ils puissent prendre des décisions promptement tout en réduisant les coûts supplémentaires. IPL inc. achète certaines marchandises par wagon de chemin de fer, ce qui constitue une variabilité dans les délais de livraison. L'information en temps réel lui permet d'être proactive quant à la disponibilité des marchandises. Ces comportements permettent ainsi d'optimiser la productivité des stocks.

Jean-Paul Chassé
Directeur de l'approvisionnement

Introduction

Le mot « stock » peut être défini comme étant un produit que l'on garde en vue d'une utilisation ultérieure. Dans toutes les entreprises, on conserve des stocks. La gestion des stocks doit être de plus en plus stratégique, compte tenu du fait que les membres de la haute direction se rendent compte que ce poste représente une part importante des dépenses et de l'actif d'une entreprise. En établissant le ratio financier appelé «ratio de liquidité» (l'actif à court terme divisé par le passif à court terme) et en le comparant avec le ratio de liquidité immédiate (l'actif à court terme moins le stock divisé par le passif à court terme), on s'apercevra qu'il existe un écart majeur entre ces deux ratios pour beaucoup d'entreprises.

Le fait de garder une quantité considérable de stocks en tout genre peut avoir un effet néfaste sur la gestion de l'entreprise. En effet, les stocks peuvent prendre énormément d'espace, ils peuvent dépérir, ils impliquent souvent un emprunt bancaire, ils mobilisent beaucoup d'individus (un réceptionnaire, un manutentionnaire, un acheteur, un gestionnaire des stocks, etc.). Toutefois, ils sont nécessaires pour pallier les aléas reliés aux délais de livraison, aux comportements des consommateurs et aux canaux de distribution. L'acheteur situe le niveau des stocks à détenir entre les quatre grandes fonctions de l'entreprise : le marketing, la production, les finances, et les ressources humaines. S'il manque de stocks de produits finis ou produits en cours, le service de marketing exercera des pressions pour en accroître le niveau. L'aggravation de la pénurie, les ventes manquées, la perte de la réputation et l'insatisfaction des représentants payés à la commission sont de nature à inquiéter les dirigeants des ventes. Par contre, dans le cas d'un niveau élevé des stocks, le service des finances fera des pressions pour le réduire. Il justifiera ce geste en rappelant qu'il a la responsabilité de bien gérer les deniers des actionnaires, la hausse des coûts de stockage, les obligations provenant de l'extérieur (la banque, les actionnaires, etc.), l'espace d'entreposage requis, les normes d'étalonnage, et ainsi de suite. Le service de production voudra posséder un lot adéquat de matières premières et de composantes afin de produire en quantité suffisante, et ce, dans le but de réduire les coûts unitaires de production. Finalement, le service des ressources humaines devra gérer un plus grand nombre d'individus (recrutement, évaluation, programme de formation) si les stocks à l'intérieur de l'entreprise ne sont pas gérés avec rigueur. Bref, la gestion des stocks est un défi quotidien.

La figure 5.1 présente l'ensemble des stocks d'une entreprise manufacturière au moyen d'un diagramme de circulation. La section suivante explique quels sont les principaux types de stocks dans une entreprise et présente des exemples pour chacun d'eux.

5.1   Les types de stocks

5.1.1   Les matières premières

Les matières premières envisagées dans un contexte économique constituent les éléments extraits de la surface de la terre, de l'intérieur de la terre, de la mer et des airs. Les éléments extraits de la surface de la terre comprennent entre autres le bois, le sable, l'humus, le blé et la roche. Les éléments extraits de l'intérieur de la terre et de la mer, quant à eux, sont les minerais et les roches économiquement rentables ainsi que le pétrole. Finalement, les éléments pris dans les airs incluent l'azote, l'oxygène et les gaz de l'atmosphère.

Cependant, dans un contexte manufacturier, les matières premières d'une usine donnée peuvent correspondre plutôt à un dérivé des matières premières d'un point de vue économique. Effectivement, si on prend l'exemple d'une compagnie d'extrusion d'aluminium (procédé par lequel l'aluminium, une fois chauffé, est poussé à l'aide d'une presse dans une matrice), l'entreprise qui veut faire des profilés s'approvisionne en aluminium, qui constitue sa

■ **Figure 5.1**   Diagramme de circulation

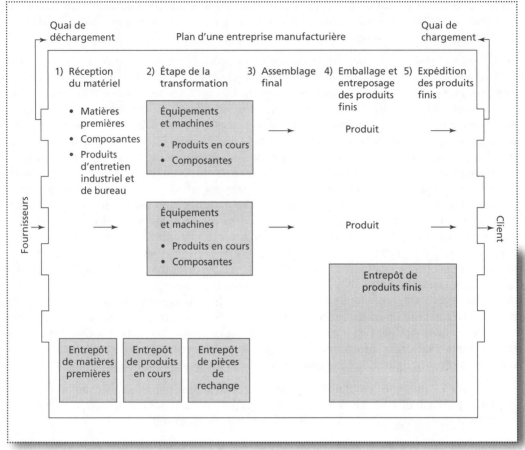

matière première. Mais avant d'en faire de l'aluminium, son fournisseur, en l'occurrence l'alu-minerie, a reçu sa matière première sous forme de minerai de bauxite, qu'elle a transformé en alumine et finalement en aluminium.

Un autre exemple peut nous aider à mieux cerner ce type de stock. Une manufacture de poêles à bois a comme principale matière première des feuilles d'acier de 4 pieds (1,20 m) de largeur sur 8 pieds (2,40 m) de longueur de différentes épaisseurs[1]. Cependant, cette matière première représente un produit transformé pour l'aciérie qui a fait fondre du minerai de fer ainsi que des retailles d'acier pour créer différentes formes, soit des feuilles rectangulaires, des rouleaux d'acier ou des feuillards servant à l'emballage.

Une matière première, pour une entreprise qui ne fait que de la distribution et donc aucune transformation, deviendra un produit prêt à être vendu. Pour une manufacture, la matière première subira une série de transformations et deviendra par le fait même un nouveau type de stock.

---

1.   En ferblanterie, on travaille encore beaucoup avec le système impérial.

5.1.2   Les produits en cours

Le produit en cours représente un type de stock qui n'est plus une matière première ni un produit rendu à la fin du stade de la transformation. Il constitue plutôt un produit qui a subi une ou quelques transformations ayant requis de la machinerie et de la main-d'œuvre ainsi que diverses dépenses qu'on appelle communément des frais généraux de fabrication. Comme exemple, on pourrait citer un cycle d'approvisionnement inachevé, c'est-à-dire que l'acheteur se trouve à l'émission d'un bon de commande pour un besoin donné, mais qu'il n'a pas reçu la facture de la part du fournisseur. De même, une chaussure sans talon représente un produit en cours pour un manufacturier de chaussures. Les coûts reliés à ce type de stock peuvent être exorbitants dans certaines usines du genre atelier (comme les ateliers d'usinage) si les commandes ne sont pas agencées judicieusement.

5.1.3   Les produits finis

Pour un manufacturier, le produit fini signifie le bien fabriqué qui a passé par tous les stades de la transformation, incluant le conditionnement. Pour une entreprise de génie-conseil, le produit fini correspond au service rendu relatif au contrat signé entre l'entreprise elle-même et son client. Pour un distributeur, le produit acheté comme une matière première constitue un produit fini lorsqu'il est prêt à être vendu. Tous les produits finis ou services rendus propres à la consommation, et donc mis sur le marché par les manufacturiers et les entreprises de services, constituent des produits finis. C'est le cas, par exemple, d'une bouteille de boisson gazeuse, d'une tondeuse à gazon, d'une table de travail ou d'un prêt hypothécaire signé par les deux parties.

5.1.4   Les composantes

Ce type de stock représente un produit qui n'est ni une matière première ni un produit en cours, mais il est inclus dans le processus de transformation du produit par l'intermédiaire d'un sous-traitant. Voici un exemple. Vous êtes un manufacturier de moteurs pour les hors-bord. Vous concevez le bâti du moteur et la fabrication générale de ce dernier ; cependant, vous ne fabriquez pas certaines pièces primordiales comme le stator et le rotor du moteur. Une entreprise les fabrique et vous les vend. Dans votre système de stocks, le stator et le rotor sont considérés comme des composantes.

Un autre exemple nous est donné par la fabrication de foyers. Quand un manufacturier vend un foyer, celui-ci comprend un tuyau flexible isolé qui sert d'entrée et de sortie d'air pour faciliter la combustion. Le tuyau flexible n'est pas nécessairement fabriqué par le manufacturier de foyers. Ce n'est donc pas une matière première ni un produit en cours, car il ne transforme pas ce produit, mais bien une composante. Pour ce type de stock, l'acheteur envoie toujours un calendrier d'approvisionnement au fournisseur pour ne pas passer en second lieu, car les composantes constituent rarement des produits qui font de l'acheteur un client privilégié auprès de son fournisseur. À l'aide de ce calendrier, la gestion des stocks est facilitée.

5.1.5   Les produits d'entretien et de réparation industriels

Toutes les entreprises qui effectuent les transformations d'une matière première pour en arriver à un produit fini le font à l'aide d'outils et de machines. Ces machines et outils ont une durée de vie préétablie. Cependant, si on ne les entretient pas, leur durée de vie peut en être réduite. Il existe des produits qui permettent de conserver les machines quasiment intactes, soit les huiles et les graisses de lubrification. Il existe également des produits qui servent de pièces de rechange lors de réparations éventuelles. Citons, par exemple, les roulements, les valves, les paliers, les détecteurs d'approche ou les commutateurs.

Les entreprises de distribution conservent également ce type de stock. En effet, dans les centres de distribution, on recourt énormément aux chariots élévateurs ou aux transpalettes. Les quais de chargement et de déchargement sont constamment utilisés. Les étagères peuvent aussi être sujettes à des bris. Pour toutes ces raisons, les produits d'entretien et de réparation industriels sont indispensables.

Ainsi, le stock d'entretien et de réparation industriels joue deux rôles : il assure les périodes de maintenance (arrêt de la production des usines de traitement du minerai, de l'aluminium, du verre ou des pâtes et papiers) et il prévient les bris impromptus (stock conservé en cas de besoin). Dans le premier cas, l'entreprise peut planifier ses besoins lorsqu'elle connaît la période d'arrêt pour l'entretien des machines. Dans le second cas, le stock est plus difficile à gérer, car l'entreprise ne connaît pas toujours avec exactitude le moment où elle en aura besoin à cause d'un bris. Des recherches dans le domaine de l'approvisionnement ont permis de concevoir certaines solutions pour assurer une alimentation très rapide dans des situations de bris. Nous retiendrons deux des solutions les plus utilisées.

La première solution consiste pour l'entreprise à connaître l'importance (quant au volume et au coût) des stocks de son fournisseur. Dans le cas où l'article représente une bonne somme (pour ce qui est du volume ou du coût) pour le fournisseur, il y a fort à parier que le fournisseur aura l'article en stock et qu'il sera donc toujours possible d'obtenir l'article rapidement. Il restera seulement la question de la distance à régler. Dans le cas où, en raison de sa stratégie de gestion, le fournisseur risque peu d'avoir l'article recherché ou dans celui où le délai de réapprovisionnement est relativement long, il serait opportun pour l'acheteur de disposer de ce stock.

La seconde solution consiste à déléguer à un fournisseur la responsabilité du stock d'entretien et de réparation industriels au nom de l'entreprise. Les entreprises multinationales utilisent fréquemment ce type de stratégie. Un fournisseur sélectionné par le service de l'approvisionnement aura un espace à lui dans l'entreprise. Ainsi, après la détermination du stock de maintenance par l'entreprise cliente, le fournisseur a la responsabilité de mettre du stock en consignation chez le client. Le service de l'entretien de l'entreprise cliente aura accès à ce stock et prendra le stock nécessaire pour effectuer ses travaux. À la fin d'une période donnée, le fournisseur approvisionnera de nouveau l'entreprise cliente et fera une facture uniquement pour la partie utilisée.

Une pièce de rechange peut demeurer longtemps (soit plus de deux ans) en stock sans être utilisée. Cela occasionne toutefois des frais. L'acheteur s'assurera toujours que les frais reliés au stockage de la pièce sont inférieurs aux frais causés par la pénurie de cette pièce.

5.1.6   Les produits d'entretien de bureau et les fournitures

Ce type de stock comprend la papeterie, les formulaires, l'équipement de bureau, le matériel de bureau, l'équipement d'entretien des toilettes et tout ce qui a trait au bureau. Dans les entreprises, ce type de stock est souvent géré par un commis qui ne fait pas nécessairement partie du service de l'approvisionnement. Celui-ci peut en effet relever directement du service des finances ou encore d'un service auxiliaire. Il va sans dire que certains produits d'entretien et de réparation industriels peuvent également faire partie de ce type de stock qui est destiné au bureau, comme les fluorescents de plafond, les formulaires d'impression ou encore le savon. Il s'agit du genre d'articles que l'on trouve à la fois dans les bureaux et dans l'usine.

5.1.7   Les surplus

Jusqu'à récemment, les entreprises ne se préoccupaient vraisemblablement pas de leurs résidus de fabrication. Tous les résidus étaient rejetés dans des sites d'enfouissement ou dans les cours d'eau avoisinant les entreprises. Encore aujourd'hui, certains déchets irrécupérables sont envoyés dans des sites d'enfouissement ou à l'incinérateur. Par contre, la sensibilisation au recyclage aidant, certaines entreprises récupèrent leurs déchets dans le but de les revendre. Autrement dit, certains déchets d'une entreprise représentent une matière première pour une autre entreprise. Ainsi, la sciure de bois (bran de scie) dans les scieries peut être revendue à des usines de pâtes et papiers, qui l'incorporeront dans leur procédé de fabrication. Le principe est le même pour les quincailliers qui travaillent le verre. La vitre cassée (résidu de verre ou groisil) est achetée par des usines qui l'incluront dans leur procédé de fabrication en tant que matière première.

Aujourd'hui, lorsqu'elles conçoivent des produits, la plupart des entreprises se penchent sur le recyclage des matériaux. Il est certain que cela constitue un bienfait pour l'environnement. S'ils sont recyclables, les produits n'ont pas à être brûlés ou enfouis, du moins à court et à moyen terme. Les générations futures subiront moins ainsi les conséquences du je-m'en-foutisme de certaines compagnies. Sur le plan économique, l'entreprise est gagnante lorsqu'elle conçoit des produits avec des matières recyclables, car elle est ainsi en mesure de vendre ses déchets, ce qui permet leur réutilisation dans un nouveau cycle de production.

On trouve actuellement dans certaines industries un type de gestion des surplus qui illustre bien la récupération dont nous venons de parler et qu'on appelle la logistique inversée. Contrairement à la logistique traditionnelle de l'amont (les matières premières) à l'aval (les produits finis), la logistique inversée est en quelque sorte le retour des divers produits à différents endroits de la chaîne de distribution.

La logistique inversée est un programme basé sur les « cinq R », soit la réutilisation, la revente, le réusinage, le recyclage et le rejet [2]. Prenons l'exemple d'une compagnie de transport qui doit gérer l'ensemble de ses camions. Que faire des camions qui ont plusieurs années d'usure ou qui affichent plusieurs milliers de kilomètres de route au compteur ?

---

2. Cette typologie des « cinq R » est adaptée de Jean-Pierre Ménard. « La logistique inversée : des bénéfices renversants », *Gestion logistique*, juin 1998, p. 16.

Antérieurement, les transporteurs usaient au maximum les camions dans les mêmes opérations et ne les retiraient de la circulation que pour les expédier à la ferraille. Aujourd'hui, de nouvelles options pourront apporter des bénéfices au gestionnaire. Ainsi, nous appliquerons à une compagnie de transport par camion les effets des cinq R :

- La **réutilisation** consiste à trouver une nouvelle fonction pour un produit. Après un certain nombre d'années ou de kilomètres, un camion pourra servir aux livraisons urbaines ou sur de courtes distances plutôt que sur de longues distances.

- La **revente** permet de trouver un nouvel utilisateur pour le produit. L'entreprise peut vendre les camions les moins performants sur le plan de la consommation d'essence ou sur le plan de l'entretien.

- Le **réusinage** est la remise à neuf du camion. La carrosserie peut être revue de fond en comble si l'aspect mécanique demeure performant. De même, on peut remettre à neuf le moteur dans le but d'en prolonger la vie.

- Le **recyclage** consiste à prendre les morceaux du moteur ou de la carrosserie pour en faire des pièces de maintenance qui serviront aux autres camions.

- Le **rejet** est le fait d'envoyer le camion à la ferraille et d'en tirer le prix du métal ou du plastique.

Une bonne gestion de chaque R signifie un revenu supplémentaire pour l'entreprise.

À partir des sept types de stocks qui ont été présentés, on pourrait illustrer la notion de système pour la fonction «gestion des stocks» afin de faciliter l'apprentissage de cette partie importante d'une entreprise (voir la figure 5.2).

■ **Figure 5.2   Approche systémique de la fonction «gestion des stocks»**

5.2   L'utilité des stocks

Maintenant que nous avons énuméré les différents types de stocks qu'une entreprise peut posséder, nous essaierons de comprendre pourquoi l'entreprise garde des stocks, sachant qu'ils représentent une grosse somme d'argent dans la plupart des cas. En fait, il y a quatre raisons de conserver des stocks, soit par mesure de sécurité, par souci de prévision, à cause d'un besoin cyclique ou parce qu'ils sont en transit.

5.2.1   Le stock de sécurité

■ La protection contre une variation de la demande

Comme le comportement du consommateur est quasi impossible à déterminer avec précision face à un produit donné, l'entreprise se doit de conserver du stock pour éviter les pénuries, lesquelles entraîneraient l'insatisfaction chez plusieurs clients. Il n'existe pas dans l'industrie une demande d'un produit quelconque qui soit constante (à moins d'une entente de partenariat avec un fournisseur dans certaines situations d'achat). Si c'était le cas, la gestion des stocks n'aurait aucune raison d'être, car il ne serait pas nécessaire de conserver du stock.

■ La protection contre un délai de livraison instable

Il peut arriver qu'un fournisseur donne un délai de livraison qui n'est pas respecté à cause d'un bris ou d'une gestion qui n'est pas orientée vers le client. Dans cette situation, par mesure de prudence, l'entreprise cliente devrait planifier une quantité de stock additionnelle pour ne pas être prise au dépourvu.

■ La protection contre une demande et un délai de livraison instables

Il arrive souvent que l'entreprise éprouve une incertitude totale tant pour la demande que pour le délai de livraison. Par exemple, si l'entreprise avait l'habitude de s'approvisionner en Irak, il est fort possible que l'incertitude politique, qui y sévit actuellement, ait nui à la livraison et, qui plus est, au réapprovisionnement pour un produit donné.

5.2.2   Le stock de prévision

■ La hausse ou la baisse prévue du prix

Certaines industries, comme celles du pétrole ou du textile, font face à des hausses de prix draconiennes, ce qui pousse l'acheteur à vouloir garder un certain stock pour ne pas être pénalisé. Ici, il suffit de s'assurer que le fait de garder du stock en grande quantité ne coûte pas plus cher que la hausse éventuelle du prix du produit. On devrait également considérer l'espace d'entreposage additionnel dans ce cas-ci, ce qui ne doit évidemment pas représenter une contrainte pour l'entreprise. Inversement, dans le domaine de l'informatique, étant donné la baisse rapide des prix des composantes et des micro-ordinateurs, on doit s'assurer de ne pas garder une trop grande quantité de stock, mais plutôt de favoriser une rotation fréquente.

■ La grève d'un fournisseur important ou la rareté soudaine d'un produit

Si les relations de l'entreprise cliente avec un fournisseur sont telles que celui-ci connaît le prix de revient de l'entreprise et qu'il participe activement au développement du produit, il serait alors opportun de conserver des stocks additionnels en provenance de ce fournisseur si celui-ci mentionne qu'il y a une menace de grève. Dans le cas contraire, l'entreprise risque de voir s'interrompre la transformation de son produit ou encore de voir se modifier la distribution de ce produit pour un certain temps, ce qui peut occasionner des pertes de plusieurs centaines de milliers de dollars. L'usine de General Motors (GM) à Boisbriand a vécu cette situation il y a quelques années avec son fournisseur d'Indianapolis. Elle pratiquait le juste-à-temps, une philosophie de gestion axée sur l'élimination du gaspillage (voir le chapitre 9). Il s'agit alors de pratiquer une gestion avec le moins de stocks et de pièces défectueuses possible. La compagnie d'Indianapolis était le seul fournisseur du produit en question avec lequel GM traitait. Quand les employés de cette compagnie se sont mis en grève, GM a dû interrompre ses activités de production et elle a perdu une somme considérable.

Un autre exemple illustre assez bien la modification de la distribution et donc de la gestion des stocks d'un produit. De décembre 1997 à avril 1998, il y a eu une grève des débardeurs dans le port de Québec. Une compagnie exportatrice de la région de Québec qui avait l'habitude de transiger avec le port de Québec a vu sa gestion des stocks et sa distribution modifiées légèrement. Cette compagnie devait alors transiger avec un autre port de la vallée du Saint-Laurent, en l'occurrence Gros-Cacouna ou Bécancour, ce qui l'a obligée à conserver davantage de stocks pour pallier l'augmentation du délai de livraison. De même, dans le cas où la rareté d'un produit peut être prévue, par exemple une catastrophe naturelle dans le cas de l'industrie agroalimentaire (un ouragan en Floride), l'acheteur devrait courir le risque de garder plus de stocks en inventaire.

■ La période des vacances

La plupart des usines de traitement du minerai d'or, de cuivre, de zinc, etc., les raffineries de pétrole, les usines de pâtes et papiers et les aciéries se réservent environ deux semaines pendant l'année pour faire un arrêt de la production (communément appelé *shutdown*) afin de procéder à l'entretien nécessaire des machines et d'effectuer les réparations majeures. Durant cette période, l'acheteur doit prévoir un arrêt de travail de la part de son fournisseur et s'approvisionner en conséquence.

5.2.3 Le stock cyclique

■ La taille des lots

Une entreprise peut avoir à fabriquer un certain nombre de tables de travail pour un client donné. Pour ce faire, elle aura besoin de certaines pièces. Le lot le plus économique qu'elle devra acheter varie d'une pièce à l'autre. La sous-patte en caoutchouc servant à protéger le plancher peut avoir été calculée à un lot économique de 880 unités. Si le client ne veut que 20 tables de travail, il restera donc dans le stock du fournisseur 800 sous-pattes en caoutchouc. En fait, dans ce cas, le fournisseur garde du stock en fonction de la demande des consommateurs, qui peut être cyclique.

▦ Le cycle connu ou provoqué

Durant la période des fêtes et à l'occasion, par exemple, de la fête des Mères et la fête des Pères, les dépenses des consommateurs sont supérieures à la moyenne annuelle. Les entreprises tendent à profiter de cette situation pour faire de la promotion dans le but de faire mousser leurs ventes. L'acheteur doit alors être aux aguets et conserver plus de stocks que dans les périodes habituelles.

5.2.4   Le stock en transit

La plupart des entreprises multinationales possèdent plusieurs usines ou entrepôts régionaux. Avec la rapidité des échanges qu'on observe aujourd'hui, on peut s'imaginer facilement que du stock d'une certaine usine se retrouve dans un camion ou un train à un moment donné et circule vers une autre usine, et vice-versa. Il est essentiel de garder du stock en circulation pour éviter des pénuries dans une partie du réseau. On voit donc que même si les stocks comportent des contraintes quant à la durée de leur vie (les fruits, les légumes, les journaux, etc.), à leur taille (les feuilles d'acier, les motoréducteurs, les vis sans fin, etc.) ou à l'investissement requis (un emprunt bancaire), ceux-ci demeurent indispensables.

5.3   Le coût en matière d'approvisionnement

Maintenant que nous avons précisé les types de stocks ainsi que leur utilité, nous nous attarderons sur les coûts reliés à la gestion de l'approvisionnement. Un acheteur fait toujours face à un dilemme. En effet, d'un côté, il se dira : « Ça coûte cher de garder trop de stock. » Et d'un autre côté, il pensera : « Si je ne garde pas assez de stocks, je risque d'en manquer. Ça peut donc me coûter aussi cher que si j'en garde beaucoup. » Toute personne initiée au domaine de l'approvisionnement a déjà fait ces deux affirmations. Nous essaierons donc de démystifier les types de coûts afin de pouvoir proposer une réponse à l'acheteur. Il existe quatre types de coûts pouvant influencer les décisions quant à l'approvisionnement d'une quantité de produits, soit le coût d'acquisition, le coût de stockage, le coût de commande et le coût de rupture.

5.3.1   Le coût d'acquisition

Le coût d'acquisition doit être considéré de deux façons différentes, soit selon le coût unitaire d'acquisition du produit, soit selon le coût unitaire de fabrication du produit. Le coût unitaire d'acquisition du produit correspond au prix payé lors de l'achat d'un produit. Il comprend le coût unitaire du produit, les frais de transport, les frais de douane, les assurances, les frais d'emballage, les taxes de vente fédérale et provinciale et l'escompte de caisse. Alors, dans ce cas, le coût d'acquisition (Ca) est égal au coût d'acquisition unitaire (Ca_u) multiplié par la demande annuelle (D) du produit (on travaille habituellement en années). Mathématiquement, on a :

$$Ca = Ca_u \times D$$

Quant au coût unitaire de fabrication du produit, il est un peu plus complexe. En effet, il fait intervenir trois types de coûts intermédiaires, soit le coût de la main-d'œuvre directe, le coût du matériel et les frais généraux de fabrication.

Le coût de la main-d'œuvre directe est le coût lié à la main-d'œuvre qui participe directement à la fabrication du produit. Ici, on doit faire une distinction entre la main-d'œuvre directe et la main-d'œuvre indirecte. La main-d'œuvre indirecte représente une main-d'œuvre de supervision, comme un contremaître de production. En ce qui concerne le coût du matériel, il correspond au coût d'acquisition du produit. Enfin, les frais généraux de fabrication représentent tous les coûts rattachés à la production de façon indirecte, comme l'énergie utilisée pour faire fonctionner les équipements, le chauffage de l'usine ou la main-d'œuvre indirecte. Ce type de coût intermédiaire devrait être vu en profondeur dans un cours de comptabilité du prix de revient.

Pour un manufacturier, il paraît donc logique que le coût unitaire de stockage d'un produit fini soit plus élevé que le coût unitaire de stockage d'un produit en cours, qui lui-même est plus élevé que le coût unitaire de stockage d'une matière première. Le coût unitaire d'acquisition du produit est inversement proportionnel à la quantité fabriquée ou achetée. Dans le cas de la quantité fabriquée, cela fait intervenir le concept d'économies d'échelle, c'est-à-dire que pour un manufacturier le fait de fabriquer des lots importants réduira le coût unitaire de fabrication ; par conséquent, il pourra accorder un escompte additionnel à ses clients. On dira alors que le manufacturier bénéficie d'économies d'échelle. Pour ce qui est de la quantité achetée, dans le cas où l'acheteur fait l'acquisition d'un produit en grande quantité, on dira qu'il bénéficie d'un escompte sur quantité ou d'une remise quantitative. Nous reviendrons sur ce concept au chapitre 6 lors de l'étude de certains modèles quantitatifs rattachés à la gestion des stocks.

5.3.2   Le coût de stockage

Le coût de stockage est le coût obtenu par la somme de trois coûts distincts, à savoir le coût d'option, le coût d'entreposage et le coût de détention. Le coût d'option consiste dans la décision de l'entreprise d'investir dans les stocks plutôt que d'obtenir des intérêts de la banque ou d'investir dans un autre projet. En ce qui concerne le coût d'entreposage, il s'agit du coût relié au fait de posséder un espace pour détenir la totalité des stocks, ce coût étant réparti selon l'espace occupé par chaque produit d'après une analyse comptable. Les assurances de la bâtisse, le chauffage, les taxes foncières et la maintenance font partie de ce type de coût. Enfin, le coût de détention consiste dans le coût relié à l'environnement requis pour protéger un produit précis. Il inclut les risques de désuétude et d'obsolescence[3], les bris, les disparitions mystérieuses, les modules de chauffage ou de refroidissement nécessaires aux produits, les fiches signalétiques dans le cas des matières dangereuses, le salaire du magasinier lorsque celui-ci travaille exclusivement dans les stocks et le salaire du manutentionnaire.

---

3. Une distinction s'impose entre la désuétude et l'obsolescence d'un produit. On dit qu'un produit est désuet lorsqu'il ne peut plus être utilisé pour cause d'usure. Par ailleurs, un produit est dit obsolescent lorsqu'une nouvelle conception de ce produit apparaît, l'ancien produit restant vendable, mais s'avérant moins attrayant aux yeux des clients.

Pour évaluer le coût de stockage, on détermine un pourcentage du coût unitaire pour chacun des trois types de coûts reliés au coût de stockage. Par exemple, le coût du capital relatif à un emprunt bancaire est relativement bas si l'on se fie aux taux d'intérêt qu'offrent les caisses populaires et les banques à charte depuis quelques années. En additionnant les trois pourcentages calculés, on trouve le pourcentage total, qu'on appelle «taux de stockage» (t). Maintenant, pour connaître le coût de stockage unitaire (Cs_u) ou, si l'on préfère, le coût pour garder en stock un article, on multiplie le taux de stockage (t) par le coût unitaire du produit qui correspond au coût d'acquisition unitaire (Ca_u). Finalement, pour trouver le coût de stockage (Cs), on multiplie le coût de stockage unitaire (Cs_u) par le stock moyen relatif à la période comprise entre deux approvisionnements. Mathématiquement, on aura:

$$Cs_u = Ca_u \times t$$

et:

$$Cs = Cs_u \times Q/2$$

Pour trouver le stock moyen ($Q/2$), on additionne le stock initial, qui, par convention dans le domaine de la gestion des stocks, correspond au stock maximal entre deux approvisionnements, avec le stock final, qui, par convention, correspond au stock minimal à conserver entre deux approvisionnements. On divise le tout par deux, car on suppose que la consommation du stock se fait de façon régulière et continue durant la période donnée. Plus loin dans ce livre, nous verrons que le stock minimal à conserver correspond au stock de sécurité. De même, le stock maximal correspond à la quantité de commande additionnée du stock minimal (stock de sécurité). Il est évident que, dans ce cas, si le stock de sécurité est nul, cela implique que le stock minimal est égal à 0.

EXEMPLE 5.1

Un menuisier cherche à connaître le coût de stockage de la moulure XYZ fréquemment utilisée pour les cadres de porte. On sait qu'il faut commander cette moulure selon une quantité de 1 250 unités à la fois. Par mesure de prudence à cause des fluctuations qui se produisent couramment dans l'industrie du bois, le menuisier se garde un stock de sécurité de 100 unités*. Le coût d'acquisition de chaque moulure est de 24,30 $. Finalement, on sait que le coût du capital est de 5,75 % du coût d'acquisition, que le coût d'entreposage et le coût de détention représentent respectivement 4 % et 3 % du coût d'acquisition. Le coût de stockage unitaire est égal au coût d'acquisition multiplié par le taux de stockage:

$$Cs_u = Ca_u \times t$$
$$= 24,30\,\$ \times (5,75\,\% + 4\,\% + 3\,\%)$$
$$= 3,10\,\$/\text{unité}$$

Le coût de stockage est égal au coût de stockage unitaire multiplié par le stock moyen:

$$Cs = Cs_u \times \text{inventaire moyen}$$
$$= Cs_u \times [(\text{inv. max} + \text{inv. min})/2]$$

$$= Cs_u \times [(Q + S.S. + S.S.)/2]$$

$$= 3,10\,\$ \times [(1\,250 + 100 + 100)/2]$$

$$= 3,10\,\$/\text{unité} \times 1\,450/2$$

$$= 3,10\,\$/\text{unité} \times 725 \text{ unités}$$

$$= 2\,247,50\,\$$$

* Dans le cas où on n'aurait pas de stock de sécurité, la solution serait un peu différente. En effet, le stock de sécurité représente l'inventaire minimum. Dans notre cas, le coût de stockage serait égal au coût de stockage unitaire multiplié par la quantité de commande, cette dernière étant divisée par 2 ($Cs = Cs_u \times Q/2$). En chiffres, le $Cs = 3,10\,\$/\text{unité} \times (1\,250)/2 = 1\,937,50\,\$$

5.3.3   Le coût de commande

Le coût de commande (Cc) représente le coût pour passer une commande (coût de commande unitaire (Cc_u)) multiplié par le nombre de commandes que l'on fait au cours de la période retenue. Le coût de commande est l'ensemble des coûts rattachés à l'appropriation d'un produit. On y trouve principalement le salaire de l'acheteur, le salaire du commis aux achats, le salaire total ou partiel de l'adjoint administratif, le salaire du réceptionnaire, le coût du téléphone local et interurbain, le coût du télécopieur local et interurbain, les formulaires comme le bon de réquisition et le bon de commande, les écritures administratives, etc. Il existe différentes façons de déterminer le coût de commande, dont la suivante : on fait le total de tous les coûts relatifs aux commandes et on le divise par le nombre de commandes que l'on effectue pendant une certaine période.

Le nombre de commandes que l'on fait au cours d'une période donnée correspond à la consommation pour cette même période (D) divisée par la quantité achetée lors de l'approvisionnement (Q). Mathématiquement, on aura :

$$Cc = Cc_u \times (D/Q)$$

EXEMPLE 5.2

Le menuisier de l'exemple 5.1 estime après certains calculs que le coût de commande unitaire équivaut à 32 $. De plus, la quantité consommée annuellement est de 11 250 moulures. Sachant qu'il commande par lot de 1 250, quel sera son coût de commande ?

$$\begin{aligned} Cc &= Cc_u \times (D/Q) \\ &= 32\,\$ \times (11\,250/1\,250) \\ &= 288\,\$ \end{aligned}$$

Il est à noter que la période donnée que nous avons mentionnée précédemment peut être exprimée en heures, en jours, en semaines, en mois ou en années. Ce qui importe plus que tout dans ces types de coûts, c'est de toujours comparer des pommes avec des pommes ; autrement dit, si le coût de commande est exprimé en années, on doit en faire autant pour les trois autres coûts.

5.3.4   Le coût de rupture

Il y a rupture de stock lorsque l'entreprise ne peut satisfaire à une demande. Sa position pourra être de refuser la commande ou de remplir celle-ci de toute urgence. Peu importe sa décision, l'entreprise devra composer avec un coût de rupture (Cr), c'est-à-dire :

- l'interruption de la production, avec des coûts additionnels d'expédition, d'heures supplémentaires, de mise en route de la machinerie, d'embauche et de formation de la main-d'œuvre ;

- un coût supplémentaire pour poursuivre la production qui ne rapporte pas ;

- un manque à gagner sur les ventes perdues ;

- des escomptes sur quantité éventuellement perdus ;

- des achats supplémentaires et des coûts de transport accrus ;

- une perte de son prestige.

Mathématiquement, il est moins facile de modéliser ce type de coût. Quand on l'emploiera, on prendra une valeur préétablie (sans calcul) de la perte d'une vente en dollars. Finalement, le coût total d'approvisionnement (Ct) = Ca + Cs + Cc + Cr. Il s'agira donc de trouver un compromis entre ces différents coûts pour déterminer la quantité adéquate de stock à conserver. Cela fait l'objet d'une partie du chapitre 6.

EXERCICE SUR LES COÛTS EN MATIÈRE D'APPROVISIONNEMENT

Vous êtes responsable de l'approvisionnement dans une école secondaire. Vous utilisez annuellement 5 500 cahiers de marque Canada VR 39 à feuilles quadrillées. Le contrôleur de la commission scolaire vous envoie les renseignements suivants concernant les coûts annuels rattachés à ces cahiers :

1. Coût à l'achat : 1,12 $/cahier
2. Salaire du responsable de l'approvisionnement : 5 $/commande
3. Chauffage de l'entrepôt : 7 $/semaine
4. Frais de transport à l'achat : 0,04 $/cahier
5. Frais de télécopie : 0,50 $/commande
6. Coût des fournitures (formulaires, etc.) nécessaires à l'achat : 6 $/commande
7. Coût du capital : 2,9 %
8. Taxes municipales : 0,10 $/cahier
9. Loyer de l'entrepôt : 2,5 % de la valeur annuelle du stock
10. Frais de suivi des commandes : 1 $/commande
11. Salaire du magasinier : 0,15 $/cahier
12. Salaire du manutentionnaire : 0,03 $/cahier

13. Assurance de l'entrepôt : 0,12 $/cahier

14. Taux d'obsolescence : 0,1 % de la valeur du stock

Vous devez évaluer la situation afin de pouvoir ultérieurement commander par lots, ce qui rendra la transaction la plus économique possible. Vous devrez effectuer les opérations suivantes.

a) Associez le numéro de chacun des 14 coûts mentionnés ci-dessus aux coûts pertinents suivants :

Coût d'acquisition (Ca) : 1, 4

Coût de stockage (Cs) : 3, 7, 8, 9, 11, 12, 13, 14

Coût de commande (Cc) : 2, 5, 6, 10

b) Calculez le coût d'acquisition d'un cahier.

1,12 $ + 0,04 $ = 1,16 $/cahier

c) Calculez le taux de stockage.

Taux d'option : Il correspond au coût numéro 7, soit 2,9 %.

Taux d'entreposage sur la valeur du stock : les coûts relatifs à l'entreposage sont les suivants : 3, 8, 9, 13. Ramenons tous les coûts sur la même base de calcul, soit en dollars/année.

Pour le n° 3, on aura : 7 $/sem. × 52 sem./an = 364 $/an

Le n° 8 nous donne : 0,10 $/cah. × 5 500 cah./an = 550 $/an

Le n° 9 : 2,5 % × 5 500 cah./an × 1,16 $/cah. = 159,50 $/an

Finalement, le n° 13 : 0,12 $/cah. × 5 500 cah./an = 660 $/an

En additionnant le tout, on arrive à 1 733,50 $/an, ce qui représente en pourcentage du stock :

$$\frac{1\,733,50\ \$/\text{an}}{(1,16\ \$/\text{cah.} \times 5\,500\ \text{cah./an})} \times 100 = 27,2\,\%$$

Taux de détention sur la valeur du stock : Les coûts relatifs à la détention du stock sont les suivants : 11, 12 et 14. En prenant la même base de calcul que pour le taux de détention, on trouve :

N° 11 : 0,15 $/cah. × 5 500 cah./an = 825 $/an

N° 12 : 0,03 $/cah. × 5 500 cah./an = 165 $/an

N° 14 : 0,1 % × 1,16 $/cah. × 5 500 cah./an = 6,38 $/an

Ce qui nous donne un total de 996,38 $/an. Pour obtenir le pourcentage relatif au taux de détention, on divise ce résultat par la valeur totale du stock, soit :

$$\frac{996,38\ \$/\text{an}}{(1,16\ \$/\text{cah.} \times 5\,500\ \text{cah./an})} \times 100 = 15,6\,\%$$

La somme du taux du capital et du taux d'entreposage et de détention nous donne alors le taux de stockage (t) : $t = 2,9\,\% + 27,2\,\% + 15,6\,\% = 45,7\,\%$

Nous pourrons déterminer le coût unitaire de stockage en multipliant le taux de stockage par le coût unitaire d'acquisition. Ainsi, dans cet exemple, le coût unitaire de stockage sera de : 45,7 % × 1,16 $ = 0,53012 $/unité

d) Calculez le coût d'une commande.

Les coûts nos 2, 5, 6 et 10 sont pertinents ici. En faisant l'addition, on trouve :

5 $/com. + 0,50 $/com. + 6 $/com. + 1 $/com. = 12,50 $/com.

e) Cherchez à connaître le coût total rattaché à l'achat par lot de 100, 220, 500, 1 100, 2 750, 5 500. Tenez pour acquis qu'il n'y a pas de stock de sécurité.

Quantité de commande	Stock moyen	Nombre de commandes	Coût d'acquisition ($)	Coût de stockage ($)	Coût de commande ($)	Coût total ($)
100	50	55	6 380,00	26,51	687,50	7 094,01
220	110	25	6 380,00	58,31	312,50	6 750,81
500	250	11	6 380,00	132,53	137,50	6 650,03
1 100	550	5	6 380,00	291,57	62,50	6 734,07
2 750	1 375	2	6 380,00	728,92	25,00	7 133,92
5 500	2 750	1	6 380,00	1 457,83	12,50	7 850,33

Pour ce qui est du calcul du stock moyen, on a vu précédemment dans ce chapitre que lorsqu'il n'y a pas de stock de sécurité, le stock moyen représente la quantité de commande divisée par 2. Pour une quantité de commande de 100 unités, on aura donc un stock moyen de 100/2 = 50 unités

Quant au nombre de commandes, il représente la consommation annuelle divisée par la quantité de commande. Donc, pour une quantité de commande de 100 unités, on aura :

$$\frac{5\ 500\ \text{cah./an}}{100\ \text{cah./com.}} = 55\ \text{com./an}$$

Le coût d'acquisition annuel n'a aucun lien avec le lot de commande et le stock moyen. Par conséquent, il sera toujours identique peu importe la quantité de commande achetée. Il sera de : 1,16 $/cah. × 5 500 cah./an = 6 380 $/an

Le coût de stockage annuel se calcule en multipliant le taux de stockage (t) par le coût d'acquisition unitaire (ce qui représente le coût de stockage unitaire) que l'on multiplie par le stock moyen. Dans le cas d'une quantité de commande de 100 cahiers, on aura donc :

45,7 % × 1,16 $/cah. × 50 cah. = 26,51 $/an

Le coût de commande annuel se calcule en multipliant le coût d'une commande (coût de commande unitaire) par le nombre de commandes par année. Avec une quantité de commande de 100 cahiers, on aura donc : 12,50 $/com. × 55 com./an = 687,50 $/an

Finalement, le coût total (Ca + Cs + Cc), dans le cas d'un lot de commande de 100 cahiers, sera :

6 380 $/an + 26,51 $/an + 687,50 $/an = 7 094,01 $/an

On peut constater que, sur la base des six quantités de commande calculées plus haut, le lot de commande le plus économique serait de 500 cahiers à la fois. On verra dans le prochain chapitre comment trouver la quantité qui rendra la transaction la plus économique possible sans procéder par essais et erreurs.

Source : Lise Robitaille, Cégep François-Xavier-Garneau.

5.4   La classification ABC ou loi de Pareto

Un des premiers outils que l'acheteur aura à développer dans son travail est ce qu'on appelle la classification ABC. Pour retracer l'origine de cette dernière, mentionnons qu'un économiste et sociologue du XVIIIe siècle nommé Wilfredo Pareto a avancé que 80 % de toutes les richesses de la terre étaient possédées par seulement 20 % des individus du globe. Ce constat a servi de base à tous les systèmes de classification utilisés. En effet, dans le domaine de la gestion des stocks, on peut affirmer qu'environ 20 % des articles en stock représentent 80 % de la valeur monétaire de ce même stock. Il s'agira alors de grouper les articles selon leur importance.

Il est essentiel pour un acheteur de connaître ce fondement, car il devrait accorder beaucoup plus de temps aux articles qui correspondent à une bonne somme d'argent. Les critères permettant de faire ce genre de classification sont le volume en dollars d'un article durant une période préétablie (souvent une année), le délai de livraison, l'espace d'entreposage, la disponibilité du matériel et de la main-d'œuvre, le risque de vol et le coût de rupture. Nous verrons d'abord le volume en dollars d'un article. Le tableau 5.1 présente le degré d'importance de chaque classe en pourcentage.

Dans l'industrie, les acheteurs ont souvent devant eux une liste très longue d'articles (de 200 à 10 000 articles différents, tout dépendant de l'endroit où ils évoluent). Un moyen utilisé fréquemment consiste à effectuer une classification ABC pour chaque type de stock. Autrement dit, on classifie le stock de matières premières par ordre d'importance et on fait de même pour les produits en cours, les produits finis, les composantes, les produits d'entretien et de réparation industriels, les surplus (déchets, rebuts, etc.) s'il y a lieu. Pour qu'un outil de gestion soit efficace, il faut suivre une procédure. Ainsi, le tableau 5.1 présente une façon de concevoir une classification ABC.

■ **Tableau 5.1   Degré d'importance de chaque classe**

Type de classe	Pourcentage d'articles	Pourcentage de la valeur monétaire
A	De 5 % à 20 %	~ 80 %
B	De 20 % à 50 %	~ 20 %
C	De 40 % à 75 %	Le reste de la valeur monétaire

Procédure à suivre pour établir une classification ABC sur une base annuelle

1. On détermine la quantité consommée pour chaque article.

2. On associe la quantité consommée de chaque article à son coût unitaire.

3. On trouve la valeur monétaire de chaque article en multipliant la quantité consommée par le coût unitaire de l'article correspondant.

4. On calcule la valeur monétaire totale en faisant la somme des valeurs monétaires des différents articles.

5. On détermine le pourcentage de la valeur monétaire pour chaque article par rapport à la valeur monétaire totale.

6. On liste les articles par ordre décroissant selon les pourcentages trouvés.

7. On refait la séquence, c'est-à-dire qu'on réinscrit la description de chaque produit, mais cette fois dans le même ordre que les pourcentages trouvés au point 6.

8. On établit le pourcentage cumulé afin de se faciliter la tâche lors de la conception des classes.

9. Finalement, on est prêt à former les classes.

EXEMPLE 5.3

Un distributeur de boulons et d'écrous possède 15 articles en stock. Les quantités consommées ou, si l'on préfère, les quantités vendues varient énormément d'un article à l'autre. Le tableau 5.2 présente les articles ainsi que la quantité vendue et le coût unitaire de chacun d'eux.

À partir des données et de la procédure qui précèdent, on peut facilement faire une classification ABC. En suivant la procédure, on multipliera la quantité vendue par le coût unitaire de chaque article. On trouvera alors la valeur monétaire de chaque article (voir le tableau 5.3).

La prochaine étape consiste à trouver la valeur monétaire totale. Pour ce faire, on additionne toutes les valeurs de la dernière colonne du tableau 5.3. En faisant cette opération, on trouve 11 372,00 $.

L'étape suivante consiste à déterminer le pourcentage de la valeur monétaire de chaque article par rapport à la valeur monétaire totale. Pour ce faire, on divise la valeur monétaire de chaque article par la valeur monétaire totale. Le résultat sera multiplié par 100. Le tableau 5.4 présente les données obtenues.

À la prochaine étape, il s'agit de mettre les articles en ordre décroissant d'importance selon les pourcentages trouvés à l'étape précédente, comme l'illustre le tableau 5.5.

Par la suite, on réinscrira la description de l'article, mais cette fois en fonction de l'ordre décroissant des pourcentages. Le tableau 5.6 illustre ce nouvel ordre.

■ **Tableau 5.2**   Liste des articles incluant la quantité vendue et le coût unitaire de chacun d'eux

Nom de l'article	Quantité vendue	Coût unitaire ($)
A	100 000	0,04
B	4 000	0,10
C	200	0,20
D	350	0,09
E	5 500	0,05
F	2 700	0,15
G	20 000	0,24
H	7 200	0,02
I	450	0,11
J	25 000	0,01
K	100	0,52
L	3 000	0,13
M	1 200	0,07
N	12 500	0,03
O	950	0,08

■ **Tableau 5.3**   Valeur monétaire de chaque article

Nom de l'article	Quantité vendue	Coût unitaire ($)	Valeur monétaire ($)
A	100 000	0,04	4 000,00
B	4 000	0,10	400,00
C	200	0,20	40,00
D	350	0,09	31,50
E	5 500	0,05	275,00
F	2 700	0,15	405,00
G	20 000	0,24	4 800,00
H	7 200	0,02	144,00
I	450	0,11	49,50
J	25 000	0,01	250,00
K	100	0,52	52,00
L	3 000	0,13	390,00
M	1 200	0,07	84,00
N	12 500	0,03	375,00
O	950	0,08	76,00

■ **Tableau 5.4**   Pourcentage de la valeur monétaire de chaque article

Nom de l'article	Quantité vendue	Coût unitaire ($)	Valeur monétaire ($)	Pourcentage de la valeur monétaire (%)
A	100 000	0,04	4 000,00	35,17
B	4 000	0,10	400,00	3,52
C	200	0,20	40,00	0,35
D	350	0,09	31,50	0,28
E	5 500	0,05	275,00	2,42
F	2 700	0,15	405,00	3,56
G	20 000	0,24	4 800,00	42,21
H	7 200	0,02	144,00	1,27
I	450	0,11	49,50	0,44
J	25 000	0,01	250,00	2,20
K	100	0,52	52,00	0,46
L	3 000	0,13	390,00	3,43
M	1 200	0,07	84,00	0,74
N	12 500	0,03	375,00	3,30
O	950	0,08	76,00	0,67

■ **Tableau 5.5**   Ordre d'importance des articles en pourcentage

Nom de l'article	Quantité vendue	Coût unitaire ($)	Valeur monétaire ($)	Pourcentage de la valeur monétaire (%)	Pourcentage en ordre décroissant (%)
A	100 000	0,04	4 000,00	35,17	42,20
B	4 000	0,10	400,00	3,52	35,10
C	200	0,20	40,00	0,35	3,60
D	350	0,09	31,50	0,28	3,50
E	5 500	0,05	275,00	2,42	3,40
F	2 700	0,15	405,00	3,56	3,30
G	20 000	0,24	4 800,00	42,21	2,40
H	7 200	0,02	144,00	1,27	2,20
I	450	0,11	49,50	0,44	1,30
J	25 000	0,01	250,00	2,20	0,74
K	100	0,52	52,00	0,46	0,67
L	3 000	0,13	390,00	3,43	0,46
M	1 200	0,07	84,00	0,74	0,44
N	12 500	0,03	375,00	3,30	0,35
O	950	0,08	76,00	0,67	0,28

Tableau 5.6   Description des articles en ordre d'importance

Nom de l'article	Quantité vendue	Coût unitaire ($)	Valeur monétaire ($)	Pourcentage de la valeur monétaire (%)	Pourcentage en ordre décroissant (%)	Nom en ordre
A	100 000	0,04	4 000,00	35,17	42,20	G
B	4 000	0,10	400,00	3,52	35,10	A
C	200	0,20	40,00	0,35	3,60	F
D	350	0,09	31,50	0,28	3,50	B
E	5 500	0,05	275,00	2,42	3,40	L
F	2 700	0,15	405,00	3,56	3,30	N
G	20 000	0,24	4 800,00	42,21	2,40	E
H	7 200	0,02	144,00	1,27	2,20	J
I	450	0,11	49,50	0,44	1,30	H
J	25 000	0,01	250,00	2,20	0,74	M
K	100	0,52	52,00	0,46	0,67	O
L	3 000	0,13	390,00	3,43	0,46	K
M	1 200	0,07	84,00	0,74	0,44	I
N	12 500	0,03	375,00	3,30	0,35	C
O	950	0,08	76,00	0,67	0,28	D

Une fois que l'ordre d'importance des articles est établi, on calcule le pourcentage cumulé. En principe, le résultat de ce calcul devrait donner 100 % au quinzième article. Toutefois, il dépassera de peu 100 % ou y sera légèrement inférieur à cause des arrondissements à une ou à deux décimales. La façon de compter les pourcentages cumulés est simple. Effectivement, chaque pourcentage cumulé est le résultat de l'addition des pourcentages qui le précèdent avec le pourcentage correspondant à l'article pour lequel on fait le calcul. Par exemple, le pourcentage cumulé du troisième article correspond à l'addition du pourcentage du premier article avec le pourcentage du deuxième article et le pourcentage du troisième (voir le tableau 5.7).

Puis, nous arrivons à l'étape ultime, c'est-à-dire l'établissement des classes. Pour ce faire, il faut revenir au tableau 5.1, qui illustre les pourcentages relatifs de chaque classe. Le tableau 5.8 constitue la classification elle-même.

Tableau 5.7   Pourcentage cumulé

Nom de l'article	Quantité vendue	Coût unitaire ($)	Valeur monétaire ($)	Pourcentage de la valeur monétaire (%)	Pourcentage en ordre décroissant (%)	Nom en ordre	Pourcentage cumulé (%)
A	100 000	0,04	4 000,00	35,17	42,20	G	42,20
B	4 000	0,10	400,00	3,52	35,10	A	77,30
C	200	0,20	40,00	0,35	3,60	F	80,90
D	350	0,09	31,50	0,28	3,50	B	84,40
E	5 500	0,05	275,00	2,42	3,40	L	87,80
F	2 700	0,15	405,00	3,56	3,30	N	91,10
G	20 000	0,24	4 800,00	42,21	2,40	E	93,50
H	7 200	0,02	144,00	1,27	2,20	J	95,70
I	450	0,11	49,50	0,44	1,30	H	97,00
J	25 000	0,01	250,00	2,20	0,74	M	97,74
K	100	0,52	52,00	0,46	0,67	O	98,41
L	3 000	0,13	390,00	3,43	0,46	K	98,87
M	1 200	0,07	84,00	0,74	0,44	I	99,31
N	12 500	0,03	375,00	3,30	0,35	C	99,66
O	950	0,08	76,00	0,67	0,28	D	99,94

Tableau 5.8   Classification des articles

Nom de l'article	Quantité vendue	Coût unitaire ($)	Valeur monétaire ($)	Pourcentage de la valeur monétaire (%)	Pourcentage en ordre décroissant (%)	Nom en ordre	Pourcentage cumulé (%)	Type de classe
A	100 000	0,04	4 000,00	35,17	42,20	G	42,20	A
B	4 000	0,10	400,00	3,52	35,10	A	77,30	A
C	200	0,20	40,00	0,35	3,60	F	80,90	B
D	350	0,09	31,50	0,28	3,50	B	84,40	B
E	5 500	0,05	275,00	2,42	3,40	L	87,80	B
F	2 700	0,15	405,00	3,56	3,30	N	91,10	B
G	20 000	0,24	4 800,00	42,21	2,40	E	93,50	B
H	7 200	0,02	144,00	1,27	2,20	J	95,70	B

■ **Tableau 5.8**   Classification des articles *(suite)*

Nom de l'article	Quantité vendue	Coût unitaire ($)	Valeur monétaire ($)	Pourcentage de la valeur monétaire (%)	Pourcentage en ordre décroissant (%)	Nom en ordre	Pourcentage cumulé (%)	Type de classe
I	450	0,11	49,50	0,44	1,30	H	97,00	C
J	25 000	0,01	250,00	2,20	0,74	M	97,74	C
K	100	0,52	52,00	0,46	0,67	O	98,41	C
L	3 000	0,13	390,00	3,43	0,46	K	98,87	C
M	1 200	0,07	84,00	0,74	0,44	I	99,31	C
N	12 500	0,03	375,00	3,30	0,35	C	99,66	C
O	950	0,08	76,00	0,67	0,28	D	99,94	C

On remarque que 2 articles seulement seraient classés A parmi les 15 du distributeur. Il va sans dire qu'on aurait pu insérer le troisième article le plus important dans la classe A. À ce stade-ci, il importe de respecter les pourcentages illustrés au tableau 5.1, tant pour ce qui est du volume en dollars que du nombre d'articles. Cela veut dire que, dans notre exemple, il n'aurait pu y avoir 4 articles classés A, mais bien un maximum de 3 articles (de 5 % à 20 % des articles : 3/15 = 20 %). Également, l'article H aurait pu être classé B plutôt que C. La démarcation entre les classes n'est pas quelque chose d'immuable. Le jugement de l'acheteur entre ici en ligne de compte.

Nous avons donc effectué la classification ABC de 15 articles d'une entreprise fictive en considérant strictement la valeur monétaire des articles (la quantité vendue multipliée par le coût unitaire). Toutefois, en réalité, il arrive fréquemment que certains articles soient soumis à des contraintes diverses, comme un délai de livraison très long, un coût de rupture exorbitant, l'absence de produits sur le marché pour remplacer un produit donné ou l'obsolescence prochaine du produit. Nous pourrions donc refaire la classification ABC en intégrant ces diverses contraintes. Le tableau 5.9 présente les contraintes rattachées à chaque article du distributeur de boulons et d'écrous.

À partir des contraintes connues de l'acheteur précisées au tableau 5.9, l'acheteur peut réajuster la classification ABC effectuée avec le critère de la valeur monétaire du stock utilisé. En effet, pour les articles comportant des contraintes, l'acheteur prendra soin de hausser la classification pouvant nuire au bon déroulement de la gestion de l'entreprise ; autrement dit, si un article était classé C avant qu'on tienne compte de la contrainte pouvant compliquer le réapprovisionnement, alors il sera reclassé B. On appliquera le même principe à un article classé B *a priori* (sans tenir compte de la contrainte) ; il se verra ainsi octroyer la classe A. Finalement, pour un article classé A *a priori,* il est évident qu'il restera classé A étant donné qu'il ne peut y avoir de classe supérieure ; l'acheteur devra prêter une attention particulière à cet article, s'il y a lieu.

■ Tableau 5.9   Contraintes rattachées aux articles pour la classification ABC

Nom de l'article	Quantité vendue	Coût unitaire ($)	Type de classe	Contrainte
A	100 000	0,04	A	Aucune
B	4 000	0,10	B	Livraison prenant 8 semaines
C	200	0,20	C	Aucune
D	350	0,09	C	Pas de substituts
E	5 500	0,05	B	Aucune
F	2 700	0,15	B	Aucune
G	20 000	0,24	A	Aucune
H	7 200	0,02	C	Aucune
I	450	0,11	C	Aucune
J	25 000	0,01	B	Aucune
K	100	0,52	C	Fournisseur en Allemagne
L	3 000	0,13	B	Aucune
M	1 200	0,07	C	Aucune
N	12 500	0,03	B	Aucune
O	950	0,08	C	Lot minimal de 1 000 unités

5.4.1   La gestion des articles des diverses classes

Pour gérer les articles de la classe A, l'acheteur devrait faire les opérations suivantes :

1. Faire un décompte de ces articles toutes les semaines.

2. S'assurer d'avoir la bonne quantité de stocks dans le but de se prémunir contre une variation de la demande trop accentuée.

3. S'assurer que les données informatiques relatives aux stocks sont pertinentes, et ce, de façon permanente.

4. Lors d'un approvisionnement de ce type d'articles, faire un suivi serré pendant le délai de livraison.

En ce qui a trait aux articles de la classe B, l'acheteur fera sensiblement les mêmes opérations que pour les articles de la classe A, si ce n'est qu'il les fera moins fréquemment. Finalement, pour les articles de la classe C, étant donné que ce ne sont pas ceux qui coûtent le plus cher à garder en stock, l'acheteur devra s'assurer d'en avoir toujours en stock et d'en faire un décompte semestriellement ou annuellement. L'acheteur doit comprendre que la classification ABC n'est pas quelque chose de statique. En effet, il faut réviser cette classification de façon périodique, car les quantités vendues ainsi que les contraintes associées à chaque article sont sujettes à varier selon la période à laquelle on fait la classification (habituellement chaque année).

La classification ABC ou loi de Pareto peut être utilisée chaque fois qu'on juge nécessaire de distinguer les éléments importants de ceux qui le sont moins. Dans le contexte d'une entreprise, on pourrait essayer de classer les mouvements faits par un magasinier dans un entrepôt pour déterminer les articles qui devraient être entreposés près de lui. De même, on pourrait, grâce à cette classification, chercher à connaître l'importance des clients et celle des fournisseurs.

Il faut cependant agir avec circonspection lors de l'application de la méthode ABC, surtout quand il est question d'établir les quantités consommées pour chaque article. Certains articles peuvent être consommés de manière très cyclique et, donc, nécessiter des quantités qui varient substantiellement d'une unité de temps à une autre, le tout pouvant biaiser un peu le résultat si l'on applique le processus à des intervalles de temps trop fréquents. Si jamais le coût des articles varie à l'intérieur de la période de temps (souvent une année) sur laquelle on travaille, on utilise une moyenne pondérée pour déterminer la résultante du coût. Pour conclure, on pourrait affirmer que la classification ABC est un bon point de départ lorsqu'il s'agit de faire la gestion des stocks, car elle est un outil de diagnostic fiable.

5.5   Les prévisions

Nous verrons maintenant différents modèles susceptibles d'être très utiles à un acheteur qui œuvre dans la gestion des stocks. Une fois que les articles ont été déterminés et que leur importance est connue, l'acheteur devra composer avec l'utilisation de chacun d'eux dans l'entreprise. Il devra donc savoir quels produits requièrent un réapprovisionnement, à quel moment et en quelle quantité. Ces questions fondamentales dans le domaine de la gestion des stocks semblent très simples, mais il existe une foule de choses à connaître afin d'y répondre adéquatement.

Une des premières choses à faire dans la gestion des stocks est de planifier les mouvements (entrées et sorties du matériel) internes et externes des stocks eux-mêmes. L'acheteur, avec l'aide de son supérieur immédiat, aura à exécuter une recherche sur les mouvements antérieurs ainsi que sur les mouvements prévus. Un groupe de personnes à l'intérieur de l'entreprise qui peut lui être très utile est sans contredit le groupe affecté au marketing et aux ventes. En effet, ce groupe prend le pouls du marché, car il œuvre avec les clients de l'entreprise. Il fera donc à l'acheteur un pronostic sur les ventes futures de l'entreprise. Ce pronostic correspond aux prévisions dans le langage de l'entreprise. Il existe deux grands types de prévisions, soit les prévisions qualitatives et les prévisions quantitatives.

5.5.1   Les prévisions qualitatives

Les prévisions qualitatives sont des prévisions qui, comme leur nom l'indique, relèvent de l'intuition, du jugement, de l'expérience et de l'expertise des individus. Une méthode de prévision qualitative qui est souvent utilisée dans l'entreprise consiste à faire appel à un individu au sein de l'entreprise qui connaît les rouages de cette dernière parce qu'il y travaille depuis longtemps.

Il s'agit d'une espèce d'**encyclopédie vivante** qui peut donner des réponses très précises aux questions de l'acheteur. Une autre méthode est l'**étude de marché**, qui consiste à bâtir un questionnaire et à le faire passer à un échantillon représentatif de la population. Les questions chercheront à cerner le comportement du consommateur face à un produit donné. Cette méthode, qui permet de faire de bonnes prévisions, est cependant très coûteuse.

Par ailleurs, la **méthode Delphi** consiste à réunir plusieurs experts (jusqu'à 20) afin de connaître leur opinion sur un produit quelconque. Chaque expert communique à l'entreprise son point de vue par écrit. Par la suite, l'entreprise renvoie une copie des opinions de tout le monde à chaque expert. Ainsi, les experts ont la chance de raffiner leur opinion. Ce processus, qui est effectué deux ou trois fois, peut prendre de trois à six mois. Cette méthode, qui coûte également très cher, ne peut vraisemblablement pas être utilisée par une petite ou une moyenne entreprise (PME).

Enfin, le **groupe d'experts** est une méthode de prévision qui s'apparente à la méthode Delphi ; cependant, les experts se rencontrent et cherchent à arriver à un consensus. De plus, ils ne donnent leur avis qu'une fois. Par exemple, une entreprise pourrait demander à chacun de ses représentants des ventes son opinion concernant les ventes futures. Ceux-ci constituent en quelque sorte les experts du point de vue des ventes de l'entreprise.

5.5.2   Les prévisions quantitatives

Les prévisions quantitatives sont beaucoup moins coûteuses que les prévisions qualitatives dans la plupart des cas. Quand l'entreprise a en sa possession des données sur le mouvement des produits, elle peut donc utiliser des modèles relativement simples. Les méthodes de prévision qualitative, quant à elles, sont surtout employées lors de l'introduction d'un produit sur le marché, car l'entreprise ne dispose d'aucune donnée pouvant l'aider.

Le premier modèle servant à faire des prévisions est la **moyenne arithmétique**, qui est sans contredit le modèle le plus simple à utiliser. Il va sans dire, cependant, que moins le nombre de données est important, plus la précision du modèle sera déficiente. De plus, si les données ne suivent pas une certaine tendance ou si elles sont plutôt disparates, le modèle laissera à désirer quant à sa précision.

Un autre modèle est la **moyenne mobile**. On peut recourir à cette dernière lorsque la demande d'un produit demeure sensiblement la même d'une période à l'autre. Cette méthode est utilisée également lorsque les membres de l'entreprise qui font des prévisions quantitatives n'ont pas de connaissances mathématiques. Il s'agit de prévoir les ventes, la consommation d'un produit ou tout autre élément sujet à des prévisions pour une certaine période (souvent un mois, tout dépendant du nombre de données accessibles) à partir des données des mois précédents. Le nombre de mois dépend de la base choisie par l'acheteur. Cette base peut varier de deux mois à plusieurs mois. Toutefois, il est déconseillé de dépasser six mois, sinon les prévisions risquent d'être peu fiables, à moins bien sûr que les données ne soient quasi identiques de mois en mois. Quelle base sera la meilleure ? Il est difficile de répondre à cette question. Habituellement, on utilise comme indicateur l'écart absolu moyen entre les prévisions et la réalité. Le plus petit écart absolu moyen peut être la meilleure base pour une situation donnée, mais elle n'est pas nécessairement la meilleure en tout temps. Par exemple, si on choisit une moyenne mobile de base 3, alors on calculera les prévisions en faisant la moyenne des trois mois précédant le mois pour lequel on veut avoir des prévisions.

EXEMPLE 5.4

Le menuisier de l'exemple 5.1 veut prévoir les ventes de moulures pour le mois de septembre 2004 alors qu'il connaît celles de janvier à août 2004. Il se demande s'il doit utiliser une base de deux mois ou encore une base de cinq mois pour faire ces prévisions.

Ce menuisier devra d'abord établir les prévisions pour les mois connus avec les deux bases et calculer l'écart absolu (en valeur absolue) entre les ventes elles-mêmes et les prévisions. Par la suite, il prendra le total des écarts absolus pour les deux bases et calculera une moyenne dans les deux cas, soit l'écart absolu moyen. Le plus petit écart absolu moyen entre les deux bases indiquera au menuisier quelle base il devra utiliser pour faire les prévisions pour septembre 2004 (voir le tableau 5.10).

Après avoir déterminé les écarts absolus pour les deux bases de calcul, on trouvera l'écart absolu total et finalement l'écart absolu moyen.

Base 2 (écart absolu total) = 30 + 35 + 0 + 20 + 5 + 55 = 145

Base 5 (écart absolu total) = 26 + 16 + 40 = 82

Base 2 (écart absolu moyen) = 145/6 = 24,17

Base 5 (écart absolu moyen) = 82/3 = 27,33

Le menuisier effectuera donc ses prévisions pour le mois de septembre à l'aide de la base 2. Pour ce faire, il utilisera les ventes de juillet et août 2004. Il s'agit de les additionner et de les diviser par 2 :

910 + 960 = 1 870/2 = 935

Selon ce modèle, les prévisions concernant le nombre de moulures qui seront vendues en septembre 2004 s'établissent à 935.

■ **Tableau 5.10**   **Prévisions et écarts absolus sur une base de deux mois et une base de cinq mois avec le modèle de la moyenne mobile**

Mois	Ventes	Base 2	Écart absolu	Base 5	Écart absolu
Janvier	900				
Février	940				
Mars	950	920	30		
Avril	910	945	35		
Mai	930	930	0		
Juin	900	920	20	926	26
Juillet	910	915	5	926	16
Août	960	905	55	920	40

Un cas particulier de la moyenne mobile est la **moyenne mobile pondérée.** Ce modèle est beaucoup plus représentatif de la réalité parce qu'il permet d'attribuer un poids différent (une importance différente) à chaque mois, afin de déterminer l'importance de chacun. Habituellement, on accorde un poids plus important aux mois qui sont les plus près de ceux pour lesquels on effectue des prévisions.

EXEMPLE 5.5

Nous reprendrons l'exemple 5.4 en attribuant un poids équivalent à 2 dans le cas du mois le plus près des prévisions et un poids de 1 pour l'autre mois dans le cas où l'on utilise une base de calcul de 2 mois. Le calcul se fera ainsi pour les prévisions du mois de mars 2004 :

$$[(940 \times 2) + (900 \times 1)]/(2 + 1) = 926,67$$

Si l'on prend une base de calcul de 5 mois, les poids correspondants seront de 5 pour le mois le plus près, de 4 pour le deuxième plus près, de 3 pour le suivant, de 2 pour l'avant-dernier et de 1 pour le dernier mois. Les prévisions pour le mois de juin 2004 s'établiront donc comme suit :

$$[(930 \times 5) + (910 \times 4) + (950 \times 3) + (940 \times 2) + (900 \times 1)]/(5 + 4 + 3 + 2 + 1) = 928$$

Il faut noter que l'attribution des poids est la plupart du temps octroyée en fonction de chaque situation.

Les autres valeurs se trouvent dans le tableau 5.11.

Base 2 (écart absolu moyen) = $[(23,33 + 36,67 + 6,67 + 23,33 + 0 + 53,33)]/6 = 23,89$

Base 5 (écart absolu moyen) = $[(28 + 9,33 + 46)]/3 = 27,78$

Pour effectuer ses prévisions, le menuisier ferait mieux de prendre la base de calcul de deux mois étant donné que l'écart absolu moyen est plus petit que celui de la base de calcul de cinq mois.

■ Tableau 5.11   Prévisions et écarts absolus sur une base de deux mois et de cinq mois avec le modèle de la moyenne mobile pondérée

Mois	Ventes	Base 2	Écart absolu	Base 5	Écart absolu
Janvier	900				
Février	940				
Mars	950	926,67	23,33		
Avril	910	946,67	36,67		
Mai	930	923,33	6,67		
Juin	900	923,33	23,33	928,00	28,00
Juillet	910	910,00	0,00	919,33	9,33
Août	960	906,67	53,33	914,00	46,00

Les prévisions pour le mois de septembre 2004 sont donc les suivantes :

$[(960 \times 2) + (910 \times 1)]/(2 + 1) = 943,33$ moulures

On voit que la base utilisée diffère d'un modèle à l'autre. Cela est dû au fait que les valeurs des ventes n'étaient pas assez stables et n'indiquaient pas une tendance régulière soit à la hausse ou à la baisse.

La **régression linéaire** est une méthode de calcul très utilisée pour connaître le lien existant entre deux variables, par exemple l'âge des travailleurs et leur revenu annuel. Pour que cette méthode soit concluante, il faut absolument que le lien entre les deux variables étudiées (s'il y a plus de deux variables, on parlera alors de régression linéaire multiple) soit linéaire, sinon ce sera un fiasco. On définit toujours *a priori* une variable dépendante Y et une variable indépendante X. Le fait que la variable Y est dépendante et que la variable X est indépendante est strictement conventionnel. À partir d'une série de données, on peut établir l'équation de la droite de régression de la forme $Y = a + bX$, où a représente l'ordonnée à l'origine et b, la pente de la droite. Après avoir déterminé la valeur de a et de b, pour une valeur de X (variable indépendante qui, dans ce cas-ci, serait l'âge) qui ne ferait pas partie des données initiales, on pourrait prévoir une valeur de Y (variable dépendante qui, dans ce cas-ci, serait le revenu annuel). Ces prévisions seront adéquates dans la mesure où le lien entre les deux variables est linéaire.

Pour mesurer la force du lien linéaire, on recourt à un coefficient appelé « coefficient de corrélation linéaire », noté r, qui varie de –1 à 1. Un coefficient de corrélation linéaire de 0 signifie qu'il n'existe aucun lien linéaire entre les deux variables étudiées, tandis qu'un coefficient de corrélation linéaire égal à 1 indique un lien linéaire positif et parfait. Vous aurez sans doute deviné qu'un coefficient de –1 signifie que le lien linéaire est également parfait, mais que ce lien est négatif, c'est-à-dire que si la variable indépendante X augmente, la variable dépendante Y diminue.

Les **séries chronologiques** ou **temporelles** sont une autre méthode souvent employée, laquelle s'avère un cas particulier de la régression linéaire. L'exemple classique d'une série temporelle dans le domaine de l'administration est la comparaison des ventes d'une entreprise au fil des ans. Cette méthode s'utilise surtout lorsqu'on remarque une tendance dans les données.

EXEMPLE 5.6

Dans la menuiserie de l'exemple 5.1, on cherche à prévoir le budget qu'on allouera à la publicité pour l'année 2004. En se basant sur les données des 10 dernières années présentées dans le tableau 5.12, on pourrait tenter de connaître la droite de régression qui aiderait à prévoir le budget de publicité pour 2004.

À partir de ces données, on devrait trouver l'équation de la droite de régression afin de prévoir le budget de publicité pour l'année 2004. En effet, si l'on dispose les données ci-dessus mentionnées dans un tableur électronique de type Excel et qu'on utilise les fonctions statistiques mises à notre disposition, telles que Ordonnée.origine, Pente et Coefficient.corrélation, on trouve respectivement :

Tableau 5.12   Budget de publicité des 10 dernières années

Année (variable indépendante X)	Budget de publicité en dollars (variable dépendante Y)
1994	20 000
1995	22 000
1996	24 000
1997	26 000
1998	28 000
1999	30 500
2000	33 000
2001	35 500
2002	38 000
2003	40 500

l'ordonnée à l'origine « a » = 16 053,40

la pente « b » = 2 402,91

et, finalement, le coefficient de corrélation linéaire « r » = 0,98.

À la lecture du coefficient de corrélation linéaire, on constate tout de suite que la relation entre les deux variables étudiées est fortement linéaire et positive.

L'équation de la droite est donc la suivante :

Y = 16 053,40 + 2 402,91 X

Maintenant, pour calculer la prévision de l'année 2004 qui correspond vraisemblablement à la 11e année de notre modèle, on aura :

Y = 16 053,40 + (2 402,91 × 11)

Y = 42 485,41 $

En d'autres mots, le budget de publicité est estimé à 42 485,41 $ pour l'année 2004.

Le **lissage exponentiel** est une méthode de prévision qu'on utilise lorsque la demande est peu stable, c'est-à-dire lorsque la demande est saisonnière, comme c'est le cas au Québec pour la plupart des produits dérivés de la construction (les poêles à bois, les supports métalliques d'arbres de Noël, les bains à remous, etc.). Le lissage exponentiel est très utilisé également lorsqu'on s'aperçoit que la demande du consommateur suit une certaine tendance au fil des ans. Le lissage exponentiel simple fait intervenir seulement un facteur de pondération (α), qui tient compte d'un facteur comme les saisons. Quant au lissage exponentiel multiple, il peut faire intervenir jusqu'à trois facteurs de pondération, qui tiennent compte des saisons, des cycles ou tendances ainsi que du hasard.

La méthode du lissage exponentiel simple ressemble étrangement à la méthode de la moyenne mobile pondérée, si ce n'est que le facteur de pondération est toujours le même. Afin de trouver les prévisions pour une période donnée, on doit multiplier le facteur de pondération choisi (entre 0 et 1) par les données du mois précédent et additionner le produit du complément du facteur de pondération et des prévisions pour le mois précédent. Mathématiquement, on obtient :

$$\text{Prévisions (mois } n) = [\alpha \times \text{ventes (mois } n - 1)] + [(1 - \alpha) \times \text{prévisions (mois } n - 1)]$$

Comme on peut le constater, l'acheteur aura l'embarras du choix lorsque viendra le temps d'employer une méthode de prévision. Les tableaux 5.13 et 5.14 résument les avantages et les inconvénients des différentes méthodes de prévision qualitative et quantitative respectivement. Cependant, l'acheteur doit toujours se rappeler que les données historiques que l'entreprise possède sur un produit quelconque ne garantissent pas que l'avenir sera identique. Il doit donc faire montre de jugement lors de l'utilisation de ces méthodes. Si, par exemple, l'entreprise a conçu et mis en branle une campagne de publicité pour l'année qui vient et que, de plus, cette stratégie est nouvelle, l'acheteur qui se base sur des données historiques risquera de prévoir des résultats qui seront en deçà de la réalité. En outre, par mesure de prudence, il faudrait que, dans le contexte de ces méthodes, les données antérieures portent sur une période minimale de deux ans (de 24 mois si les données sont mensuelles). Rappelons que pour qu'un modèle soit efficace, il doit fournir le plus petit écart absolu moyen possible. Finalement, plus l'entreprise veut que les prévisions soient précises, plus elle devra investir du temps, de l'argent et des ressources humaines. En d'autres mots, dans certains cas, des prévisions qualitatives pourront suffire lorsque les visées ne sont pas stratégiques.

■ **Tableau 5.13   Avantages et inconvénients des méthodes de prévision qualitative**

Méthode	Avantages	Inconvénients
Encyclopédie vivante	• Très rapide • Peu coûteuse	• Favorise la résistance au changement
Étude de marché	• Bonnes prévisions	• Coûteuse
Méthode Delphi	• Excellent pronostic	• Très coûteuse • Très long processus
Groupe d'experts	• Excellent pronostic	• Relativement longue

Tableau 5.14   Avantages et inconvénients des méthodes de prévision quantitative

Méthode	Avantages	Inconvénients
Moyenne mobile	• Très simple • Requiert peu de mathématiques	• Peut s'écarter beaucoup de la réalité
Régression linéaire	• Donne de bons résultats dans la mesure où le lien est linéaire	• Assez longue • Demande une base en informatique et en mathématiques
Séries chronologiques ou temporelles	• Donne de bons résultats dans la mesure où le lien est linéaire	• Assez longue • Demande une base en informatique et en mathématiques
Lissage exponentiel	• Assez conforme à la réalité	• Demande une bonne base en mathématiques

5.6   La détermination du stock de sécurité

La quantité qui doit être gardée comme stock de sécurité est établie fréquemment en fonction d'un certain niveau de service. Par exemple, si l'entreprise désire avoir un niveau de service de 98 %, cela veut dire qu'elle cherche à servir sans contrainte 98 % de ses clients (commandes sans rupture). Il va sans dire qu'un niveau de service de 100 % peut entraîner des coûts exorbitants pour l'entreprise, lesquels ne seraient pas nécessairement justifiés. Un niveau de service de 95 % et un niveau de service de 100 % peuvent signifier une différence énorme quant à la quantité de stock à garder. Habituellement, les entreprises ont comme politique de satisfaire convenablement 8 ou 9 clients sur 10.

Il existe une méthode pour déterminer la quantité de stock de sécurité à conserver. Premièrement, on doit évaluer l'écart absolu moyen (EAM) de la consommation ou des ventes à l'aide de données historiques, c'est-à-dire mesurer l'écart moyen entre la consommation réelle et la consommation prévue. Par la suite, à l'aide d'une table [4] (voir le tableau 5.15), on déterminera un facteur de sécurité en fonction d'un niveau de service choisi au préalable. Enfin, on multipliera l'écart absolu moyen par le facteur de sécurité trouvé dans la table. Évidemment, plus le niveau de service désiré sera élevé, plus le facteur de sécurité le sera et, par le fait même, le stock de sécurité aussi.

---

4. James B. Dilworth. *Production and Operations Management, Manufacturing and Non-Manufacturing,* 4ᵉ éd., New York, Random House, 1989, p. 276.

■ **Tableau 5.15** Facteurs de sécurité à considérer dans le calcul d'un stock de sécurité selon un niveau de service

Niveau de service (pourcentage de commandes ou d'articles en commande selon le cas sans rupture ou qui ne sont pas en souffrance)	Facteur de sécurité utilisé avec l'écart absolu moyen (EAM)
50,00	0,00
75,00	0,84
80,00	1,05
84,13	1,25
85,00	1,30
89,44	1,56
90,00	1,60
93,32	1,88
94,00	1,95
94,52	2,00
95,00	2,06
96,00	2,19
97,00	2,35
97,72	2,50
98,00	2,56
98,61	2,75
99,00	2,91
99,18	3,00
99,38	3,13
99,50	3,20
99,60	3,31
99,70	3,44
99,80	3,60
99,86	3,75
99,90	3,85
99,93	4,00
99,99	5,00

Source : Traduit et adapté de George W. Plossl et Oliver W. Wight. *Production and Inventory Control*, Englewood Cliffs, N. J., Prentice-Hall, 1967, p. 108. © 1967. Reproduit avec l'autorisation de Prentice-Hall, Inc., Upper Saddle River, N. J.

EXEMPLE 5.7

Reprenons l'exemple 5.4 dans lequel il était question de la méthode de prévision quantitative que l'on appelle la moyenne mobile. Nous avions trouvé un écart absolu moyen (EAM) de 24,17 avec la base de calcul de 2 mois. Si la menuiserie désire offrir un niveau de service de 95 %, c'est-à-dire si elle veut servir sans contrainte ses clients 95 % du temps, quel stock de sécurité de moulures doit-elle conserver ?

Lorsqu'on regarde le tableau 5.15, on se rend compte qu'à un niveau de service de 95 % correspond un facteur de sécurité de 2,06. Alors, le niveau de stock de sécurité à conserver sera celui-ci :

Stock de sécurité = Facteur de sécurité (EAM)

$$= 2,06 \times 24,17$$

$$= 49,79 \sim 50 \text{ moulures}$$

L'acheteur devra donc conserver 50 moulures pour remédier aux irrégularités des approvisionnements.

Si la menuiserie désire maintenant satisfaire ses clients sans contrainte 99 % du temps, on trouve, en se référant au tableau 5.15, un facteur de sécurité équivalant à 2,91.

Le stock de sécurité à conserver sera donc de :

$$2,91 \times 24,17 = 70,33 = 71 \text{ moulures}$$

La question, ici, est de savoir s'il en coûte plus cher de conserver 21 moulures de plus en stock en servant 99 % des clients ou d'absorber une pénurie de 21 moulures en décidant de servir sans contrainte 4 % moins de clients. En connaissant le coût de rupture (le coût d'une unité en pénurie) ainsi que le coût de stockage unitaire, on pourrait savoir ce qui est le plus bénéfique pour cette entreprise de menuiserie.

En effet, s'il en coûte 3,55 $ par unité pour perdre une vente ou pour combler un manque de façon urgente, et que le coût de stockage unitaire d'une moulure équivaut à 3,10 $ (24,30 × 12,75 %), il serait avantageux de travailler avec un niveau de service de 99 % car le coût de rupture (3,55 $/unité × 21 unités = 74,55 $) est plus important que le coût de stockage (3,10 $/unité × 21 unités = 65,10 $). Veuillez noter que le stock moyen serait rehaussé de 21 unités dans le calcul du coût de stockage, et non de 21/2, car les unités servent de stock de sécurité.

Résumé

La gestion des stocks occupe une place des plus importantes dans l'entreprise si l'on se fie aux chiffres qui apparaissent sur les états financiers de la plupart des entreprises. Il existe plusieurs types de stocks, soit les matières premières, les produits en cours, les produits finis, les composantes, les produits d'entretien et de réparation industriels, les produits d'entretien de bureau et les surplus. Les principales raisons pour lesquelles on garde des stocks sont la protection contre une variation de la demande, la protection contre un délai de livraison instable, une hausse ou une baisse prévue du prix, une grève chez un fournisseur important ou la rareté soudaine d'un produit, une période de vacances chez un fournisseur, la grosseur des lots commandés et le transit. Le coût total d'approvisionnement peut être déterminé par quatre coûts, soit le coût d'acquisition du produit acheté ou fabriqué, le coût de stockage, le coût de commande et le coût de rupture.

Un des outils de base de l'acheteur est la classification ABC ou loi de Pareto. Une fois qu'il connaît bien ses articles et qu'il est convaincu de leur importance, l'acheteur sera en mesure d'élaborer des modèles de prévision en se basant sur des données antérieures. Il existe deux grandes catégories de prévisions : les prévisions qualitatives et les prévisions quantitatives. Le chapitre se termine par l'explication d'une méthode pour déterminer le stock de sécurité.

Questions

1. Pourquoi les stocks occupent-ils une place importante dans l'entreprise ?

2. Nommez quatre types de stocks et donnez un exemple pour chacun d'eux.

3. Pour quelles raisons une entreprise doit-elle garder des stocks ?

4. Comment s'appelle le coût relatif aux stocks dans le cas où une entreprise perd une vente ?

5. De quel type de coût le salaire d'un acheteur fait-il partie dans la gestion des stocks ?

6. Qu'est-ce que la loi de Pareto ?

7. Qu'est-ce que l'acheteur doit connaître afin d'effectuer une bonne classification ABC ?

8. Quelles sont les deux grandes catégories de prévisions ?

9. Quels inconvénients sont liés à l'utilisation de la méthode Delphi ?

10. Donnez un avantage de la moyenne mobile.

11. Qu'est-ce que le stock de sécurité ?

Exercices
d'apprentissage

1. Quelles matières premières entrent dans la fabrication d'un grille-pain?

2. Quels déchets recyclables trouve-t-on dans un centre de distribution alimentaire?

3. Nommez une composante qui entre dans la fabrication d'un grille-pain.

4. D'après vous, un produit fini d'une entreprise donnée peut-il devenir une matière première pour une autre entreprise? Si non, pourquoi? Si oui, donnez un exemple.

5. Le chauffage d'une usine fait partie de quel coût intermédiaire pour un manufacturier?

6. Le fait de contracter un emprunt bancaire pour acquérir du stock a-t-il un effet sur le coût total d'approvisionnement? Si oui, avec quel type de coût devrait-on l'associer?

7. Calculez le nombre de commandes pour un article donné qu'un acheteur aura à passer dans une année dans le cas où sa consommation annuelle est de 10 000 unités et où il s'approvisionne par lots de 200.

8. Quelle est la valeur monétaire annuelle d'un bien qui a un coût unitaire de 5,23 $ et dont on achète 200 unités par mois?

9. Que devrait-on faire avec un article classé C *a priori* (sans tenir compte des contraintes) dont le délai de livraison varie d'un approvisionnement à l'autre?

10. Dans quelle méthode de prévision trouve-t-on le concept de pente d'une droite?

Exercices
de compréhension

1. Calculez le coût unitaire de fabrication d'un produit dont la matière première vaut 12,50 $. On sait qu'il faut trois employés pour fabriquer le produit. La fabrication de chaque unité prend 1 h 45. Les employés gagnent 10,33 $ l'heure. On a besoin d'un superviseur, qui a un salaire de 15 $ l'heure. On évalue, grâce aux factures d'électricité, un montant de 18,75 $ d'électricité par heure. Le reste des frais peut être chiffré à 2 000 $ pour une semaine de 80 heures.

2. Déterminez le coût de stockage unitaire d'un article valant 13,66 $ si le coût du capital pour se procurer cet article est de 6 % du coût unitaire. De plus, on sait que les salaires de tous les employés ayant un lien avec l'entrepôt représentent 5 % du coût de l'article. Les taxes municipales et scolaires ainsi que les assurances équivalent à 1,5 % du coût unitaire. Le coût du chauffage, de l'électricité et de l'entretien général de l'entrepôt s'élève à 4,5 % du coût. Finalement, étant donné que le produit sera abandonné dans les semaines qui suivent, il existe un coût d'obsolescence important, qui est de 7 % du coût unitaire.

3. Calculez le coût de commande d'un produit dans le cas où la consommation annuelle de ce produit est de 1 200 unités. On commande par lots de 60 unités. L'acheteur a un salaire de 30 000 $ par année ; l'adjointe administrative, qui consacre la moitié de son temps à la passation de commandes, gagne 40 000 $ annuellement. Les fournisseurs sont tous à proximité de l'entreprise, ce qui n'occasionne par le fait même aucuns frais d'interurbains. On évalue à 25 $ par semaine les coûts de papeterie. Les frais de réception représentent 2 $ par commande. Finalement, le préposé aux comptes fournisseurs a un salaire annuel de 25 000 $.

4. Vous êtes responsable de la gestion des stocks dans un hôpital. Le taux annuel de consommation du médicament Nétylol est de 50 000 comprimés. Ce comprimé est manipulé avec soin à cause de sa rareté sur le marché des fournisseurs internationaux. Vous recevez des services comptables de l'hôpital des informations sur les coûts annuels de ce comprimé (voir le tableau ci-dessous).

   Vous êtes chargé d'évaluer la situation actuelle qui consiste à commander par petits lots d'unités. La directrice générale de l'hôpital désire avoir des recommandations sur l'approvisionnement de ce comprimé pour ainsi modifier le mode d'approvisionnement auprès de son fournisseur.

1. Coûts administratifs de commande	8 $/commande
2. Prix payé lors de l'achat	0,60 $/comprimé
3. Coût en capital	3,3 %
4. Salaire de l'acheteur	3 $/commande
5. Fournitures et formulaires nécessaires au service des achats	1 $/commande
6. Frais de douanes	0,02 $/comprimé
7. Frais de télécopie	2 $/commande
8. Frais relatifs aux taxes foncières sur l'entrepôt	0,12 $/unité entreposée
9. Frais d'assurance de l'entrepôt	0,25 $/unité entreposée
10. Loyer de l'entrepôt	3 % de la valeur du stock
11. Frais d'assurance sur le transport à l'achat	0,05 $/comprimé
12. Salaire du commis aux achats	3 h à 6 $/h/commande
13. Frais de transport à l'achat	0,03 $/comprimé
14. Frais de relance téléphonique	2 $/commande
15. Chauffage et maintenance de l'entrepôt	40 $/mois
16. Salaire du magasinier	28 $/1 000 unités entreposées

a) Mettez de l'ordre dans les informations relatives aux coûts en choisissant les numéros des informations pour le coût d'acquisition, le coût de stockage et le coût de commande:

Ca: Cs: Cc:

b) Calculez le coût d'acquisition d'un comprimé ($/comprimé).

c) Calculez le taux de stockage (*t*). Trouvez le taux d'option, le taux d'entreposage sur la valeur du stock et le taux de détention sur la valeur du stock.

d) Calculez le coût d'une commande ($/commande).

e) Testez quelques hypothèses de quantités par commande: soit 500, 1 000, 4 000 et 5 000 comprimés. Faites comme s'il n'y avait aucun stock de sécurité.

Q: quantité commandée à la fois

C: nombre de commandes

Ca: coût d'acquisition

Cs: coût de stockage

Cc: coût de commande

Q	S moyen	Nombre de commandes	Ca	Cs	Cc	C total
500						
1 000						
4 000						
5 000						

5. Établissez la classification ABC dans le cas d'une petite entreprise qui démarre et qui gère seulement huit produits. Voici des précisions au sujet de ces produits.

Nom de l'article	Consommation annuelle	Coût unitaire ($)
ABC	13 450	2,25
DEF	132	0,12
GHI	1 961	1,76
JKL	2 354	1,95
MNO	333	1,03
PQR	1 002	0,67
STU	567	2,10
VWX	2 222	0,04

6. On vous demande de classer les items suivants selon la classification ABC (loi de Pareto) tout en respectant le nombre d'items par classe.

Numéro de l'item	Consommation annuelle	Coût unitaire moyen ($)
4 837	6 850	1,20
9 261	371	8,60
4 395	1 292	13,18
3 521	62	91,80
5 223	12 667	3,20
5 294	9 625	10,18
6 081	7 010	1,27
4 321	5 100	0,88
8 046	258	62,25
9 555	862	18,10
2 926	1 940	0,38
1 293	967	2,20

7. Un fabricant de yoyos vend 10 sortes de yoyos aux consommateurs. Il se demande dans quel ordre il devrait gérer ceux-ci. Il vous fournit les renseignements suivants :

Nom de l'article	Ventes annuelles	Coût unitaire ($)	Contrainte
Yoyo A	350	2,50	Aucune
Yoyo B	1 200	3,50	Délai de livraison non fiable
Yoyo C	15	15,50	Importation des îles Fidji
Yoyo D	13 000	2,00	Aucune
Yoyo E	1 300	1,50	Aucune
Yoyo F	15 000	2,25	Aucune
Yoyo G	275	5,00	Yoyo dernière vague, donc un risque de vol
Yoyo H	135	1,75	Aucune
Yoyo I	1 500	3,00	Aucune
Yoyo J	500	10,00	Yoyo fait en bois d'acajou, donc assez rare

Établissez la classification ABC pour cette entreprise afin d'y améliorer la gestion des stocks.

8. Un manufacturier désirant implanter une démarche qualité se demande quels fournisseurs il devrait privilégier parmi les 15 avec lesquels il fait des affaires dans le même champ d'activité. Les données suivantes donnent le total des achats chez chaque fournisseur ainsi que les contraintes ou les remarques pertinentes :

Numéro du fournisseur	Achats annuels ($)	Contrainte ou remarque
FO 1	5 000 000	Fournisseur fiable
FO 2	100 000	Aucune contrainte
FO 3	3 500 000	Aucune contrainte
FO 4	650 000	Nouveau fournisseur
FO 5	200 000	Aucune contrainte
FO 6	700 000	Aucune contrainte
FO 7	350 000	Fournisseur ayant la certification ISO 9001
FO 8	500 000	Aucune contrainte
FO 9	250 000	Vieille connaissance recyclée dans une seconde carrière
FO 10	1 000 000	Fournisseur ayant la certification ISO 9001
FO 11	300 000	Aucune contrainte
FO 12	400 000	Aucune contrainte
FO 13	150 000	Aucune contrainte
FO 14	50 000	Délai de livraison instable
FO 15	425 000	Aucune contrainte

Établissez une classification ABC qui aidera le manufacturier à mettre de l'ordre dans ses affaires.

9. Voici les données concernant le nombre de zancles pêchés en 2003 sur la côte est de l'océan Indien :

Mois	Zancles (centaines)
Janvier	99
Février	105
Mars	114
Avril	111
Mai	106
Juin	116
Juillet	100
Août	101
Septembre	107
Octobre	118
Novembre	103
Décembre	102

On vous demande de calculer l'écart absolu moyen (EAM) à l'aide des méthodes suivantes :

a) la moyenne arithmétique ;

b) la moyenne mobile avec une base de 2 mois ;

c) la moyenne mobile avec une base de 4 mois ;

d) la moyenne mobile avec une base de 6 mois ;

e) la moyenne mobile pondérée à 3 mois en considérant le fait que le mois le plus récent est 3 fois plus important que le mois le plus éloigné pour l'établissement des prévisions, et que le deuxième mois est 1,5 fois plus important que le mois le plus éloigné pour l'établissement des prévisions.

Calculez les prévisions pour le mois de janvier 2004 selon les cinq méthodes. Avec quelle moyenne mobile trouve-t-on les meilleures prévisions ?

10. L'entreprise Septembre inc., qui est spécialisée dans les cartes de souhaits virtuelles, prépare son budget de promotion des ventes pour l'année 2004. On possède des données antérieures sur le budget octroyé à la promotion.

Année	Budget de promotion en dollars ($)
1994	110 000
1995	115 000
1996	123 000
1997	129 000
1998	132 000
1999	130 000
2000	137 000
2001	144 000
2002	151 000
2003	155 000

En vous servant de ces données, faites une étude de régression linéaire afin de déterminer le budget de promotion en dollars de la compagnie Septembre inc. pour l'année 2004, et ce, sur le chiffrier électronique Excel. En d'autres mots, déterminez le coefficient de corrélation linéaire r de ces deux variables et, par la suite, déterminez les coefficients a et b de la droite de régression $Y = a + bX$, afin de trouver la prévision pour l'année 2004. Faites le tout à l'aide des fonctions statistiques du logiciel Excel.

Finalement, tracez le graphique illustrant l'évolution du budget de promotion des ventes de cartes de souhaits virtuelles au fil des ans.

11. En utilisant les données du problème 10, calculez la prévision pour l'année 2004 en utilisant :

a) la moyenne mobile sur une base de 2 ans;

b) la moyenne mobile sur une base de 3 ans;

c) la moyenne mobile sur une base de 4 ans;

d) la moyenne mobile sur une base de 5 ans;

e) la moyenne mobile sur une base de 6 ans;

f) la moyenne mobile pondérée à 4 ans, en considérant le fait que l'année la plus récente par rapport à la prévision que l'on effectue est 3,5 fois plus importante que l'année la plus éloignée, que la deuxième année est 2,5 fois plus importante que l'année la plus éloignée, toujours par rapport à la prévision que l'on effectue, et que la troisième année est 1,5 fois plus importante que l'année la plus éloignée, qui correspond à la quatrième année.

Selon vous, quelle moyenne mobile serait la plus appropriée pour prévoir le budget de promotion de l'entreprise Septembre inc. pour l'année 2004? Pourquoi?

12. Dans le cas où l'équation de la droite de régression correspond au nombre d'échecs dans le cours de gestion des approvisionnements et des stocks depuis 10 ans, $Y = 1,3 + 0,4X$. Quel sera le nombre d'échecs prévus pour 2004 correspondant à la onzième année étudiée?

13. Faites des prévisions pour le 13e mois à l'aide de la moyenne mobile avec une base de 2 mois, 3 mois, 4 mois dans le cas d'une entreprise distribuant une bouilloire électrique dont les ventes pour les 12 mois précédents ont été de 150, 175, 165, 185, 205, 225, 215, 200, 160, 155, 145, 170.

14. Refaites le problème précédent, mais cette fois avec la méthode du lissage exponentiel: premièrement, avec un facteur de pondération alpha (α) de 0,2 et deuxièmement, avec un facteur de pondération (α) de 0,8.

15. Déterminez le stock de sécurité en unités dans le cas où l'on possède l'historique suivant des livraisons pendant un délai de livraison quelconque, et en tenant compte du fait qu'on sait que la probabilité de pénurie tolérée est de 10%.

Historique des livraisons passées	Prévision pendant le délai	Demande réelle pendant le délai
1	250	262
2	250	276
3	250	240
4	250	252
5	250	236
6	250	282
7	250	240
8	250	237
9	250	222
10	250	253

16. Déterminez le stock de sécurité en disques compacts dans le cas où l'on possède l'historique suivant des ventes mensuelles de disques compacts :

Ventes mensuelles	Demande réelle pendant le mois	Prévision mensuelle
Septembre	5 250	5 500
Octobre	4 900	5 000
Novembre	5 150	5 000
Décembre	4 050	4 000
Janvier	3 850	3 500
Février	3 850	4 000
Mars	4 650	4 500
Avril	4 700	4 500
Mai	4 850	4 500
Juin	5 550	6 000
Juillet	5 900	6 000
Août	6 200	6 000

On se base sur un niveau de service de 85 %. Refaites l'exercice avec un niveau de service de 95 % et 99 %.

La différence de stock de sécurité entre les trois niveaux de service vous paraît-elle significative ? Commentez votre réponse.

Exercices
de recherche

1. Rendez-vous dans une PME à proximité de chez vous et informez-vous sur la façon dont l'acheteur s'y prend pour évaluer le coût de stockage ainsi que le coût de commande.

2. Feuilletez un quotidien (comme *Le Soleil*, *La Presse* ou *Le Devoir*) et essayez de trouver cinq articles où l'on parle de matières premières dans un contexte économique. Quel effet majeur l'annonce d'une hausse draconienne du prix du blé peut-elle avoir sur une boulangerie ?

Cas 1
Où sont les données ?

Pierre Brébeuf, qui est acheteur chez Draperie Santé inc., arrive tout juste d'un séminaire où l'on vantait les bienfaits de la loi de Pareto en matière de gestion des stocks. Comme tout acheteur qui se respecte, il décide de faire une classification ABC dans l'entreprise où il travaille, après en avoir parlé avec son supérieur Gérard Lallemand.

Il se rend toutefois compte que l'entreprise ne garde pas de registres informatiques sur la consommation antérieure de chaque produit. Il n'a en sa possession que le coût unitaire de chaque article.

Question

Si vous étiez à la place de Pierre Brébeuf, que feriez-vous pour effectuer la classification ABC ?

Cas 2
Des prévisions irréalistes

Chez Portes et Fenêtre Soleil inc., on essaie chaque année au mois de février de prévoir les ventes pour la saison estivale. Daniel Lacroix, jeune acheteur chez Portes et Fenêtres Soleil inc., a toujours eu énormément de difficulté à évaluer correctement les besoins futurs de l'entreprise. Depuis deux ans, ses prévisions sont réellement très loin de la réalité. On sait que les chiffres de vente varient énormément d'un mois à l'autre, et qui plus est d'une année à l'autre. Daniel utilise surtout le modèle de la moyenne arithmétique ainsi que l'intuition d'un jeune contremaître de production pour prévoir l'avenir.

Question

Que conseilleriez-vous à Daniel dans une telle situation ?

Chapitre

6

Les modèles de gestion des stocks

Rien au monde ne peut remplacer la persévérance. Ni le talent — les hommes talentueux qui n'ont pas réussi sont légion — ni le génie — les histoires de génies méconnus sont quasi proverbiales. Seules la persévérance et la détermination sont toutes-puissantes.

Calvin Coolidge

Objectif général

Familiariser le lecteur avec les modèles quantitatifs de détermination de la quantité à commander, que ce soit pour une demande dépendante ou une demande indépendante.

Objectifs spécifiques

- Appliquer les modèles à paramètres fixes ou variables (quantité de commande et intervalle entre chaque approvisionnement).

- Utiliser la QEC (quantité économique de commande) et les différents modèles dérivés de celle-ci (QEC avec une réception échelonnée ou QEP [quantité économique de production], QEC avec un escompte).

- Tracer un graphique de l'évolution des stocks.

- Connaître les intrants d'une PBM (planification des besoins de matières).

- Appliquer une PBM.

- Savoir la différence entre la PBM et la PBD (planification des besoins de distribution).

- Appliquer une PBD.

Johnson & Johnson

Johnson & Johnson est l'organisation qui offre la plus grande gamme de produits destinés aux soins de santé dans le monde. Elle sert une clientèle allant du simple consommateur aux marchés pharmaceutiques et répond aux besoins des professionnels de la santé, en incluant des outils de diagnostic.

Johnson & Johnson vend des produits dans 175 pays et gère plus de 180 entreprises dans 51 pays. Les ventes en 1997 ont été de 22,6 milliards de dollars américains, dont environ la moitié provenaient de l'extérieur des États-Unis. La firme Johnson & Johnson peut compter sur une main-d'œuvre hautement qualifiée de 90 500 employés, dont 42 900 aux États-Unis. Johnson & Johnson tire sa force, sur les marchés où elle œuvre, d'une activité intense représentant plus de 2,1 milliards de dollars américains dans les domaines de la recherche et du développement des produits.

Au Canada, Johnson & Johnson est active dans la vente, dans la recherche et dans la fabrication de produits. Les consommateurs peuvent obtenir tous les jours des produits comme les Produits pour Bébés Johnson^{MD}, les analgésiques Tylenol^{MD} et Motrin^{MD}, les Tampons Ob^{MD}, les serviettes sanitaires Stayfree^{MD} et Carefree^{MD}, les pansements Band-Aid^{MD}, les brosses à dents Reach^{MD}, les produits Neutro-gena^{MD} et Roc^{MD}, les lentilles Accuvue^{MD}, de même que de nombreux produits d'ordonnance et de diagnostic médicaux.

L'usine de Montréal exporte ses produits d'hygiène féminine dans plus de 30 pays et se procure des matières premières et des services d'une valeur de plusieurs dizaines de millions de dollars annuellement. Elle génère ainsi des emplois pour plusieurs centaines de personnes.

Dotée de systèmes de gestion avant-gardistes, l'unité de production montréalaise utilise des outils modernes de gestion de l'informatique tels que :

- des systèmes évolués de gestion d'inventaires supportés par des périphériques efficaces comme des lecteurs de code à barres et des mises à jour instantanées des inventaires par transmission de fréquences radio ;

- une transmission de données automatisée vers les fournisseurs et les clients de l'entreprise par télécopieur, échange de données informatisé (EDI), courrier électronique et Internet ;

- des ententes d'approvisionnement avec ses principaux partenaires qui lui permettent de gérer ses stocks efficacement et à moindre coût ;

- une maintenance exhaustive de ses systèmes d'information pour approvisionner aux niveaux préétablis ses unités de production et surtout en temps requis pour lui permettre d'effectuer des expéditions internationales planifiées.

Une gestion serrée et efficace des stocks de Johnson & Johnson permet à l'entreprise :

- de réagir adéquatement et à moindre coût aux fluctuations de ses marchés extrêmement compétitifs de produits de consommation ;

- de dégager une plus grande marge bénéficiaire ;

- d'investir dans des équipements à la fine pointe de la technologie pour satisfaire une clientèle de plus en plus exigeante sur la qualité et le rendement de ses produits.

Comment survivre sur une planète rendue de plus en plus petite par la mondialisation des marchés ? Comment réagir instantanément à la compétition sur le marché chinois, par exemple, avec un décalage horaire de 12 heures et une langue de travail qui n'utilise pas la même terminologie ? Ou encore, quel processus d'approvisionnement doit-on mettre en place pour répondre à un client autralien lorsque le Centre de recherche sur les adhésifs se trouve au New Jersey, le fournisseur en Alabama, le fabricant d'équipement en Allemagne et la production à Montréal ?

La réponse à ces questions réside dans la gestion serrée de tous les processus de Johnson & Johnson qui sont reliés au temps : l'amélioration de la collecte et du traitement de l'information, la réduction des délais de fabrication de ses fournisseurs et de livraison des approvisionnements, l'accélération de la mise sur le marché des produits, la détection et la correction rapide des écarts de standards, et, surtout, l'amélioration et l'intensification de la formation de tous ses employés.

Gaétan Chevalier
Chef national des approvisionnements

Introduction

Dans le domaine de la gestion des stocks, il existe beaucoup de modèles mathématiques dont peut se servir l'acheteur afin de déterminer une quantité à commander. L'acheteur doit toujours se rappeler les deux questions fondamentales en matière de gestion des stocks : combien (quelle quantité) commander ? Quand commander ? Nous verrons dans ce chapitre que tous les modèles sont faits en fonction de ces deux interrogations de base.

En effet, certains modèles sont applicables lorsque la quantité à commander est fixe et que l'intervalle entre deux approvisionnements est fixe également. On pourra constater aussi qu'il existe des modèles pour une quantité de commande fixe et un intervalle variable ainsi que des modèles pour une quantité de commande variable et un intervalle fixe. Finalement, les modèles les plus difficiles à conceptualiser, même s'ils se rapprochent le plus de la réalité, sont ceux dans lesquels la quantité à commander et le temps entre chaque approvisionnement sont variables. Ces modèles sont utilisés surtout lorsque la demande d'un article donné est indépendante, c'est-à-dire lorsque l'entreprise a très peu de contrôle sur la consommation de l'article proprement dit, comme dans le cas des produits finis achetés par les consommateurs et des produits d'entretien et de réparation (pièces de rechange).

Il existe également des modèles pour une demande dépendante, c'est-à-dire lorsque la consommation d'un article dépend de la consommation d'un autre article, comme les matières premières ou encore les produits en cours de fabrication. Si on doit fabriquer 20 bicyclettes, on aura absolument besoin de 40 jantes, de 20 guidons, de 20 pédaliers, de 40 pédales, de rayons pour combler 40 roues, etc. Dans le cas d'une entreprise manufacturière, on parlera de planification des besoins de matières (PBM); dans l'industrie, on utilise beaucoup l'expression anglaise *material requirements planning* (MRP). Et dans le cas d'une entreprise de distribution, il existe un modèle analogue à la PBM qui porte le nom de planification des besoins de distribution (PBD) (ou *distribution requirements planning* [DRP]).

6.1   Les modèles de détermination des quantités à commander

6.1.1   Les modèles de la quantité de commande fixe

En ce qui concerne les modèles de la quantité de commande fixe, le modèle le plus simple est sans aucun doute celui où la demande est constante, c'est-à-dire que la consommation demeure la même tout le temps. Il va sans dire que ce modèle colle très peu à la réalité, car dans les entreprises, la demande d'un produit donné ne peut être constante. Elle varie toujours, aussi minime que soit la variation. Les produits d'entretien sanitaire peuvent entrer dans cette catégorie, mais encore faut-il que le nombre d'employés d'une période à l'autre soit relativement constant. Des ententes peuvent être conclues avec des fournisseurs pour la livraison de certains produits. Ces ententes peuvent faire en sorte que la consommation de l'entreprise soit constante d'une période à l'autre. Par exemple, une entente annuelle portant sur des gants de cuir pour les travailleurs pourrait prendre cette forme-ci : « Livraison de 200 paires de gants par mois pendant 12 mois. » Dans ce cas, la demande sera constante pendant toute l'année, ce qui sera beaucoup plus facile à gérer.

La façon de commander dans une situation comme la précédente consiste pour l'acheteur à se fixer arbitrairement une période où il disposera d'une quantité minimale tout en s'assurant d'éviter une rupture de stock. Il y a plusieurs manières de ne pas oublier de passer une commande quand le stock se trouve à un certain niveau. Effectivement, on peut soit programmer un seuil minimal par article dans le système d'information de gestion (SIG) ou encore insérer une fiche entre deux unités d'un même article dans le magasin. La quantité minimale atteinte est ce qu'on appelle le point de commande. Il existe différentes variantes de la méthode du point de commande. Nous étudierons les principales.

■ La méthode du min-max

Il s'agit d'une méthode de gestion des stocks qui met en valeur deux quantités de stocks, soit la quantité minimale et la quantité maximale. Dans ce modèle, la quantité de commande ne varie pas, mais l'intervalle entre les approvisionnements, lui, est soit fixe, soit variable. Il est fixe dans le cas où la consommation de l'article est stable (voir la figure 6.1). Par contre, l'intervalle est variable lorsque la consommation entre chaque approvisionnement sera instable (voir la figure 6.2). On passera donc une commande lorsqu'on aura atteint un certain seuil critique, en d'autres mots une quantité précise fixée d'avance, soit le point de commande. La quantité calculée d'avance ou choisie arbitrairement ne dépassera pas le seuil maximal établi *a priori*, lequel tiendra compte de la consommation pendant le délai de livraison. Pour utiliser ce modèle de façon efficiente, il faut que la demande soit relativement constante de la part des consommateurs et que le fournisseur soit fiable, c'est-à-dire que le délai de livraison s'avère assez stable.

En regardant la figure 6.1, on remarque que la droite correspondant à la consommation de l'article a toujours la même pente ; c'est donc dire que la consommation ou la demande du produit est constante, commande après commande. Lorsqu'on arrive au point de commande correspondant au taux moyen de consommation durant le délai de livraison (le taux de consommation multiplié par le délai de livraison) auquel s'ajoute un stock de protection qu'on appelle « stock de sécurité », l'acheteur est appelé à passer une commande dont le délai de livraison correspond à deux semaines[1]. La quantité achetée est équivalente à la quantité maximale dans le cas où l'entreprise ne garde pas de stock de sécurité. Cette même quantité peut être fixée soit arbitrairement par l'acheteur, soit à l'aide de l'expérience vécue au sein de l'entreprise ou encore avec un modèle quantitatif comme la quantité économique de commande (QEC), que nous étudierons un peu plus loin.

■ **Figure 6.1**   **Modèle min-max dans le cas d'une demande stable**

Où : Q_{MIN} = quantité minimale ou seuil minimal de stock (ici, Q_{MIN} = 0, car on ne considère aucun stock de sécurité)

Q_{MAX} = quantité maximale à conserver pour l'article

DL = délai de livraison de chaque commande

PC = point de commande (correspond au niveau de stock auquel on doit passer une commande pour éviter une rupture de stock)

QC = quantité de commande

---

1. Le graphique de la figure 6.1 a été établi avec des périodes exprimées en semaines. Ces périodes auraient pu être des jours ou des mois, selon l'article à acheter.

■ **Figure 6.2**   **Modèle min-max dans le cas d'une demande instable**

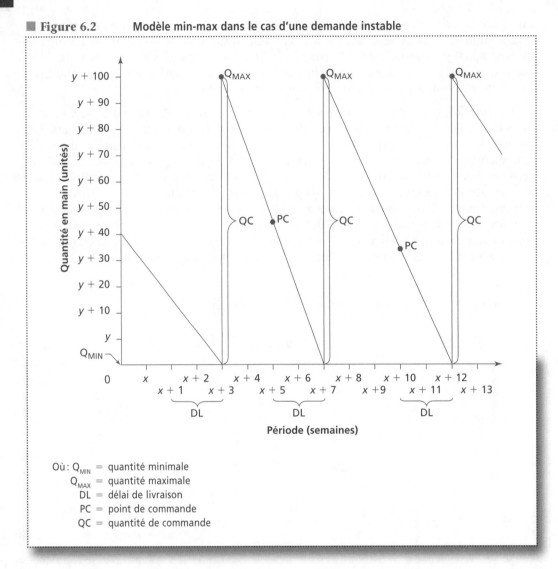

Note : La consommation entre chaque réapprovisionnement est différente d'un intervalle à l'autre, ce qui rend différentes par le fait même les quantités aux points de commande.

En ce qui a trait à la figure 6.2, les conclusions que l'on peut tirer sont semblables à celles qui ont été faites pour la figure 6.1, si ce n'est que la consommation varie entre chaque approvisionnement, ce qui fait varier par conséquent l'intervalle entre chaque commande ainsi que le point de commande.

La méthode du min-max est employée autant par le profane que par l'initié en matière de gestion des stocks. Elle est utilisée pour presque tous les types d'articles, parfois à tort. La plupart du temps, on s'en sert pour les articles de moindre importance qui ne sont pas reliés directement à la fabrication d'un bien.

EXEMPLE 6.1

La quantité de commande de protecteurs des voies respiratoires jetables en papier est de 500. Le taux de consommation et donc les intervalles entre les approvisionnements sont variables. Ils sont établis comme suit :

250 protecteurs par semaine pour les 2 premières semaines

50 protecteurs pour les 10 autres semaines

100 protecteurs par semaine pour le reste de l'horizon de planification

On cherche à connaître les points de commande selon l'horizon de planification pour des délais de livraison de 2 semaines. On suppose qu'il n'y a aucun stock de sécurité et que le stock est à son maximum au début de l'horizon de planification.

On peut trouver mathématiquement chaque point de commande (PC) grâce à l'équation que nous avons vue précédemment :

PC = taux moyen de consommation durant le délai de livraison + stock de sécurité

Pendant le premier intervalle, on consomme 250 protecteurs par semaine. Comme le délai de livraison est de 2 semaines, le taux de consommation pendant ces deux semaines sera de 500 protecteurs. Dans les intrants de l'exemple, il n'y a pas de stock de sécurité ; cela veut dire que le premier point de commande de l'horizon de travail (PC_1) sera de 500 + 0 = 500 protecteurs. Graphiquement (figure 6.3), le point PC_1 sera situé au début de l'horizon de planification à zéro semaine.

Pendant le deuxième intervalle, on consomme 50 unités par semaine en moyenne. Comme la quantité commandée est de 500 unités, cela signifie que cet intervalle sera échelonné sur 10 semaines. Le taux moyen de consommation pendant le délai de livraison s'établit donc comme suit :

50 protecteurs par semaine × 2 semaines de délai de livraison = 100 protecteurs

Encore une fois, étant donné que l'entreprise ne garde aucun stock de sécurité, le point de commande sera de 100 protecteurs. Graphiquement (figure 6.3), on le reconnaîtra comme étant PC_2 ; il sera donc situé à l'intersection de la semaine 10 et du nombre de protecteurs équivalent à 100.

Pour ce qui est du dernier intervalle, la consommation moyenne étant de 100 protecteurs par semaine, le raisonnement demeure strictement le même. Le PC_3 est alors de 200 protecteurs. Graphiquement, il se situe à la quinzième semaine.

■ **Figure 6.3** **Modèle min-max avec une demande instable**

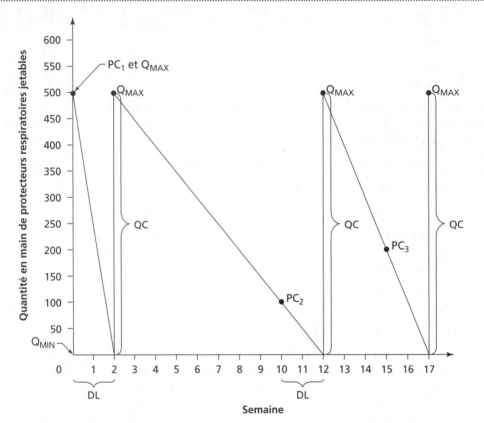

Où : Q_{MIN} = quantité minimale = 0 protecteur (aucun stock de sécurité)
Q_{MAX} = quantité maximale à conserver = 500 protecteurs
DL = délai de livraison = 2 semaines
PC = point de commande
PC_1 = 500 protecteurs
PC_2 = 100 protecteurs
PC_3 = 200 protecteurs
QC = quantité de commande = 500 protecteurs

▦ La méthode du min-max avec un stock de sécurité

La plupart du temps, lorsque l'acheteur utilise la méthode du min-max, il le fait en prévoyant un stock de sécurité. En effet, étant donné que la demande d'un article n'est jamais constante, le fait d'avoir un délai de livraison qui, lui, l'est, peut jouer de vilains tours. Si l'on revient aux figures 6.1 et 6.2, on se rend compte que le point de commande est fixé en fonction du délai de livraison. Si, par contre, pour une raison quelconque, la demande durant le délai de livraison est le double de ce qu'elle est habituellement, l'entreprise risque fortement de connaître une rupture de stock, et cela pourra entraîner la perte d'un client, voire de plusieurs clients.

Lorsqu'on examine la figure 6.4, on comprend davantage ce phénomène. Ainsi, si la consommation est plus élevée que celle qui est illustrée, l'acheteur pourra puiser dans son stock de sécurité pour satisfaire son client. Il devra cependant penser à renouveler son stock de sécurité à court terme.

EXEMPLE 6.2

Reprenons l'exemple 6.1, mais en y ajoutant un stock de sécurité de 50 protecteurs. Nous cherchons à savoir où sont situés graphiquement les points de commande pour l'horizon de travail correspondant.

En ce qui a trait au premier intervalle, le point de commande (PC_1) sera le suivant :

PC_1 = taux moyen de consommation durant le délai de livraison + stock de sécurité

= (250 protecteurs × 2 semaines) + 50 protecteurs

= 550 protecteurs

Le point de commande (PC_2) sera :

PC_2 = (50 protecteurs 2 semaines) + 50 protecteurs

= 150 protecteurs

Finalement, le point de commande (PC_3) sera :

PC_3 = (100 protecteurs × 2 semaines) + 50 protecteurs

= 250 protecteurs

En regardant la figure 6.5, le lecteur pourra constater que les points de commande sont situés aux mêmes semaines qu'à la figure 6.3, si ce n'est qu'ils sont augmentés de 50 unités. Cette augmentation représente le stock de sécurité.

■ **Figure 6.4**   **Modèle min-max avec un stock de sécurité**

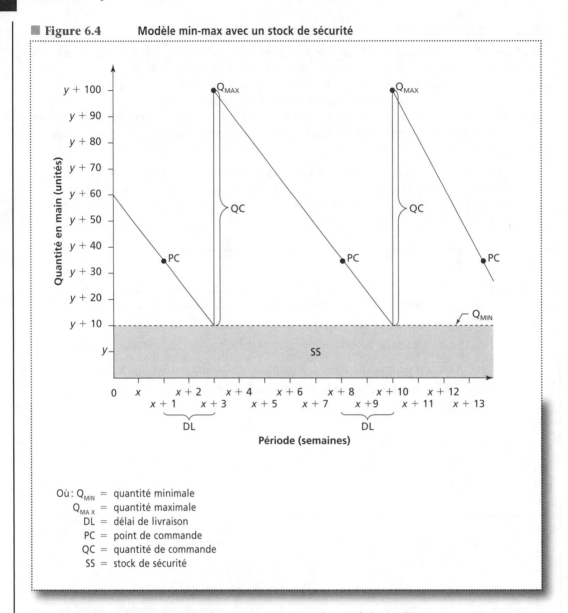

Où : Q_{MIN} = quantité minimale
Q_{MAX} = quantité maximale
DL = délai de livraison
PC = point de commande
QC = quantité de commande
SS = stock de sécurité

Note : On voit ici que la quantité minimale à conserver correspond au stock de sécurité.

■ **Figure 6.5**   Modèle min-max avec un stock de sécurité selon l'exemple 6.2

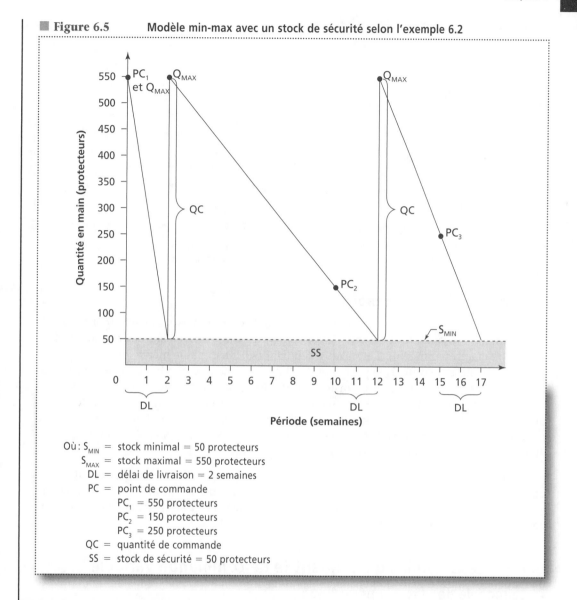

Où : S_{MIN} = stock minimal = 50 protecteurs
S_{MAX} = stock maximal = 550 protecteurs
DL = délai de livraison = 2 semaines
PC = point de commande
    PC_1 = 550 protecteurs
    PC_2 = 150 protecteurs
    PC_3 = 250 protecteurs
QC = quantité de commande
SS = stock de sécurité = 50 protecteurs

■ Figure 6.6   Méthode des deux tiroirs

Où : QA = quantité consommée avant le seuil de commande
       QD = quantité consommée durant le délai de livraison

Note : Lorsque l'on commande pour le tiroir 1, on commande une quantité qui correspond à
QA + QD. Puis, on remplit le tiroir 2 de la quantité QD. Il reste alors QA dans le tiroir 1.

■ La méthode des deux tiroirs

La méthode des deux tiroirs est analogue à la méthode du min-max, mais son application est beaucoup plus artisanale. Cette méthode consiste à faire du stockage dans deux tiroirs (casiers, paniers ou étagères) différents. Les tiroirs n'ont habituellement pas le même format. Le tiroir 1 est le plus grand et le tiroir 2, le plus petit. Le tiroir 2 contient le nombre d'unités nécessaires pour répondre à la demande pendant le délai de livraison, tandis que le tiroir 1 contient le nombre d'unités consommées avant le seuil de commande. La consommation de l'article commence par le tiroir 1. Quand ce dernier est vide, on ouvre alors le tiroir 2 et on s'empresse de faire une commande de QA et de QD pour remettre le stock à son niveau précédent. C'est donc dire que le point de commande est atteint lorsque le tiroir 1 est vide.

Depuis le début de cette section, nous parlons d'une quantité de commande pour atteindre un niveau maximal établi au préalable. Cette quantité peut être déterminée de façon à réduire les coûts rattachés à cet approvisionnement. On appelle celle-ci la quantité économique de commande (QEC). Elle fera l'objet de la section 6.2.

6.1.2   Les modèles de la quantité de commande variable

■ Le modèle de la revue périodique

Le modèle de la quantité de commande variable le plus connu est le modèle de la revue périodique. Il consiste à passer des commandes à un intervalle régulier. Il va sans dire que même si l'intervalle entre les commandes est fixe, la quantité commandée, elle, peut varier. L'intervalle choisi dépend de la consommation de l'article sur une période donnée ; ce peut être tous les jours, toutes les semaines, tous les mois, tous les trois mois, etc. La figure 6.7 illustre le fonctionnement de ce modèle. L'acheteur s'assurera de bien connaître le délai de livraison. S'il suppose qu'il est d'une semaine et que la consommation est de 10 unités par semaine, en connaissant ses besoins pour l'intervalle fixé, le stock qu'il lui reste actuellement et celui qu'il désire avoir à la fin de l'intervalle, il sera à même de connaître la quantité à commander. La figure 6.7 indique que la consommation pendant chaque intervalle fixe n'est pas uniforme, ce qui rend la quantité de commande inégale d'une fois à l'autre.

L'acheteur prévoira les besoins (la consommation) en fonction de l'intervalle fixé au préalable. Étant donné que la consommation varie d'une fois à l'autre, il devra faire le calcul à chaque commande. Avec ce modèle, on devrait toujours conserver un stock de sécurité pour se protéger contre les variations fréquentes de la consommation (figure 6.7).

Ce genre de modèle est très utilisé pour des articles de peu de valeur ou encore dans le cas d'un procédé de production où l'on fait entrer une matière liquide comme du propane ou du polyuréthane dans un réservoir sans connaître le niveau du liquide avec précision. Il peut également être utilisé lorsque l'on passe une commande de plusieurs articles au même endroit, comme dans une quincaillerie, chez un pourvoyeur industriel ou dans une pharmacie.

■ Figure 6.7   Modèle de la revue périodique (intervalle fixe, quantité de commande variable)

Note : On voit que l'intervalle entre chaque commande est fixe, que le taux de consommation à chaque intervalle est variable et que la quantité de commande est variable également.

EXEMPLE 6.3

Un acheteur œuvrant dans le domaine de l'usinage commande toutes les deux semaines des gants de sécurité en cuir de vache pour les manœuvres de la production (les semaines sont de cinq jours ouvrables). Aujourd'hui, il reste en stock deux douzaines de gants. Les manœuvres en consomment habituellement une douzaine par jour pendant cette période intense de l'année qui dure un mois.

Le délai de livraison est de deux jours. L'acheteur souhaite qu'il ne reste aucun gant en stock à la fin de l'intervalle entre ses commandes. Quelle devrait être la quantité de commande pour le prochain intervalle ? La quantité de commande sera égale au stock que l'acheteur désire avoir à la fin de l'intervalle, auquel on ajoute la consommation pendant cette période moins le stock que l'acheteur possède lorsqu'il passe la commande.

0 douz. + 10 douz. − 2 douz. = 8 douz.

Donc, la quantité de commande pour cette intervalle est de huit douzaines de gants. La consommation prévue est la même pour un mois. Cependant, dans ce genre de situation, l'acheteur devrait veiller à contrôler une variation possible de la consommation pendant cette période d'un mois, et évidemment par la suite.

■ Le modèle de la quantité de commande variable et de l'intervalle variable

Il arrive fréquemment que les délais de livraison pour un produit donné ne soient pas toujours les mêmes, ce qui rend la quantité de commande variable au fil du temps. De même, la consommation de ce même produit est souvent variable, ce qui rend l'intervalle entre chaque commande également variable. L'acheteur fera face régulièrement à ce genre de situation.

Lorsque cette situation se présentera, l'acheteur n'aura d'autre choix que de surveiller le marché du produit en question. Par exemple, un acheteur dans le domaine des profilés de polyéthylène apprend de l'un de ses fournisseurs qu'une hausse du prix du pétrole brut est attendue sous peu. Or, le polyéthylène est fait à base de pétrole. Suivant l'état actuel de ses stocks, l'acheteur devra probablement se procurer une grande quantité de particules de plastique servant à faire les profilés de polyéthylène, par exemple l'équivalent d'une consommation de quelques mois (s'il a l'espace requis, bien entendu) pour éviter une hausse draconienne du prix des particules de plastique.

Dans le cas d'un produit qui subirait une baisse de prix au fil des ans comme les micro-ordinateurs, un acheteur qui travaille chez un distributeur de micro-ordinateurs s'arrangera pour commander la quantité minimale des produits demandés, quitte à passer régulièrement des commandes chez ses fournisseurs afin d'éviter une certaine obsolescence des micro-ordinateurs. Dans les deux situations précédentes, l'acheteur devrait utiliser un stock de sécurité pour pallier les variations non prévues et ainsi éviter les ruptures de stock, qui peuvent être fatales pour une entreprise.

6.2   La quantité économique de commande

Au chapitre 5, nous avons vu les coûts reliés à la gestion des stocks, soit le coût d'acquisition (Ca) de l'article, le coût de stockage (Cs), le coût de commande (Cc) ainsi que le coût de rupture (Cr). L'acheteur essaiera d'optimiser ces coûts afin de connaître la quantité économique (ou optimale) de commande (QEC).

6.2.1   Les hypothèses reliées à la quantité économique de commande

Le modèle de la quantité économique de commande peut sembler très intéressant de prime abord. On doit cependant l'utiliser avec circonspection. En effet, la QEC donne seulement un ordre de grandeur de la quantité à commander. Elle dépend des hypothèses suivantes:

- La demande est constante et connue d'avance.

- Le coût unitaire de l'article ne dépend pas de la quantité commandée (il n'y a aucun escompte).

- Toute la quantité commandée est livrée en une seule fois.

- Le délai de livraison est constant et connu.

- Le coût de la passation d'une commande ne dépend pas de la quantité commandée.

- Le coût unitaire de stockage est constant.

- Il n'existe pas de stock de sécurité.

Finalement, étant donné que les salaires des membres du service de l'approvisionnement augmentent au moins tous les ans, que les frais rattachés au coût de passation d'une commande sont à la hausse chaque année et que le coût unitaire de chaque article a tendance à monter au fil des ans, tout bon acheteur devrait réévaluer le coût de stockage et le coût de commande et, par le fait même, la quantité économique de commande périodiquement, c'est-à-dire au moins une fois par année. Pour bien comprendre le concept de quantité économique de commande, lequel est fondamental dans le domaine de la gestion des stocks, nous prendrons un exemple.

EXEMPLE 6.4

Un manufacturier de clapets de retenue, employés abondamment dans les procédés industriels, utilise 50 000 tiges d'acier inoxydable par année dans la fabrication de ses clapets. Le coût pour passer une commande a été calculé avec des données très récentes. Selon l'évaluation du manufacturier, il est de 30 $. Il a également pris la peine d'évaluer le coût de stockage, qui se chiffre à 20 % du coût unitaire de la tige. La tige vaut 20 $. L'acheteur de ce manufacturier se demande quelle quantité serait la plus rentable pour l'entreprise. Sans avoir de base en gestion des stocks, il procédera par essais et erreurs. Il commence donc par des commandes de 100 unités. Il doit alors calculer le coût de stockage ainsi que le coût de commande.

On se rappelle que, mathématiquement, le coût de stockage est :

$$Cs = Cs_u \times \frac{S_{MAX} + S_{MIN}}{2}$$

où S_{MAX} = stock maximal

S_{MIN} = stock minimal ou stock de sécurité

Q = quantité commandée

S_{MAX} = Q + S$_{MIN}$

Comme on ne considère aucun stock de sécurité, S_{MIN} est égal à 0. De plus, comme S_{MAX} = Q, on peut dire que Cs = Cs$_u$ × Q/2

De plus,   Cs$_u$ = Ca × t

où   Cs$_u$ = coût de stockage unitaire

Ca$_u$ = coût d'acquisition unitaire

t = taux de stockage (en %)

Par conséquent, en appliquant les données mentionnées ci-dessus, on trouve :

$$Cs_u = 20\$ \times 20\% = 4\$$$

et donc :

$$Cs = 4\$ \times \frac{100}{2} = 200\$$$

Faisons le même exercice avec une quantité de commande de 300 unités. On trouve donc :

$$Cs = 4\$ \times \frac{300}{2} = 600\$$$

Ici, on n'a pas à recalculer le coût de stockage unitaire (Cs$_u$), car le taux de stockage (t) est le même que le coût unitaire.

En faisant le calcul pour des quantités de commande de 500, 800, 1 000, 1 500, 3 000 et 5 000 unités, on trouvera les valeurs qui sont illustrées au tableau 6.1.

Refaisons le calcul, mais cette fois afin de déterminer le coût de commande. On se rappelle que, mathématiquement, le coût de commande est :

$$Cc = Cc_u \times \frac{D}{Q}$$

où   Cc$_u$ = coût pour passer une commande

D = consommation souvent exprimée sur une base annuelle

Q = quantité de commande

En appliquant la quantité de commande de 100 unités, on trouve :

$$Cc = 30\,\$ \times \frac{50\,000}{100} = 15\,000\,\$$$

Si, maintenant, on refait le calcul avec une quantité de commande de 300 unités comme pour le coût de stockage, on aura :

$$Cc = 30\,\$ \times \frac{50\,000}{300} = 5\,000\,\$$$

Comme dans le cas du coût de stockage, le tableau 6.1 présente le calcul du coût de commande pour les quantités de commande de 500, 800, 1 000, 1 500, 3 000 et 5 000 unités.

Bien sûr, le coût d'acquisition n'a pas été mentionné ici. La raison en est fort simple : le coût d'acquisition ne varie pas avec la quantité achetée, mais avec la consommation annuelle, ce qui le rend identique pour toutes les quantités de commande calculées précédemment. Certains trouveront illogique le fait que le coût d'acquisition ne varie pas avec la quantité achetée. En réalité, plus on achète de grands lots, plus le coût d'acquisition devrait diminuer. C'est le principe des remises quantitatives ou des escomptes sur quantité que nous verrons plus loin. Pour ce modèle de base, comme nous l'avons mentionné à la page 243, on doit faire l'hypothèse que le coût d'acquisition ne varie pas avec la quantité achetée. Pour ce qui est du coût de rupture, on n'en tiendra pas compte dans le modèle de base parce que, pour utiliser ce modèle, on tient pour acquis qu'il n'y a aucune rupture de stock.

À la lumière des résultats inscrits au tableau 6.1, on pourrait affirmer que la quantité de commande qui serait la meilleure est de 800 unités. En effet, le coût combiné (Cs + Cc) le plus bas, soit 3 475 $, correspond à une quantité de commande de 800 unités. Mais est-ce vraiment la quantité qui réduit au minimum les coûts totaux ? Pour le savoir, on devrait étaler ces résultats sur un graphique. Ainsi, la figure 6.8 illustre les courbes du coût de stockage, du coût de commande et du coût combiné.

Tableau 6.1   Coûts rattachés aux diverses quantités de commande

Quantité de commande	Coût de stockage (Cs)	Coût de commande (Cc)	Coût combiné (Cs + Cc)
100	200	15 000	15 200
300	600	5 000	5 600
500	1 000	3 000	4 000
800	1 600	1 875	3 475
1 000	2 000	1 500	3 500
1 500	3 000	1 000	4 000
3 000	6 000	500	6 500
5 000	10 000	300	10 300

■ **Figure 6.8**   **Courbes du coût de stockage (Cs), du coût de commande (Cc)**
                        et du coût combiné (Cs + Cc)

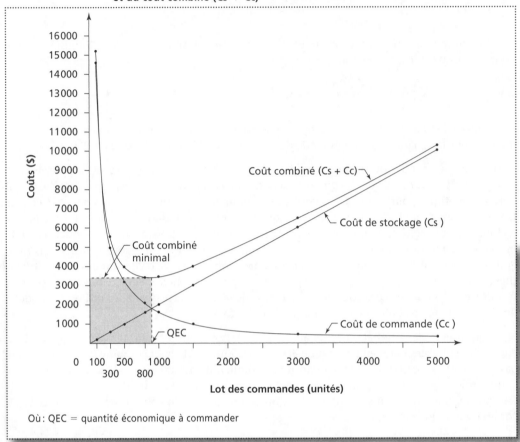

Où : QEC = quantité économique à commander

On peut voir que la quantité de commande de 800 unités ne représente pas le coût combiné le plus bas. Ce dernier correspond plutôt au croisement de la courbe du coût de stockage et de la courbe du coût de commande. On est donc certain que la quantité économique de commande se situe entre 800 et 1 000 unités. Pour le savoir précisément, il faut procéder de façon algébrique. Si on sait que la quantité économique de commande correspond au croisement de la courbe du coût de stockage et de la courbe du coût de commande, on peut chercher à déterminer cette quantité en égalant les deux termes algébriquement. Cela revient à dire que l'on doit isoler Q dans l'équation suivante :

$$\frac{Cc_u \times D}{Q} = Cs_u \times \frac{S_{MAX} + S_{MIN}}{2}$$

$$\frac{Cc_u \times D}{Q} = Cs_u \times \frac{S_{MAX} + 0}{2}$$

De plus, comme $S_{MAX} = Q$, alors :

$$\frac{Cc_u \times D}{Q} = Cs_u \times \frac{Q}{2}$$

Donc :

$$Cc_u \times D = Cs_u \times \frac{Q^2}{2}$$

$$\frac{2(Cc_u \times D)}{Cs_u} = Q^2$$

$$\sqrt{\frac{2(Cc_u \times D)}{Cs_u}} = Q$$

Si on appliquait cet exemple à la formule trouvée précédemment, on pourrait déterminer la quantité économique de commande. En effet :

$$\sqrt{\frac{2(30\,\$ \times 50\,000)}{20\,\$ \times 20\,\%}} = 866,03 \text{ tiges}$$

Il va sans dire que l'on ne peut commander 0,03 tige à un manufacturier. Habituellement, lorsque le résultat de la quantité économique de commande comporte des décimales, on arrondit ce résultat. Ici, il faudrait donc passer une commande à une quantité optimale de 867 tiges.

On pourrait déterminer le coût combiné relié à cet exemple. On sait que l'on fait abstraction du coût d'acquisition pour la raison que nous avons déjà expliquée. Le coût combiné sera donc égal à la somme su coût de stockage et du coût de commande. On aura alors :

$$Cs + Cc = \left(Cs_u \times \frac{Q}{2}\right) + \left(Cc_u \times \frac{D}{Q}\right)$$

$$Cs + Cc = \left(4\,\$ \times \frac{867}{2}\right) + \left(30\,\$ \times \frac{50\,000}{867}\right)$$

$$Cs + Cc = 1734\,\$ + 1\,730,10\,\$$$

$$Cs + Cc = 3\,464,10\,\$$$

On remarque donc que le coût combiné est encore plus bas que les coûts combinés présentés dans le tableau 6.1. Il est à noter que, habituellement, à la quantité économique de commande, le coût de stockage est égal au coût de commande. Dans notre exemple, ce n'est pas tout à fait le cas en raison de l'arrondissement de 866,03 à 867 unités. Lorsqu'il connaît ce petit truc, l'élève a l'occasion de revoir ses calculs.

Voici un détail qui peut sembler anodin, mais qui est très important pour un acheteur. L'entreprise qui fournit les tiges peut obliger l'entreprise cliente à acheter par lots de 10, de 100 ou de 1 000 unités. Si, par exemple, la contrainte d'achat oblige l'acheteur à faire l'acquisition de tiges par lots de 10 unités, celui-ci aura à choisir entre une quantité de commande de 860 unités et une quantité de commande de 870 unités. Pour connaître la quantité la plus économique des deux, il devra faire le calcul du coût combiné pour les deux quantités. Le même principe s'applique aux lots de 100 et de 1 000 unités.

Donc, le coût combiné pour une quantité commandée de 860 unités est de :

$$\left(4\,\$ \times \frac{860}{2}\right) + \left(30\,\$ \times \frac{50\,000}{860}\right) = 3\,464,186\,\$$$

Quant au coût combiné pour une quantité de commande de 870 unités, il est de :

$$\left(4\,\$ \times \frac{870}{2}\right) + \left(30\,\$ \times \frac{50\,000}{870}\right) = 3\,464,138\,\$$$

On voit que le fait de commander 860 ou 870 unités ne comporte pas une économie substantielle (0,05 $). La différence aurait probablement été plus marquée si les quantités comparées avaient été plus grandes. Ici, rationnellement parlant, l'acheteur optera pour la quantité de commande qui lui offre le coût combiné le plus économique, soit 870 unités.

Il est très important de considérer la même période (habituellement un an) pour tous les facteurs (Cc_u, Cs_u, D) relatifs à la QEC.

Si, maintenant, on voulait connaître l'intervalle entre chaque commande afin de déterminer une politique en matière de commandes, on n'aurait qu'à diviser la QEC par la consommation annuelle (D). Dans notre exemple, l'intervalle entre chaque commande est le suivant :

$$\frac{QEC}{D} = \frac{867 \text{ tiges/commandes}}{50\,000 \text{ tiges/année}} = 0,017 \text{ année/commande}$$

On pourrait convertir cette réponse en mois et même en jours pour donner une signification plus grande à l'intervalle. Le nombre 0,017 année correspond à 0,204 mois, nombre qui correspond à son tour à 4,08 jours (~ 4 jours) si on considère qu'il y a 20 jours ouvrables par mois. En résumé, l'acheteur devra passer une commande de 867 tiges en acier inoxydable tous les 4 jours ouvrables.

6.2.2 La quantité économique de commande avec une réception échelonnée ou quantité économique de production

La quantité économique de commande avec une réception échelonnée signifie que la quantité commandée n'est pas reçue en une seule fois. Cependant, le reste des hypothèses énoncées à la section 6.2.1 demeurent. Ce concept s'expliquera dans le contexte de la production (quantité économique de production ou QEP). On pourra quand même faire une analogie avec la QEC avec une réception échelonnée. Ici, on considère une demande ou une consommation D ainsi qu'un taux de production P. Évidemment, la consommation ou la vente du produit sera toujours différente du taux de production. Dans le contexte de la distribution, on dira que la quantité achetée et reçue n'est pas égale à la quantité consommée. Si elles étaient égales, on retrouverait la QEC de base. De plus, la consommation ou la vente du produit ne pourra jamais excéder le taux de production, sans quoi il y aurait rupture de stock. Le coût combiné à considérer, dans le contexte de la production, sera :

> [Stock moyen × coût de stockage unitaire] + [nombre de mises en route × coût de la mise en route]

Dans le contexte de l'approvisionnement, le coût total sera plutôt celui-ci :

> [Stock moyen × coût de stockage unitaire] + [nombre de commandes × coût de passation d'une commande]

La démarche pour en arriver à l'équation de la quantité économique de commande se fera dans le contexte de la production. Notons que dans le contexte de l'approvisionnement, la logique est strictement la même.

■ La détermination du stock moyen

On sait que, par définition, le stock moyen est égal au stock maximal auquel on ajoute le stock minimal, le tout divisé par 2. Selon la figure 6.9, au temps t, on a produit $P \times t$ et on a consommé ou vendu $D \times t$. Le stock maximal représente donc la différence entre la production effectuée et la consommation du produit au temps t. Mathématiquement, cela donne :

$$S_{MAX} = (P \times t) - (D \times t) = (P - D)t$$

Comme la quantité produite est égale à la production au temps t, c'est-à-dire $Q = P \times t$, on peut isoler t. Donc, $t = Q/P$.

Finalement, par substitution, on peut affirmer que :

$$S_{MAX} = P - D\left(\frac{Q}{P}\right)$$

Si on considère que $S_{MIN} = 0$ étant donné qu'il n'y a pas de stock de sécurité, le stock moyen défini comme étant $(S_{MAX} + S_{MIN})/2$ devient alors :

$$S_{MOYEN} = \frac{1}{2} Q\left(1 - \frac{D}{P}\right)$$

■ Figure 6.9   **Détermination d'un stock moyen dans un contexte de production**

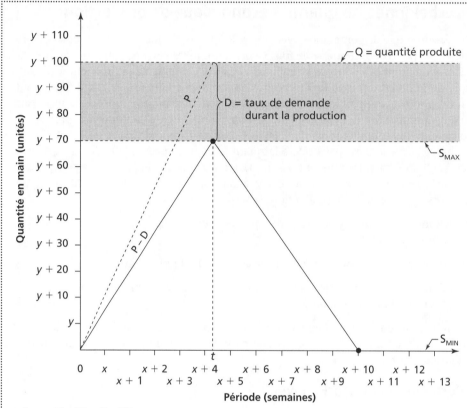

$S_{MAX} = Pt - Dt = (P - D)t$

Comme $Q = Pt$ alors $t = \dfrac{Q}{P}$

$S_{MAX} = (P - D)\dfrac{Q}{P}$

$\phantom{S_{MAX}} = Q\left(1 - \dfrac{D}{P}\right)$

$S_{MOYEN} = \dfrac{S_{MAX} + S_{MIN}}{2} = \dfrac{Q\left(1 - \dfrac{D}{P}\right) + 0}{2} = \dfrac{1}{2}\, Q\left(1 - \dfrac{D}{P}\right)$

où : P = taux de production

     D = taux de la demande

     P − D = taux de reconstitution du niveau d'inventaire

■ Le nombre de mises en route

Le nombre de mises en route consiste dans la consommation sur une base annuelle que l'on divise par la quantité produite. Mathématiquement, le nombre de mises en route sera défini comme étant D/Q.

Le coût combiné (Cs + Cc) devient donc :

$$Cs + Cc = \left[\frac{1}{2} \, Q \left(1 - \frac{D}{P} \right) \times Cs_u \right] + \left(Cc_u \times \frac{D}{Q} \right)$$

On sait que le coût combiné est réduit au minimum lorsque les deux termes de droite sont égaux :

$$\left[\frac{1}{2} \, Q \left(1 - \frac{D}{P} \right) \times Cs_u \right] = \left(Cc_u \times \frac{D}{Q} \right)$$

Finalement, en isolant Q dans l'équation, on trouve alors :

$$QEP = \sqrt{ \frac{2 \, (Cc_u \times D)}{ Cs_u \left(1 \, \dfrac{D}{P} \right)} }$$

EXEMPLE 6.5

Si l'on reprend l'exemple 6.4, on pose que l'entreprise fabrique elle-même la tige d'acier inoxydable. Son taux de production est de 400 tiges par jour (on considère qu'il y a 250 jours ouvrables par année). Dans ce cas-ci, la quantité économique de production sera :

$$QEP = \sqrt{ \frac{2 \times 50\,000 \times 30\,\$}{ 4\,\$ \times \left(1 - \dfrac{50\,000}{100\,000} \right)} }$$

QEP = 1 224,74 tiges − 1 225 tiges

Le coût combiné (Cs + Cc) deviendra alors :

$$Cs + Cc = \frac{ 4\,\$ \times \left[1\,225 \left(1 - \dfrac{50\,000}{100\,000} \right) \right]}{2} + 30\$ \times \frac{50\,000}{1\,225}$$

$$Cs + Cc = 1\,225\,\$ + 1\,225\,\$$$

$$Cs + Cc = 2\,450\,\$$$

On pourrait chercher à déterminer l'intervalle entre chaque production. Dans ce cas-ci, si l'on connaît la demande annuelle et la quantité économique de production, il suffit de diviser les deux termes, D/Q :

50 000 tiges par année/1 225 tiges par mise en route = 40,8 mises en route par année ~ 41 ;

comme il y a 250 jours ouvrables par année, alors 250/41 = 6,09 jours ~ 6 jours.

Alors, la politique en matière de production pour cet article serait de commencer la production des 1 225 tiges d'acier inoxydable tous les 6 jours au coût de 2 450 $.

Sous l'angle d'un distributeur, on pourrait affirmer que 50 000 tiges sont consommées par année et que le taux d'approvisionnement est de 400 tiges par jour. En faisant le calcul pour trouver la QEC avec une réception échelonnée, on arriverait au même résultat.

Le tableau 6.2 permet de comparer les résultats trouvés pour la QEC et la QEP, ou QEC avec une réception échelonnée.

L'acheteur constatera alors qu'il peut être avantageux de fonctionner avec le modèle de la quantité économique de commande avec une réception échelonnée. En effet, le coût combiné (Cs + Cc) est plus bas, car il passe moins de commandes par année et le stock moyen en inventaire est moins élevé que dans le cas où il travaille avec la QEC de base.

Dans la perspective du travail selon le juste-à-temps, il serait de mise d'opter pour le second modèle (QEP) afin de diminuer les stocks le plus possible. Pour les entreprises qui possèdent peu d'espace d'entreposage, ce modèle pourrait être bénéfique. Évidemment, si elle veut utiliser ce modèle, l'entreprise doit connaître suffisamment son fournisseur pour arriver à une telle entente.

Ce type de modèle est très utilisé dans les entreprises manufacturant des produits de base comme l'acier, le verre ou le papier. Il est adopté non pas pour les matières premières, mais pour les pièces de rechange. En effet, lorsque l'entreprise fait l'approximation de sa consommation annuelle (par exemple des roulements à billes pour un convoyeur à rouleaux), elle peut s'entendre avec un fournisseur pour qu'il lui livre une partie de sa consommation annuelle tous les mois.

■ **Tableau 6.2**   **Comparaison entre la QEC et la QEP**

	QEC	QEP
Quantité économique	867	1 225
Stock moyen	433,5 ~ 434	306,25 ~ 307
Nombre de commandes	58	41
Cs ($)	1 734	1 225
Cc ($)	1 730	1 225
Cs + Cc ($)	3 464	2 450

6.2.3   La quantité économique de commande avec un escompte

La plupart du temps, lorsque l'on achète un article en grande quantité, on obtient un escompte sur quantité parce que le manufacturier fournisseur peut bénéficier d'économies d'échelle. Cela revient à dire que le coût unitaire de l'article varie à la baisse lorsqu'on achète davantage.

On aura alors une échelle de coûts unitaires en fonction de segments de quantité. Autrement dit, lorsque la quantité achetée sera plus petite qu'une quantité Qa, on obtiendra un coût unitaire Ca ; lorsque la quantité achetée sera comprise entre Qa et Qb, on obtiendra un coût Cb ; lorsque la quantité achetée sera comprise entre Qb et Qc, on obtiendra un coût Cc ; et ainsi de suite. Nous verrons un peu plus loin un exemple qui facilitera la compréhension de ce concept.

Encore une fois ici, on devra déterminer la quantité qui donnera le coût combiné le plus bas. En plus du coût de stockage (Cs) et du coût de commande (Cc), le calcul du coût combiné comprend le coût d'acquisition (Ca), car celui-ci varie avec la quantité achetée.

Voici une démarche qui aidera à trouver la quantité économique de commande avec un escompte :

1. On commence par utiliser le coût le moins élevé de l'échelle de coûts unitaires.

2. On calcule la QEC relative à ce coût. Si la QEC trouvée entre dans l'échelle du coût utilisé, alors il est inutile d'aller plus loin, car il s'agit de la solution optimale.

3. Si ce n'est pas le cas, on prendra alors le coût supérieur au coût précédent.

4. On calcule donc la QEC relative à ce nouveau coût. Si la QEC entre dans le segment de quantité de ce nouveau coût, alors on calcule le coût total (Ca + Cs + Cc) pour cette quantité ainsi que pour les segments de quantités supérieurs qui offrent des escomptes. La quantité optimale est celle qui présente le plus petit coût combiné.

EXEMPLE 6.6

Si l'on reprend l'exemple des tiges en acier inoxydable, on pourrait considérer l'échelle d'escomptes suivante :

$$Q < 500 = 24\,\$$$

$$500 \leq Q < 1\,000 = 22\,\$$$

$$1\,000 \leq Q < 2\,000 = 20\,\$$$

$$Q \geq 2\,000 = 18\,\$$$

En suivant la démarche établie précédemment, on choisit d'abord le coût unitaire le plus bas, soit 18 $. Puis, on calcule la QEC relative à ce coût unitaire. On sait que la demande annuelle est de 50 000 tiges, que le coût de commande est de 30 $ et que le coût de stockage unitaire est de 18 $ × 20 %, c'est-à-dire 3,60 $.

$$QEC = \sqrt{\frac{2 \times 50\,000 \times 30}{3,60}} = 912,87 \sim 913 \text{ tiges}$$

Comme le coût unitaire de 18 $ correspond à des commandes de 2 000 tiges et plus, on voit que ce ne peut être la solution. On considérera alors le coût qui vient après 18 $, soit 20 $. En faisant le calcul de la QEC, on trouve :

$$QEC = \sqrt{\frac{2 \times 50\,000 \times 30}{4,00}} = 866,03 \sim 867 \text{ tiges}$$

Encore une fois, la quantité obtenue ne correspond pas au segment de quantité relatif au coût unitaire qu'on utilise. On recommencera l'étape 4 avec le coût unitaire immédiatement supérieur à 20 $, soit 22 $. En appliquant la formule de la QEC, on trouve :

$$QEC = \sqrt{\frac{2 \times 50\,000 \times 30}{4,40}} = 825,72 \sim 826 \text{ tiges}$$

Ici, on voit que la QEC est parfaitement réalisable, c'est-à-dire que la réponse obtenue, soit 826 tiges, est comprise dans le segment de quantité correspondant au coût unitaire de 22 $, soit $500 < Q < 1\,000$. Dans ce cas, on déterminera son coût total sur une base annuelle.

$$\text{Coût total} = Ca + Cs + Cc$$

$$\text{Coût total pour 826} = (22\,\$ \times 50\,000) + \left[(22\,\$ \times 20\,\%) \times \frac{826}{2} \right] +$$

$$\left[(30\,\$ \times \frac{50\,000}{826}) \right] = 1\,103\,633,18\,\$$$

Selon l'étape 4, on se doit de calculer le coût total des quantités où un escompte est offert pour les segments de quantités supérieurs. On calculera donc le coût total pour une quantité de 1 000 tiges et pour une quantité de 2 000 tiges. Pourquoi 1 000 plutôt que 1 500 ou 1 350 ? Tout simplement parce que la quantité de 1 000 correspond au début du segment ou de l'échelon supérieur des quantités. Alors, si l'on fait un calcul du coût total pour 1 500 tiges, cela donnera évidemment un coût total supérieur à celui qu'on obtient pour une quantité de 1 000 tiges, car ils ont tous deux le même coût unitaire. Le même raisonnement s'applique pour ce qui est de l'échelon de 2 000 unités et plus. Alors le coût total pour 1 000 unités sera le suivant :

$$\text{Coût total pour 1 000} = (20\,\$ \times 50\,000) + \left[(20\,\$ \times 20\,\%) \times \frac{1000}{2} \right] +$$

$$\left(30\,\$ \times \frac{50\,000}{1000} \right) = 1\,003\,500\,\$$$

Puis, le coût total pour 2 000 tiges sera celui-ci :

$$\text{Coût total pour 2 000} = (18\,\$ \times 50\,000) + \left[(18\,\$ \times 20\,\%) \times \frac{2000}{2}\right] +$$

$$\left(30\,\$ \times \frac{50\,000}{2000}\right) = 904\,350\,\$$$

Donc, on voit que la quantité économique de commande avec un escompte correspond à 2 000 tiges.

Il faut quand même se méfier lorsqu'on utilise ce type de modèle. En effet, la quantité économique de commande peut correspondre à beaucoup plus que la capacité de l'entrepôt pour un article donné. À ce moment-là, peu importe le résultat trouvé, on commandera toujours selon la contrainte physique à respecter, en l'occurrence la taille de l'entrepôt. Il faut également vérifier auprès du service de la recherche et du développement si le produit que l'on désire acheter ne sera pas abandonné à court terme et remplacé par un autre produit, ce qui occasionnerait des coûts d'obsolescence risquant d'être importants.

6.3   Les modèles de détermination des quantités de commande dans le cas d'une demande dépendante

6.3.1   La planification des besoins de matières

La planification des besoins de matières (PBM) est un système utilisant la structure du produit, l'état des stocks relativement au produit ainsi que la demande de produits finis dans le but de calculer ce qu'il faut commander, quand il faut le commander et quelle quantité il faut commander en ce qui a trait aux matières premières et aux composantes. Pour ce qui est des produits en cours, on se posera les mêmes questions, mais dans le contexte de la production, c'est-à-dire ce qu'il faut produire, quand il faut le produire et quelle quantité il faut produire.

Il est utile de mentionner qu'on se sert d'un système de commandes à flux poussé, c'est-à-dire que tout est exécuté en fonction des matières premières. Celles-ci déterminent la quantité de stocks qui seront fabriqués. Cela permet de produire pour faire du stockage, situation appréciable dans les périodes intenses de production et de vente. Ce système peut cependant entraîner des amoncellements de stocks entre chaque poste de travail, car la quantité produite au poste de travail en amont n'est peut-être pas la quantité désirée à court terme au poste de travail en aval.

On doit également faire la distinction entre les sigles MRP I et MRP II (*manufacturing resources planning*). Le système de MRP I est le système de planification des besoins de matières que nous avons décrit précédemment. Il s'agit d'un système de première génération élaboré dans les années 1970 aux États-Unis par Joseph Orlicky. Quant au système de MRP II, il consiste en un système d'information manufacturier intégrant les services du marketing, de la production, des approvisionnements et des finances. Il établit les besoins financiers à partir des besoins de matières, de ressources humaines et d'équipements dans ces quatre services. Il vérifie également les mesures de profits à l'aide de ratios financiers comme le rendement des investissements. C'est un système de deuxième génération, qui est apparu vers le milieu des années 1980. On pourrait également parler du système ERP (*enterprise resources planning*), qui correspond à un système d'information intégrant toutes les fonctions d'une entreprise, allant de la réception des marchandises après achat jusqu'à la distribution du produit. Les systèmes ERP sont de plus en plus en vogue dans les entreprises qui désirent optimiser leurs flux de marchandises et d'informations avec leurs clients et leurs fournisseurs.

Un système informatique qui a fait l'objet de recherche à la fin du dernier millénaire est le XRP[2]. Ce dernier modèle intégrait tous les services de toutes les entreprises à l'intérieur d'une même chaîne d'approvisionnement allant de l'amont à l'aval. La plupart des entreprises n'étant pas prêtes à ce genre de système d'information, le XRP en est encore à ses premiers balbutiements.

■ Les intrants du système de planification des besoins de matières

La structure du produit

La structure du produit est en quelque sorte la représentation sous forme d'arbre d'un produit (voir la figure 6.10). Au niveau 0, qui est le niveau le plus haut, on trouve le produit fini ; au niveau 1, il y a les assemblages principaux ; au niveau 2, il y a les sous-assemblages et, finalement, au niveau 3, on trouve la matière première. Les chiffres entre parenthèses correspondent à la quantité du produit nécessaire pour fabriquer le produit du niveau supérieur. Il faut cependant mentionner que le nombre de niveaux varie en fonction de la complexité du produit. Par exemple, la construction d'un autobus selon un système de PBM requiert beaucoup plus de niveaux que la fabrication d'un briquet à essence. À la rigueur, le nombre minimal de niveaux est de deux, soit le produit fini au niveau 0 et les matières premières ou encore les composantes au niveau 1.

Cette représentation est beaucoup plus visuelle et pratique que ce qu'on appelle la nomenclature du produit. En effet, la nomenclature du produit n'est ni plus ni moins qu'une liste détaillée des sous-produits faisant partie intégrante du produit lui-même. Habituellement, la nomenclature du produit comprend la description de chaque sous-produit, la quantité nécessaire de chaque sous-produit entrant dans le produit fini et le niveau correspondant à chaque produit.

Le plan directeur de production

Le plan directeur de production est établi par des membres du service de la production qui forment souvent un comité avec des membres du service du marketing et des membres du service de l'approvisionnement. Il faut comprendre que, dans un système à flux poussé, les prévisions des ventes sont capitales. En fonction des pronostics faits par le service du marketing et des ventes et des prévisions calculées à l'aide de données historiques sur chaque produit (comme nous l'avons vu au chapitre 5 dans la section portant sur les prévisions), on établira

---

2. Yves Langevin et Marc A. Beaudoin. « XPR : un ERP qui voit plus loin », *Logistics Magazine*, vol. 3, n°6, nov.-déc. 1999, p. 16-17.

Figure 6.10   Structure du produit

une planification agrégée de la production, soit un plan global de ce qu'on aura à produire pour le prochain semestre ou la prochaine année. Par la suite, on fixera un plan directeur de production qui, lui, s'échelonne habituellement sur une période de 6 à 12 semaines. Le tableau 6.3 illustre le déroulement d'un système de commandes à flux poussé. Le plan agrégé de production contient les quantités de production de chaque famille de produits qui sont accompagnées des ressources (humaines, financières et matérielles) nécessaires pour accomplir le travail sans dépasser la capacité de production. Pour sa part, le plan directeur de production représente les quantités de chaque produit fini.

Le plan directeur de production est fixé *a priori* pour 6 à 12 semaines. Toutefois, on se rend compte rapidement qu'il faut le modifier après 3 à 4 semaines à cause des changements dans la demande ou à cause des délais de livraison des composantes trop longs qui créent, après quelques semaines, une incertitude quant aux commandes à faire.

Tableau 6.3   Déroulement d'un système de commandes à flux poussé (basé sur des prévisions)

Opération	Horizon de planification
1. Prévisions des ventes	1 an
2. Planification agrégée (globale) de la production	6 mois à 1 an
3. Plan directeur de production	6 à 12 semaines
4. Plan des besoins de matières	6 à 12 semaines
5. Ordonnancement des commandes et de la production	1 jour à 2 semaines

L'état des stocks

Le dernier intrant informe l'entreprise avec précision en ce qui a trait au délai de livraison (délai de production pour les articles fabriqués à l'intérieur de l'entreprise) de chaque sous-produit (assemblages, sous-assemblages, composantes, matières premières). Il renseigne également sur la quantité de stocks que l'entreprise possède et sur le stock de sécurité désiré. Les contraintes inhérentes à la gestion des stocks y sont mentionnées, comme le fait de ne pouvoir commander que par lots de 500 unités ou encore de 1 000 unités. Si l'entreprise n'a besoin que de 400 unités, elle devra en conserver 600 en stock pour une certaine période. De même, pour les lots de 500 unités, si elle a besoin de 600 unités, elle devra garder 400 unités en stock. Cela entraîne donc des coûts de stockage.

Finalement, il peut y avoir un retour de marchandises au fournisseur à cause de bris ou de défectuosités avant l'horizon de planification du système de PBM sur une période de six à huit semaines. Bien entendu, le fournisseur retournera à l'entreprise le matériel à une date donnée. Lorsque l'entreprise mettra au point le système sur une période de six à huit semaines, elle devra inclure dans l'état des stocks le retour du matériel de la part du fournisseur. Ce phénomène s'appelle une réception programmée, car on connaît la date de réception du matériel.

■ Les extrants du système de planification des besoins de matières

Après qu'on a établi les intrants du système de PBM et qu'on les a intégrés au système lui-même (le processus de transformation est souvent informatisé), il en ressort les extrants du système de PBM. Les extrants sont les horaires de production et d'approvisionnement des différents sous-produits ; par exemple, cela permet de déterminer à partir de quelle semaine il faut fabriquer ou acheter tel ou tel sous-produit. Avec ce système, on peut également obtenir des rapports concernant la quantité fabriquée d'un sous-produit pendant une certaine période. Cette information deviendra pertinente lorsqu'on aura à prévoir les besoins pour une autre année.

■ Le calcul des besoins en composantes

Le système de PBM part toujours des besoins du plan directeur de production, c'est-à-dire des besoins en produits finis. Ces besoins permettent d'obtenir une procédure d'éclatement, comme le montre la figure 6.11. À partir des besoins en produits finis et de la nomenclature du produit, on trouvera les besoins bruts du premier assemblage. Par la suite, en fonction des quantités en stock et des assemblages déjà fabriqués, on déterminera les besoins nets du premier assemblage, qui correspondront à la commande de fabrication interne ou à la commande d'achat pour cet assemblage.

Les lancements de commande (les besoins nets décalés à cause du délai de livraison ou encore le multiple représentant le lot de commande le plus près possible des besoins nets) du premier assemblage représentent les besoins bruts du sous-assemblage, et ainsi de suite. Par exemple, si un assemblage X exige 3 pièces de A et 4 pièces de B comme sous-assemblage et que l'assemblage X est requis 2 fois dans le produit fini, alors les besoins bruts en A et en B seront :

$$A = 3 \times 2 = 6\,A$$

$$B = 4 \times 2 = 8\,B$$

■ **Figure 6.11**   **Procédure d'éclatement**

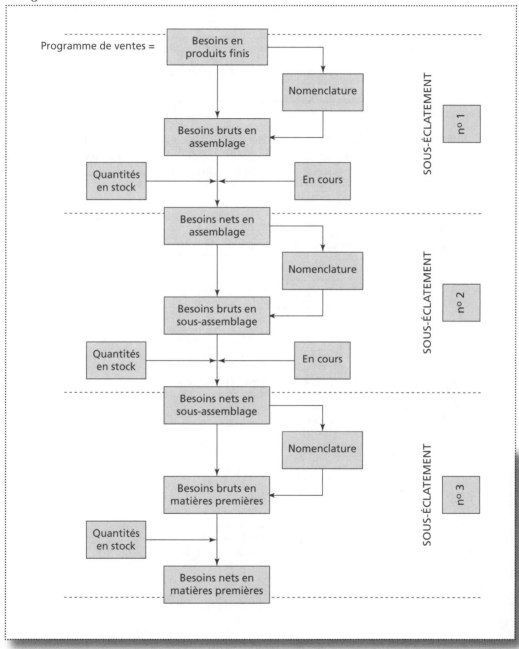

Source: Olivier Bruel. *Politique d'achat et gestion des approvisionnements,* Paris, Bordas, 1991, p. 185.

De plus, on doit considérer les pièces déjà fabriquées ou en stock qu'on prendra soin de soustraire des besoins bruts déjà calculés. La formule pour trouver les besoins nets, et donc les quantités de commande, est la suivante :

Besoins bruts − réception programmée − stock en main = besoins nets

Il est à noter que le stock de sécurité ne sera utilisé qu'en cas de rupture de stock.

EXEMPLE 6.7

Nous donnerons un exemple d'un système de PBM à l'aide de la structure du produit d'un gâteau au chocolat illustrée à la figure 6.12, du plan directeur indiqué au tableau 6.4 ainsi que de l'état des stocks présenté au tableau 6.5. Rappelez-vous qu'un plan directeur représente les besoins bruts du produit fini.

■ **Figure 6.12**   Structure du produit d'un gâteau au chocolat

Tableau 6.4   Plan directeur du gâteau au chocolat

Semaine	Quantité
1	100
2	200
3	150
4	200
5	300
6	400
7	100
8	200

Les chiffres entre parenthèses dans la structure du produit (voir la figure 6.12), comme le 2 à côté du pâté de gâteau, signifient que l'entreprise a besoin de 2 pâtés de gâteau pour faire un gâteau au chocolat.

La mécanique de la planification des besoins de matières est illustrée au tableau 6.6. L'entreprise pourra donc trouver les besoins nets en produits finis, en l'occurrence en gâteaux au chocolat, et en chaque sous-produit, et établir ainsi un plan d'approvisionnement. Dans le cas du produit fini, les besoins bruts sont de 100 unités la première semaine, il n'y a aucune réception de stock programmée et l'entreprise a 300 unités en main[3]. Logiquement, les besoins nets sont nuls la première semaine, et au début de la deuxième semaine, il reste 200 unités. Ainsi, les besoins bruts pour la deuxième semaine sont de 200 unités. Comme il restait 200 unités au début de la deuxième semaine et qu'aucune réception n'est planifiée, les 200 unités en stock combleront les besoins bruts pour la deuxième semaine. Le stock en main sera donc nul au début de la troisième semaine. La troisième semaine, les besoins bruts sont de 150 unités, il n'y a plus de stock en main et le stock de sécurité doit servir strictement en cas de rupture. Sachant que le délai de fabrication (n'oubliez pas qu'il s'agit d'un produit fini) est de 0 semaine (évalué en jours), l'entreprise devrait donc passer une commande interne de fabrication de 150 unités à la semaine 3 pour les recevoir dans la même semaine. La démarche est la même pour les semaines 4 à 8.

---

3. Le stock de sécurité est inclus dans le stock en main. C'est pour cette raison que dans l'état des stocks du tableau 6.5, on trouve 400 unités en main et 100 unités comme stock de sécurité. On utilisera ce dernier seulement pour éviter les ruptures de stock et on renouvellera aussitôt le stock de sécurité.

■ **Tableau 6.5**   État des stocks

Produits et sous-produits	Stock en main (incluant le stock de sécurité)	Stock de sécurité	Réception programmée	Délai de livraison ou de fabrication (en semaines)	Grosseur des lots
Gâteau au chocolat	400	100	—	0	—
Glaçage	550	150	—	1	—
Pâté de gâteau	700	200	150 à la semaine 2	1	300
Cuillère à soupe de graisse végétale	1000	250	—	2	—
Cuillère à thé de vanille	800	300	—	1	—
Tasse de lait	2000	1000	1 500 à la semaine 3	3	—
Tasse de sucre en poudre	600	200	—	2	200
Cuillère à soupe de cacao	400	100	—	2	200
Tasse de farine	500	150	—	1	—
Tasse de sucre	650	250	300 à la semaine 5	3	—
Cuillère à thé de sel	700	200	—	1	—
Cuillère à thé de levure chimique	900	300	—	2	—
Œufs	1200	200	—	3	400
Tasse de graisse végétale	400	150	—	2	—
Tasse de cacao	500	200	—	2	—
Cuillère à thé de bicarbonate de soude	600	150	—	2	—

■ **Tableau 6.6**   Détermination des besoins en gâteaux au chocolat et en leurs sous-produits

Gâteau au chocolat						Niveau 0		Délai: 0 semaine
Semaine	1	2	3	4	5	6	7	8
Besoins bruts	100	200	150	200	300	400	100	200
Réception programmée	0	0	0	0	0	0	0	0
Stock en main (début de période)	300	200	0	0	0	0	0	0
Stock de sécurité	100	100	100	100	100	100	100	100
Besoins nets	0	0	150	200	300	400	100	200
Réception de la commande	0	0	150	200	300	400	100	200
Passation de la commande	0	0	150	200	300	400	100	200

Glaçage (1 glaçage pour un gâteau au chocolat)						Niveau 1		Délai: 1 semaine
Semaine	1	2	3	4	5	6	7	8
Besoins bruts	0	0	150	200	300	400	100	200
Réception programmée	0	0	0	0	0	0	0	0
Stock en main (début de période)	400	400	400	250	50	0	0	0
Stock de sécurité	150	150	150	150	150	150	150	150
Besoins nets	0	0	0	0	250	400	100	200
Réception de la commande	0	0	0	0	250	400	100	200
Passation de la commande	0	0	0	250	400	100	200	—

■ **Tableau 6.6**   Détermination des besoins en gâteaux au chocolat et en leurs sous-produits *(suite)*

Pâté de gâteau 2 pâtés de gâteau pour un gâteau au chocolat						Niveau 1	Délai: 1 semaine	
Semaine	**1**	**2**	**3**	**4**	**5**	**6**	**7**	**8**
Besoins bruts	0	0	300	400	600	800	200	400
Réception programmée	0	150	0	0	0	0	0	0
Stock en main (début de période)	500	500	650	350	250	250	50	150
Stock de sécurité	200	200	200	200	200	200	200	200
Besoins nets	0	0	0	50	350	550	150	250
Réception de la commande	0	0	0	300	600	600	300	300
Passation de la commande	0	0	300	600	600	300	300	—

Cuillère à soupe de graisse végétale 2 cuillères à soupe de graisse végétale dans un glaçage						Niveau 2	Délai: 2 semaines	
Semaine	**1**	**2**	**3**	**4**	**5**	**6**	**7**	**8**
Besoins bruts	0	0	0	500	800	200	400	—
Réception programmée	0	0	0	0	0	0	0	0
Stock en main (début de période)	750	750	750	750	250	0	0	0
Stock de sécurité	250	250	250	250	250	250	250	250
Besoins nets	0	0	0	0	550	200	400	—
Réception de la commande	0	0	0	0	550	200	400	—
Passation de la commande	0	0	550	200	400	—	—	—

■ **Tableau 6.6**   Détermination des besoins en gâteaux au chocolat et en leurs sous-produits *(suite)*

Cuillère à thé de vanille 1 cuillère à thé de vanille dans un glaçage et 1 cuillère à thé de vanille dans un pâté de gâteau				Niveau 2		Délai : 1 semaine		
Semaine	1	2	3	4	5	6	7	8
Besoins bruts	0	0	300	850	1 000	400	500	—
Réception programmée	0	0	0	0	0	0	0	0
Stock en main (début de période)	500	500	500	200	0	0	0	0
Stock de sécurité	300	300	300	300	300	300	300	300
Besoins nets	0	0	0	650	1 000	400	500	—
Réception de la commande	0	0	0	650	1 000	400	500	—
Passation de la commande	0	0	650	1000	400	500	—	—

Tasse de lait 1/4 de tasse de lait dans un glaçage et 1 1/4 tasse de lait dans un pâté de gâteau				Niveau 2		Délai : 3 semaines		
Semaine	1	2	3	4	5	6	7	8
Besoins bruts	0	0	375	812,5	850,0	400,0	425,0	—
Réception programmée	0	0	1 500	0,0	0,0	0,0	0,0	0
Stock en main (début de période)	1 000	1 000	1 000	2 125,0	1 312,5	462,5	62,5	0
Stock de sécurité	1 000	1 000	1 000	1 000,0	1 000,0	1 000,0	1 000,0	1 000
Besoins nets	0	0	0	0,0	0,0	0,0	362,5	—
Réception de la commande	0	0	0	0,0	0,0	0,0	362,5	—
Passation de la commande	0	0	0	362,5	—	—	—	—

■ **Tableau 6.6   Détermination des besoins en gâteaux au chocolat et en leurs sous-produits** *(suite)*

Tasse de sucre en poudre 1 1/2 tasse de sucre en poudre dans un glaçage					Niveau 2		Délai : 2 semaines	
Semaine	1	2	3	4	5	6	7	8
Besoins bruts	0	0	0	375	600	150	300	—
Réception programmée	0	0	0	0	0	0	0	0
Stock en main (début de période)	400	400	400	400	25	25	75	175
Stock de sécurité	200	200	200	200	200	200	200	200
Besoins nets	0	0	0	0	575	125	225	—
Réception de la commande	0	0	0	0	600	200	400	—
Passation de la commande	0	0	600	200	400	—	—	—

Cuillère à soupe de cacao 2 cuillères à soupe de cacao dans un glaçage					Niveau 2		Délai : 2 semaines	
Semaine	1	2	3	4	5	6	7	8
Besoins bruts	0	0	0	500	800	200	400	—
Réception programmée	0	0	0	0	0	0	0	0
Stock en main (début de période)	300	300	300	300	0	0	0	0
Stock de sécurité	100	100	100	100	100	100	100	100
Besoins nets	0	0	0	200	800	200	400	—
Réception de la commande	0	0	0	200	800	200	400	—
Passation de la commande	0	200	800	200	400	—	—	—

■ **Tableau 6.6** Détermination des besoins en gâteaux au chocolat et en leurs sous-produits *(suite)*

Tasse de farine 1 3/4 tasse de farine dans un pâté de gâteau					Niveau 2		Délai : 1 semaine	
Semaine	**1**	**2**	**3**	**4**	**5**	**6**	**7**	**8**
Besoins bruts	0	0	525	1 050	1 050	525	525	—
Réception programmée	0	0	0	0	0	0	0	0
Stock en main (début de période)	350	350	350	0	0	0	0	0
Stock de sécurité	150	150	150	150	150	150	150	150
Besoins nets	0	0	175	1 050	1 050	525	525	—
Réception de la commande	0	0	175	1 050	1 050	525	525	—
Passation de la commande	0	175	1 050	1 050	525	525	—	—

Tasse de sucre 1 1/2 tasse de sucre dans un pâté de gâteau					Niveau 2		Délai : 3 semaines	
Semaine	**1**	**2**	**3**	**4**	**5**	**6**	**7**	**8**
Besoins bruts	0	0	450	900	900	450	450	—
Réception programmée	0	0	0	0	300	0	0	0
Stock en main (début de période)	400	400	400	-50	0	0	0	0
Stock de sécurité	250	250	250	200	250	250	250	250
Besoins nets	0	0	50	950	600	450	450	—
Réception de la commande	0	0	0	950	600	450	450	—
Passation de la commande	950	600	450	450	—	—	—	—

■ **Tableau 6.6**   Détermination des besoins en gâteaux au chocolat et en leurs sous-produits *(suite)*

Tasse de cacao 1/2 tasse de cacao dans un pâté de gâteau				Niveau 2		Délai : 2 semaines		
Semaine	**1**	**2**	**3**	**4**	**5**	**6**	**7**	**8**
Besoins bruts	0	0	150	300	300	150	150	—
Réception programmée	0	0	0	0	0	0	0	0
Stock en main (début de période)	300	300	300	150	0	0	0	0
Stock de sécurité	200	200	200	200	200	200	200	200
Besoins nets	0	0	0	150	300	150	150	—
Réception de la commande	0	0	0	150	300	150	150	—
Passation de la commande	0	150	300	150	150	—	—	—

Cuillère à thé de sel 3/4 de cuillère à thé de sel dans un pâté de gâteau				Niveau 2		Délai : 1 semaine		
Semaine	**1**	**2**	**3**	**4**	**5**	**6**	**7**	**8**
Besoins bruts	0	0	225	450	450	225	225	—
Réception programmée	0	0	0	0	0	0	0	0
Stock en main (début de période)	500	500	500	275	0	0	0	0
Stock de sécurité	200	200	200	200	200	200	200	200
Besoins nets	0	0	0	175	450		225	225
Réception de la commande	0	0	0	175	450	225	225	—
Passation de la commande	0	0	175	450	225	225	—	—

■ **Tableau 6.6**   Détermination des besoins en gâteaux au chocolat et en leurs sous-produits *(suite)*

Cuillère à thé de levure chimique 1 1/2 cuillère à thé de levure chimique dans un pâté de gâteau					Niveau 2		Délai: 2 semaines	
Semaine	1	2	3	4	5	6	7	8
Besoins bruts	0	0	450	900	900	450	450	—
Réception programmée	0	0	0	0	0	0	0	0
Stock en main (début de période)	600	600	600	150	0	0	0	0
Stock de sécurité	300	300	300	300	300	300	300	300
Besoins nets	0	0	0	750	900	450	450	—
Réception de la commande	0	0	0	750	900	450	450	—
Passation de la commande	0	750	900	450	450	—	—	—

Cuillère à thé de bicarbonate de soude 1 cuillère à thé de bicarbonate de soude dans un pâté de gâteau					Niveau 2		Délai: 2 semaines	
Semaine	1	2	3	4	5	6	7	8
Besoins bruts	0	0	300	600	600	300	300	—
Réception programmée	0	0	0	0	0	0	0	0
Stock en main (début de période)	450	450	450	150	0	0	0	0
Stock de sécurité	150	150	150	150	150	150	150	150
Besoins nets	0	0	0	450	600	300	300	—
Réception de la commande	0	0	0	450	600	300	300	—
Passation de la commande	0	450	600	300	300	—	—	—

■ **Tableau 6.6** Détermination des besoins en gâteaux au chocolat et en leurs sous-produits *(suite)*

Tasse de graisse végétale 1/2 tasse de graisse végétale dans un pâté de gâteau					Niveau 2		Délai : 2 semaines	
Semaine	1	2	3	4	5	6	7	8
Besoins bruts	0	0	150	300	300	150	150	—
Réception programmée	0	0	0	0	0	0	0	0
Stock en main (début de période)	250	250	250	100	0	0	0	0
Stock de sécurité	150	150	150	150	150	150	150	150
Besoins nets	0	0	0	200	300	150	150	—
Réception de la commande	0	0	0	200	300	150	150	—
Passation de la commande	0	200	300	150	150	—	—	—

Œufs 2 œufs dans un pâté de gâteau					Niveau 2		Délai : 3 semaines	
Semaine	1	2	3	4	5	6	7	8
Besoins bruts	0	0	600	1 200	1 200	600	600	—
Réception programmée	0	0	0	0	0	0	0	0
Stock en main (début de période)	1 000	1 000	1 000	400	0	0	200	0
Stock de sécurité	200	200	200	200	200	200	200	200
Besoins nets	0	0	0	800	1 200	600	400	—
Réception de la commande	0	0	0	800	1 200	800	400	—
Passation de la commande	800	1 200	800	400	—	—	—	—

Si l'on observe la figure 6.11, on comprend que la procédure d'éclatement fait en sorte que les besoins nets (on doit considérer la passation de commande au lieu des besoins nets à cause du délai de livraison qui décale nos besoins nets) du niveau 0 dans la structure du produit correspondent aux besoins bruts du niveau inférieur, soit le niveau 1. Dans notre exemple, comme l'entreprise a besoin de un glaçage pour faire un gâteau au chocolat, alors les besoins bruts en glaçages correspondent à une fois la passation de commande en gâteaux au chocolat. Par la suite, la procédure est la même que celle qui a été adoptée pour le produit fini (le gâteau au chocolat). Il y a cependant deux nuances à apporter. D'abord, le délai de livraison est de une semaine pour ce sous-produit[4]. Comme il reste seulement 50 glaçages en stock au début de la semaine 5 et que les besoins bruts sont alors de 300 glaçages, les besoins nets seront de 250 glaçages. Il faudra donc passer une commande de glaçages durant la semaine 4 pour s'assurer de les recevoir à la semaine 5, d'autant plus qu'aucune réception n'est prévue au calendrier.

L'autre nuance à apporter concerne les besoins nets à la semaine 8. Comme ceux-ci sont déterminés en fonction des besoins bruts de la semaine 9 parce que le délai de livraison est de 1 semaine, il est impossible de connaître ces besoins nets. Pour cette raison, il est d'usage dans un système de PBM d'écrire un tiret. Il faut distinguer le tiret d'une valeur de 0 unité. Une valeur de 0 unité veut simplement dire qu'on connaît les besoins et qu'ils sont nuls, tandis qu'un tiret est utilisé lorsqu'on ne connaît pas les besoins et qu'il y a donc une situation d'incertitude.

Pour ce qui est du pâté de gâteau, l'acheteur devrait suivre la même démarche que pour le glaçage. Il faut prendre en considération une réception programmée à la semaine 2 dans le cas du pâté de gâteau. Pour s'assurer de ne pas l'omettre, l'acheteur devrait l'inscrire tout de suite dans le tableau correspondant au pâté de gâteau. De plus, la grosseur de chaque lot doit être de 300 unités, ce qui aura pour effet d'influencer les besoins nets et donc les commandes d'achat ou de fabrication (dans notre exemple, la fabrication). Effectivement, à la semaine 3, l'entreprise aurait pu commander 50 pâtés de gâteau, mais pour respecter la contrainte du fournisseur ou la contrainte de la production interne, elle doit passer une commande par lots de 300 unités. Elle passera donc une commande de 300 unités à la semaine 3. Pour ce qui est des matières premières (bicarbonate de soude, graisse végétale, etc.), l'acheteur est appelé à suivre le raisonnement que nous venons de faire.

Dans le cas du sous-produit appelé « tasse de sucre » (voir le tableau 6.6), étant donné le délai de livraison de 3 semaines, il y aurait rupture de stock (de 50 unités) à la semaine 3. Pour cette raison, l'acheteur puisera dans son stock de sécurité tout en ayant soin de le renouveler. En effet, la commande de la semaine 1 comprend 950 unités, soit 900 unités + 50 unités, ces dernières correspondant au renouvellement du stock de sécurité.

L'acheteur-planificateur doit également se préoccuper de la capacité de production de chaque poste de travail. En effet, si les besoins nets en sous-produits dépassent la capacité permise, le plan de production sera irréalisable. Les membres du service de la production en collaboration avec

---

4. Notons qu'il y aura un délai de livraison dans le cas d'une composante achetée à l'extérieur de l'entreprise, mais un délai de fabrication dans le cas d'un produit en cours. Dans notre exemple, il s'agit d'un délai de fabrication. En effet, le glaçage est fait à la manufacture à l'aide des matières premières, comme l'illustre la figure 6.12.

ceux du service de l'approvisionnement auront à bâtir un autre plan directeur de production. Il va sans dire que les systèmes de PBM informatisés donnent cette information sur-le-champ quand on décide de transformer des intrants en extrants. Finalement, quand le système de PBM informatisé a fait le calcul pour chaque niveau de la structure du produit, l'acheteur est prêt à préparer les horaires de production et d'approvisionnement et à procéder à l'ordonnancement afin de faire en sorte que toutes les contraintes relatives à la production et aux approvisionnements soient respectées (l'ordre de priorité et la capacité de production).

■ Les cas particuliers concernant les besoins

Il peut arriver à l'occasion que les membres du service des ventes désirent obtenir un certain nombre d'unités additionnelles du produit ou du sous-produit dans le but d'offrir des échantillons à des clients potentiels ou tout simplement de faire mousser les ventes. Ces unités supplémentaires ne sont pas considérées *a priori* dans un système de PBM. L'acheteur qui agit comme planificateur doit cependant les rajouter aux besoins bruts calculés avec les données du service de la production.

Un autre aspect important dont il faut tenir compte est le pourcentage d'unités rejetées dans la fabrication d'un produit. Si l'entreprise possède des données sur ce pourcentage, l'acheteur peut les intégrer dans le calcul des besoins nets. Par exemple, pour fabriquer un sous-produit X, la machine utilisée engendre un taux de rejets de 8 % du total des unités qu'elle fabrique. L'acheteur devra donc calculer 108 % des besoins bruts trouvés avec le système de PBM *a priori* pour être certain de se conformer à la demande du niveau supérieur.

6.3.2   La planification des besoins de distribution

Il existe un modèle analogue à la planification des besoins de matières (PBM), mais qui concerne la distribution entre un centre de distribution majeur et un ensemble de centres de distribution régionaux autant pour un manufacturier que pour un distributeur. Il s'agit de la planification des besoins de distribution (PBD) : toutefois, on emploie couramment le sigle DRP ; qui signifie *distribution requirements planning*. Pour pouvoir utiliser ce modèle, il existe une condition *sine qua non,* c'est que les entrepôts ou centres de distribution régionaux et locaux doivent dépendre d'un entrepôt majeur où les opérations sont centralisées.

Évidemment, ce ne sera pas toujours le cas. Dans nombre de grandes entreprises, on assiste au phénomène inverse, c'est-à-dire que les entrepôts régionaux ont un pouvoir de décision plus important concernant la gestion de leurs stocks. Dans cette situation, tout est décentralisé et les modèles de gestion des stocks à appliquer sont les mêmes que ceux que nous avons étudiés dans ce chapitre. En effet, la plupart du temps on cherchera à connaître la quantité économique de commande à partir d'un point de commande.

La façon dont fonctionne un système de PBD est relativement simple. Selon l'importance du réseau de distribution, chaque entrepôt régional ou local prévoit sa demande ; par conséquent, il calcule ses besoins selon les quantités qu'il a déjà en stock et les délais de livraison. Par la suite, il avise l'entrepôt central de ses besoins futurs. L'entrepôt central prend connaissance des besoins de chaque entrepôt régional. Ce dernier fera la planification des besoins de distribution selon ses quantités en stock et ses délais de livraison. Comme les demandes provenant des entrepôts régionaux dépendent de l'entrepôt central, le raisonnement est le même que pour la PBM. Il est important de diviser l'horizon de planification en périodes. On s'arrange pour qu'une commande arrive lorsque la quantité que l'entrepôt a en main est moins élevée que ce qu'a établi la prévision des besoins. On passe alors des commandes en conséquence. La passation d'une commande d'un échelon devient les besoins du niveau immédiatement supérieur. Ainsi, la nouvelle quantité que l'entrepôt a en main sera égale à l'ancienne quantité qu'il avait en main à laquelle s'ajoute la réception prévue, qui est soustraite des besoins.

EXEMPLE 6.8

Supposons un entrepôt central et trois entrepôts régionaux qui ont les caractéristiques indiquées au tableau 6.7.

De plus, on sait que, sur un horizon de 8 semaines, les besoins de l'entrepôt régional 1 sont de 100, 100, 100, 90, 100, 120, 80 et 80, que ceux de l'entrepôt régional 2 sont, de 130, 130, 130, 110, 130, 150, 150 et 120 et que, finalement, les besoins de l'entrepôt régional 3 sont de 50, 60, 50, 30, 25, 40, 30 et 40.

Pour ce qui est de l'entrepôt central, on sait qu'il peut vendre directement aux consommateurs. Ces ventes représentent environ 100 unités par semaine.

Les commandes se font par lots de 500 unités pour l'entrepôt régional 1, de 750 unités pour l'entrepôt régional 2, de 250 unités pour l'entrepôt régional 3 et de 1 150 unités en ce qui a trait à l'entrepôt central.

Si l'on détermine *a priori* la passation des commandes de chaque entrepôt régional, on pourra par la suite trouver le plan directeur des commandes que l'entrepôt central devra respecter pour ne pas faire subir de rupture de stock aux entrepôts régionaux (voir les tableaux 6.9 et 6.10). On voit que le raisonnement est strictement le même que pour une PBM, sauf qu'ici le plan directeur des commandes est établi en fonction des besoins des entrepôts régionaux.

■ **Tableau 6.7**   **Caractéristiques de l'entrepôt central et des entrepôts régionaux**

Type d'entrepôt	Quantité en main	Délai de livraison	Quantité en commande
Entrepôt central	1 100	3 semaines	1 150
Entrepôt régional 1	200	2 semaines	500
Entrepôt régional 2	650	2 semaines	750
Entrepôt régional 3	150	2 semaines	250

■ **Tableau 6.8**   Calcul des besoins en distribution des entrepôts régionaux

Entrepôt régional 1								
Semaine	**1**	**2**	**3**	**4**	**5**	**6**	**7**	**8**
Besoins bruts	100	100	100	90	100	120	80	80
Réception programmée	0	0	0	0	0	0	0	0
Stock en main (début de période)	200	100	0	400	310	210	90	10
Besoins nets	0	0	100	0	0	0	0	70
Réception de la commande	0	0	500	0	0	0	0	500
Passation de la commande	500	0	0	0	0	500	0	0

Entrepôt régional 2								
Semaine	**1**	**2**	**3**	**4**	**5**	**6**	**7**	**8**
Besoins bruts	130	130	130	110	130	150	150	120
Réception programmée	0	0	0	0	0	0	0	0
Stock en main (début de période)	650	520	390	260	150	20	620	470
Besoins nets	0	0	0	0	0	130	0	0
Réception de la commande	0	0	0	0	0	750	0	0
Passation de la commande	0	0	0	750	0	0	0	0

Entrepôt régional 3								
Semaine	**1**	**2**	**3**	**4**	**5**	**6**	**7**	**8**
Besoins bruts	50	60	50	30	25	40	30	40
Réception programmée	0	0	0	0	0	0	0	0
Stock en main (début de période)	150	100	40	240	210	185	145	115
Besoins nets	0	0	10	0	0	0	0	0
Réception de la commande	0	0	250	0	0	0	0	0
Passation de la commande	250	0	0	0	0	0	0	0

■ Tableau 6.9   Plan directeur des commandes

Entrepôt central								
Semaine	1	2	3	4	5	6	7	8
Besoins bruts	850	100	100	850	100	600	100	100
Réception programmée	0	0	0	0	0	0	0	0
Stock en main (début de période)	1 100	250	150	50	350	250	800	700
Besoins nets	0	0	0	800	0	350	0	0
Réception de la commande	0	0	0	1 150	0	1 150	0	0
Passation de la commande	1 150	0	1 150	0	0	0	0	0

Les avantages qu'on peut retirer d'un système comme celui de la PBD sont nombreux. En effet, lorsqu'on applique ce système, on peut bénéficier d'économies d'échelle dans le transport. De plus, étant donné que le système est basé sur des prévisions, on doit maintenir un stock de sécurité plus élevé à l'entrepôt central, ce qui ne pénalise pas les entrepôts régionaux. Par contre, les inconvénients rattachés à ce système ressemblent passablement aux désavantages de la PBM, c'est-à-dire que les prévisions doivent être assez exactes pour que le système soit efficace. En outre, on tient pour acquis que les délais de livraison sont toujours les mêmes. Finalement, plus il y a d'entrepôts régionaux, plus il faudra effectuer une bonne coordination entre l'entrepôt central et ces derniers.

Résumé

Dans ce chapitre, nous avons présenté différents modèles quantitatifs qui peuvent aider un acheteur à prendre des décisions éclairées. En premier lieu, nous avons traité des modèles qu'on peut utiliser lorsque la demande ou la consommation de la part du client est indépendante de la production du fournisseur. En répondant aux deux questions fondamentales de la gestion des stocks, soit « Quelle quantité faut-il commander ? » et « Quand faut-il la commander ? », l'acheteur pourra optimiser les quantités en stock pour chaque article. Le modèle le plus simple est celui où la quantité commandée et l'intervalle entre chaque commande sont fixes. Il existe également la méthode du min-max et le modèle du point de commande où la quantité de commande peut être fixe, mais l'intervalle entre chaque commande, lui, est variable. De même, le modèle de la revue périodique consiste à passer une commande à un intervalle préétabli ; dans ce modèle, la quantité commandée peut varier. Finalement, on peut utiliser un modèle alliant certaines variantes des différents modèles qui précèdent, où la quantité et l'intervalle sont variables.

Un autre modèle qui concerne la quantité de commande peut aider l'acheteur à optimiser ses coûts de stockage, soit la quantité économique de commande (QEC). Nous avons vu également certaines nuances apportées à la QEC (QEC avec une réception échelonnée ou QEP, QEC avec un escompte).

Finalement, nous avons abordé les modèles de détermination des quantités à commander dans une perspective où la demande est dépendante d'un article à l'autre. Il existe deux modèles majeurs dans ce cas, soit la planification des besoins de matières (PBM) et la planification des besoins de distribution (PBD). Afin d'appliquer correctement ces modèles, l'acheteur doit connaître la structure du produit ou la nomenclature du produit, l'état des stocks ainsi que les besoins des produits du niveau supérieur (produits finis).

Questions

1. Quelles sont les deux questions fondamentales en matière de gestion des stocks qu'un acheteur doit se poser?

2. Qu'est-ce qu'un point de commande?

3. Qu'est-ce qu'un stock de sécurité?

4. Expliquez en vos propres mots la méthode des deux tiroirs.

5. Quel effet sur les coûts reliés à l'approvisionnement (coût combiné) entraînera le calcul de la quantité économique de commande (QEC)?

6. Quels sont les coûts pertinents dans le calcul de la QEC parmi les quatre coûts décrits au chapitre 5?

7. Nommez deux hypothèses que l'on doit respecter pour faire une utilisation convenable de la QEC.

8. Quelle hypothèse ne tient plus dans le cas de l'utilisation de la QEC avec un escompte?

9. Quels sont les intrants d'un système de planification des besoins de matières (PBM)?

10. Qu'est-ce qu'un système de planification des besoins de distribution (PBD)?

Exercices
d'apprentissage

1. Reproduisez le graphique de l'évolution des stocks illustré dans le chapitre sur 15 semaines (il y a 5 jours ouvrables par semaine) en tenant compte des renseignements suivants et en indiquant lisiblement le point de commande, la quantité maximale, la quantité minimale et le délai de livraison:

      Demande: 250 unités par semaine

      Délai de livraison: 2 semaines

Quantité en main au début de l'horizon de planification (temps $t = 0$) : 500 unités

Quantité à commander : 750 unités

Stock de sécurité : 0 unité

2. Reproduisez le graphique de l'évolution des stocks sur 15 semaines (il y a 5 jours ouvrables par semaine) en tenant compte des renseignements suivants :

Demande : 200 unités par semaine

Délai de livraison : 3 semaines

Quantité en main au début de l'horizon de planification : 750 unités

Quantité à commander : 900 unités

Stock de sécurité : 150 unités

3. Reproduisez le graphique de l'évolution des stocks sur 8 semaines (il y a 5 jours ouvrables par semaine) en tenant compte des renseignements suivants :

Demande : 40 unités par jour

Délai de livraison : 2 jours

Quantité en main au début de l'horizon de planification : 160 unités

Quantité à commander : 400 unités

Stock de sécurité : 0 unité

4. Reproduisez le graphique de l'évolution des stocks sur 8 semaines (il y a 5 jours ouvrables par semaine) en tenant compte des renseignements suivants :

Demande : 70 unités par jour

Délai de livraison : 4 jours

Quantité en main au début de l'horizon de planification : 420 unités

Quantité à commander : 560 unités

Stock de sécurité : 140 unités

5. Déterminez les articles qui entrent dans le calcul de la QEC parmi les suivants :

a) le coût unitaire de l'article ;

b) le salaire du réceptionnaire de la marchandise ;

c) l'amortissement comptable du bâtiment ;

d) la campagne de publicité effectuée pour un article donné ;

e) les taxes scolaires ;

f) le salaire du vice-président exploitation ;

g) le coût rattaché à la perte d'une vente ;

h) le formulaire de demande d'achat ;

i) le coût des palettes lors de la réception du matériel ;

j) le salaire de l'adjoint administratif rattaché aux achats.

6. Quel type de modèle devrait utiliser une entreprise qui décide de recevoir son stock de façon instantanée (la demande ne dépend pas de la production) ? Si, maintenant, elle décide de recevoir son stock de façon graduelle, le modèle de gestion des stocks sera-t-il le même ?

7. Dessinez la structure du produit dans le cas du produit A si on possède les renseignements suivants : on a besoin de 2 articles de B, de 4 articles de C et de 1 article de D pour faire 1 produit A. De plus, on a besoin de 2 articles de D, de 3 articles de E et de 4 articles de F pour faire 1 produit B.

8. Quels seront les besoins nets (la quantité de commande) en articles X dans le cas où les besoins bruts sont de 200 unités ? La quantité en main est de 90 unités (incluant le stock de sécurité), le stock de sécurité est de 30 unités, la réception programmée de l'article X est de 40 unités et le fournisseur habituel exige des commandes par lots de 80 unités.

9. Quelle serait votre réponse à la question précédente si le fournisseur n'imposait aucune contrainte ?

10. Dessinez la structure du produit X sachant qu'on a besoin de 4 produits de A, de 2 produits de B et de 3 produits de C pour faire 1 produit X. De plus, pour faire le produit A, on a recours à 3 produits de B et à 2 produits de C. Finalement, dans le produit C, on doit inclure 4 produits de D et 1 produit de E.

Exercices
de compréhension

1. Une compagnie qui œuvre dans le domaine de la mécanique industrielle utilise fréquemment des tiges à souder. Elle achète 3 450 paquets de tiges à souder par année. Le coût unitaire du paquet de 50 tiges est de 45 $. Le taux de stockage est évalué à 18 % et le coût pour passer une commande est de 22,50 $.

   a) Quelle est la QEC ?

   b) Combien de commandes l'acheteur placera-t-il en l'espace d'un an ?

   c) Quel sera l'intervalle en jours entre chaque commande si on considère que l'entreprise est en activité 250 jours par année ?

2. L'entreprise Du Fond de la Cour fait l'acquisition de 40 000 pièges à rats par année au prix de 3,50 $ chacun. Le coût de stockage annuel est évalué à 20 % et le coût de commande, lui, est de 17,50 $.

   a) Quelle est la QEC ?

   b) Quel est le coût de stockage associé à la QEC ?

c) Quel est le coût de commande?

d) Quel est le coût combiné (Cs + Cc)?

e) Combien de commandes l'entreprise fera-t-elle dans l'année?

f) Quel sera l'intervalle entre chaque commande si le lot de commande utilisé est la QEC et s'il y a 250 jours ouvrables dans une année? Quel serait cet intervalle s'il y avait 365 jours ouvrables dans une année?

3. Une entreprise œuvrant dans l'entretien ménager consomme 15 000 litres de savon à plancher par année. Le fournisseur de savon offre l'échelle de prix suivante:

Quantité commandée (L)	Coût unitaire ($/L)
$Q < 600$	7,00
$600 \leq Q < 1\,000$	6,00
$1000 \leq Q < 1\,400$	5,00
$Q \geq 1\,400$	4,00

Le coût de stockage est de 23 % du coût unitaire par année. Le coût de commande est de 25 $. Quelle quantité l'entreprise devrait-elle commander pour réduire le plus possible le coût total (Ca + Cs + Cc)? Quel sera l'intervalle entre chaque commande si les employés travaillent 250 jours par année?

4. Quelle serait la quantité de commande optimale dans le cas de l'exercice de compréhension n° 1 si on considère l'échelle de prix suivante?

Quantité commandée (paquets)	Coût unitaire ($/paquet)
$Q < 100$	50,00
$100 \leq Q < 200$	47,50
$200 \leq Q < 300$	45,00
$Q \geq 300$	42,50

5. La firme Chocolat de Pâques inc. fabrique des lapins en chocolat. La demande de lapins en chocolat est de 20 833 par mois. Chaque lapin en chocolat coûte 2,25 $. Le coût de commande dans l'entreprise (ajustement des machines, etc.) est de 157 $ et la machine a une capacité de production de 5 lapins par minute. Chocolat de Pâques inc. fonctionne 250 jours par année et 10 heures par jour. On doit cependant considérer un temps productif de 90 % du temps total. Le taux d'entreposage journalier est estimé à 0,016 % du coût unitaire de l'article. Calculez la quantité économique de production. Déterminez également le nombre de mises en route par année, et l'intervalle entre chaque mise en route.

6. Le taux de consommation d'un produit est de 12 000 unités par année. Le taux d'approvisionnement de ce produit est de 60 par jour. S'il y a 250 jours ouvrables par année, que le coût de commande est de 40 $ et que le coût de stockage unitaire est de 0,75 $ par produit par année, déterminez la quantité économique de commande.

7. La compagnie Stimule-jouets inc. utilise 10 000 attaches spéciales par an. Chaque attache coûte 1,00 $. Le service du matériel a déterminé que le coût de commande est de 25,00 $, et le service de comptabilité estime que le taux annuel de stockage est de 12,5 %. En supposant que l'application du modèle de la quantité optimale de commande soit valide (conforme aux hypothèses), déterminez le lot optimal de commande, le nombre de commandes, l'intervalle de temps entre les commandes ainsi que le coût total relié à la quantité optimale.

8. En supposant maintenant que l'on reçoit les attaches du n° 7 au taux de 400 par semaine et que l'on en consomme 800 par mois, déterminez la nouvelle politique optimale de commande.

9. Le plan directeur de production (PDP) du produit fini A se présente comme suit :

Semaine	1	2	3	4	5	6	7	8
Quantité	5	25	20	25	20	25	20	25

La nomenclature du produit est la suivante :

Le produit fini A comprend 1 composant B et 2 composants C, qui comprennent respectivement 3 matières D (dans le cas de B), ainsi que 2 matières D et 3 matières E (dans le cas de C).

Les délais d'approvisionnement et de production sont les suivants :

Produit	A	B	C	D	E
Délai d'app.	1	1	2	2	3

Le stock en main ainsi que le stock de sécurité désiré seront les suivants :

Produit	A	B	C	D	E
Stock en main	10	15	80	110	160
Stock de sécurité désiré	0	0	0	0	0

Finalement, les réceptions programmées doivent s'échelonner comme suit :

Produit	A	B	C	D	E
Quantité	0	50	0	400	300
Semaine	—	1	—	2	2

Déterminez le plan des besoins de matières (PBM) en travaillant sur un horizon de planification de 8 semaines.

10. Les données qui suivent décrivent un système de planification des besoins de matières. La structure du produit est la suivante :

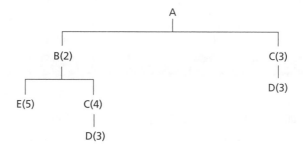

Le plan directeur de production pour le produit fini A est le suivant :

Semaine	1	2	3	4	5	6	7	8
Quantité	100	100	50	150	200	100	40	60

Les délais d'approvisionnement pour chaque produit sont les suivants :

Produit	A	B	C	D	E
Délai (semaines)	0	1	2	1	3

Pour ce qui est de l'état des stocks, les données sont les suivantes :

Produit	A	B	C	D	E
Quantité en stock au début	350	300	1 500	8 000	2 500
Stock de sécurité désiré	200	300	1 000	4 000	1 000
Réception programmée					
Quantité	—	—	200	6 650	—
Pour la semaine	—	—	2	1	—
Lot de commande	—	—	1 100	6 650	2 000

Veuillez déterminer le plan des besoins de matières pour chaque produit.

11. Le directeur de la production vient de vous transmettre les besoins (le plan directeur de production) en produits finis A pour les 8 prochaines semaines. Voici ce plan :

Semaine	1	2	3	4	5	6	7	8
Quantité	100	150	200	150	100	150	200	150

De plus, vous savez par expérience que le produit A est fait selon la structure suivante :

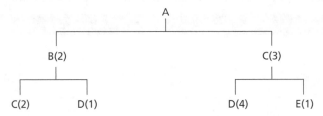

Finalement, l'état des stocks est le suivant :

Produit	A	B	C	D	E
Stock en main	400	350	700	1 000	2 000
Stock de sécurité	150	200	150	200	500
Réception programmée	0	0	200	12 000	0
Semaines	—	—	3	1	—
Délai de production ou d'approvisionnement	0	1	2	3	2
Lot minimal	0	0	200	500	0

À partir de ces renseignements, déterminez les plans de production et d'approvisionnement selon le système de PBM pour les 5 produits A, B, C, D et E.

12. Si on vous apprend que le directeur des ventes désire avoir 5 unités du produit A par semaine et que le taux de rejets du produit B est de 5 %, quels seront vos nouveaux horaires de production et d'approvisionnement (passation des commandes) pour ces 2 produits ?

13. Établissez la planification des besoins de matières sur huit semaines si on vous donne la structure de produit suivante :

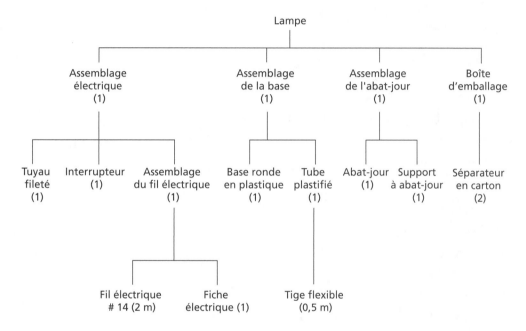

De plus, on vous donne le plan directeur de production (PDP) suivant :

Plan directeur de production de la lampe

Semaine	1	2	3	4	5	6	7	8
Lampe	25	30	20	40	15	35	20	15

ainsi que l'état des stocks qui suit :

État des stocks						
Nom du produit	Stock en main incluant le s.s.	Stock de sécurité	Réceptions programmées	Délai de livraison (semaines)	Lot de commande	Niveau hiérar-chique
Lampe	5	1	—	0	—	0
Assemblage électrique	24	2	—	1	—	1
Assemblage de la base	10	2	—	0	—	1
Assemblage de l'abat-jour	25	1	—	1	—	1
Boîte d'emballage	53	5	—	2	20	1
Tuyau fileté	36	6	10 à la sem. 2	1	8	2
Interrupteur	31	2	—	1	—	2
Assemblage du fil électrique	37	3	—	1	—	2
Fil électrique #14	110	10	—	2	50	3
Fiche électrique	16	5	7 à la sem. 3	1	10	3
Base ronde	19	3	—	1	7	2
Tube plastifié	17	2	—	1	8	2
Tige flexible	26	6	—	2	—	3
Abat-jour	32	1	—	1	—	2
Support à abat-jour	31	2	—	1	—	2
Séparateur en carton	56	8	35 à la sem. 1	1	12	2

14. Un distributeur de grande envergure a son siège social à Montréal. Il possède trois entrepôts régionaux, soit à Chicoutimi, à Québec et à Rimouski. On connaît les besoins bruts pour un article donné à chaque entrepôt, et ce, pour les 8 prochaines semaines. À l'entrepôt de Chicoutimi, les besoins d'unités sont les suivants : 80, 80, 80, 80, 40, 40, 40, 40. À l'entrepôt de Québec, les besoins sont les suivants : 200, 200, 200, 200, 300, 300, 300, 300. Enfin, l'entrepôt de Rimouski a des besoins plus restreints : 20, 30, 20, 30, 20, 30, 20, 30. De plus, les quantités en main sont respectivement de 200, 700 et 100 unités. Les délais d'approvisionnement sont de 2 semaines dans le cas de Chicoutimi, de 1 semaine dans le cas de Québec et de 2 semaines dans le cas de Rimouski. Les quantités de commande, qui ont été évaluées à l'aide du modèle de la QEC, sont respectivement de 225, 550 et 120 unités. Pour ce qui est de l'entrepôt central de Montréal, il ne fournit que ses entrepôts régionaux, ne pouvant vendre directement aux consommateurs. Sa quantité en main est de 1 300 unités. De plus, l'entrepôt conserve un stock de sécurité de 200 unités pour pallier les variations soudaines de la demande. Le délai d'approvisionnement de l'entrepôt central est de 3 semaines et, finalement, la quantité de commande est de 1 500 unités. Déterminez à l'aide de la planification des besoins de distribution (PBD) les commandes à effectuer ainsi que le stock en main pour chaque semaine, et ce, pour chaque entrepôt régional ainsi que pour l'entrepôt central.

15. Que deviendrait le système de distribution (utilisez encore une fois la PBD) quant aux commandes et au stock en main si l'entrepôt de Rimouski de l'exercice précédent venait à fermer ses portes, et que ses besoins étaient répartis pour un tiers à Chicoutimi et pour le reste à Québec avec des quantités en main et des délais d'approvisionnement identiques?

Exercices
de recherche

1. Rendez-vous dans une entreprise à proximité de chez vous et cherchez à savoir comment le responsable des achats planifie ses approvisionnements.

2. De quelle façon le responsable des achats calcule-t-il la QEC, s'il y a lieu?

3. Demandez à ce responsable quelles seront les conséquences d'une erreur de saisie de données dans le système informatique si l'entreprise utilise le système de MRP I. Et si elle utilise le système de MRP II?

Cas
Vive les compromis!

Vous êtes un technicien en administration fraîchement diplômé d'un cégep du Québec. Vous avez décroché un emploi comme acheteur dans une entreprise manufacturière de briquets à essence. Lors de votre entrée en fonction, vous constatez qu'il existe dans l'entreprise deux écoles de pensée diamétralement opposées concernant la gestion des stocks. Le comptable, M. Picsou, est d'avis qu'il faudrait commander le strict minimum, quitte à passer des commandes plus souvent. Quant à la directrice de l'usine, Mme Brûlé, elle pense exactement le contraire. Selon elle, l'acheteur doit commander de grandes quantités dans le but d'éviter les ruptures de stock et de bénéficier d'escomptes sur quantité, ce qui a pour effet d'abaisser le coût unitaire du produit.

Question

Comme M. Picsou et Mme Brûlé savent que vous êtes spécialisé dans ce domaine, ils vous demandent votre opinion sur les quantités à commander en ce qui concerne les matières premières et les composantes entrant dans la fabrication des briquets à essence ainsi que les pièces servant à l'entretien de la machinerie.

Annexe 6.1
Formules d'un tableur électronique pouvant être utiles lors de la création d'une PBM

À l'aide d'un logiciel de chiffrier électronique (Excel), vous devez en premier lieu créer votre base de données avec tous les intrants du problème sur une feuille de calcul qu'on appellera « feuille 1 » ou encore « base de données » en cliquant deux fois sur l'onglet du bas.

Sur la feuille 2, on pourra, en se référant aux données de la feuille 1, créer les tableaux relatifs à la PBM. On pourrait l'intituler PBM comme la feuille 1.

Besoins bruts

Se référer aux données de la feuille 1.

Réceptions programmées

Se référer également aux données de la feuille 1.

Stock en main

Pour la première semaine :

- Stock en main inscrit sur la feuille 1 en adressage absolu – Stock de sécurité inscrit sur la feuille 1 en adressage absolu

À partir de la deuxième semaine :

- Stock en main de la semaine précédente + Réceptions programmées de la semaine précédente + Réceptions de commandes de la semaine précédente – Besoins bruts de la semaine précédente.

Stock de sécurité

Stock de sécurité inscrit sur la feuille 1 en adressage absolu

ou la formule suivante :

- Si (stock en main de la semaine en cours < 0 ; stock de sécurité feuille 1 (en adressage absolu) + stock en main de la semaine en cours ; stock de sécurité feuille 1 (en adressage absolu))

Cela nous indique que, si le stock en main est négatif, on puise automatiquement dans le stock de sécurité.

Besoins nets

Si (besoins bruts de la semaine en cours – réceptions programmées de la semaine en cours – stock en main de la semaine en cours < 0 ; 0 ; besoins bruts de la semaine en cours – réceptions programmées de la semaine en cours – stock en main de la semaine en cours)

Réceptions de commandes

1. Dans le cas où il n'y a pas de lot de commande

   - Si (délai de livraison (en adressage absolu) > numéro de la semaine − 1 ; 0 ; besoins nets de la semaine en cours)

2. Dans le cas où l'on doit tenir compte d'un lot de commande

   - Si (délai de livraison (en adressage absolu) > numéro de la semaine − 1 ; 0 ; plafond (besoins nets de la semaine en cours ; lot de commande inscrit sur la feuille 1 en adressage absolu))

3. Formule qui s'adapte à toutes les situations

   - Si (délai de livraison (en adressage absolu) > numéro de la semaine − 1 ; 0 ; plafond (besoins nets de la semaine en cours ; Si (lot de commande inscrit sur la feuille 1 en adressage absolu = 0 ; 1 ; lot de commande inscrit sur la feuille 1 en adressage absolu))).

Lancement de commande

1. Dans le cas où il n'y a pas de lot de commande

   - Si (délai de livraison (en adressage absolu) = 0 ; besoins nets de la semaine en cours ; si (délai de livraison (en adressage absolu) = 1 ; besoins nets de la semaine suivante ; si (délai de livraison (en adressage absolu) = 2 ; besoins nets 2 semaines plus loin ; si (délai de livraison (en adressage absolu) = 3 ; besoins nets 3 semaines plus loin))))

2. Dans le cas où il y a un lot de commande

   - Plafond (si (délai de livraison (en adressage absolu) = 0 ; besoins nets de la semaine en cours ; si (délai de livraison (en adressage absolu) = 1 ; besoins nets de la semaine suivante ; si (délai de livraison (en adressage absolu) = 2 ; besoins nets 2 semaines plus loin ; si (délai de livraison (en adressage absolu) = 3 ; besoins nets 3 semaines plus loin)))) ; lot de commande inscrit sur la feuille 1 en adressage absolu)

3. Formule qui s'adapte à toutes les situations

   - Plafond (si (délai de livraison (en adressage absolu) = 0 ; besoins nets de la semaine en cours ; si (délai de livraison (en adressage absolu) = 1 ; besoins nets de la semaine suivante ; si (délai de livraison (en adressage absolu) = 2 ; besoins nets 2 semaines plus loin ; si (délai de livraison (en adressage absolu) = 3 ; besoins nets 3 semaines plus loin)))) ; si (lot de commande inscrit sur la feuille 1 en adressage absolu)). = 0 ; 1 ; lot de commande inscrit sur la feuille 1 en adressage absolu))

Chapitre

7

Les fonctions reliées à la gestion des stocks

L'effort ne porte pleinement

sa récompense que lorsqu'on

a refusé d'abandonner.

Napoleon Hill

Objectif général

Dresser un portrait des fonctions auxiliaires de la gestion des stocks.

Objectifs spécifiques

- Connaître les rouages du service de la réception et de l'expédition du matériel d'une entreprise.
- Découvrir l'importance de la manutention des stocks.
- Nommer les catégories d'équipements de manutention.
- Se familiariser avec les types d'entreposage fixe et aléatoire.
- Connaître les principaux types de rayonnages que l'on peut trouver dans un entrepôt.
- Connaître diverses façons de codifier des articles dans une usine.
- Connaître les technologies d'identification des articles dans un entrepôt.
- Appliquer des méthodes de l'évaluation des stocks.
- Savoir à quoi sert le décompte cyclique.
- Se familiariser avec les catégories d'emballage.

PREVOST®
PREVOST CAR INC.
Coach manufacturer

Chef de file nord-américain dans la construction d'autocars et leader mondial dans le design et la fabrication de carrosseries d'autocars destinées à la conversion en maisons motorisées haut de gamme, Prévost détient 20 % de la production d'autocars interurbains et 80 % de la production de carrosseries d'autocars. Les ventes de cette société, qui est la propriété du groupe Volvo et Henleys, ont dépassé en 1997 le cap des 300 millions de dollars. En plus de ses usines de production qui sont toutes localisées au Québec, Prévost possède six centres de service aux États-Unis pour servir ses clients américains. Prévost détient les certifications ISO 9001 et 14001. Son volume d'achats représente plus de 200 millions de dollars annuellement partagé entre 500 fournisseurs partout dans le monde.

Chez Prévost, l'entreposage « intelligent » est de mise. Intelligent, puisqu'il faut revoir systématiquement et avec rigueur tous les facteurs qui le justifient. Intelligent, aussi, puisqu'il faut découvrir les nombreux fantômes, c'est-à-dire les fausses raisons de faire de l'entreposage. Intelligent, enfin, car il faut protéger les opérations de production contre les variations incontrôlables des étapes du réapprovisionnement et de la fabrication d'un autocar. La complexité associée au zéro inventaire et au zéro rupture justifie amplement les efforts de recherche et de formation qu'il faut y consacrer.

Sylvain Gagnon
Directeur, Matériel

Introduction

La gestion des stocks requiert très souvent l'intervention d'un acheteur qui s'occupe de déterminer quelle quantité d'un article il faut commander et à quel moment. Cependant, le fait de commander du matériel fait également intervenir d'autres fonctions et individus qui ont aussi de l'importance pour l'entreprise. Après avoir fait l'acquisition d'un produit, l'acheteur doit considérer la réception du matériel, la manutention de ce dernier pour qu'il se rende à l'entrepôt, son entreposage, son emballage s'il y a lieu, son expédition s'il y a lieu et, finalement, la distribution (le transport) du matériel vers le client. Le but de ce chapitre est d'analyser chacune de ces fonctions. La distribution fera l'objet du chapitre 8.

7.1   La réception des stocks

La fonction « réception des stocks » est une fonction stratégique pour l'entreprise. En effet, c'est souvent à ce moment que l'on peut éviter des problèmes sur le plan de la gestion de la chaîne d'approvisionnement, car cette fonction sert de vérification. La personne responsable de la réception des stocks, en l'occurrence le réceptionnaire, aura deux types de contrôle à effectuer, soit un contrôle quantitatif et un contrôle qualitatif.

7.1.1   Le contrôle quantitatif

Le contrôle quantitatif se résume à faire le décompte de la quantité d'unités de l'article reçu. Il faut comprendre, ici, que si le matériel reçu prend la forme de boîtes de 10 000 feuilles chacune, le réceptionnaire n'ira pas jusqu'à compter le nombre de feuilles par boîte. Selon ce que les boîtes représentent pour l'entreprise, le réceptionnaire comptera probablement le nombre de boîtes ou encore le nombre de rames de 500 feuilles par boîte. Pour ce qui est des produits lourds comme les feuilles d'acier dans l'industrie des portes d'acier, le réceptionnaire utilisera une balance électronique pour contrôler le poids de la quantité reçue. Bien entendu, si la quantité comptée est équivalente à la quantité achetée, il n'y a aucun problème ; le matériel suit son cours, c'est-à-dire qu'il devrait soit passer à l'étape de l'entreposage ou encore être utilisé tout de suite par le service qui en fait la demande.

Dans le cas contraire, le réceptionnaire notera la différence sur le bon de livraison pour que l'acheteur soit au courant, car c'est celui-ci qui devra chercher d'où provient l'erreur et régler le problème. Comme le problème risque d'être résolu en quelques jours, voire en quelques semaines, le réceptionnaire inscrira ses initiales, la date de réception, le nombre de colis, s'il y a lieu, ainsi que tous les problèmes observés au moment de la réception. Un exemple de bon de livraison est présenté à la figure 7.1.

7.1.2   Le contrôle qualitatif

Le réceptionnaire aura également à faire un contrôle qualitatif, lequel se produira souvent au même endroit que celui où a lieu le contrôle quantitatif. Le contrôle qualitatif a pour but de vérifier si les spécifications ou les devis fournis lors du processus d'approvisionnement sont respectés. Par exemple, dans le cas de l'acquisition de piles de six volts, le réceptionnaire cherchera à savoir, à l'aide d'un testeur de piles, si les piles fonctionnent adéquatement. Par la suite, il pourra vérifier à l'aide d'un voltmètre si le voltage est correct. Encore faut-il que les appareils servant à faire les tests soient bien calibrés. Une notion très importante reliée à la réception des stocks est l'échantillonnage. Effectivement, lorsque l'entreprise recevra un lot de piles de six volts, pour des raisons de temps et d'argent elle ne testera pas toutes les piles, mais quelques-unes seulement, qui constituent un échantillon. Cette notion concernant le contrôle de la qualité est traitée au chapitre 4.

Certains principes fondamentaux qui ont trait à la réception du matériel doivent être respectés si on désire optimiser cette fonction. D'abord, il faut réduire le plus possible la circulation du matériel dans l'aire de réception pour éviter tout encombrement. Autrement dit, aussitôt que l'on reçoit du matériel, après les contrôles quantitatif et qualitatif, on doit ranger le matériel à l'endroit adéquat (dans l'entrepôt de matières premières, dans le magasin de pièces de rechange, dans l'entrepôt de produits finis ou directement sur la chaîne de production si on fonctionne selon le juste-à-temps). Ensuite, étant donné que la réception et l'expédition du matériel sont souvent centralisées (au même endroit) dans les entreprises, l'acheteur, en collaboration avec le réceptionnaire, doit veiller à recevoir le matériel à des heures où la circulation dans le service n'est pas intense de manière à ne pas gêner le bon déroulement des expéditions.

■ **Figure 7.1**   Exemple de bon de livraison

Dans beaucoup d'entreprises, le service de l'approvisionnement s'entend avec les four-nisseurs de matières premières pour que le transporteur de ces dernières arrive très tôt le matin afin de ne pas occuper trop longtemps l'espace requis. Il faut comprendre que la plupart des

PME possèdent habituellement peu de quais de chargement et de déchargement, ce qui peut les restreindre dans les opérations de réception et d'expédition.

Le service de la réception et de l'expédition peut être dimensionné assez facilement, tout dépendant du type de produit en cause et suivant certaines règles et un bon jugement. Cette question dépasse toutefois le cadre de ce livre. Le lecteur intéressé peut se documenter dans des ouvrages portant sur la gestion de l'usine.

7.2   La manutention des stocks

La manutention des stocks est un aspect souvent négligé par les gestionnaires, car il est difficilement comptabilisable. En effet, il est ardu de l'incorporer au prix de revient d'un produit ; pourtant, l'importance de la manutention doit être reconnue étant donné qu'elle fait partie de la gestion d'une usine. Là où aucune opération n'est effectuée sur un produit, où il n'y a ni contrôle ni stockage, il y a manutention.

Il suffit d'imaginer une entreprise de fabrication de baignoires pour comprendre toute l'importance de la manutention. Après la réception des matières premières, en l'occurrence les feuilles d'acrylique, on les manutentionne jusqu'à l'entrepôt des matières premières. Quand celles-ci deviennent nécessaires à la fabrication, on les reprend dans l'entrepôt de matières premières pour les amener au premier poste de travail en vue de les transformer. Il y aura donc une manutention entre chaque poste de travail. Ainsi, on procède d'abord au thermoformage des feuilles : celles-ci sont moulées à l'aide de l'énergie thermique, c'est-à-dire qu'elles prennent la forme de la baignoire que l'on voit quotidiennement. Ensuite, on pose la fibre de verre dans le but de solidifier l'enceinte. Puis, on perce des trous dans le but d'incorporer les robinets, etc. Lorsqu'on arrive au dernier poste de travail pour l'assemblage final, on aura à transporter la baignoire au poste d'emballage. Après l'emballage, on conduira la baignoire dans l'entrepôt de produits finis. À la dernière étape, on l'achemine au quai de chargement pour l'expédier au client.

Tous ces mouvements n'ajoutent aucune valeur au produit, d'où la nécessité de réduire le plus possible ces opérations. Voici les principales règles de base à suivre dans le domaine de la manutention des matériaux :

1. On doit simplifier les opérations de manutention en les éliminant ou en les réduisant.

2. On doit favoriser les déplacements en ligne droite (certains se rappelleront une notion de géométrie qui dit que le plus court chemin entre deux points est la ligne droite).

3. On doit éviter la circulation intense dans un endroit de l'entreprise, sinon cela peut engendrer des accidents et, par le fait même, des frais additionnels pour l'entreprise.

4. On doit utiliser des systèmes de manutention rendant les équipements plus polyvalents, c'est-à-dire capables de faire plusieurs tâches différentes (par exemple, un chariot plateforme peut servir à placer du matériel dans un entrepôt ou encore à distribuer du matériel sur une chaîne de montage).

5. On doit toujours avoir à l'esprit le vieil adage anglo-saxon *KISS* (*Keep It Simple, Stupid*). En d'autres mots, n'essayons pas de compliquer les choses quand elles sont simples au départ.

7.2.1   Les équipements de manutention

On ne peut parler de la manutention des stocks sans évoquer les moyens reliés à cette dernière. Les moyens de manutentionner les stocks sont la plupart du temps des équipements. Selon Tompkins et autres[1], il existe quatre catégories d'équipements de manutention:

- les équipements de conteneurisation;
- les équipements de transport du matériel;
- les équipements d'entreposage et de récupération;
- les équipements d'identification automatique et de communication.

Parmi les équipements de conteneurisation, mentionnons les palettes de toutes les dimensions, les socles et les boîtes de bois en tout genre. Pour ce qui est des palettes (voir la figure 7.2), les dimensions les plus courantes dans l'industrie sont de 100 centimètres sur 120 centimètres (40 pouces sur 48 pouces) et de 90 centimètres sur 120 centimètres (36 pouces sur 48 pouces). Le plancher des palettes, où l'on installe la marchandise, se trouve généralement à 15 centimètres (6 pouces) du sol.

■ **Figure 7.2**   **Exemples de palettes**

a) Palette à simple plancher

b) Palette à double plancher

c) Palette à ailes ou à plancher débordant

Source: Adaptée de Tompkins et autres (1996, p. 166). Reproduit avec la permission de John Wiley & Sons, Inc. Tous droits réservés.

1.   James A. Tompkins et autres. *Facilities Planning,* 2e éd., New York, John Wiley & Sons, 1996, p. 169.

En ce qui a trait aux équipements de transport du matériel, il en existe une multitude. Tous les types de convoyeurs en font partie de même que les vis sans fin, les transpalettes, les chariots élévateurs, les treuils et les grues. Les équipements d'entreposage et de récupération comprennent les casiers (alvéoles), les rayonnages, les mezzanines et les carrousels.

Finalement, les équipements d'identification automatique et de communication comprennent les codes à barres, les lecteurs de codes à barres (crayons-lecteurs), les bandes magnétiques, la transmission de données par fréquence radio (sorte de *walkie talkie* qui est en fait un ordinateur miniature) et les systèmes vocaux (intégrés aux caisses enregistreuses dans les supermarchés, comme chez Super C).

Comme on le voit, il existe une gamme variée d'équipements de manutention, chacun ayant son utilité. Le choix d'un équipement dépendra du type de produit de même que du budget alloué à la manutention.

7.3   L'entreposage

Il y a plusieurs types d'entrepôts dans une entreprise. Signalons d'abord les entrepôts de matières premières. Un entrepôt de matières premières peut être un bâtiment isolé de l'usine, surtout dans le cas de produits chimiques comme la peinture, ou faire partie de l'usine de transformation, comme dans le cas de feuilles d'aluminium. Certains entrepôts de matières premières sont constitués de silos, comme dans l'industrie du verre, les matières premières étant du sable (de la silice, du carbonate de soude, du feldspath et du sulfate). D'autres entrepôts de matières premières sont à température contrôlée (espace humidifié), par exemple dans le cas des pilons de bois servant à la fabrication des cadres de porte.

Il existe également des entrepôts de produits en cours de fabrication. Quand on a entamé la fabrication d'un produit qui pourra être utilisé à plusieurs fins, c'est-à-dire pour plusieurs produits finis, la tendance est de fabriquer d'avance ce produit semi-fini, qu'on appelle fréquemment un sous-assemblage. Quand on manque d'espace près de la chaîne de montage, on est obligé d'entreposer ces produits à certains endroits pour ne pas nuire au déroulement des activités de fabrication. Dans certaines usines qui fonctionnent selon un procédé de fabrication en continu, on ne peut se permettre de laisser un lot de machines arrêtées longtemps pour cause de bris. Afin d'éviter cette situation, ces usines possèdent un entrepôt (ou magasin) de pièces de rechange. C'est le cas des usines d'acier, d'aluminium, de verre ou de pâtes et papiers.

Finalement, il existe des entrepôts de produits finis (magasins ou *warehouses*). Ce type d'entrepôt se situe le plus souvent près du service de la réception et de l'expédition, car il faut réduire le plus possible les opérations de manutention, qui, comme on le sait, n'ajoutent pas de valeur au produit. Dans la suite de ce chapitre, lorsque nous parlerons d'entrepôts, nous ferons référence à ces divers types d'entrepôts. Certains concepts pourront cependant mieux s'appliquer à un type d'entrepôt qu'à un autre.

7.3.1   Les types d'entreposage

Quand on fait de l'entreposage, on doit considérer certains facteurs importants comme l'espace disponible, les équipements de manutention, la diversité des produits en place (dimensions, poids, nombre de familles de produits, etc.) ainsi que le nombre de déplacements du responsable de l'entrepôt par type d'article. Une entreprise qui possède un espace restreint pour faire de l'entreposage ne pourra penser à occuper une surface plus grande si cela a pour effet de paralyser les opérations quotidiennes de fabrication ou de distribution.

Il existe trois manières d'entreposer du matériel. On peut en effet recourir à l'entreposage fixe, à l'entreposage aléatoire ou à une combinaison des deux.

■ L'entreposage fixe

Comme son nom l'indique, l'entreposage fixe consiste à entreposer un article à un endroit qui sera toujours le même, peu importe la fréquence de la demande pour cet article. L'avantage de cette méthode est que la personne affectée à l'entrepôt repère rapidement l'article demandé. De même, grâce à cette méthode, tous les articles d'une même catégorie sont placés au même endroit, ce qui rend l'organisation du décompte beaucoup plus facile. Les listes informatiques d'articles sont souvent imprimées selon la famille de produits ou encore selon la catégorie de produits. Par exemple, on peut aisément, à l'aide d'un système informatique de gestion des stocks, faire imprimer la liste de tous les produits relatifs à la sécurité du travail ou celle de tous les produits ayant une vocation mécanique (comme les roulements en tout genre, les paliers, les engrenages ou les crémaillères). Comme ces articles se trouvent souvent au même endroit, l'inventaire physique en est facilité.

Cette méthode comporte toutefois des inconvénients. En effet, l'entreposage fixe exige beaucoup d'espace, car même si les casiers alvéolés, les casiers dynamiques ou les casiers de stockage ne sont pas tous remplis parce que la période de réapprovisionnement est différente pour chaque article, on ne peut utiliser ces espaces vacants pour d'autres articles. Ainsi, l'entrepôt n'est utilisé qu'à environ 50 % de sa capacité.

■ L'entreposage aléatoire

L'entreposage aléatoire est une méthode qui consiste à attribuer à l'article qui arrive le premier espace disponible, c'est-à-dire le premier espace vide sur son passage. Avec cette méthode, l'entrepôt peut être utilisé jusqu'à 90 % de sa capacité, ce qui limite l'espace perdu. Cependant, pour adopter cette manière de faire, les entrées et les sorties du matériel doivent être suivies rigoureusement. Si on possède un système informatique de gestion des stocks, on doit inscrire toutes les données relatives à chaque mouvement des stocks, aussi minime soit-il, sans quoi le système ne reflétera plus la réalité.

Dans l'entrepôt, peu importe la méthode utilisée, on devrait privilégier les articles les plus populaires (la classe A de Pareto en ce qui a trait au mouvement des articles dans l'entrepôt), c'est-à-dire qu'on devrait entreposer le plus près possible de l'entrée de l'entrepôt les articles dont les entrées et les sorties sont fréquentes. Les articles qui engendrent peu de mouvements sur une période donnée devraient logiquement être placés au fond de l'entrepôt. Finalement, les articles ayant une fréquence d'entrées et de sorties moyenne devraient être placés entre les deux catégories précédentes. De cette manière, un magasinier ou un préposé à l'entrepôt gérerait trois petits entrepôts dans un.

◼ L'entreposage à la fois fixe et aléatoire

Devant les avantages que comportent l'entreposage fixe et l'entreposage aléatoire, plusieurs entreprises choisissent d'utiliser une combinaison des deux. En effet, certaines catégories d'articles peuvent se prêter davantage à l'entreposage aléatoire, comme c'est le cas pour des articles ayant sensiblement la même dimension et des fréquences d'entrées et de sorties similaires, telles les pièces de rechange utilisées dans l'entretien préventif d'une machine. Par contre, pour d'autres catégories d'articles, l'usage de l'entreposage fixe demeure la solution ; c'est le cas pour les motoréducteurs (moteurs ayant un système de réduction de la vitesse de rotation). Ceux-ci, qui peuvent être demandés une fois tous les trois ans selon le type de maintenance qui est pratiquée sur la machinerie, sont de plus assez lourds, de sorte qu'il ne serait pas logique de recourir à un entreposage aléatoire. Pour ce qui est de l'entreposage de matières premières, on pourrait tirer les mêmes conclusions.

Bref, il n'existe pas une façon meilleure qu'une autre. L'acheteur doit faire appel à celle qui optimisera les opérations de son entreprise. Lorsqu'on ne possède aucune donnée pertinente sur l'entreposage, on doit procéder par essais et erreurs.

7.3.2   Les types de rayonnages

Les rayonnages les plus utilisés présentement dans les entrepôts sont décrits ci-dessous.

- Le rayonnage classique

  Comme son nom l'indique, le rayonnage classique n'a vraiment rien de particulier, si ce n'est que sa conception permet une utilisation optimale de la hauteur dans un entrepôt. Les rayonnages classiques peuvent être conçus soit pour des produits relativement légers, que l'on retrouvera surtout dans les bureaux, soit pour des produits un peu plus lourds ou nécessitant la palettisation, comme dans les entrepôts.

- Le rayonnage à double profondeur

  Ce système est en quelque sorte une extension du rayonnage classique. Il est pratique pour des articles à fort volume de vente. Toutefois, il peut nécessiter énormément de manutention et, donc, des pertes de temps (non-productivité) lorsqu'une entreprise utilise de façon rigoureuse la méthode du « premier entré, premier sorti » dans ses inventaires.

- Le rayonnage à accumulation (*drive-in*)

  Dans ce type de rayonnage, on peut loger un bon nombre de palettes du même produit (voir la figure 7.3). On l'utilise surtout pour les produits faisant l'objet de promotions étant donné le nombre de mouvements d'entrées-sorties de stock. S'il est utilisé convenablement, ce système peut sauver énormément d'espace dans un entrepôt.

- Le rayonnage à gravité (*push-back*)

  Ce type de rayonnage est de plus en plus utilisé dans les grands centres de distribution (voir la figure 7.3). On peut y entreposer plusieurs palettes, ce qui permet d'augmenter la capacité d'entreposage d'un entrepôt. Les socles sont faits de telle sorte qu'aussitôt qu'une palette est prélevée, la palette suivante prend sa place automatiquement, sans plus de manutention.

- Le rayonnage bifrontal à gravité

  On peut déposer dans ce type de rayonnage encore plus de palettes que dans un rayonnage à gravité. Le principe est sensiblement le même, sauf qu'ici on approvisionne l'espace d'entreposage par l'arrière et on effectue les prélèvements à l'avant, favorisant ainsi la méthode PEPS (FIFO) (voir le point 7.3.7).

- Le rayonnage à palettes (*pallet flow*)

  Ce système est très utilisé dans les cas où l'on a une grande quantité de palettes d'un même produit à un fort roulement. La base de ce rayonnage est montée sur rails ou sur courroies mobiles, favorisant ainsi le déplacement des palettes sans trop de frictions et accélérant par le fait même le prélèvement de ces mêmes palettes.

- Le rayonnage en porte-à-faux (*cantilever*)

  On utilise ce type de rayonnage lorsqu'on doit emmagasiner des produits relativement longs et étroits, par exemple des tubes de métal, des tiges de fer plat ou de fer angle, des courroies, etc. Il est conçu pour faciliter le prélèvement de ce type de produits.

- Le rayonnage à approvisionnement continu (*carton flow*)

  Ce rayonnage s'apparente à la fois au rayonnage à palettes et au rayonnage à gravité parce qu'il peut aussi être utilisé par gravité. Toutefois, on l'utilise pour le prélèvement fréquent de produits relativement petits de très faible volume. On associe souvent ce rayonnage au système de prélèvement numérique, appelé *pick-to-light* (voir figure 7.3). Cette méthode est relativement simple : le prélèvement est effectué à l'aide de voyants lumineux. Ces voyants guident le préposé vers le point de prélèvement tout en lui indiquant la quantité à prélever. Une fois cette tâche accomplie, le préposé appuie sur un bouton pour signaler la fin de l'opération et un autre voyant s'allume, et ainsi de suite.

- Le rayonnage mobile

  Ce type de rayonnage prend moins de place dans un entrepôt parce qu'il peut être déplacé selon les besoins de l'entreprise et ne requiert pas d'allées pour le prélèvement des produits. Cependant, il est parfois dispendieux étant donné son usage plutôt restreint.

- La mezzanine

  Ce rayonnage est utilisé lorsqu'on manque d'espace sur un plancher dans une usine ou un entrepôt. Sa construction permet de profiter de la hauteur d'un entrepôt, car il s'agit d'un deuxième étage pour le rangement.

- Le caroussel horizontal ou vertical

  Il est constitué d'un ensemble d'alvéoles mues de façon circulaire ou elliptique, et ce, sur un plan horizontal ou vertical. C'est une bonne façon de conserver des articles près d'un poste de travail, tout en sauvant le plus d'espace possible.

Enfin, un bon système informatique de gestion d'entrepôt (WMS, soit *Warehouse Management System*) permet d'aider toute entreprise à gérer son inventaire le plus précisément possible et, par surcroît, de lui faire économiser de l'espace et de l'argent, tout en lui évitant des erreurs de localisation. En effet, quand on connaît avec précision son inventaire, on n'a absolument pas besoin de conserver un stock de sécurité au cas où cet inventaire ne serait pas adéquat. De plus, le personnel est formé pour travailler avec ce type de logiciel, qui est élaboré selon les besoins et processus de

▨ Figure 7.3   **Exemples de rayonnages**

Rayonnage à accumulation

Rayonnage à gravité

Rayonnage à prélèvement numérique (*pick-to-light*)

Source : Technirack pour les illustrations ; *Gestion logistique* (avril 2001, p.21) pour la photo.

l'entreprise. Finalement, un logiciel de ce type peut très bien être relié par protocole informatique aux systèmes d'information des clients et des fournisseurs de l'entreprise, ce qui peut améliorer énormément la rapidité de traitement des commandes.

7.3.3   La codification des articles

Après avoir étudié les méthodes d'entreposage et le type de rayonnage à privilégier, l'entreprise doit trouver une façon appropriée de reconnaître ses articles. Pour ce faire, la plupart des entreprises utilisent un système de codification. Autrement dit, chaque article de l'entrepôt aura un code numérique ou alphanumérique permettant de l'identifier et de le localiser. Évidemment, le même code ne pourra être utilisé pour deux articles différents, sinon ce sera la confusion dans l'entrepôt. Le nombre de caractères utilisés par les codes des articles dépend du nombre d'articles en entrepôt et de la complexité des opérations. Par exemple, si le magasin compte 10 000 articles différents, le code devrait avoir au moins 5 caractères, comme 54321.

Cependant, il faut prévoir des expansions futures ou des modifications majeures dans le système de gestion des stocks. L'acheteur devrait donc se laisser une marge de manœuvre d'environ deux caractères. De plus, si l'entreprise possède plusieurs ateliers importants, l'acheteur voudra peut-être codifier son stock en fonction de chaque atelier, d'où la possibilité d'insérer un caractère alphanumérique par atelier dans son code d'identification, par exemple A5432. Les codes alphanumériques peuvent également servir par catégorie d'articles (famille de produits); ainsi, le code des articles relatifs à la sécurité du travail pourrait commencer par A, le code des articles qui s'apparentent à l'électricité pourrait commencer par B, etc. Les possibilités sont excessivement nombreuses quant à la façon de codifier les articles. La principale règle à suivre est d'utiliser pour la codification un nombre de caractères adéquat et pertinent par rapport aux opérations. Un trop grand nombre de caractères peut entraîner des erreurs lors de la transcription du code et faire perdre du temps.

7.3.4   Les technologies d'identification des articles en entrepôt

■ Le code à barres

Étant donné que la plupart des entrepôts sont informatisés, on peut y introduire une technologie de pointe rendant la prise d'inventaire plus facile et plus fiable, en l'occurrence le système de code à barres. Ce système comprend un code imprimé sur chaque article avec des barres de largeurs différentes et espacées de façon variable, un lecteur optique, qui a souvent la forme d'un crayon ou d'un revolver, ainsi qu'une imprimante de codes à barres.

Il existe plusieurs types de code à barres. Mentionnons le système UPC (*Universal Product Code*), qui est très utilisé dans les épiceries de grande surface comme Métro, Provigo et IGA. Il s'agit d'un code à 10 caractères numériques qui identifie le produit et le producteur. Il y a aussi le système Codabar, qui possède 16 caractères numériques et qui est employé surtout dans les hôpitaux. De même, on trouve le code 93, qui peut utiliser jusqu'à 175 caractères différents. Cette liste est loin d'être exhaustive. Vous trouverez au tableau 7.1 une comparaison de différents types de code à barres.

■ **Tableau 7.1**   Comparaison de différents types de code à barres

Type de code à barres	Année du développement	Type de caractères	Nombre de caractères	Application	Sécurité des données
UPC	1973	Numérique	10	Commerce de détail, fournitures d'automobile	Moyenne
39	1974	Alphanumérique	43/128		Excellente
2 of 5	1972	Numérique	10	Industrielle	Excellente
128	1981	Alphanumérique	103/128	Variée	Excellente
Codabar	1972	Numérique	16	Banques de sang, bibliothèques	Excellente
11	1977	Numérique	11	Télécommunications	Excellente
49	1987	Alphanumérique	128	Variée	—

Source : James A. Tompkins et autres (1996, p. 269) ; notre traduction. Reproduit avec la permission de John Wiley & Sons, Inc. Tous droits réservés.

■ La fréquence radio

Le système d'identification par fréquence radio est une façon d'améliorer la productivité des entrepôts manufacturiers ou de distribution au même titre que la technologie du code à barres. Ce ne sont toutefois pas des techniques rivales en ce sens que leurs applications d'identification ne sont pas tout à fait les mêmes. Avec le système de fréquence radio, on n'a pas besoin de voir ou de toucher le code pour l'identifier, ce qui peut être avantageux dans des parties de l'entrepôt plus difficiles d'accès (très encombrées, poussiéreuses, servant à la peinture, etc.).

La prise d'inventaire s'effectue très rapidement, les risques d'erreurs sont minimisés et la traçabilité des produits est accrue avec ce type de système. Par contre, étant donné que l'on est appelé à manipuler des produits de compositions différentes à l'intérieur d'un même entrepôt (métal, liquide, bois, etc.), il est possible que la fréquence radio utilisée pour identifier les produits ne réagisse carrément pas. La personne affectée à cette opération devrait alors programmer plusieurs types de fréquence sur son appareil. Cette technologie est toutefois un peu plus coûteuse que le code à barres.

■ Le système vocal

La technologie vocale est un système permettant d'améliorer grandement la précision des inventaires, tant chez un manufacturier que chez un distributeur. La personne affectée à cette opération doit cependant porter un ordinateur sensible à la voix ainsi qu'un casque d'écoute. Le système d'information central élabore des instructions sous forme de textes. Pendant le prélèvement ou la mise en étagère des produits par le préposé, l'ordinateur central convertit ces textes en commandes vocales à l'aide d'un logiciel spécialisé. Le préposé n'a alors qu'à suivre les instructions diffusées dans son casque d'écoute. Évidemment, l'ordinateur central est pro-grammé en fonction de la disposition des produits, afin que le préposé n'ait pas à se déplacer inutilement d'un bout à l'autre de l'entrepôt.

7.3.5　Les systèmes d'inventaire

Avant de parler des systèmes d'inventaire proprement dits, nous établirons la différence entre le stock et l'inventaire. « Le stock désigne les marchandises qui sont gardées par l'entreprise, alors que l'inventaire concerne l'établissement d'une liste des marchandises qui sont détenues par une entreprise à une date donnée. »[2] Il existe deux systèmes comptables d'inventaire, soit le système d'inventaire périodique et le système d'inventaire permanent.

■ Le système d'inventaire périodique

Le système d'inventaire périodique constitue une façon de comptabiliser les stocks d'une entre-prise de manière sporadique (toutes les semaines, toutes les deux semaines, tous les mois, tous les deux mois, tous les trois mois). Selon cette méthode, lors des entrées et des sorties du matériel, on ne comptabilise pas les hausses et les baisses de stocks. On considère strictement les achats et les ventes effectués.

Afin de connaître avec précision la valeur de ses stocks, l'entreprise n'aura d'autre choix que de faire le décompte. Plus elle attend longtemps avant de faire un décompte, plus le risque d'er-reur lors du réapprovisionnement des articles sera élevé, car les chiffres qu'elle possède ne seront plus vraiment fiables. Par exemple, si l'inventaire du début de la période est évalué à 100 000 $ et qu'au cours du mois l'entreprise a acheté pour 300 000 $ de marchandises, afin de connaître le coût des marchandises effectivement vendues, elle doit faire un décompte au bout du mois. Si le décompte indique que l'entreprise a 200 000 $ de marchandises en inventaire, alors le coût des marchandises vendues sera de 200 000 $ pour cette période.

■ Le système d'inventaire permanent

Contrairement à ce qui se passe dans le système d'inventaire périodique, dans le système d'in-ventaire permanent on comptabilise les entrées et les sorties de stocks au fur et à mesure qu'elles se produisent. En d'autres termes, on indique tout de suite les hausses et les baisses de stocks dans les livres comptables, de sorte que l'inventaire est constamment à jour. Ce système de comptabilisation des stocks est de plus en plus utilisé par les entreprises, surtout depuis l'avènement de l'informatique dans la gestion des stocks. De plus, grâce à ce système, les stocks sont beaucoup plus faciles à gérer et les approvisionnements peuvent se faire en temps oppor-tun, ce qui cause moins de stress à l'acheteur.

7.3.6　Le décompte cyclique

L'entreprise doit conserver l'inventaire le plus précis possible afin de pouvoir servir le client adéquatement et de faire une bonne planification des approvisionnements (délai de réapprovi-sionnement et disponibilité du stock). Pour avoir des inventaires précis, l'entreprise doit pouvoir compter sur une personne compétente qui verra à vérifier la précision de l'inventaire et prendra les

---

2.　Daniel McMahon et autres. *Comptabilité de base,* tome 2, Montréal, McGraw-Hill Éditeurs, 1995, p. 126.

mesures nécessaires pour corriger les écarts entre les registres et la réalité. Pour pouvoir vérifier la précision de l'inventaire, on effectuera un inventaire physique périodique ou cyclique. Dans le jargon de la gestion des stocks, on parlera d'un décompte cyclique. Le décompte cyclique consiste à compter fréquemment des échantillons d'articles (souvent par classe d'articles, voir la classification ABC au chapitre 5), à vérifier leur précision, à déterminer la cause des erreurs, à éliminer la source des erreurs et à fournir des mesures quantitatives de précision (par exemple, telle classe d'articles ne doit pas avoir un écart plus grand que X %, ce pourcentage étant spécifié par la personne responsable). De cette manière, on maintiendra un haut niveau de précision de l'inventaire et on pourra donc avoir des états financiers reflétant au plus près la réalité en ce qui a trait aux stocks.

Les avantages du décompte cyclique sont nombreux. D'abord, la planification des besoins en approvisionnement est plus facile à faire. Puis, on se retrouvera souvent avec moins de stock en trop. Également, l'acheteur peut concentrer ses efforts sur les articles dont le décompte précis est problématique. Finalement, le décompte cyclique réduit la perte de temps que constitue le recomptage lors de l'inventaire de fin d'année.

Mais le décompte cyclique comporte aussi des inconvénients, comme le fait que la main-d'œuvre affectée à cette tâche n'est pas toujours formée adéquatement, ce qui peut provoquer des erreurs. En effet, les employés ne sont pas tous familiers avec les articles en inventaire. De plus, pour effectuer ce genre d'opération, l'entreprise doit souvent ralentir ses activités. Dans le cas où des écarts sont constatés entre la réalité et les registres, il peut être difficile d'en connaître les causes.

Le décompte cyclique devrait être effectué toutes les semaines ou tous les mois dans le cas des articles importants (classe A), chaque trimestre dans le cas des articles moyennement importants (classe B) et, finalement, tous les six mois ou une fois par année dans le cas des articles de peu d'importance quant au coût (classe C). Le tableau 7.2 présente un exemple de fiche utilisée lors d'un décompte cyclique.

▨ **Tableau 7.2   Fiche de décompte cyclique**

Numéro de l'article	65434
Localisation	J-24-B
Quantité comptée	730
Unité de mesure	Chacun
Date et heure	15-07 12 h 25
Compté par	P. M.
Enregistrement à l'ordinateur	732
Coût unitaire ($)	50,00
Variation	+ 2
Variation ($)	100,00

7.3.7   L'évaluation des stocks

Comme on le sait, les stocks d'une entreprise sont inscrits sur deux états financiers, soit le bilan et l'état des résultats. On peut donc constater l'importance que la fonction «stock» peut avoir du point de vue pécuniaire pour une entreprise. Les comptables distinguent quatre méthodes qui permettent de mesurer la valeur des stocks dans une entreprise: la méthode du premier entré, premier sorti (PEPS ou FIFO), la méthode du dernier entré, premier sorti (DEPS ou LIFO), la méthode du coût moyen et la méthode du coût moyen pondéré, qui est une variante de la troisième méthode.

■ La méthode du premier entré, premier sorti

La méthode du premier entré, premier sorti consiste à considérer les articles les plus anciens comme ceux qui doivent sortir en premier lieu lorsqu'une demande est faite. En d'autres mots, avec cette méthode, les articles sur les tablettes doivent être rangés du moins récent, à l'avant, au plus récent, à l'arrière.

De cette façon, les articles restant à la fin d'une période comptable donnée seront les plus récents, et donc, en période d'inflation (variation relative de l'indice des prix à la consommation à la hausse), le chiffre (stock de fin de période) qui sera utilisé dans le bilan se rapprochera beaucoup plus de la réalité. Cependant, le coût des marchandises vendues sera calculé à partir des articles plus anciens, ce qui biaisera les résultats trouvés à la hausse. Par le fait même, le bénéfice net sera lui aussi biaisé.

EXEMPLE 7.1

Un distributeur dans le secteur agroalimentaire possède au 1er septembre 400 boîtes de soupe aux tomates à 0,75 $ chacune. Au 7 septembre, il achète 500 boîtes à 0,80 $ chacune. Au 12 septembre, il vend 600 boîtes à 1,15 $ chacune. Puis, le 18 septembre, il achète 700 boîtes à 0,85 $ chacune. Finalement, le 24 septembre, il vend 300 boîtes à 1,20 $ chacune. Quelle est la valeur de son stock au 30 septembre et quel est le coût des marchandises qui ont été vendues?

Stock initial	1er septembre:	400 boîtes à 0,75 $ = 300 $
Achat	7 septembre:	500 boîtes à 0,80 $ = 400 $
Vente	12 septembre:	600 boîtes à 1,15 $ = 690 $
Achat	18 septembre:	700 boîtes à 0,85 $ = 595 $
Vente	24 septembre:	300 boîtes à 1,20 $ = 360 $

Comme nous l'avons dit précédemment, le calcul du coût des marchandises vendues (CMV) se fait toujours selon les coûts les plus anciens. Dans ce cas-ci, le calcul du coût des marchandises vendues se fera comme suit. On considère la vente du 12 septembre selon les coûts les moins récents:

$$(400 \text{ boîtes} \times 0,75 \text{ \$}) + (200 \text{ boîtes} \times 0,80 \text{ \$}) = 460 \text{ \$}$$

On ne doit pas omettre la vente du 24 septembre:

$$300 \text{ boîtes} \times 0,80 \text{ \$} = 240 \text{ \$}$$

Pour cette vente, il faut utiliser le coût de 0,80 $, car les unités à 0,75 $ sont épuisées. Donc, le coût des marchandises vendues est de :

460 $ + 240 $ = 700 $

En ce qui a trait maintenant au stock final ou, si l'on veut, au stock de fin de période, il reste 700 boîtes de soupe en stock au 30 septembre, et ces boîtes correspondent à l'achat du 18 septembre. Le stock de fin de période est donc égal à :

700 boîtes × 0,85 $ = 595 $

La méthode du dernier entré, premier sorti

Selon la méthode d'évaluation des stocks du dernier entré, premier sorti, les articles que l'entreprise a reçus récemment sortiront de l'entrepôt les premiers. On peut voir que, pour des articles qui ont une fréquence d'entrées et de sorties peu élevée, cette méthode peut entraîner de la désuétude et de l'obsolescence, ce qui risque de faire augmenter le coût de stockage. Contrairement à ce qu'on a observé avec la méthode du premier entré, premier sorti, cette méthode a pour effet de biaiser le calcul du stock de fin de période, car il est effectué sur la base des coûts plus anciens (toujours en période d'inflation). Par contre, le calcul du coût des marchandises vendues se rapproche plus de la réalité étant donné qu'il est effectué au moyen des coûts assez récents. Si le coût des marchandises vendues n'est pas biaisé, il en sera de même pour le bénéfice net.

Cependant, le fisc canadien interdit l'utilisation de cette méthode, car le bénéfice net y est plus petit qu'avec les autres méthodes, de sorte que les entreprises paieraient moins d'impôts. En effet, si on calcule le coût des marchandises vendues (CMV) avec les coûts les plus récents, on aura par le fait même un CMV assez élevé. Comme le CMV est soustrait du chiffre d'affaires, on aura alors une marge bénéficiaire brute moins élevée et, donc, un bénéfice net moins élevé également, toutes choses étant égales par ailleurs.

Nous calculerons avec cette méthode le CMV ainsi que le stock de fin de période d'une entreprise de boîtes de soupe.

CMV = (600 boîtes × 0,85 $) + (100 boîtes × 0,85 $) +
(200 boîtes × 0,80 $) = 755 $
Stock de fin de période = (300 boîtes × 0,80 $) + (400 boîtes × 0,75 $) = 540 $

Si on compare les résultats des deux méthodes précédentes, on voit que le stock apparaissant au bilan et calculé avec la deuxième méthode est sous-évalué. De même, le coût des marchandises vendues calculées avec la première méthode est sous-évalué et, par conséquent, le bénéfice net est surévalué.

La méthode du coût moyen

La méthode du coût moyen a pour but de trouver un coût unitaire moyen afin de déterminer le stock de fin de période qui sera inscrit au bilan, et le coût des marchandises vendues qui sera inscrit à l'état des résultats. Pour ce faire, on utilisera la valeur du stock de début de période (stock initial), qui doit être une donnée connue, qu'on ajoutera à la valeur des achats effectués au cours de la période. La valeur trouvée sera divisée par les achats en unités, car on ne se préoccupe pas de la situation du stock après chaque mouvement. En faisant cette opération, on trouvera le coût unitaire moyen.

$$\text{Stock initial + achats} = (400 \text{ boîtes} \times 0,75\,\$) + (500 \text{ boîtes} \times 0,80\,\$) + (700 \text{ boîtes} \times 0,85\,\$) = 1\,295\,\$$$

$$\text{Nombre d'articles achetés} = 1\,600 \text{ boîtes}$$

$$\text{Coût unitaire moyen} = 1\,295\,\$/1\,600 \text{ boîtes} = 0,809\,\$/\text{boîte} \sim 0,81\,\$$$

À partir de là, on peut évaluer le stock de fin de période ainsi que le coût des marchandises vendues.

$$\text{CMV} = (600 \text{ boîtes} + 300 \text{ boîtes}) \times 0,81\,\$ = 729\,\$$$

$$\text{Stock de fin de période} = 700 \text{ boîtes} \times 0,81\,\$ = 567\,\$$$

La méthode du coût moyen pondéré

La méthode du coût moyen pondéré ressemble étrangement à la méthode du coût moyen si ce n'est qu'au lieu de calculer un coût moyen global pour toute la période considérée, on calcule un coût moyen après chaque mouvement de stock. On doit donc pondérer le coût en fonction du nombre d'unités restantes et des différents coûts rattachés à ces unités. Voici de quelle façon on fait le calcul avec cette méthode.

Premièrement, il faut considérer le stock initial, soit :

$$400 \text{ boîtes} \times 0,75\,\$ = 300\,\$$$

Par la suite, on considère le premier achat :

$$500 \text{ boîtes} \times 0,80\,\$ = 400\,\$$$

Le nouveau coût moyen unitaire sera celui-ci :

$$700\,\$/900 \text{ boîtes} = 0,777\,\$ \text{ l'unité} \sim 0,78\,\$$$

Si l'on considère maintenant la première vente, on aura :

$$600 \text{ boîtes} \times 0,78\,\$ = 468\,\$$$

Il reste alors 300 boîtes. Le coût relié à ces boîtes est de 700\,\$ − 468\,\$ = 232\,\$.

Le coût unitaire moyen est de 232\,\$/300 boîtes = 0,77\,\$ l'unité.

L'autre opération représente un achat de 700 boîtes à 0,85\,\$, soit un montant de 595\,\$.

Il y a donc en ce moment 1 000 boîtes de soupe dans le système, et le coût total relié à ces boîtes est de 232\,\$ + 595\,\$ = 827\,\$. Le coût unitaire moyen est donc le suivant :

$$827\,\$/1\,000 \text{ boîtes} = 0,827\,\$ \text{ l'unité} \sim 0,83\,\$$$

La dernière opération, qui est une vente de 300 boîtes de soupe, fera diminuer le nombre d'unités dans le système à 700. La vente des 300 boîtes se fera au dernier coût unitaire moyen, soit 0,83\,\$. On aura alors : 300 boîtes × 0,83\,\$ = 249\,\$. Le coût total dans le système est maintenant de 827\,\$ – 249\,\$ = 578\,\$.

Le dernier coût moyen unitaire sera évalué comme suit :

578 $/700 boîtes = 0,826 $ l'unité ~ 0,83 $

En fait, aucune méthode n'est meilleure qu'une autre. Cependant, il est important que l'entreprise conserve au fil des ans la méthode choisie pour pouvoir avoir une base de comparaison.

7.3.8 Les indicateurs de performance de l'inventaire

Dans le domaine de l'entreposage – et plus précisément de l'inventaire –, il existe des mesures pouvant être calculées pour rendre de précieux services aux gestionnaires des stocks. Les quelques mesures suivantes sont loin d'être exhaustives, mais ce sont des indicateurs très utiles.

■ Le taux de rotation des stocks

Ce taux représente le rapport du coût des ventes sur le coût moyen de l'inventaire (calculé habituellement à l'aide d'une des méthodes vues plus haut) pour une période donnée. On travaille souvent sur une base annuelle pour ce genre d'indicateur. Par exemple, si le coût annuel des ventes d'une entreprise est de 4 millions de dollars et que la valeur moyenne de l'inventaire annuel est de 500 000 $, on aura un taux de rotation des stocks de 8. Ceci veut dire que l'inventaire sera remplacé 8 fois durant l'année.

■ Les jours de provision

Le nombre de jours de provision représente le niveau d'inventaire exprimé en nombre de jours équivalents de provision. Imaginons par exemple que la consommation annuelle prévue d'un produit soit de 15 000 unités. On possède présentement 600 unités et notre entrepôt est ouvert 250 jours par année. Pour trouver le nombre de jours de provision, on doit d'abord calculer notre consommation quotidienne. En divisant 15 000 unités par 250 jours ouvrables, on trouve donc 60 unités par jour. Le nombre de jours de provision sera donc, pour l'article en question, de 600 unités divisées par 60 unités par jour, ce qui représente 10 jours de provision.

■ Le vieillissement (désuétude)

Cet indicateur représente les stocks qui ne sont plus utilisables ou vendables. On l'exprime souvent en pourcentage de l'inventaire total (voir le chapitre 5). Par exemple, si on a l'équivalent de 20 000 $ en stock périmé sur un inventaire total de 800 000 $, on aura un taux de vieillissement de : (20 000 $/800 000 $) × 100 = 2,5 %.

7.4   L'emballage

L'emballage représente la façon de protéger les marchandises contre les dommages liés au transport, à l'entreposage et à la manutention. Très souvent, quand on parle d'emballage, un autre terme est mentionné, soit le conditionnement. En fait, le conditionnement comprend l'emballage, l'action de mettre la marchandise dans l'emballage ainsi que le calage, qui est l'action d'utiliser une cale pour stabiliser le contenu d'un produit emballé et en protéger le contenu.

Même si l'emballage ne semble pas être une des fonctions les plus importantes pour une entreprise, il demeure une fonction stratégique qui peut donner une plus-value au produit. La vision classique consistait à ne pas investir beaucoup d'argent dans l'emballage dans le but de ne pas augmenter substantiellement le coût de revient du produit. Cependant, un emballage adéquat peut devenir un facteur de succès pour l'entreprise et, par le fait même, faire augmenter significativement les revenus de cette dernière. Par exemple, le contenant en carton de deux litres de certaines marques de jus de fruits constitue un emballage très attrayant. Il s'agit alors pour le gestionnaire d'investir un montant qui pourra être récupéré à moyen terme, c'est-à-dire sur une période de un à trois ans. Il existe quelques catégories d'emballage, comme l'emballage relié à l'entreposage, au transport et à la vente. Il va sans dire qu'un emballage peut être utilisé pour deux ou trois catégories.

7.4.1 L'emballage relié à l'entreposage

L'emballage relié à l'entreposage sert à protéger le produit contre les intempéries, comme une variation de température ou encore les rayons ultraviolets du soleil. Les sangles en polyester s'assèchent et, du coup, perdent de leur efficacité lorsqu'elles sont exposées trop longtemps au soleil. Pour cette raison, on doit les accrocher à un mur à l'abri du soleil ou les ranger dans des boîtes en carton après utilisation. L'emballage relié à l'entreposage sert également à protéger le produit contre les dommages dus à un accrochage ou à un manque d'attention. Ainsi, la fourche d'un chariot élévateur peut entrer en contact avec une boîte en carton renfermant des pièces en métal. Évidemment, la boîte en carton pourra être recyclée; cependant, les pièces en métal demeureront intactes si elles sont protégées. Finalement, lorsqu'on stocke des vêtements pour une assez longue période (de six à douze mois), on insère souvent dans les boîtes en carton ou dans les sacs en plastique des boules de naphtaline (boules à mites) pour protéger les vêtements contre les insectes ou les petits rongeurs.

Les produits d'emballage et de conditionnement les plus utilisés sont : la boîte de carton, la feuille de polystyrène, le morceau de styromousse, le rouleau de polyéthylène, le ruban adhésif de toutes les dimensions (1/4 po à 2 po), la sangle en acier ou en polyéthylène, le baril de 205 litres (45 gallons) en acier ou en plastique, le papier recyclé et la planche de bois.

7.4.2 L'emballage relié au transport

L'emballage relié au transport permet de protéger un produit contre les chocs qui peuvent survenir pendant son transport. Cet emballage dépendra du type de produit, du nombre de transbordements effectués ainsi que de la variation climatique existant entre le lieu d'origine et la destination, incluant les périodes d'arrêt et de stockage.

À cette étape, on pourrait chercher à connaître le poids d'une boîte de carton remplie d'un produit X et destinée essentiellement au transport routier. Une fois calculé ce poids, on pourrait, en connaissant les dimensions de la palette qui servira d'unité de chargement pour les boîtes de carton, trouver le poids de cette même palette et, ultimement, le poids de la marchandise chargée dans une semi-remorque qui se déplacerait d'un point A à un point B.

EXEMPLE 7.2

Déterminez le poids d'une boîte de carton présentant les dimensions suivantes : 8 po sur 14 po sur 12 po de haut. La densité du produit à transporter est de 7 lb au pi^3. Le carton pèse 0,5 lb au pi^2.

La première chose à connaître est le nombre de pi^3 que contient la boîte de carton. On connaît les dimensions de la boîte – 8 po $\times$ 14 po $\times$ 12 po –, ce qui représente 1 344 po^3. Pour convertir les pouces cubes en pieds cubes, nous avons un facteur de 1 728. Donc :

$$\frac{1\ 344\ po^3}{1\ 728\ po^3/1\ pi^3} = 0,78\ pi^3$$

Ce qui veut dire que le poids de la marchandise dans la boîte de carton (si elle est remplie à pleine capacité) sera de 7 lb/pi^3 $\times$ 0,78 pi^3 = 5,46 lb.

Il nous reste maintenant à trouver le poids de la boîte de carton. On sait que le carton pèse 0,5 lb au pi^2. Comme la boîte a des dimensions de 8 po $\times$ 14 po, en considérant les six faces de la boîte, ceci représente 752 po^2. On sait que 1 pi^2 correspond à 144 po^2. En faisant une simple règle de trois, on pourra trouver le poids de la boîte :

$$752\ po^2 = X$$
$$144\ po^2 = 0,5\ lb$$

X correspond à 2,61 lb

Par conséquent, le poids de la boîte de carton et de la marchandise qu'elle contient est égal à 5,46 lb + 2,61 lb = 8,07 lb.

De plus, on sait que les palettes mesurent 40 po $\times$ 48 po. Le plancher de la palette se trouve à 6 po du sol, et on peut entreposer à une hauteur maximale de 4 pi. Quel sera le poids de la marchandise et des boîtes de carton sur la palette ?

Dans ce cas, la première chose à faire serait de dessiner un plan de la palette de 40 po $\times$ 48 po de façon à se servir le plus possible des deux dimensions mentionnées ci-dessus. Il faut également tenir compte de la contrainte de la hauteur maximale de 4 pi. On sait d'ores et déjà qu'on ne pourra pas superposer plus de trois boîtes de carton sur la palette étant donné que chaque boîte a une hauteur de 12 po et que le plancher de la palette se trouve à 6 po du sol.

Le côté de la boîte qui mesure 8 po pourrait être placé du côté de la palette qui en fait 40 ; cette dimension serait alors utilisée à son plein potentiel et contiendrait 5 boîtes.

Le côté de la boîte qui mesure 14 po serait utilisé du côté de la palette qui en fait 48. On pourrait donc y mettre 3 boîtes pour un total de 42 po. En centrant les boîtes, on aurait donc 3 po d'espace libre à chaque extrémité des côtés de 48 po.

Si on fait le décompte, on aura alors, 5 $\times$ 3 = 15 boîtes correspondant aux dimensions de la palette. Sur le plan de la hauteur, on se retrouverait également avec trois boîtes de haut, ce qui veut dire qu'au total, on entreposerait 45 boîtes sur chaque palette.

Par conséquent, le poids de la marchandise (et des cartons) entreposés sur la palette sera de :

8,07 lb/boîte $\times$ 45 boîtes = 363,15 lb par palette.

Finalement, si l'on considère que la semi-remorque transportant les palettes de boîtes de carton sur les autoroutes mesure 53 pi de long sur 9 pi de large sur 8 pi de haut, que les palettes sont disposées côte à côte sans séparateur dans la semi-remorque, qu'on peut superposer 2 palettes et que chaque palette de bois pèse 40 lb, quel sera le poids total de la marchandise à l'intérieur de la semi-remorque ?

En utilisant la dimension de 40 po de la palette dans le sens de la longueur, on peut insérer 15 palettes dans la semi-remorque et on aura, par le fait même, 2 palettes de large. Compte tenu de la superposition des palettes, on se retrouve avec 60 palettes à l'intérieur de la semi-remorque. Le poids total sera de :

60 palettes $\times$ 40 lb/palette + 60 palettes $\times$ 363,15 lb/palette = 24 189 lb

7.4.3   L'emballage relié à la vente

Habituellement, en ce qui concerne l'emballage relié à la vente, on fait appel à un comité présidé par le directeur du marketing ou de la publicité. En effet, on s'assurera que l'emballage sera des plus attrayants pour influencer le comportement d'achat des consommateurs. Comme ce type d'emballage risque d'être stocké et transporté, on veillera à le rendre encore plus protecteur.

Lors de la conception de l'emballage d'un produit, on devrait toujours penser à utiliser des matières recyclables. Par exemple, dans certains restaurants minute, on préférera employer un carton mince plutôt que du styromousse étant donné que cette dernière matière n'est pas recyclable. Comme on le sait, les matières recyclables permettent une réutilisation ; autrement, elles deviendront des déchets qui contribueront à remplir les sites d'enfouissement ou les incinérateurs.

Un autre facteur à considérer lors de la conception d'un emballage consiste à savoir si on désire avoir un emballage qui sera utilisé de nouveau ou qui sera abandonné. L'emballage que l'on peut réutiliser entraîne un coût de revient moins élevé si on considère les unités vendues. Cependant, l'acheteur devra tenir compte de l'espace additionnel nécessaire au stockage de cet emballage de même qu'à son entretien, car il subira des avaries en plus de l'usure.

Pour ce qui est de l'emballage qui sera abandonné, celui-ci a l'avantage d'être neuf et d'avoir par conséquent une présentation très soignée ; par contre, son prix d'achat s'avère plus élevé.

Bref, un emballage inadéquat peut entraîner des coûts exorbitants, comme le règlement d'un litige avec un transporteur ou un client, ainsi que la perte d'un ou de plusieurs clients.

EXEMPLE 7.3

Nous allons essayer de déterminer le coût de l'emballage de l'exemple 7.2 en tenant compte du coût du matériel et du coût de la main-d'œuvre reliée directement à cette opération d'emballage.

Les spécifications de l'emballage sont les suivantes :

- coût de la boîte de carton : 1,25 $;

- coût des étiquettes de la boîte de carton : 0,02 $ (2 par boîte) ;
- coût de la palette réutilisable : 24,00 $ (on estime la vie de la palette à 12 expéditions) ;
- coût de la pellicule plastique : 0,85 $ par palette ;
- temps requis pour la mise en boîte de carton : 3 minutes
- temps de montage de la boîte en carton : 1 minute
- temps requis pour la mise en palette : 45 secondes par boîte ;
- temps requis pour enrober la palette de pellicule plastique : 2,5 minutes ;
- coût de la main-d'œuvre : 0,35 $/minute.

On cherche le coût de l'emballage du produit sur la palette.

Solution :

Les coûts d'emballage sont :

	Coût unitaire	Quantité	Coût total
Boîte de carton	1,25 $	45	56,25 $
Palette	2,00 $	1	2,00 $
Pellicule plastique	0,85 $	1	0,85 $
Étiquettes	0,02 $	45	0,90 $
Total			60,00 $

Les coûts de main-d'œuvre sont :

	Temps (min)	Quantité	Temps total (min)	Coût/min	Coût total
Montage boîte de carton	1,00	45	45	0,35 $	15,75 $
Mise en boîte	3,00	45	135	0,35 $	47,25 $
Mise en palette	0,75	45	33,75	0,35 $	11,61 $
Enrobage plastique	2,50	1	2,5	0,35 $	0,88 $
Total					75,49 $

Le coût total est de : 60,00 $ + 75,49 $ = 135,49 $

Si on connaissait le prix du produit emballé, on pourrait savoir exactement quel pourcentage du coût total est consacré à l'emballage. Habituellement, un coût d'emballage ne devrait pas dépasser 10 % du coût total d'un bien. Il est même souhaitable qu'il représente près de 5 % du coût total afin d'obtenir plus rapidement un retour sur investissement.

7.5   L'expédition

Dans une entreprise, la fonction «expédition» est souvent jumelée avec la fonction «réception». Le fait de la traiter séparément vise simplement à mieux illustrer ses caractéristiques.

Le préposé à l'expédition, soit l'expéditionnaire, fait sensiblement le même travail que le réceptionnaire, mais en sens contraire. L'expéditionnaire vérifie les quantités expédiées pour savoir si elles correspondent au bordereau d'expédition et au bon de commande du client. Il y a quelques années, une vérification de la qualité du produit expédié était effectuée. Cependant, avec l'avènement du contrôle après chaque poste de travail, la vérification détaillée du produit fini devient inutile. Quand tout est comme il se doit, l'expéditionnaire ou son assistant manutentionne le contenu de la commande dans l'unité de transport qui est arrivée au quai de chargement.

Les principes de l'expédition sont à peu près les mêmes que ceux de la réception. En effet, il faut réduire l'espace requis pour l'expédition en utilisant des accessoires permettant de stocker en hauteur le matériel devant être expédié. De plus, on doit faire le bon choix de l'unité de manutention servant à l'expédition afin de perdre le moins de temps et d'espace possible et d'éviter les accidents susceptibles d'endommager les produits.

Résumé

Outre le fait qu'il s'occupe de la quantité de matières à commander et du moment propice pour passer une commande d'achat, un acheteur doit s'initier à des fonctions rattachées à la gestion des stocks. Parmi ces fonctions, il y a la réception du matériel commandé, qui requiert un certain contrôle quantitatif et qualitatif de la part de la personne affectée à la réception. En second lieu, la manutention des matériaux – qu'il s'agisse des matières premières destinées à la fabrication, des produits en cours, des produits d'entretien ou des produits finis – occupe une place importante dans une manufacture. Cette fonction est souvent négligée parce qu'il est difficile de lui attribuer un coût de revient par rapport au produit. La troisième fonction reliée à la gestion des stocks concerne l'entreposage proprement dit. On distingue trois types d'entreposage : l'entreposage fixe, l'entreposage aléatoire et une combinaison des deux. Dans les entrepôts, on a recours à divers types de rayonnages, de même qu'à des technologies d'identification pour les articles, notamment le code à barres, la fréquence radio et le système vocal.

La méthode du décompte cyclique permet de s'assurer de la justesse du niveau de l'inventaire. Cette méthode consiste à sélectionner un certain nombre d'articles que l'on compte. La sélection peut se faire de façon aléatoire. Habituellement, on considère l'importance pécuniaire des articles. Ainsi, plus un article est important, plus il sera décompté souvent.

L'emballage est une fonction cruciale pour une entreprise. Cette fonction a longtemps été négligée, car on ne se rendait pas compte qu'elle pouvait apporter une plus-value au produit. Il existe une multitude de façons d'emballer des produits. Il faut considérer le type de produit pour déterminer un emballage adéquat.

La dernière fonction rattachée à la gestion des stocks est l'expédition des marchandises. Cette fonction suit sensiblement les mêmes principes que l'expédition des marchandises. Dans beaucoup d'entreprises, ces deux fonctions font partie d'un même service, car les opérations sont très souvent similaires, mais exécutées en sens contraire.

Questions

1. Quelles sont les principales fonctions rattachées à la gestion des stocks qu'un acheteur est susceptible d'effectuer dans l'entreprise?

2. En quoi consiste la réception des stocks?

3. Pourquoi la manutention des stocks est-elle souvent négligée dans l'entreprise comme facteur de coûts?

4. Citez quatre événements occasionnant la manutention de matières dans l'entreprise.

5. Nommez les quatre grandes catégories d'équipements de manutention.

6. Trouvez cinq équipements divers de manutention utilisés dans l'entreprise.

7. Quels sont les trois types d'entreposage du matériel?

8. Nommez deux avantages de l'entreposage fixe.

9. Nommez deux inconvénients de l'entreposage aléatoire.

10. Quelles sont les quatre principales méthodes d'évaluation des stocks?

Exercices
d'apprentissage

1. De quelle façon faudra-t-il faire la codification des articles dans un contexte où l'entreprise démarre ses activités si l'on sait qu'elle aura à gérer 1 750 articles différents et que, de plus, le procédé de production intègre 10 ateliers différents?

2. Quels sont les avantages du code à barres dans la codification des articles d'un entrepôt?

3. Quel type de code à barres est utilisé par le supermarché de votre quartier ou de votre localité?

4. Quelles différences y a-t-il entre un inventaire périodique et un inventaire permanent?

5. «Le décompte cyclique est utilisé seulement lorsqu'on n'a aucun contrôle de l'inventaire.» Commentez cette affirmation.

6. Nommez deux avantages et deux inconvénients rattachés au décompte cyclique.

7. Quelles sont les principales méthodes utilisées pour évaluer les stocks de fin de période?

8. Qu'est-ce qui pourrait inciter une entreprise à utiliser davantage la méthode du premier entré, premier sorti au détriment de la méthode du dernier entré, premier sorti?

9. Commentez l'affirmation suivante: «Il est inutile d'investir dans l'emballage d'un produit fini, car il n'ajoute absolument rien au produit.»

10. Quelles sont les similitudes entre la fonction «expédition» et la fonction «réception» du matériel dans une entreprise?

Exercices
de compréhension

1. Qu'est-ce qu'un réceptionnaire devrait vérifier lorsqu'il reçoit cinq pilons de feuilles d'acier ?

2. Avec quels équipements de manutention devrait fonctionner une usine de concassage du minerai ?

3. Dans une usine où le matériel stocké est similaire d'un produit à l'autre quant à la nature du produit, à ses dimensions et à sa fréquence d'entrées et de sorties, quelle façon d'entreposer le matériel devrait être favorisée ?

4. Dans le cas où il n'existe à peu près aucun contrôle dans l'entrepôt en ce qui a trait aux ressources humaines et matérielles, quel type de système d'inventaire devrait-on privilégier ? Pourquoi ?

5. Si l'entreprise possède 1 200 articles différents, mais que seulement 195 sont importants (classes A et B), quel sera le nombre d'articles à décompter si elle désire effectuer un décompte tous les mois ? (Tenez pour acquis que les articles de classe C sont décomptés une fois par année, soit lors de l'inventaire physique.)

6. Déterminez le stock de fin de période ainsi que le coût des marchandises vendues avec les méthodes du premier entré, premier sorti, du dernier entré, premier sorti et du coût moyen pondéré si une entreprise possède au début de la période comptable, le 1er juillet, un stock de 120 000 $ constitué de 80 000 porte-clés d'une valeur de 1,50 $ chacun, et qu'elle fait l'acquisition de 55 000 porte-clés au montant de 1,75 $ chacun le 4 juillet. Elle vend 30 000 porte-clés à 3,50 $ le 10 juillet. Par la suite, elle fait l'acquisition de 25 000 porte-clés au coût de 1,95 $ chacun le 14 juillet. Le 21 juillet, un spécialiste des marchés aux puces achète 20 000 porte-clés au montant de 3,00 $ chacun. Finalement, l'entreprise fait l'acquisition de 40 000 porte-clés au coût de 2,00 $ chacun le 24 juillet.

7. Quel type d'emballage (conditionnement) utiliseriez-vous pour transporter des feuilles de verre plat de la région de Québec à la Belgique ?

8. a) Sur une palette de 40 po × 48 po, trouvez la méthode convenant à des boîtes de 20 po × 24 po, 10 po × 12 po, 12 po × 12 po, 8 po × 14 po, 20 po × 20 po. Dans chaque cas, décrivez la méthode utilisée en indiquant le nombre total de boîtes contenues sur une palette, sachant qu'il y a toujours 4 rangées et que les boîtes ne peuvent pas être placées sur le côté.

   b) Si la marchandise contenue dans les boîtes pèse 10 lb/pi^3, quel sera le poids de la palette, sachant que la boîte pèse 0,5 lb au pied carré ? Toutes les boîtes mesurent 12 po de haut.

9. Lorsqu'il y a une grosse commande, on livre le produit décrit dans la question ci-dessus par pleines remorques de 52 pi de long, 100 po de large et 108 po de haut. On peut empiler les palettes par 2. Combien de palettes contiendra la remorque et quel en sera le poids total, si chaque palette vide pèse 30 lbs ?

10. Les dimensions d'un produit vendu 1,50 $ l'unité sont 5 po de long, 10 po de large et 1 po de haut. Les spécifications d'emballage sont les suivantes :

   - 6 produits entrent dans une boîte intermédiaire dont les dimensions sont 5 po de long, 20 po de large et 3 po de haut ;

   - 6 boîtes intermédiaires entrent dans une boîte de carton (devinez les dimensions afin d'optimiser le nombre de boîtes de carton sur la palette !) ;

   - la palette ne peut pas avoir une hauteur de plus de 48 po. Une palette mesure 40 po × 48 po × 6 po ;

   - coût de la boîte intermédiaire : 0,15 $;

   - coût de la boîte de carton : 1,00 $;

   - coût des étiquettes de la boîte intermédiaire : 0,01 $/unité (2 par boîte) ;

   - coût des étiquettes de la boîte de carton : 0,03 $/unité (2 par boîte) ;

   - coût de la palette réutilisable : 25,00 $ (on estime la vie de la palette à 10 expéditions) ;

   - coût de la pellicule plastique : 0,85 $ par palette ;

   - temps requis pour la mise en boîte intermédiaire : 0,5 minute ;

   - temps requis pour la mise en boîte de carton : 3 minutes ;

   - temps de montage des boîtes : 30 secondes pour la boîte intermédiaire et 1,2 minute pour la boîte de carton ;

   - temps requis pour la mise en palette : 30 secondes par boîte ;

   - temps requis pour enrober la palette de pellicule plastique : 3 minutes ;

   - coût de la main-d'œuvre : 0,40 $/minute.

   On cherche le coût d'emballage du produit sur la palette.

Exercices
de recherche

1. Vérifiez dans une entreprise située près de chez vous si le réceptionnaire effectue bel et bien un contrôle quantitatif et qualitatif du matériel reçu. Quel type de contrôle qualitatif effectue-t-il ?

2. Comparez l'espace utilisé par un entrepôt fonctionnant selon un entreposage aléatoire et par un entrepôt géré selon un entreposage fixe dans le cas d'entreprises faisant affaire à proximité de chez vous. Que remarquez-vous ?

3. Énumérez trois façons de codifier les articles dans des entreprises œuvrant près de chez vous.

4. Expliquez en détail comment le décompte cyclique s'effectue dans une entreprise située à proximité de chez vous.

5. Après avoir rencontré le directeur des approvisionnements d'une entreprise quelconque, nommez la méthode qu'il utilise pour évaluer les stocks et énoncez les raisons pour lesquelles il utilise cette méthode plutôt qu'une autre.

Cas
Un entrepôt de néons

Josée Tanguay, la nouvelle acheteuse de la firme Les Luminaires Soleil ardent, vient de se voir confier la responsabilité de déterminer la façon optimale de faire l'entreposage des ampoules et des néons que l'entreprise stocke pour répondre aux besoins de ses clients. Elle doit cependant tenir compte du fait qu'elle dispose de très peu d'espace. Les néons sont des produits relativement fragiles. De plus, les types de produits sont disparates quant à leurs dimensions et à leur stabilité face au stockage.

Question

Si vous étiez à la place de Josée Tanguay, quel type d'emballage, quel type de rayonnage et quelle forme de stockage (fixe ou aléatoire) utiliseriez-vous en sachant que la majorité des fournisseurs sont à proximité et qu'il est assez facile de donner suite aux demandes des clients ?

Chapitre

8   La distribution

*Le caractère ne peut se former
dans la facilité et la quiétude.
Seules l'épreuve et la souffrance
peuvent fortifier l'âme, éclaircir
la vision, stimuler les ambitions
et mener au succès.*

Helen Keller

Objectif général

Reconnaître l'importance de la distribution dans une entreprise.

Objectifs spécifiques

- Nommer les principales chaînes de distribution.
- Se familiariser avec les principaux modes de transport.
- Connaître les avantages et les inconvénients rattachés à chaque mode de transport.
- Décrire les facteurs de décision quant au mode à privilégier pour une situation donnée.
- Définir les principales conditions de transport.
- Connaître les rudiments des achats internationaux.

L'approvisionnement et la distribution chez Denharco

Entreprise québécoise fondée en 1991, Denharco inc. est le résultat de la fusion entre Harricana Métal inc. et Équipements Denis inc. Forte de plus de 35 ans d'histoire et d'innovation, Harricana Métal était déjà connue comme une pionnière dans la mécanisation des opérations forestières au Canada.

Denharco se spécialise dans la conception, la production et la mise sur le marché d'accessoires de récolte forestière. L'équipe de Denharco-Distribution, Division pièces a développé le sens de l'urgence ainsi que le souci d'assurer au client le meilleur rendement. De plus, elle offre une formation qui permet au client de bénéficier du plein rendement de ses produits.

La distribution et la vente de pièces représentaient plus de 40 % des activités de vente de Denharco en 1998. Les activités d'exportation de Denharco la conduisent en Afrique, en Amérique, en Asie, en Europe et en Océanie. Pour ce qui est des standards de qualité, elle possède la certification ISO 9001 et un plan de gestion de la qualité totale. Enfin, Denharco a des installations à Woodland (Washington) et à Tuscaloosa (Alabama).

Chez Denharco-Distribution, Division pièces, le service à la clientèle ne doit accepter aucun compromis sur l'excellence. La philosophie de Denharco est «la qualité pour un lendemain sans frontière», et ce, à tous les niveaux. La distribution constitue un partenariat à la fois avec des clients et avec des fournisseurs. Elle doit permettre de réduire aussi bien les coûts d'exploitation que les frais de gestion.

Dans toutes les décisions d'achat et d'entreposage, il faut tenir compte de plusieurs éléments. Ainsi, il faut assurer un niveau de service supérieur à des clients qui pratiquent souvent le juste-à-temps. De plus, il faut améliorer continuellement la rotation de l'inventaire en même temps que le niveau de service et la marge de profits. Finalement, la distribution permet à l'entreprise de développer de nouveaux marchés, d'être compétitive et de mesurer le rendement de son service pour se dépasser continuellement.

Bien sûr, pour aller au-delà des frontières, Denharco-Distribution, Division pièces doit aussi entreposer et sélectionner les produits selon ses marchés. Elle doit assurer l'entretien d'équipements forestiers avec des pièces d'origine, pour un meilleur rendement.

Normand Pâquet
Directeur général distribution
Division pièces

Introduction

La distribution est l'action de faire passer un produit de l'entrepôt d'une entreprise manufacturière ou du centre de distribution à un grossiste, à un détaillant, à un centre de distribution secondaire ou encore directement au client.

8.1   Les chaînes de distribution

Comme on peut le constater dans la définition précédente, il existe plusieurs destinataires dans le domaine de la distribution. Le circuit de distribution le plus simple est la chaîne de distribution directe, qui consiste à livrer le produit de l'entrepôt du fournisseur au client directement. Cette façon de faire est de plus en plus en vogue, surtout depuis l'avènement de la philosophie de gestion du juste-à-temps, où les fournisseurs n'ont souvent pas d'autre choix que de livrer tout de go aux clients afin de respecter les ententes établies au préalable.

Un autre type de chaîne de distribution consiste à livrer les produits prêts à la consommation chez un grossiste, qui les fera parvenir à des détaillants, qui, eux, les vendront aux consommateurs. Un manufacturier choisira souvent ce moyen dans le but d'élargir son marché, c'est-à-dire d'obtenir une visibilité plus grande. Par exemple, un manufacturier de patins à roues alignées de l'ouest de Montréal pourrait avoir un grossiste dans l'est de la ville et un autre à Québec, en plus de compter des détaillants dans les différentes régions du Québec. L'avantage principal de ce type de chaîne de distribution porte sur le service après-vente. En effet, les pièces de rechange peuvent se retrouver chez les détaillants locaux. En ce qui a trait aux réparations diverses, le même principe s'applique. Par contre, l'inconvénient majeur de ce type de chaîne de distribution se trouve dans le prix que doit payer le consommateur.

Plus la chaîne de distribution est importante quant au nombre d'intermédiaires, plus le consommateur aura un gros montant à payer au bout de la chaîne, car chaque intervenant prendra sa marge de profit.

Il existe aussi des chaînes de distribution qui font intervenir le manufacturier, un grossiste et le consommateur tout de suite après, ou encore le manufacturier, des détaillants et le consommateur. Ces chaînes ressemblent à la chaîne de distribution précédente, sauf qu'il y a moins d'intervenants dans le système. La figure 8.1 présente plusieurs chaînes de distribution.

Figure 8.1   Différentes chaînes de distribution

De même, on rencontre souvent des courtiers en distribution qui agissent comme des intermédiaires entre le manufacturier et les détaillants ou les consommateurs. La plupart du temps, ces courtiers ont une grande expérience du marché et disposent d'un bon réseau de relations qui facilitent les transactions. Leur entrepôt se trouve fréquemment dans une partie de leur résidence.

Une fois qu'on connaît les différents intervenants de la chaîne de distribution, on doit déterminer les moyens qui permettront de mener à bien la distribution. En fait, toutes les façons de faire du transport peuvent assurer la distribution, que ce soit la marche à pied, la bicyclette, le pousse-pousse, l'avion, le train, le chameau, le cheval, la voiture ou le camion!

8.2   Le transport

Le transport est le fait de se déplacer d'un point X à un point Y. Pour les besoins du présent manuel, nous nous attarderons sur les cinq principaux modes de transport, soit le transport routier, le transport ferroviaire, le transport aérien, le transport maritime et le transport par pipeline.

Avant d'aborder les modes de transport proprement dits, rappelons que l'industrie du transport a connu de grandes modifications depuis 1987, année de la déréglementation de tous les modes de transport. Depuis 1988, les transporteurs font face à moins d'embûches. Par exemple, dans le transport routier, un individu apte à conduire un tracteur avec semi-remorque peut se voir octroyer un permis de conduire classe 1, ce qui est de nature à l'inciter à investir dans l'achat d'un camion et, par le fait même, à fonder sa propre entreprise. Ce contexte n'est pas hypothétique; au contraire, il s'est matérialisé souvent dans l'industrie, ce qui a entraîné une baisse des coûts relativement importante et donc une marge de profit plutôt maigre. Plusieurs gros transporteurs routiers dont le pourcentage de coûts fixes est important par rapport à leurs coûts totaux n'apprécient guère cette situation. De plus, étant donné que le permis de classe 1 permettant de conduire ce type de véhicule est assez facile à obtenir, plusieurs transporteurs autonomes qui n'avaient quasiment aucune connaissance en gestion ont fait faillite.

8.2.1   Le transport routier

Le transport routier est sans l'ombre d'un doute le mode de transport le plus flexible. Effectivement, un expéditeur qui veut faire parvenir un produit à un destinataire par la route peut le faire parvenir directement chez ce dernier, contrairement à ce qu'on trouve dans les autres modes de transport, qui sont limités par leur infrastructure. Le transport routier est également, parmi les cinq modes, le plus populaire. Ainsi, on assiste à un développement prolifique des infrastructures routières depuis les années 1960. Le transport routier est également rapide, si on le compare avec le transport ferroviaire; c'est d'ailleurs ce qui a fait perdre des plumes à ce dernier mode de transport à la fin du XXᵉ siècle. De plus, avec l'apparition du juste-à-temps, les gestionnaires sont souvent pressés par le temps et ils ne désirent pas nécessairement recevoir un convoi de matières premières ou de composantes qui surchargerait leur lieu d'entreposage.

Selon une règle empirique dans l'industrie du transport routier, ce dernier est rentable sur une distance inférieure à 1 600 kilomètres (l'équivalent de la distance séparant Québec de Thunder Bay). Au-delà de ce seuil, le transport ferroviaire devrait être envisagé.

Il existe une multitude de règlements concernant le transport routier, comme les normes de masses et de dimensions, les heures de conduite et de repos, la vérification mécanique des véhicules, les droits d'immatriculation, les taxes sur le carburant, le connaissement, la sécurité routière ou les permis pour pouvoir circuler. De plus en plus, les gouvernements de toutes les provinces canadiennes, ainsi que le gouvernement américain, parlent d'harmonisation pour la plupart de ces règlements, ce qui permettra un allègement du point de vue administratif.

Le transport routier englobe plusieurs usages. Ainsi, on peut transporter du carburant (dans une citerne), des matières lourdes (dans un fardier), des matières dangereuses, des déchets dangereux, des explosifs, du verre, du gravier, du bois, etc. On peut également faire des déménagements.

Il est utile de connaître le langage utilisé dans le domaine du transport routier. Ainsi, quand un camion est rempli, on dit qu'il forme une charge entière, qu'on appelle *truck load* (TL) dans l'industrie. Toutefois, il arrive fréquemment qu'un expéditeur ne remplisse pas toute une semi-remorque lors d'un envoi. Le transporteur accepte alors une charge partielle ou un lot brisé (*less than truck load* ou LTL). Au Québec, la gestion LTL est très fréquente. La gestion de ces deux types de chargement est très différente, car elle n'implique pas le même nombre d'intermédiaires. Ainsi, il est beaucoup plus simple pour un transporteur routier de gérer des charges entières que des lots brisés.

Quand un expéditeur, que ce soit un manufacturier ou un distributeur, demande les services d'un transporteur pour une expédition quelconque, ce dernier fait signer un contrat, ou connaissement (*bill of lading*), qui lie l'expéditeur, le destinataire et le transporteur. Un connaissement comprend habituellement le nom et l'adresse de l'expéditeur, le nom et l'adresse du consignataire, la description de la marchandise, la quantité transportée, le poids, le volume, les conditions de transport, la valeur déclarée dans le cas de produits de grande valeur si on désire être assuré en conséquence et les instructions spéciales à respecter dans le cas de matières fragiles ou dangereuses (voir la figure 8.2).

Le connaissement est fait en trois copies : une copie va à l'expéditeur, une deuxième va au transporteur et une troisième au destinataire. C'est une forme de contrat qui introduit une tierce partie, en l'occurrence le transporteur. Ce transporteur enverra par la suite, soit au destinataire où à l'expéditeur tout dépendant de l'entente conclue en ce qui a trait au paiement des frais de transport, une facture qui confirmera les conditions du connaissement et comprendra le tarif accordé. Une copie de facture de transport est présentée à la figure 8.3.

■ Figure 8.2 Exemple de connaissement

■ **Figure 8.3**   Exemple d'une copie de facture de transport

8.2.2   Le transport ferroviaire

Le transport ferroviaire est le mode de transport qui a fait du Canada ce qu'il est aujourd'hui quant à son peuplement. Il a permis d'unifier toutes les provinces depuis le début de sa construction au XIXᵉ siècle. Avant les années 1950, le transport ferroviaire était le mode de transport le plus utilisé au Canada (les clients étaient attirés par l'ampleur du réseau ferroviaire). Malheureusement, pendant les années 1950, une importante grève s'est produite, ce qui a provoqué le développement des autres modes de transport, en particulier du transport routier.

Grâce au transport ferroviaire, on peut transporter, par voie terrestre, de grandes quantités de marchandises sur de longues distances. Il suffit de penser au blé des Prairies ou encore au charbon. Il existe différents types de wagon pouvant convenir à tous les expéditeurs, que ce soit les expéditeurs de minerai, de blé, d'automobiles, de pétrole ou de toute autre matière transportable.

Le transport ferroviaire est cependant limité aux réseaux de voies ferrées, ce qui le rend beaucoup moins flexible que le transport routier. Cependant, de plus en plus d'entreprises possèdent un embranchement privé, c'est-à-dire un tronçon de voie ferrée relié au quai de déchargement.

Si on dresse un portrait de l'industrie ferroviaire canadienne, on s'aperçoit que la concurrence est établie surtout entre deux géants, le Canadien National (CN) et le Canadien Pacifique (CP). Ces entreprises essaient de s'acheter mutuellement des tronçons ou encore de vendre des tronçons jugés non rentables aux entreprises privées afin de diminuer la dette accumulée au fil des ans. Ces tronçons vendus deviennent des chemins de fer à intérêt local (CFIL). Certaines municipalités achètent ce genre de tronçons, puis élaborent des projets d'urbanisme, comme la piste cyclable Cabano-Edmundston. Malgré les acquisitions relativement récentes du Canadien National, par exemple celle du réseau Illinois Central (IC) aux États-Unis, et la rationalisation de ses effectifs (licenciement d'environ 11 000 employés) à la fin du siècle dernier, l'industrie du transport ferroviaire éprouve toujours un peu de difficulté à concurrencer celle du transport routier.

8.2.3   Le transport maritime

Le transport maritime est le mode de transport le plus ancien. Les premiers colons arrivèrent en Amérique par la mer. Ils transportaient leur nourriture ainsi que de la marchandise pouvant assurer leur survie. Il existe deux catégories de transport maritime, soit le transport fluvial et côtier, qui représente les mouvements maritimes à l'intérieur d'un pays (le cabotage), et le transport maritime international, qui, comme son nom l'indique, représente les mouvements internationaux.

Le Canada possède une voie maritime stratégique pour le commerce international : il s'agit de la voie maritime du Saint-Laurent. Toute embarcation provenant d'Europe, d'Afrique, d'Asie ou d'Océanie dont la destination est le Canada passera nécessairement par la voie maritime du Saint-Laurent. Celle-ci est composée de 17 écluses de Québec à Sault-Sainte-Marie et elle s'avance jusqu'au cœur du continent, soit à Thunder Bay. Son étendue lui confère son importance.

Le principal avantage du transport maritime est qu'il permet de transporter énormément de marchandises. En effet, certaines embarcations peuvent contenir jusqu'à 250 000 tonnes de matières (environ 227 millions de kilogrammes). Le coût unitaire de ce transport est relativement bas. Cependant, un expéditeur qui utilise ce mode de transport doit tenir pour acquis que sa marchandise ne pourra être livrée le lendemain. Une expédition maritime en provenance d'Europe peut prendre de deux semaines à plusieurs mois pour arriver à bon port, ce qui implique que l'acheteur doit planifier convenablement son stock afin de ne pas connaître de rupture de stock.

On aura tendance à privilégier ce mode de transport dans les cas où il y a beaucoup de matières à transporter et lorsque cette marchandise a un coût unitaire relativement bas, comme la soie de Chine ou le lin d'Asie.

8.2.4   Le transport aérien

Le transport aérien est le mode de transport le plus rapide. On peut facilement envisager de recevoir une enveloppe contenant des documents confidentiels le lendemain de son envoi, même si cette enveloppe provient de Sydney en Australie. Il faut cependant considérer que le prix d'une expédition aérienne est beaucoup plus élevé que celui de toute autre forme d'expédition. Encore ici, « le temps, c'est de l'argent ». L'acheteur devra se rappeler cet adage lors de ses transactions. Le type de matière transportée par air a un coût unitaire assez élevé (produit à haute valeur ajoutée), comme les lingots d'or ou les animaux de reproduction. Il se peut également qu'un produit de consommation courante fasse l'objet d'une expédition aérienne, par exemple dans le cas d'une urgence.

Le transport aérien est moins flexible que le transport routier, en ce sens qu'une fois arrivée à l'aéroport, la marchandise doit emprunter un autre mode de transport pour se rendre à destination. De même, elle doit souvent être dédouanée si elle provient d'un autre pays.

8.2.5   Le transport par pipeline

Le transport par pipeline est utilisé surtout pour les matières liquides, comme le pétrole brut, le gaz naturel et l'essence[1]. Il peut également être employé pour certains solides granulaires, comme le minerai concassé, à condition qu'ils soient propulsés à l'aide d'une pompe. À la rigueur, on pourrait considérer le transport de l'électricité comme faisant partie du mode de transport par pipeline. En effet, les câbles électriques, qui transportent des électrons, s'apparentent aux tuyaux qui transportent un liquide. Ce mode de transport est de plus en plus utilisé au Québec. Depuis quelques années, on effectue l'excavation de lignes de plusieurs kilomètres de long dans le but de rendre le gaz naturel accessible aux entreprises, qui sont de plus en plus conscientes des problèmes environnementaux. Le gaz naturel étant moins nocif pour l'environnement que l'essence, les entreprises peuvent l'utiliser comme combustible pour chauffer leurs entrepôts ou encore comme source d'énergie dans un procédé de production.

Le transport par pipeline représente le mode de transport qui offre le coût unitaire le plus bas parmi les cinq modes de transport que nous avons décrits. Il est cependant limité à certains types de produits, sans compter que toutes les municipalités ne sont pas équipées des installations de tuyauterie nécessaires. De plus, les coûts d'entretien reliés à ce mode de transport ne sont pas négligeables. Il faut faire une vérification continuelle de la pression exercée dans le circuit, laquelle doit être assez constante pour éviter les blocages intérieurs ou l'accumulation de débris sur les parois des conduits.

Les perspectives d'avenir quant aux cinq modes de transport sont variables. En effet, depuis quelques années, les gouvernements fédéral et provinciaux effectuent une rationalisation (lire « des compressions ») plutôt draconienne, qui touche toute l'industrie du transport. Le transport routier demeure toutefois un secteur de pointe où les indicateurs économiques ne vont pas en diminuant (voir la figure 8.4).

---

1. Le pipeline qui transporte du gaz naturel ou de l'essence est un gazoduc. Celui qui transporte du pétrole s'appelle un oléoduc.

■ **Figure 8.4**   **Le commerce de biens entre le Québec et les États-Unis selon le mode de transport (1989-1996)**

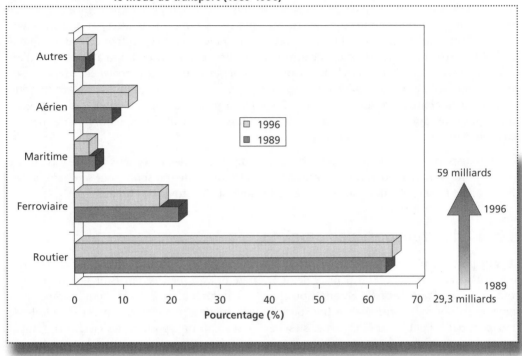

Source : Bureau de la statistique du Québec (compilation de Gilles Gonthier).

8.2.6   Le recours à plusieurs modes de transport ou l'intermodalité

La plupart des entreprises qui veulent diminuer leurs dépenses rattachées au transport utilisent plusieurs modes de transport (ou intermodalité) pour acheminer leurs produits ou pour les recevoir. La façon la plus connue est sans doute le ferroutage (*piggyback*), qui consiste à prendre la semi-remorque attachée à un tracteur routier et à la placer sur un wagon plat de train pour le reste du trajet. Une fois la semi-remorque rendue à destination, l'opération inverse est effectuée. Cette façon de faire est très utilisée dans les cas où une entreprise québécoise envoie un camion complet dans l'ouest du Canada. Il y a aussi le transport roulier (*fishyback*), qui ressemble au ferroutage, si ce n'est que les modes de transport utilisés sont le transport routier et le transport maritime. De même, il y a la combinaison du transport aérien avec le transport routier (*air truck*).

Il arrive fréquemment qu'une expédition utilise plus de deux modes de transport différents. Par exemple, si une entreprise de fabrication d'automobiles d'Oshawa veut expédier ses produits finis en Israël, il est probable que le transport routier sera utilisé jusqu'à la première voie ferrée accessible. Par la suite, le train circulera jusqu'au port de Halifax. Finalement, le transport maritime reliera les deux continents. Une fois atteint le port le plus près de la destination, on effectuera les opérations inverses, c'est-à-dire qu'à partir du port on utilisera la voie ferrée, s'il y a lieu, ou le transport par camion.

8.3 Le choix d'un ou de plusieurs modes de transport

Le choix d'un mode de transport qui optimisera les coûts est une décision sur laquelle un acheteur doit se pencher fréquemment. Cette décision n'est pas toujours facile à prendre. En effet, il existe une multitude de facteurs que l'on doit considérer avant de prendre ce genre de décision, dont les principaux sont présentés dans l'encadré ci-dessous.

Facteurs de décision quant au choix d'un mode de transport

Nature du produit à transporter	Dimensions du produit
Poids du produit	Densité du produit
Coût du produit	Destination
Délai de livraison	Conditions de transport
Présence de matières dangereuses	Chauffage
Réfrigération	Modalités de paiement
Valeur unitaire du produit	Type de service désiré
Pratique du juste-à-temps par le client	

Il est facile d'imaginer que si on doit transporter des pur-sang pour une compétition donnée, le mode de transport utilisé différera de celui auquel on recourra pour mener à destination un lot de tuiles de toiture en provenance d'Espagne. De même, l'expédition de revues européennes au Canada n'empruntera pas le même mode de transport que des conteneurs de boîtes de conserve.

8.4 Le coût de distribution

Un produit acheté au point d'origine à un prix de 100 $ n'aura plus la même valeur à destination, car le transport ajoutera à ce prix. La valeur commerciale du transport varie entre deux extrêmes : la valeur minimale et la valeur maximale. La valeur minimale représente le coût généré par l'activité elle-même. Quant à la valeur maximale, elle repose sur la nature du produit à transporter, sur la difficulté d'atteindre certains lieux ou sur la demande plus forte de livraison dans certaines régions. En effet, dans le domaine du transport, il y a des corridors forts (à fort débit) et des corridors faibles (à faible débit). Le fait de transporter la même quantité de marchandises et le même poids dans le corridor Montréal-Toronto n'aura pas le même coût que si ce transport est effectué dans le corridor Montréal-Rimouski, ces deux corridors ayant pourtant à peu près la même longueur.

EXEMPLE 8.1

Récemment, un acheteur a reçu la proposition suivante pour le coût d'un transport routier :

- Transport d'une charge complète de camions de Chicago à Montréal : 1 100 $
- Transport d'une charge complète de camions de Montréal à Chicago : 1 450 $

À l'appui de sa proposition, le fournisseur indique que la fréquentation du corridor Montréal-Chicago est tellement importante qu'il est considéré comme un corridor à fort débit, et qu'à ce titre la relation entre l'offre et la demande commande un prix pour l'aller de 1 450 $. Par contre, comme il y a moins de mouvements de Chicago à Montréal, cela laisse une plus grande capacité au transporteur. Les lois du marché de la concurrence fixent alors le prix du transport dans le corridor Chicago-Montréal à 1 100 $.

8.5 Les conditions du transport routier et les modalités de paiement en Amérique du Nord

Sur un bon de commande ou sur un bordereau de livraison, on voit fréquemment les inscriptions suivantes : « FAB destination » et « FAB origine ». Cela ne signifie pas que le fournisseur ou le client paie le transport entre l'origine et la destination. « FAB » signifie « franco à bord », un vieux terme français (en anglais, on utilise le sigle FOB, qui veut dire *free on board*) employé en premier lieu dans le transport maritime pour désigner la responsabilité du transporteur. Dans le cas où un contrat commercial indique « FAB destination », cela signifie que la marchandise est sous la responsabilité de l'expéditeur jusqu'au quai de déchargement du client. Dans le cas contraire, c'est-à-dire lorsqu'un contrat stipule « FAB origine », la responsabilité du matériel est l'affaire du client à partir du quai de chargement du fournisseur. Logiquement, le transport « FAB destination » devrait être plus coûteux pour un client parce que celui-ci n'endosse pas la responsabilité de la marchandise lors du transport. Dans bien des cas, la différence entre les deux formules est minime, surtout pour des livraisons qui requièrent des mouvements très courts, comme d'Anjou à Pointe-Claire, de Québec à Lévis ou de Paris à Neuilly.

Il est à noter cependant qu'au Québec, contrairement aux provinces de l'Ouest et aux États-Unis, la tendance dans le domaine du transport routier est à l'utilisation des incoterms, qui sont énumérés au tableau 8.3. L'incoterm FOB étant beaucoup plus utilisé dans le domaine du transport maritime, on voit de plus en plus souvent les incoterms CPT (*carriage paid to*: port payé jusqu'à) ou CIP (*carriage and insurance paid*: port payé assurance comprise jusqu'à).

Pour ce qui est du paiement du transport, on trouve cinq sortes de paiement pour les contrats commerciaux. Il y a d'abord le port payé (*prepaid*). Cela veut dire que le transport est payé d'avance par le fournisseur. On rencontre aussi très souvent le port à percevoir (*collect*), où le client devra assumer les frais de transport. De même, il y a le port payé et débité (*prepaid and charge*), ce qui signifie que le fournisseur paie au préalable les frais de transport et les débite au client sur la facture de la marchandise. On voit ce type de paiement dans les cas où un fournisseur d'envergure possède un contrat alléchant avec une entreprise de transport, ce qui occasionne des taux de transport moins élevés que si le client payait son propre transporteur pour un service donné.

Avec l'arrivée massive des courtiers en transport, on voit de plus en plus le paiement «facturer à» (*bill to*). Un courtier en transport agit comme intermédiaire entre le fournisseur et le client. Dans ce cas, au lieu de facturer l'un des deux, le transporteur enverra la note au courtier avec la mention «facturer à»; le courtier prendra alors une marge de profit avant de payer le transporteur. Finalement, sur certains bordereaux de livraison, on trouve l'inscription «COD» (*cash on delivery*), ou «contre remboursement», qui veut dire «paiement à la livraison». Cela peut se produire quand le client fait affaire avec le fournisseur pour la première fois, et que ce dernier n'a pas eu le temps de vérifier la cote de crédit du client. Il demandera alors le paiement à la livraison de la marchandise. Le fournisseur utilisera également ce type de paiement, pour s'assurer d'être payé, dans le cas où il sait que le client a des difficultés financières ou encore dans le cas où la réputation de crédit du client est médiocre. Le tableau 8.1 reprend les différents termes que nous venons d'expliquer.

Tableau 8.1   Terminologies française et anglaise du paiement du transport

Français	Anglais
Port payé	*Prepaid*
Port à percevoir	*Collect*
Port payé et débité	*Prepaid and charge*
Facturer à	*Bill to*
Paiement à la livraison ou contre remboursement	*Cash on delivery (COD)*

8.6   Les achats internationaux

Compte tenu du phénomène de plus en plus présent de la mondialisation des marchés, un acheteur doit découvrir des sources provenant des quatre coins de la planète, que ce soit pour ses matières premières ou pour ses composantes. Étant donné que la langue universelle des affaires est l'anglais, l'acheteur devra le maîtriser. Il devra également posséder certaines connaissances de base pour réaliser de bonnes performances sur les marchés extérieurs. Ces connaissances portent sur les us et coutumes du pays exportateur, sur les moyens et les infrastructures de transport du pays exportateur, sur les conditions commerciales internationales, sur les paiements internationaux, sur les douanes et, finalement, sur l'ALENA.

8.6.1   Les us et coutumes du pays exportateur

Les valeurs, les principes, les religions, les façons de voir les choses et donc de régler des problèmes peuvent être diamétralement opposés dans deux pays qui font des affaires ensemble ou qui désirent conclure des ententes dans le but de faire des affaires à moyen ou à long terme. C'est pourquoi un acheteur n'adoptera pas la même attitude lors de la négociation d'un contrat avec les différents pays exportateurs. Par exemple, certaines entreprises québécoises et canadiennes ont compris assez rapidement que les pratiques commerciales au Mexique étaient très différentes de celles qu'on trouve aux États-Unis. Dans un processus d'acquisition faisant intervenir le Canada et les États-Unis, aussitôt qu'il voit qu'il peut y avoir un certain profit à faire, le fournisseur ne retardera pas la transaction commerciale. Inversement, une entreprise québécoise qui veut faire affaire avec une entreprise mexicaine devra s'armer de patience. En effet, l'interlocuteur mexicain voudra d'abord connaître le futur client. Il fixera donc un premier rendez-vous sous forme de souper d'affaires pour connaître la philosophie de l'entreprise acheteuse. Quand il sera convaincu de l'intérêt de la transaction, il approfondira les pourparlers.

8.6.2   Les moyens et les infrastructures de transport du pays exportateur

L'acheteur qui œuvre dans le domaine international doit se procurer l'information relative aux installations et à la manière dont les déplacements de marchandises sont effectués dans le pays avec lequel il désire effectuer une transaction commerciale. L'absence d'infrastructures routières ou portuaires aura un effet majeur sur le délai de livraison et sur la qualité globale de la transaction.

Si une entreprise désire importer un lot de caisses de kiwis en provenance d'une région aborigène des îles Fidji, en Océanie, elle se préoccupera probablement beaucoup plus du délai de livraison que si elle fait affaire avec une entreprise bien implantée en Nouvelle-Zélande, étant donné que les infrastructures de manutention et de transport sont peut-être archaïques, voire inexistantes dans le premier cas. Une fois informé de ces particularités, l'acheteur orientera sa décision non seulement en fonction du coût de la transaction, mais aussi en fonction de certains aspects pouvant compliquer la transaction.

8.6.3   Les conditions internationales de vente

Un des outils les plus appréciés par les acheteurs œuvrant dans le domaine international parce qu'il permet de clarifier une transaction entre deux pays est la nomenclature des termes reliés au transport international. En effet, les conditions internationales de vente (International Commercial Terms ou Incoterms) servent à déterminer les engagements mutuels entre l'acheteur (le client) et le vendeur (le fournisseur) dans une perspective d'achat ou de vente internationale. Il existe 13 conditions internationales de vente, ou incoterms, qui sont présentées au tableau 8.2.

Les conditions internationales de vente sont utilisées dans les transactions internationales pour éviter les malentendus possibles entre les parties en cause. Cependant, elles ne peuvent faire l'objet de poursuites. Habituellement, les contrats internationaux sont accompagnés de notes explicatives détaillées, précisant par exemple la partie qui a la responsabilité de l'emballage, du lieu de livraison ou du lieu de transfert entre deux pays.

Tableau 8.2   Conditions internationales de vente

Abréviation de la condition commerciale	Condition de vente	Signification
EXW	*EX Works*	À l'usine (nom de la ville)
FCA	*Free CArrier*	Franco transporteur (nom de la ville)
FAS	*Free Alongside Ship*	Franco le long du navire (port d'embarquement convenu)
FOB	*Free On Board*	Franco à bord (port d'embarquement convenu)
CFR	*Cost and FReight*	Coût et fret (port de destination convenu)
CIF	*Cost, Insurance and Freight*	Coût, assurance et fret (port de destination convenu)
CPT	*Carriage Paid To*	Port payé jusqu'à (lieu de destination convenu)
CIP	*Carriage and Insurance Paid To*	Port payé, assurance comprise, jusqu'à (point de destination convenu)
DAF	*Delivered At Frontier*	Rendu frontière (lieu convenu)
DES	*Delivered Ex Ship*	Rendu au débarquement (port de destination convenu)
DEQ	*Delivered Ex Quay*	Rendu à quai droits acquittés (port de destination)
DDU	*Delivered Duty Unpaid*	Rendu droits non acquittés (lieu de destination convenu)
DDP	*Delivered Duty Paid*	Rendu droits acquittés (lieu de destination convenu)

Étant donné la panoplie de produits achetés ou vendus, leur poids, leur densité, les conditions atmosphériques et les modes de transport, il faut s'assurer lors de la rédaction d'un contrat international que toutes les conditions reliées au contrat sont explicitées. Ainsi, on indiquera à qui revient la charge de l'entreposage de la marchandise au port X ou celle de la manutention du produit.

8.6.4   Les paiements internationaux

L'acheteur devra à l'occasion assurer l'approvisionnement en produits ou services provenant d'un pays autre que le sien. Lors du paiement de la facture du fournisseur, ce dernier devrait utiliser une lettre de crédit documentaire, qui constitue « un engagement écrit d'une banque (banque émettrice) remis au vendeur ou fournisseur (bénéficiaire) à la demande de l'acheteur (donneur d'ordres) et, conformément à ses instructions, de régler — soit en effectuant un paiement, ou en acceptant ou en négociant des lettres de change (traites) — jusqu'à concurrence d'une somme précise, contre remise des documents stipulés et dans le délai prescrit [2] ». La lettre de crédit documentaire est donc un formulaire qui garantit que le paiement se fera en bonne et due forme.

Il existe plusieurs types de lettre de crédit documentaire. Nous mentionnerons les principaux types étant donné la portée considérable que peut avoir cette notion quant aux achats internationaux. Ainsi, on trouve la lettre de crédit à vue, qui permet au bénéficiaire d'être payé immédiatement, ou encore la lettre de crédit à terme, qui permet au bénéficiaire d'être payé à une date ultérieure spécifiée sur le contrat. Il y a également la lettre de crédit révocable, qui permet à la banque émettrice d'annuler ou de modifier la lettre à n'importe quel moment, et ce sans aviser le bénéficiaire. Pour ce qui est de la lettre de crédit irrévocable, elle ne peut être annulée sans l'accord du bénéficiaire. Finalement, il existe des lettres de crédit confirmée et non confirmée. Une lettre de crédit est confirmée lorsqu'elle engage une autre banque, qui se trouve habituellement dans le pays du bénéficiaire.

8.6.5   Les douanes

Les douanes représentent un système protectionniste entre différents pays qui transigent ensemble. Elles visent à effectuer un contrôle, une vérification. On vérifie les entrées de marchandises dans un pays et leurs sorties d'un pays afin de s'assurer qu'il n'y a pas de produits illégaux qui entrent dans le pays ou qui en sortent. Le système de douanes est relativement complexe en ce sens qu'il comporte beaucoup de formulaires à remplir autant du côté de l'importateur et de l'exportateur que du côté du transporteur. Qui dit formulaires, dit procédure et suite d'événements prolongeant le processus d'entrée et de sortie des marchandises.

La philosophie de gestion du juste-à-temps s'applique plus difficilement dans le cas d'achats internationaux étant donné le ralentissement du processus d'acquisition à la sortie du pays avec lequel l'entreprise transige. Il arrivera dans certains cas d'urgence que le préposé aux douanes fasse un dédouanement rapide pour favoriser une transaction consécutivement à une

---

2.   Banque Scotia, *Guide pratique sur la lettre de crédit documentaire*, 16 p.

demande spéciale faite par un courtier en douanes. Avec l'avènement des blocs économiques continentaux comme l'Accord de libre-échange nord-américain et la Communauté économique européenne, le nombre de barrières tarifaires (taux de douanes) entre les pays membres de chacun de ces blocs a diminué et, dans certains cas, de façon draconienne. Ces blocs favorisent les échanges commerciaux à l'échelle continentale.

8.6.6   Les différents blocs économiques

L'Accord de libre-échange nord-américain (ALENA) lie le Canada, les États-Unis et le Mexique. L'ALENA a été conçu pour éliminer à plus ou moins long terme les barrières tarifaires entre les différents pays membres et toutes les entraves au commerce international entre ces pays. Évidemment, le Mexique n'ayant pas le même niveau de vie ni les mêmes infrastructures économiques que le Canada et les États-Unis, les relations économiques avec ce pays sont plus ardues. Par exemple, dans le domaine du transport routier, l'ALENA prévoyait que le Mexique ouvrirait son marché à partir du 18 décembre 1995. Or, actuellement, plus de la moitié des routes au Mexique sont non carrossables, ce qui complique le transport de marchandises en provenance des États-Unis et du Canada. Il est facile de comprendre pourquoi les Mexicains adoptent une attitude protectionniste face à leurs homologues canadiens et américains. On ne doit cependant pas voir cet accord strictement d'un point de vue politique et financier, mais également d'un point de vue social et culturel. Le Mexique est reconnu mondialement dans l'industrie du textile. Le Canada et les États-Unis pourront l'aider, en vertu de cet accord, à développer des assises économiques solides.

Il existe d'autres blocs économiques du même type que l'ALENA dans le monde. On n'a qu'à penser à la Communauté économique européenne (CEE) regroupant actuellement près de 15 pays qui ont, à quelques exceptions près, la même monnaie (euro). On pourrait également signaler une tendance, dans les pays de l'Asie du Sud-Est (Cambodge, Viet-Nam, Laos, Thaïlande, Malaisie, Indonésie, etc.), vers cette forme de structure économique. Un des objectifs de la constitution de ces blocs économiques est de diminuer le nombre de barrières tarifaires et non tarifaires entre les pays membres. À ce titre, le consommateur en sort gagnant. Reste à savoir cependant si ces blocs n'exerceront pas une forme de pouvoir qui pourrait venir à l'encontre des besoins des pays relativement moins bien nantis qui n'en font pas partie. L'avenir nous le dira sans doute.

Résumé

La distribution représente un élément stratégique pour la réussite d'une entreprise. Dans ce chapitre, nous avons abordé les chaînes de distribution, qui vont du manufacturier aux consommateurs. La notion de courtier en distribution a été présentée.

Il a également été question du transport, sachant que le transport est essentiel à la réussite de la distribution. Il existe cinq modes de transport: le transport routier, le transport ferroviaire, le transport maritime, le transport aérien et le transport par pipeline. On peut aussi faire appel à plusieurs modes de transport (intermodalité) pour acheminer des marchandises vers une destination donnée. L'acheteur doit considérer une foule de facteurs lors du choix d'un ou de plusieurs modes de transport pour une expédition, notamment la nature du produit, ses dimensions, son poids, son coût et la destination.

Finalement, les achats internationaux sont de plus en plus importants depuis l'ouverture des marchés à l'échelle mondiale. Nous avons examiné différents aspects des achats internationaux, soit les us et coutumes des pays fournisseurs, les moyens et les infrastructures de transport des pays exportateurs, les conditions internationales de vente (incoterms), les paiements internationaux, les douanes ainsi que les différents blocs économiques. Tous ces aspects font partie intégrante d'une décision d'achat dans le domaine international pour un acheteur.

Questions

1. Définissez en vos propres mots la distribution.

2. Expliquez le fonctionnement de deux chaînes de distribution dans lesquelles un acheteur sera appelé à jouer un rôle.

3. Que s'est-il passé à la fin des années 1980 en matière de transport au Québec et au Canada ? Développez votre réponse.

4. Quels sont les cinq modes de transport utilisés pour les mouvements de marchandises ?

5. Donnez deux avantages et deux inconvénients de chacun des modes de transport étudiés dans ce chapitre.

6. Pourquoi le recours à plusieurs modes de transport pour une expédition est-il

en vogue depuis le début des années 1990 ?

7. Sur quoi un acheteur se basera-t-il pour privilégier un mode de transport plutôt qu'un autre ?

8. Que signifie l'expression « FAB destination » (transport routier en Amérique), qu'on trouve sur un contrat d'achat (un bon de commande) ?

9. En quoi les habitudes de vie d'un pays peuvent-elles influencer une négociation importante en vue de la signature d'un contrat d'achat ?

10. Qu'est-ce que les conditions commerciales internationales ? Donnez-en deux exemples.

Exercices
d'apprentissage

1. Quel est le rôle d'un courtier en distribution ?

2. Quels sont les principaux types de lettres de crédit ?

3. Comment s'appelle le formulaire qu'on utilise pour garantir un paiement international ?

4. Pourquoi tous les pays ont-ils recours à un système de douanes pour les entrées et les sorties de marchandises?

5. Qu'est-ce que l'ALENA? En quoi est-il bénéfique pour chacun de ses membres?

6. Nommez deux autres blocs économiques (réunion ou accord de plusieurs pays) qui agissent selon des buts qui ressemblent à l'ALENA.

Exercices
de compréhension

1. Quel phénomène économique important s'est produit peu après l'introduction de la déréglementation du transport en 1988 au Québec et au Canada?

2. Pour quelle raison les gouvernements québécois et canadien ont-ils favorisé cette déréglementation?

3. Quels aspects une entreprise doit-elle maîtriser si elle désire faire des achats internationaux?

4. Indiquez quel mode de transport devrait être choisi dans les situations suivantes:

   a) le transport de 10 000 livres (4 534 kilos) de boulonnerie de Kitchener (Ontario) à Sainte-Foy (Québec);

   b) le transport de 120 000 tonnes métriques de pétrole brut d'Helsinki (Finlande) à Québec;

   c) le transport de 15 000 mètres cubes de gaz naturel de Calgary (Alberta) à Brandon (Manitoba);

   d) le transport de 120 000 livres (55 000 kilos) de papier journal de Montréal à Charlotte (Caroline du Nord);

   e) le transport de 300 lingots d'or de Johannesburg (Afrique du Sud) à Berne (Suisse).

5. Quelle catégorie de conditions commerciales internationales est la plus avantageuse (quant au risque) pour une entreprise qui achète à l'étranger? Pourquoi?

Exercices
de recherche

1. Prenez un rendez-vous avec l'acheteur d'une entreprise manufacturière située à proximité de votre demeure et demandez-lui quel réseau de distribution son entreprise préconise pour la livraison aux consommateurs et pour quelles raisons.

2. Quels modes de transport cette entreprise utilise-t-elle pour la réception des matières premières (amont) ainsi que pour la livraison aux clients des produits finis (aval)? Si l'entreprise fait des affaires dans plus d'un pays, quels modes de transport favorise-t-elle et pour quelles raisons?

3. Quelles sont les principales politiques de cette entreprise en matière d'approvisionnements internationaux?

Cas
Un conteneur de blé

Ghislain Lamoureux est un jeune acheteur qui travaille à la Meunerie Dumoulin inc. à Saint-Narcisse-de-Beauce. Récemment, l'entreprise a vu son exploitation prendre de l'ampleur. À cause de cette montée fulgurante, Ghislain doit faire l'acquisition d'une quantité appréciable de blé correspondant à un conteneur entier. Ce blé est acheté directement à Regina, en Saskatchewan. L'acheteur peut supporter un délai de livraison de sept jours ouvrables. Il se demande quels modes de transport il devrait privilégier pour optimiser son achat.

Question

Indiquez toutes les façons possibles de faire passer le conteneur de Regina à Saint-Narcisse-de-Beauce.

Chapitre

9

Les approches de gestion qui influencent les stratégies de l'approvisionnement

Les hommes de génie sont

des météores destinés à brûler

pour éclairer leur siècle.

Napoléon Ier

Objectif général

Familiariser l'élève avec les approches qui permettent à certaines entreprises de se démarquer par leur gestion de l'approvisionnement.

Objectifs spécifiques

- Connaître le *kaizen* et l'analyse de la valeur, et leur utilité respective.
- Acquérir des notions sur l'impartition.
- Énumérer les avantages du partenariat et des alliances stratégiques.
- Savoir ce que recouvre la philosophie du juste-à-temps.
- Maîtriser les rudiments de la logistique intégrée.
- Connaître les éléments de base des outils technologiques disponibles en approvisionnement (commerce électronique, Internet, autoroute de l'information, etc.).

Uniboard Canada inc.

Uniboard Canada inc. est un important fabricant de panneaux de particules, MDF et HDF. Il possède aussi des divisions qui ajoutent du papier mélaminé sur les panneaux et qui fabriquent des planchers flottants. Plus de 1 400 employés travaillent dans cette entreprise qui a un chiffre d'affaires de plus de 650 millions de dollars, le tout réparti dans 11 usines, ce qui lui donne la possibilité d'avoir une intégration verticale dans la fabrication de ses produits finis.

Cette entreprise a pris les mesures nécessaires pour implanter les meilleures pratiques en approvisionnement. Pour ce faire, il lui a fallu évaluer la situation, déterminer l'expertise de chaque acheteur du groupe, expliquer la culture de l'entreprise et mettre en place un système pour obtenir l'information reliée à la gestion des fournisseurs. Une fois le diagnostic établi, l'entreprise s'est penchée sur la meilleure façon de modifier les modes de fonctionnement en vue d'implanter ces pratiques.

L'entreprise a maintenant terminé sa première phase de déploiement, à savoir remettre la responsabilité d'un objet à un acheteur. Ce dernier a la responsabilité totale du résultat de la relation avec les fournisseurs au nom du groupe Uniboard. Les résultats obtenus sont déposés au conseil de direction de l'entreprise.

Ces pratiques doivent constamment être améliorées afin d'obtenir la meilleure productivité possible pour chaque dollar que l'entreprise dépense.

Jean-Pierre Ménard
Directeur de l'approvisionnement

Introduction

L'entreprise et le service de l'approvisionnement sont constamment sollicités par de nouvelles approches de gestion. Alors qu'historiquement les entreprises pensaient que la concurrence provenait de l'entreprise située au coin de la rue, la mondialisation des marchés a changé complètement la situation. Des concurrents planétaires, à la recherche de profits, apparaissent sur le marché. Ne sommes-nous pas victimes de la conduite que nous avons adoptée? En effet, étant donné que la conjoncture économique oscille entre des périodes de croissance et de récession, les entreprises ne songent plus uniquement à l'accroissement de leurs ventes, elles examinent aussi la réduction de leurs coûts. Celle-ci passe immanquablement par des sources d'approvisionnement offrant des produits et des services moins coûteux. Pour obtenir des intrants moins coûteux, les entreprises d'ici ont commencé à lorgner le territoire économique d'autres pays et continents en vue de découvrir de nouvelles sources d'approvisionnement. Pouvons-nous reprocher aux entreprises situées à l'étranger de venir chez nous trouver elles aussi de nouveaux marchés? Ces entreprises mondiales découvrent non seulement des sources d'approvisionnement, mais aussi un territoire susceptible d'accroître leurs ventes et leurs profits.

Dans ce tourbillon économique, la haute direction des entreprises canadiennes s'est interrogée sur la productivité et sur le contrôle des coûts de certaines sociétés. Cette réflexion aura permis de juger, de comparer et d'interpréter certaines approches de gestion qui ont fait leurs preuves dans d'autres sociétés. Par la même occasion, la haute direction de certaines entreprises a tenté d'implanter différentes approches avec plus ou moins de succès. Pourquoi? Tout simplement parce que les approches de gestion importées exigent certains ajustements sur le plan des bases culturelles et politiques par rapport aux pays qui ont élaboré ces approches.

9.1   Les bases culturelles

Plusieurs auteurs ayant une formation en sociologie tentent d'expliquer les comportements qui distinguent les civilisations. Cette réflexion s'accentue en ce début de millénaire. Ces auteurs observent les traditions d'une population, les changements d'habitudes qui se produisent, les pressions mondiales qui se manifestent, puis mettent au point des théories qu'ils publient. Nous sommes plus ou moins d'accord avec les théories de ces auteurs. Par contre, nous ne sommes pas indifférents à leurs propos, et des discussions s'amorcent. C'est le but de la communication humaine. Les théories de ces auteurs découlent du fait que les êtres humains changent, prennent des risques, foncent dans l'inconnu. Nos comportements d'aujourd'hui représentent la tradition de demain. Le publicitaire Jacques Bouchard dit d'ailleurs des Québécois:

> Je n'invente rien, j'observe, dans mon laboratoire, je perfectionne cette grille d'émotions chiffrées qui va permettre aux Québécois de décoder et d'intercepter tous les messages qu'ils reçoivent des publicitaires et des politiciens, des propagandistes et des chansonniers, des journalistes et des curés... de tous ceux qui font métier de notre inconscient collectif[1].

Il en est de même pour les gestionnaires. Toutes les organisations, qu'elles soient publiques, privées, à but non lucratif ou à but lucratif, désirent obtenir des bénéfices. Il revient à chaque gestionnaire de définir le mot «bénéfice». Le mandat de la haute direction est d'accroître les bénéfices. Comment doit-elle s'y prendre? En mettant au point ses propres expériences ou en important celles des autres. Il y a actuellement beaucoup plus de gestionnaires qui tentent de copier les succès d'autres entreprises que de concevoir une approche gagnante.

L'importation d'approches de gestion demande qu'on prenne tout son développement, et non seulement une partie. Lorsqu'une entreprise n'importe qu'une partie d'un concept, elle risque fortement de subir un échec, d'être déçue des résultats ou encore de désorienter ses employés dans leurs efforts. Au cours des dernières décennies, les approches japonaises ont retenu l'attention des gestionnaires. Le Japon, qui était négligé il y a 25 ans, envahit nos marchés avec des produits répondant mieux aux attentes des consommateurs. Ceux-ci estiment en effet qu'ils obtiennent un rendement maximal pour le prix qu'ils paient. Les Japonais ont fondé leur approche de gestion sur l'équation suivante: prix de vente − profit = coût + R & D. Le consommateur pense que le prix

---

1. Jacques Bouchard. *Les 36 cordes sensibles des Québécois*, Montréal, Héritage, 1978, p. 56-57.

de vente des produits fabriqués sur le sol nord-américain laisse place à l'amélioration, car la culture nord-américaine s'appuie sur cette équation-ci : prix de vente = R & D (recherche et développement) + coût + profit.

Au fond, toute approche est bonne si elle répond à la mission de l'entreprise quant à sa vision, à ses buts et à ses objectifs. Par contre, rien n'empêche l'entreprise de s'intéresser à une approche et de l'adapter à son contexte propre. Les modifications apportées seront bénéfiques, car elles lieront l'approche à l'entreprise et non l'entreprise à l'approche.

9.2   Les différentes approches de gestion

Dans cette section, nous décrirons plusieurs approches de gestion qui ont des répercussions sur la gestion de l'approvisionnement des entreprises québécoises d'aujourd'hui.

9.2.1   Le *kaizen*

Cette approche a vu le jour au début des années 1950 chez Toyota au Japon, sous le nom d'origine de Système de production Toyota (SPT). Au Québec, les premiers essais de cette approche ont été effectués au début des années 1980. Celle-ci est aussi enseignée au Québec depuis une dizaine d'années sous l'appellation de Production à valeur ajoutée. Lors d'une conférence, Marc Chartrand[2] affirmait que les entreprises qui ont transformé leur système de production selon les pratiques du SPT ont vu leur productivité s'accroître de 20 % à 100 % avec des bénéfices nets en grande progression.

Le *kaizen* est une approche japonaise dont l'objectif est la réduction des coûts du produit ou du service acquis, laquelle passe par la réduction du délai de fabrication et par la livraison d'un produit de qualité du premier coup. Pour atteindre ce but, il existe trois moyens, soit l'élimination du gaspillage, l'amélioration continue de la qualité et la mobilisation des ressources humaines. Les gestionnaires et les employés d'une entreprise se doivent d'être prêts à opérer le changement. Selon la *World Assembly Plant Survey* citée par Marc Chartrand[3], on compte 0,4 amélioration implantée par année par employé en Amérique du Nord, contre 61,6 au Japon. « Il faut savoir que, dans un département d'usinage de 20 personnes, il s'implante huit améliorations par jour depuis plus de 50 ans », affirme M. Chartrand, alors qu'au Québec, la plupart des entreprises ne savent pas gérer leur système de suggestions. Pratt & Whitney Canada, un important fabricant de moteurs d'avion, utilise la méthode *kaizen* dans sa gestion de l'amélioration continue de ses procédés. En comptant sur plus de 3 000 participants et plus de 300 processus reliés au *kaizen*, cette entreprise a pu observer les résultats suivants : une réduction d'environ 10 % de sa surface, une réduction d'environ 5 % des stocks et une réduction d'environ 75 % des délais en tout genre. Cette approche a permis à Pratt & Whitney Canada d'améliorer sa position concurrentielle sur le marché de la fabrication de moteurs d'avion dans l'industrie aéronautique.

---

2. Marc Chartrand, ing., président de M.C.C. « Le *kaizen* tel que vécu au Japon en l'an 2000 », conférence prononcée au profit de la Corporation des approvisionneurs du Québec, le 26 septembre 2003.
3. Rafik Ikram. « Le *kaizen* favorise la participation du personnel », *Les Affaires*, 3 août 2002.

▦ La pression sur le temps

L'implantation de la méthode *kaizen* se fait en quelques jours. Le tableau 9.1 présente la comparaison entre une méthode traditionnelle et la méthode *kaizen*.

Dès que la haute direction adopte le *kaizen*, elle amorce une série de changements qui ne se terminera jamais. Chaque cellule (composée d'intrants, d'une opération et d'un extrant) est scrutée à la loupe. Pour la première cellule, l'équipe chargée d'appliquer le *kaizen* examine les intrants d'une opération et détermine l'extrant idéal. Elle recommande et implante des modifications afin d'améliorer la productivité de l'opération. Cette amélioration est calculée par le ratio de la somme des extrants divisé par la somme des intrants. Dès que les changements sont complétés, l'équipe passe à une deuxième cellule et procède de la même manière. Ainsi, toutes les cellules de l'entreprise subissent des changements dont l'ensemble rend l'entreprise plus concurrentielle (voir la figure 9.1).

▦ **Tableau 9.1**   Comparaison entre une méthode traditionnelle et la méthode *kaizen*

Méthode traditionnelle	Méthode *kaizen*
• Un comité examine la situation et fait des recommandations à la haute direction.	• Une équipe multidisciplinaire comprenant des personnes qui subiront le changement analyse la situation.
• La haute direction reçoit les recommandations et prend une décision.	• L'équipe prend la décision.
• Un comité réalise le changement décidé.	• L'équipe implante la décision prise.
• Le personnel s'adapte au changement apporté.	• Le personnel est plongé dans un nouvel environnement après quelques jours seulement.

▦ **Figure 9.1**   Changements effectués selon la méthode *kaizen*

■ Les participants

La méthode *kaizen* est beaucoup plus qu'un ensemble d'activités visant la réduction du gaspillage et l'amélioration continue. Elle consiste pour le personnel de l'entreprise et pour les fournisseurs en un engagement et une acceptation des changements.

Le *kaizen* est fondé sur l'engagement de la haute direction dans une vision des résultats, dans la délégation au personnel du pouvoir d'effectuer les changements, dans l'accessibilité des ressources destinées à la mise en œuvre des changements et dans la reconnaissance du succès. Par la suite, le personnel sera le moteur des changements autant dans l'entreprise qu'à l'extérieur de cette dernière et aura en plus la responsabilité de maintenir le rythme adopté.

Quant au service de l'approvisionnement, sa participation touche les quatre aspects suivants:

- la collaboration à des équipes multidisciplinaires;
- l'acceptation des changements proposés dans les méthodes de travail;
- la facilitation du changement chez les fournisseurs;
- l'évaluation du rendement du système d'approvisionnement.

9.2.2   L'analyse de la valeur

La méthode de l'analyse de la valeur a été mise au point par Lawrence D. Miles, ingénieur chez General Electric, au moment où s'est produite une pénurie de matériaux stratégiques pendant la Seconde Guerre mondiale. Depuis, les principales dates concernant le développement de cette méthode ont été les suivantes:

- En 1950, l'analyse de la valeur a été perfectionnée et appliquée systématiquement.
- En 1959, la Society of American Value Engineers a été créée.
- En 1965, la Society of Japanese Value Engineers a été créée.
- En 1978, l'Association française pour l'analyse de la valeur a vu le jour.
- En 1993, le Canada a institué la Société canadienne d'analyse de la valeur, dont la mission consiste à aider les organisations à devenir plus compétitives grâce à la promotion de la méthodologie et à la transmission de l'information aux entreprises, et à contribuer à la mise en œuvre de l'analyse de la valeur par le biais de la sensibilisation et de l'échange d'expériences.

Selon Francine Constantineau, qui est attachée à la firme-conseil Valorex, l'analyse de la valeur comporte les avantages suivants:

- C'est une approche systématique et rigoureuse.
- Elle permet de préciser les besoins et les contraintes de l'entreprise et de la clientèle.
- Elle permet de découvrir les coûts qui ne sont pas nécessaires.
- Elle aide à promouvoir le changement progressif.
- Elle amène l'engagement de l'équipe.
- Elle stimule la capacité d'innovation.

- Elle contribue à l'amélioration de la compétitivité.
- Elle entraîne des économies, car elle est axée sur la recherche de la satisfaction des besoins.

Francine Constantineau indique que, suivant la rigueur de la démarche, il est possible d'obtenir des économies substantielles, de l'ordre de 25 % sur les services, de 10 % à 30 % sur les produits et de 20 % à 30 % sur les travaux de maintenance. De plus, l'analyse de la valeur permet d'obtenir des bénéfices intangibles tels qu'une plus grande synergie (de nombreuses expertises, le choc des idées, l'apparition de plusieurs points de vue), l'amélioration de la communication, l'engagement des équipes, un processus d'appropriation des modes de fonctionnement et l'élimination de certaines cloisons.

On calcule la valeur en divisant la satisfaction du besoin par le coût. Toujours selon Francine Constantineau, la notion de satisfaction du besoin est définie par des critères de qualité, comme la fonction, les caractéristiques, la disponibilité, la fiabilité, la durabilité, le confort et l'agrément. Quant au coût, il comprend le coût d'acquisition, le coût d'utilisation, le coût de maintenance, le coût de désaffectation et le coût social. La combinaison de tous ces coûts remet en perspective le résultat du coût total ou global, que nous avons abordé dans un précédent chapitre. Un processus rigoureux d'analyse de la valeur se conclura par l'adoption d'une ligne directrice sur la qualité requise lors de l'acquisition d'un objet.

L'analyse de la valeur apporte un équilibre entre les compromis qu'il faut faire au sujet des critères essentiels en matière d'approvisionnement et le coût global, sachant que la valeur est égale à la satisfaction du client divisée par le coût global (voir la figure 9.2.). Bref, il n'existe que deux façons d'augmenter la valeur : accroître la satisfaction du client ou diminuer le coût total.

▓ Les sept étapes de l'analyse de la valeur

À l'aide d'un exemple, nous allons examiner la manière dont fonctionnent les différentes étapes de l'analyse de la valeur. Les auteurs ont étudié le comportement d'un consommateur qui veut se procurer un roman. En connaissant le comportement de ce consommateur, le libraire, le distributeur et l'éditeur peuvent agir afin de définir l'avantage concurrentiel qu'un livre aura sur un autre. Dans un tel contexte de philosophie reliée à une industrie, l'acheteur fera comprendre aux fournisseurs que chaque maillon a une importance dans le succès de vente du livre. Il travaillera étroitement avec tous les fournisseurs et il sera à l'écoute des améliorations que ceux-ci pourront apporter au produit. La créativité est une valeur importante tant pour l'entreprise elle-même que pour la sélection de ses fournisseurs. Cette valeur se précisera et se renforcera au fur et à mesure que le demandeur se préparera à prendre une décision.

Première étape : l'orientation de l'action   À cette étape, l'équipe multidisciplinaire, composée d'experts provenant des différents services touchés par le sujet de l'analyse, définit l'objectif à atteindre, les endroits où doit se produire l'amélioration et les limites de l'équipe, ainsi que les données disponibles entourant l'analyse (les difficultés techniques, les enjeux économiques et les conflits possibles). Dans notre exemple, le consommateur détermine les objectifs de son achat, tels que le type de roman (policier, historique, etc.), la dimension du livre (livre de poche, grand format, etc.), la taille des caractères, le temps dont le consommateur dispose pour lire le livre, le nombre de pages, le prix qu'il veut payer, l'environnement dans lequel le livre sera lu (en vacances, à la maison, livre de chevet, etc.).

■ **Figure 9.2**   **Équilibre entre les compromis sur les critères et le coût global**

Deuxième étape : la recherche de l'information Cette étape vise à recueillir l'information pertinente autour du projet, à savoir l'information technique (fiabilité, faisabilité, rendement et entretien), économique (coût total, coût d'acquisition, rendement des investissements et coût de maintenance), sociale (sécurité, esthétique et protection de l'environnement) et légale (respect des normes, des règlements et des lois). Notre consommateur se fait une opinion à partir des caractéristiques du livre, à savoir le résumé de l'histoire, le prix du livre, son épaisseur, le nom de l'auteur, le titre, l'illustration de la couverture du livre, etc.

Troisième étape : l'analyse fonctionnelle L'analyse fonctionnelle est une méthode systématique d'expression des besoins qu'un produit, un service, un procédé ou un processus doit combler suivant les attentes du client définies à la première étape (voir la figure 9.3). À cette étape, notre consommateur décide s'il a assez d'informations sur le livre pour estimer le résultat que lui apportera sa lecture. Il ajoutera des renforcements à son analyse à partir de données extérieures, telles que la référence d'un ami, le renforcement positif s'il a déjà lu avec satisfaction un livre du même auteur, la recension positive d'un critique pour lequel il a beaucoup de respect, les différents prix que le livre aura remportés, le nombre de copies vendues, l'ajout d'une étiquette de recommandation du libraire, la réputation de la maison d'édition, etc. Chaque nouveau message ajoute au livre une valeur qui renforce le résultat recherché par l'éditeur, c'est-à-dire attirer l'attention du consommateur pour qu'il achète ce livre plutôt que celui d'un autre éditeur ou d'un autre auteur.

Quatrième étape : la recherche d'idées Lors de cette étape, l'équipe multidisciplinaire s'efforce de trouver des idées créatrices permettant d'accroître la valeur du produit et de mettre en place des méthodes pour stimuler l'innovation. Ainsi, notre consommateur utilisera son imagination pour traiter l'information recueillie afin d'anticiper le niveau de satisfaction que lui procurera éventuellement le livre.

Cinquième étape : l'évaluation L'équipe multidisciplinaire porte un jugement sur chaque idée tout en gardant à l'esprit la réalisation des objectifs définis à la première étape. Toutes les techniques d'évaluation sont admises. À cette étape, notre consommateur évaluera le livre et posera un diagnostic. Celui-ci sera établi à partir des objectifs que notre consommateur aura identifiés à la première étape, avant même de débuter ses recherches.

Sixième étape : la recommandation L'équipe multidisciplinaire recommande une idée qui répondra au besoin du client. Elle précise les avantages et les inconvénients de cette idée, les conditions de son implantation, les économies prévues et les diverses hypothèses sur lesquelles s'appuieront des analyses de la valeur ultérieures. Le client a la responsabilité d'accepter la recommandation ou de la rejeter avec justification à l'appui. Notre consommateur fera alors un choix parmi tous les livres qu'il aura feuilletés.

Septième étape : l'implantation et le suivi Quelque temps après l'implantation de l'idée, l'équipe multidisciplinaire se réunit de nouveau pour comparer les résultats avec les attentes du début. Des ajustements se feront, s'il y a lieu, quitte à recommencer le processus si les résultats sont négatifs. Notre consommateur lira le livre et se fera une opinion sur celui-ci. Il partagera ses conclusions avec d'autres consommateurs et renforcera certains critères, comme le nom de l'auteur, ce qui lui servira de référence pour un achat éventuel.

Le service de l'approvisionnement occupe une position importante pour l'entreprise dans l'analyse de la valeur des objets acquis ou le choix d'une relation avec les fournisseurs de l'entreprise. Dans un premier temps, ce service doit distinguer l'achat d'un objet de surqualité du fait d'obtenir une valeur ajoutée pour un objet. Si elle doit payer pour la qualité additionnelle, l'entreprise paiera pour un objet de surqualité. Cependant, l'entreprise peut obtenir une valeur ajoutée pour l'objet acquis si elle achète un objet de meilleure qualité doté d'avantages techniques supplémentaires, ou qui est perçu positivement par le demandeur, sans le demander ou sans devoir payer un supplément. Il en est de même dans une relation avec un fournisseur qui peut constituer une valeur ajoutée pour l'entreprise. Par exemple, un fournisseur peut apporter un bénéfice additionnel à l'entreprise, sans que l'acheteur en ait fait la demande ; il peut s'agir d'un rapport de consommation, d'une analyse du marché, d'une formation aux employés ou de tout autre avantage.

■ Figure 9.3   Analyse fonctionnelle

9.2.3   L'impartition

L'approche de l'impartition a son origine dans la décision de fabriquer ou d'acheter le produit que nous avons vue au chapitre 3. Malgré le fait que cette approche de gestion puisse s'apparenter à la négociation d'un contrat avec un sous-traitant, les propriétés de l'impartition vont au-delà d'une telle entente :

- Elle représente un choix stratégique de l'entreprise.
- Elle requiert une relation d'affaires à long terme avec les risques que comportent les relations à long terme.
- Elle exige une volonté de transférer la responsabilité de certaines activités et, dans certains cas, des ressources humaines ou matérielles de l'entreprise à un fournisseur.
- Elle laisse la possibilité à l'entreprise de se concentrer davantage sur ses compétences spécifiques.
- Elle permet à l'entreprise de maintenir sa position concurrentielle sur le marché.

DMR, un fleuron de l'industrie canadienne du service-conseil en informatique, a vu le jour en 1973 et elle est devenue une entreprise modèle quant à la stratégie de l'impartition. Serge Meilleur, le M de DMR, s'explique :

> Notre plan consistait à mettre en commun des équipements très coûteux et à regrouper les expertises techniques requises pour ce genre d'opération. DMR, dans ce contexte, ne serait ni propriétaire ni exploitant du centre : elle fournirait cependant tous les services techniques nécessaires à son fonctionnement. Ce concept nous permettait de prendre des risques calculés. Nous ne désirions pas investir dans le domaine déjà très encombré des centres de traitement ; nous étions toutefois convaincus que le concept de l'impartition gagnerait en popularité dans les années à venir. En matière de traitement informatique, répartir les coûts, diminuer les risques et partager les bénéfices, voilà ce que nous recherchions pour nos clients [4].

L'impartition d'activités doit s'effectuer dans un contexte favorable tel que celui-ci :

1. Lorsque la direction d'une entreprise désire gérer un fournisseur plutôt que posséder un actif.

2. Lorsque l'entreprise maîtrise très bien ses structures de coûts. L'impartition permet à l'organisation de transformer certains frais fixes en frais variables, sans supporter le temps improductif.

3. Lorsqu'une analyse sérieuse permet de conclure que l'impartition représente le meilleur choix. Une évaluation poussée mettra en relief les risques reliés à l'impartition, comme la perte de contrôle dans l'évolution de l'activité transférée, la réduction de l'expertise sur l'activité, des économies prévues qui ne se réalisent pas, une mauvaise source, une résistance aux ressources transférées. Il faut considérer qu'une fois la décision prise, celle-ci sera probablement irréversible.

---

4.   Serge Meilleur. *DMR, la fin d'un rêve,* Montréal, Éditions Transcontinental, 1997, p. 95.

4. Lorsque le marché permet une telle transition.

Ce sont précisément ces avantages que la société Vidéotron cherchait lorsqu'elle a décidé d'impartir ses services d'installation technique à la compagnie Avantron, une filiale de la compagnie Entourage, ce qui représentait en plus une économie annuelle estimée à 15 millions de dollars du fait que le travail serait effectué par Avantron plutôt que Vidéotron. Après que la direction de Vidéotron a pris cette décision, le service de l'approvisionnement a joué un rôle important dans le transfert des activités. Les grandes étapes du travail à accomplir par le service de l'approvisionnement ont consisté à :

- rencontrer tous les fournisseurs afin de procéder à la cession des ententes et d'assurer à Avantron que les fournisseurs offriraient les produits à un prix ne pouvant être plus élevé que celui préalablement consenti à Vidéotron. Il fallait aussi discuter du transfert des commandes ouvertes et en cours ;

- déterminer la valeur du stock qui se trouvait tant dans les entrepôts de Vidéotron que dans les camions d'installation. Culturellement, Vidéotron avait deux types de valorisation de son stock : du stock neuf à pleine valeur et du stock usagé ou réparé à valeur 0. Le stock à valeur 0 provenait du fait que le coût d'une pièce neuve commençait à être amorti dès que Vidéotron l'installait dans son réseau. Lorsque la pièce devenait défectueuse, Vidéotron la retirait de son réseau, la faisait réparer et la retournait dans le réseau. Sa politique encourageait les magasiniers à utiliser le matériel réparé et usagé avant de sortir du stock neuf. Au moment de la transition, il fallait donc établir la valeur du stock réparé et usagé. Par ailleurs, il y avait du stock partiellement consommé, tels les rouleaux de câble. Il fallait donc trouver un accord entre les parties au sujet de la valeur de transfert de l'ensemble du stock ;

- déterminer la valeur des équipements, tels que les instruments de mesure, les équipements requis pour effectuer une installation (échelles, cônes de signalisation, éperons pour monter dans les poteaux, etc.), les produits de santé et de sécurité (lunettes, casques, gants, ceintures, etc.) ;

- préparer les camions d'installation technique en tenant compte de la valeur résiduelle de chaque camion, en plus de valider les données relatives à leur entretien et aux inspections ;

- déterminer, immédiatement après l'entente sur la valeur, la manière dont le transfert du stock s'effectuerait.

■ Les responsabilités de chaque partie

À partir de l'exemple de Vidéotron, le tableau 9.2 indique les responsabilités que doivent prendre respectivement le service de l'approvisionnement et le responsable de l'impartition lors de l'implantation de l'impartition.

■ **Tableau 9.2**   **Responsabilités des deux parties quant à l'impartition**

Service de l'approvisionnement	Responsable de l'impartition
• Définir l'objectif d'une telle approche • Recueillir l'information entourant la décision à prendre • Préparer et effectuer une analyse de la rentabilité selon une méthode homogène • Préparer et négocier les conditions de l'entente • Gérer la relation avec le fournisseur • Gérer la période d'implantation • Procéder à l'évaluation du fournisseur et résoudre les problèmes relevés	• S'assurer de bien écouter le client et de lui offrir la bonne solution • Faire preuve d'innovation pour répondre adéquatement aux besoins du client • Gérer le transfert des ressources (équipements, stocks, bâtisses, personnel, etc.) • Communiquer régulièrement avec l'entreprise • Envisager les risques qu'implique une entente à long terme • Écouter les revendications du client et apporter les corrections nécessaires

Il est à noter que le meilleur choix ne veut pas dire le coût le plus bas. Comme une analyse de l'impartition prend généralement de 3 à 18 mois, il est important de franchir adéquatement les différentes étapes de l'analyse de problèmes. La décision d'impartir certaines activités comporte des risques pour l'entreprise. Le tableau 9.3 énumère certaines conséquences négatives qui doivent être prises en compte dans le choix du fournisseur.

Vidéotron n'a pas réalisé sa transition car, au moment où elle a entrepris ses activités de transfert vers Avantron, ses employés étaient en grève. Lors du règlement de la grève, il a été entendu entre les parties que Vidéotron reprenait elle-même les activités d'installation technique. Ainsi, toutes les activités mentionnées ci-dessus ont été revues afin que Vidéotron redevienne le propriétaire des ententes avec les fournisseurs, du stock et des immobilisations. Il s'agit dans ce cas d'une situation exceptionnelle, mais qui est incluse dans les risques énumérés dans le tableau 9.3.

9.2.4   Le partenariat et les alliances stratégiques

S'inscrivant dans la sélection d'une source à long terme, le partenariat est un processus de coopération et de quasi-intégration visant à satisfaire un client. Une relation de ce type apporte une synergie entre les deux parties et la réalisation d'un objectif commun. Les ententes de partenariat peuvent porter sur des aspects stratégiques pour chaque partie, à savoir l'échange de l'information, la transmission de résultats des services de recherche et développement, des investissements importants dans les ressources humaines, une orientation stratégique commune, et ainsi de suite. C'est pourquoi une entente de partenariat doit reposer sur une certaine intégration et, par conséquent, sur une confiance mutuelle.

Ainsi, Westburne Québec, une division de Rexel, et Abitibi-Consolidated inc. de la région de Trois-Rivières ont décidé de s'unir dans une entente de partenariat. Westburne Québec, un

■ **Tableau 9.3**   Conséquences négatives possibles d'une décision d'impartition [5]

Coûts	• Coûts de transition et de gestion imprévus • Problème de « hold-up » (au moment du renouvellement de l'entente, les prix montent substantiellement)
Services	• Diminution de la qualité des services offerts • Augmentation des coûts de prestation des services
Sources	• Mauvais choix de l'impartiteur • Perturbations dans les ressources humaines chez le fournisseur
Contrats	• Modifications coûteuses aux contrats • Litige • Difficultés de renégociation de l'entente • Perte de légitimité • Aucune entente concernant le transfert des activités vers l'impartiteur
Compétences du fournisseur	• Perte des compétences reliées à l'activité • Perte de la capacité d'innovation • Perte de la capacité de coordination • Perte de contrôle du résultat et de la performance de l'activité • Mauvaise évaluation des conséquences internes

important distributeur dans le domaine électrique, qui, à l'époque de la signature du partenariat, avait 490 succursales en Amérique du Nord (dont 396 au Canada) et comptait plus de 5 000 employés, et Abitibi-Consolidated inc., un important fabricant de papier qui possédait 18 usines d'une capacité totale de 4,4 millions de tonnes par année, ont conclu une entente de partenariat pour la gestion des produits nécessaires à la maintenance des équipements. Pour Abitibi-Consolidated inc., les objectifs poursuivis dans ce projet étaient l'amélioration de la qualité des inventaires, l'amélioration du rendement de l'approvisionnement, l'utilisation judicieuse des fonds de l'entreprise, l'ouverture de la communication et la transparence, la responsabilité des divers intervenants et, enfin, la satisfaction des attentes des utilisateurs.

Après avoir défini les objectifs à atteindre, Abitibi-Consolidated a entrepris un processus de sélection et de qualification des sources d'approvisionnement. Son choix s'est arrêté sur Westburne Québec. Lorsque les aspects de l'intégration ont été établis, les deux partenaires ont évalué les effets de cette entente sur les entreprises, qu'ils ont définis en cinq points, à savoir [6] :

1. Les effets sur le gestionnaire et sur ses pratiques. Ces effets comprennent une décentralisation des pouvoirs, des modes de réapprovisionnement par regroupement, une standardisation des

---

5. Michel Poitevin. *Impartition : fondements et analyses,* Québec, Les Presses de l'Université Laval, 1999, p. 86, ainsi que deux ajouts des auteurs.
6. Cette synthèse provient du séminaire intitulé « Améliorez votre performance aux approvisionnements », Montréal, Institut international de recherche, 20 et 21 avril 1998.

produits, une augmentation des articles sur demande, une diminution des situations d'urgence et une meilleure coordination des activités du service de l'approvisionnement.

2. Les effets sur l'utilisateur. Cela inclut la planification des besoins en produits de maintenance, les habitudes de travail d'Abitibi-Consolidated, la formation, l'information, la responsabilisation des utilisateurs, leur motivation, une meilleure qualité des produits en stock et une sensibilisation aux coûts et aux pratiques de gestion.

3. Les effets sur Westburne Québec, le fournisseur. Ces effets consistent dans l'amélioration du traitement des commandes, l'augmentation du roulement des stocks, un pouvoir de négociation avec les fabricants au nom de son client, une diminution des coûts de transport, une diminution des coûts d'approvisionnement et l'établissement des critères de rendement.

4. Les effets sur l'entreprise. Le partenariat est un choix stratégique qui correspond à une philosophie de gestion ; les intervenants acceptent la responsabilité des résultats obtenus. L'entreprise maintient la confiance établie dans la relation.

5. Les effets sur les actionnaires. Lors de la première année, on a observé une réduction de 33 % des stocks, une diminution de 70 % du nombre de commandes, une diminution de 20 % du matériel désuet, une augmentation de la rotation des stocks, une diminution du nombre de fournisseurs, l'introduction de 5 % de nouveaux produits, la standardisation des produits ainsi que des conseils techniques au sujet de l'aménagement des futurs locaux d'Abitibi-Consolidated.

Bref, cette entente de partenariat n'a fait que des gagnants, car tous ont obtenu un bénéfice quelconque. Où se situe le partenariat dans les différents types d'entente ? La figure 9.4 démontre les différents niveaux d'entente avec une source d'approvisionnement selon le degré d'intégration et les ressources investies dans la relation.

■ Figure 9.4   Les différents niveaux d'entente

Une entente qui aura des répercussions sur la survie de l'entreprise doit être examinée sous tous ses angles. Pour ne pas se tromper dans ce choix stratégique, l'entreprise doit investir des ressources importantes (temps, argent, expertise) pour la sélection et la qualification de la source. D'un autre côté, l'entente exigera une certaine confiance mutuelle de même qu'un échange de renseignements sur l'entreprise, voire des renseignements confidentiels. Chaque partie se trouve à révéler ses valeurs, son mode de fonctionnement, ses forces, ses faiblesses et son positionnement concurrentiel. Une entente importante signifie que la destinée des deux entreprises s'unit en vue de réaliser un objectif commun. La diagonale de la figure 9.4 indique le type d'entente espéré en fonction du degré d'intégration et des ressources investies.

■ Les caractéristiques des ententes de partenariat

Dans un article de la revue *Gestion logistique,* Alexandre Daudelin présente le partenariat de la façon suivante :

> Cascades inc. et Domtar inc. ont dévoilé récemment le nom de la nouvelle entité résultant de la fusion de leurs éléments d'actif dans le secteur des cartons-caisses. La nouvelle société portera le nom de Norampac inc., détenue à 50 % respectivement par les deux géants des pâtes et papiers [7].

Alain Lemaire, ancien président-directeur général de la nouvelle société, mentionne ceci :

> Ce partenariat offrira de grandes possibilités de croissance et d'efficacité, notamment au niveau de la spécialisation de la production, de l'accroissement du pouvoir d'achat, de l'optimisation des sources d'approvisionnement et des occasions d'échanges de produits entre les usines, réduisant les coûts reliés au transport et à la distribution. En tout, Norampac emploiera plus de 4 000 personnes réparties dans 30 usines de fabrication et unités de transformation au Canada, aux États-Unis et en France [8].

Chaque entente de partenariat, comme celle que nous venons de décrire, exige des parties en cause qu'elles réunissent les conditions suivantes :

1. **La résolution conjointe des problèmes** Au lieu de rechercher la responsabilité de l'une des parties lorsque survient un problème, il faut se concentrer sur l'amélioration du produit, du service, du procédé ou du processus.

2. **L'échange de l'information** Les partenaires doivent faire preuve d'ouverture en échangeant l'information qu'ils détiennent de manière à obtenir un meilleur rendement sur le marché.

3. **Les bénéfices pour les partenaires** Ceux-ci doivent partager de façon équitable les bénéfices que la relation générera.

Au cours d'un séminaire portant sur le partenariat et les alliances stratégiques, Pierre Beaulé a indiqué certaines différences existant entre l'approche traditionnelle et le partenariat (voir le tableau 9.4).

---

7. Alexandre Daudelin. « Cascades et Domtar s'unissent pour créer Norampac inc. », *Gestion logistique,* vol. 11, n° 4, mai 1998, p. 13.
8. *Id., Ibid.*

■ **Tableau 9.4**   Différences entre l'approche traditionnelle et le partenariat

Approche traditionnelle	Partenariat
Qualité	
Réduction des retours de marchandises	Amélioration de la qualité à la source
Peu de défauts	Aucun défaut admissible
Contrôle de la qualité	Assurance quant à la qualité
Conformité aux spécifications	Satisfaction du désir du client
Satisfaction du client	Satisfaction allant au-delà des espérances du client
Niveau de qualité acceptable	Amélioration continue grâce au processus utilisé et au choix des sources
Sources	
Multiples sources d'approvisionnement	Sources d'approvisionnement restreintes
Priorité accordée au prix	Critères multiples incluant les valeurs et le mode de fonctionnement de la haute direction de la source
Importance du prix d'achat	Primauté du coût total
Sélection des fournisseurs	Surveillance et évaluation des sources
Évaluation à partir de soumissions	Évaluation intensive et extensive des sources
Relation au cours de l'entente	
Amélioration de la relation de façon sporadique	Recherche de l'amélioration continue
Partage des bénéfices en fonction du pouvoir relatif des parties	Partage des bénéfices de façon équitable
Sources maintenues à distance	Sources à portée de la main
Correction des problèmes revenant aux sources	Correction conjointe des problèmes
Information appartenant à la partie qui la génère (peu d'échanges)	Information commune et vitale
Aucune motivation à investir à long terme	Investissement possible de chaque partie
Délimitation claire des responsabilités	Intégration
Pouvoir procuré par le savoir	Pouvoir procuré par l'interaction
Faible engagement	Engagement mutuel fondé sur la confiance
Maintien du contrôle du prix d'achat	Maintien et réduction du coût total
Ensemble des commandes souhaité par le fournisseur	Participation aux résultats et totalité du volume souhaitées par le fournisseur
Délai de récupération sur le nombre d'unités vendues	Délai de récupération sur le temps

▓ Tableau 9.4   Différences entre l'approche traditionnelle et le partenariat *(suite)*

Approche traditionnelle	Partenariat
Conception des produits et des services	
Conception par le client et fabrication par le fournisseur	Conception du produit par les partenaires
Dessin complet	Dessin superficiel
Méthodes de production et d'approvisionnement reliées aux demandes du client	Réduction des entraves à la flexibilité
Design selon le désir du client et adaptation de la production en conséquence	Design et processus de production considérés comme la clé des économies de coûts et de l'accroissement de la qualité
Gestion de l'approvisionnement	
Approvisionnement considéré comme tactique	Approvisionnement considéré comme stratégique
Approvisionnement considéré comme un centre de coûts	Approvisionnement considéré comme un centre de profits
Gestion faite par un gestionnaire	Leadership assuré par un comité d'approvisionnement
Achat individuel	Achat effectué par une équipe multidisciplinaire
Approvisionnement selon la qualité voulue, la quantité requise, le délai acceptable et le juste prix	Amélioration continue des sept critères de l'approvisionnement
Communication au moyen du papier et du télécopieur	Communication électronique pour accélérer les interactions
Contrôle du cycle de vie des produits et des services	Innovation et créativité dans l'amélioration des produits et des services
Entente à court terme	Entente à long terme
Achat à la pièce	Entente pour la durée du projet
Gestion des stocks	Réduction du volume global des stocks
Livraison au bon moment	Livraison au moment de l'utilisation

■ L'intérêt de l'entente de partenariat

Les parties désireront créer une relation approfondie afin d'obtenir les bénéfices que leur engagement apportera. Parmi les bénéfices, citons les suivants :

- l'amélioration du coût total ;

- la garantie et la fiabilité de l'approvisionnement ;

- la réduction du risque provoqué par l'approche traditionnelle ;

- la participation à un but commun, soit l'amélioration des sept critères de l'approvisionnement ;

- l'accès à une technologie et à un produit breveté ;

- la réduction de la paperasse échangée ;

- la réduction du nombre de sources ;

- la facilitation de la résolution de problèmes ;

- la possibilité d'investissements et du partage des risques conjoints ;

- l'amélioration de la communication ;

- l'amélioration de la position concurrentielle de chaque partie.

L'expérience de partenariat de Bombardier et de Mitsubishi a permis à chaque partie de retirer beaucoup de bénéfices. En effet, lors de la fabrication des avions Challenger, Bombardier a utilisé la stratégie du partenariat avec plusieurs sources d'approvisionnement. Le but de Bombardier était de répartir les risques économiques reliés à la mise sur le marché d'un nouvel avion. Mitsubishi, un trust japonais spécialisé dans le transport, est alors devenue un des partenaires de Bombardier. Elle s'est vu confier le design des ailes, une des composantes cruciales d'un avion, comme le traduit la phrase suivante qu'on entend dans l'industrie : « Un avion, c'est au départ une aile ; le reste ne vient que la supporter. » Au début du projet, il était convenu entre les parties qu'aucun bénéfice ne serait généré avant trois ans, cette période n'incluant pas le temps nécessaire à la réalisation du design des ailes. Mitsubishi s'est engagée malgré tout. On connaît le succès que remporte l'avion Challenger.

Étant donné que la relation s'établit sur une plus longue période, il faut que chaque partie s'évalue suivant le processus de qualification d'un fournisseur que nous avons examiné au chapitre 3. Les ententes de partenariat ont une durée de quatre à six années, selon plusieurs études entreprises sur le sujet. Par contre, leur durée varie beaucoup selon la culture des pays en cause, l'ampleur du défi et le type d'industrie. L'acheteur doit être à l'affût de nouvelles sources potentielles. La pire erreur qu'on puisse faire dans le contexte d'une entente de partenariat est de tenir les autres parties pour acquises.

9.2.5   Le juste-à-temps

Le juste-à-temps est une approche importée du Japon. Ce concept a été élaboré vers 1937 par Taiichi Ohno, alors au service de Toyota Textile. Par la suite, Kiichiro Toyota, président de Toyota Motor Company, y a donné toute son ampleur après la Seconde Guerre mondiale, dans une déclaration fracassante : « Il est vital à mes yeux de rattraper les Américains en trois ans, sans quoi c'en serait fait de l'industrie automobile japonaise[9]. » En effet, Taiichi Ohno, revenant d'un voyage à l'étranger, a fait un rapport dans lequel il indiquait qu'un Allemand produisait trois fois plus qu'un Japonais et qu'un Américain produisait trois fois plus qu'un Allemand. Cette comparaison constituait une leçon importante, mais la seconde conclusion était tout aussi importante, à savoir que l'Américain gaspillait une grande partie de son travail dans un processus de non-productivité. Il n'en fallait pas plus pour que Kiichiro Toyota mette en place une approche de gestion basée sur la production juste-à-temps et l'autoactivation de la production. Ainsi, le fait d'assembler une automobile selon le juste-à-temps, c'est faire en sorte que chaque composante parvienne à la ligne d'assemblage au moment voulu, et seulement dans les quantités voulues. Quant à l'autoactivation ou à l'automatisation, c'est la propriété d'une machine équipée d'un dispositif d'arrêt automatique en cas d'anomalie.

Les sociétés occidentales n'ont pas cru au bien-fondé de cette approche avant les années 1970. La raison en était fort simple : les consommateurs étiquetaient un produit fabriqué au Japon comme un produit de piètre qualité, fragile et sans valeur. Lorsque le Japon a été reconnu comme une puissance mondiale, grâce entre autres à la qualité de ses produits, les gestionnaires ont tenté d'imiter leur approche de gestion. L'acheteur est grandement mis à contribution dans le succès d'une telle approche. Le plus grand risque pour l'entreprise qui voudrait implanter le juste-à-temps est la garantie et la confiance des sources d'approvisionnement. L'acheteur doit rechercher les sources qui s'adapteront à cette approche tout en étant performantes quant aux autres critères de l'approvisionnement.

Le juste-à-temps consiste en une succession d'objectifs visant l'obtention des « zéros » suivants :

- Le zéro panne : l'équipement de transformation ne doit pas avoir de ratés.

- Le zéro attente : la relation fournisseur-client ne doit comporter aucune attente, ce qui met l'accent sur le critère du délai.

- Le zéro délai : à l'intérieur de l'entreprise, il ne doit pas y avoir de délai entre les étapes de la transformation.

- Le zéro défaut : les rejets d'un intrant ou d'un extrant sont inexistants, ce qui met l'accent sur le critère de la qualité.

- Le zéro stock : le stock contrôlé par l'entreprise est à son minimum, ce qui met l'accent sur le critère de la quantité.

- Le zéro papier : cet objectif entraîne la réduction du papier, des normes et des règles légales à suivre, ce qui laisse une plus grande place à la confiance.

---

9. Taiichi Ohno. *Toyota Production System : Beyond Large-Scale Production*, Cambridge, Massachusetts, Productivity Press Inc., 1988, cité dans Annick Bourguignon. *Le modèle japonais de gestion*, Paris, Éditions La Découverte, 1993, p. 10.

- Le zéro frustration : chaque personne travaillant dans l'entreprise doit être d'accord avec cette approche de gestion, y participer et être responsable de ses propres décisions.

Avant l'implantation d'une telle approche de gestion, l'entreprise doit revoir ses valeurs et son mode de fonctionnement. Ainsi :

Une entreprise qui n'a pas débuté sa démarche vers le juste-à-temps s'expose à de sérieux problèmes pour sa survie. Il est à noter que le juste-à-temps est un guide et non une fin en soi, car plusieurs autres approches de gestion peuvent s'y substituer et être aussi efficaces. Mais il y a une base importante à comprendre et qui devrait être suivie par toutes les approches : le contexte économique ne laisse plus de place pour quelque forme de gaspillage de ressources, pour une main-d'œuvre qui travaille à l'encontre de la haute direction, pour des relations d'achats déficientes. Une fois que le système de gestion est à son niveau optimal, l'introduction d'une philosophie est une étape de plus à l'amélioration de la productivité du système [10].

Ainsi, l'entreprise doit envisager un programme pour l'élimination du gaspillage causé par l'attente d'un produit ou d'un service, le transport, la manutention, les rejets, la surproduction, le long délai de mise en route, la détention de stocks inefficaces ou inadéquats. Elle doit également préparer sa main-d'œuvre.

L'évolution du juste-à-temps a permis d'intégrer d'autres approches. Nous allons décrire sommairement six d'entre elles : le système SMED, le système *kanban*, l'aménagement de l'espace, les cercles de qualité, le modèle du lot économique et le modèle de l'intégration.

■ Le système SMED

Le système SMED (*single minute exchange of dies*) permet à l'entreprise de rechercher la réduction du coût de mise en route dans la production de petits lots. Cette approche a été conçue par Shigeo Shingo, alors au service de Mazda, vers 1950. Toyota a utilisé cette approche pour réduire son temps de mise en route et de réglage d'une presse de 1 000 tonnes de quatre heures à trois minutes.

■ Le système *kanban*

Le système *kanban* (qui signifie « carte » en japonais) consiste en une carte glissée dans une pochette de vinyle apposée sur le produit. Cette carte indique les renseignements qui faciliteront le renouvellement du stock une fois la consommation du produit en cours, à savoir les spécificités du produit, la quantité requise ainsi que le nom du producteur en amont. La circulation s'effectue de l'extrant à l'intrant. Les règles de fonctionnement [11] sont simples.

- Si le contenant en aval est vide, il faut mettre le système de production sous tension pour remplir le contenant vide.

- Chaque composante du système doit être décrite avec précision et comporte un numéro afin d'éviter toute confusion.

- Il faut que le système soit opérationnel et facile d'utilisation.

---

10. Jean-Pierre Ménard. « Le juste-à-temps, plus qu'une philosophie », *Le Journal industriel du Québec,* vol. 12, n° 2, juin 1996, p. 9.
11. Conférence de Martin Montanti, les 30 et 31 mai 2002, dans le cadre de la 77e conférence de l'Association canadienne de gestion des achats.

- La quantité requise est indiquée sur la carte.
- Les produits défectueux ne doivent pas se rendre à la prochaine étape dans le système à flux tiré.
- Chaque personne concernée est responsable du succès et de l'exécution du système.

En ce qui concerne le système à flux tiré, on se fie uniquement sur les besoins du poste de travail en aval et on produit uniquement selon ses besoins. Ainsi, les lots de produits vont directement de chacun des postes en amont à chacun des postes en aval sans être gardés en inventaire. L'essentiel de la production juste-à-temps chez Toyota est effectué en *kanban*, un système étonnamment simple de planification et de contrôle de la production qui a un impact majeur sur la gestion des stocks (surtout les stocks de produits en cours).

Objectifs du kanban

- Décentralisation de la prise de décision en confiant aux responsables d'atelier un rôle de gestionnaire de production et de stock.
- Minimisation des fluctuations du stock de fabrication afin d'améliorer la gestion et tendre vers le stock zéro.
- Régulation des fluctuations de la demande ou du volume de production d'un poste de travail en amont afin d'éviter la transmission et l'amplification de ces fluctuations.
- Réduction des délais administratifs.

Il existe deux types de carte *kanban* : une carte de transit (T-*kanban*) et une carte de production (P-*kanban*). Fondamentalement, ces cartes remplacent plusieurs formulaires de contrôle de

■ Tableau 9.5   Carte de transit (T-*kanban*)

Carte de transit (T-*kanban*)	
Numéro de pièce à produire : P321-89	Description de la pièce : Boîtier de valve
Grosseur de lot exigé : 40	Type de conteneur : Caisse rouge
Numéro de la carte : 2 de 5	Endroit de récupération : NW53D
Du poste de travail : 25	Au poste de travail : 28

■ Tableau 9.6   Carte de production (P-*kanban*)

Carte de production (P-*kanban*)	
Numéro de pièce à produire : P321-89	Description de la pièce : Boîtier de valve
Grosseur de lot à produire : 40	Type de conteneur : Caisse rouge
Numéro de la carte : 4 de 5	Localisation du produit complété : NW53D
Du poste de travail : 25	Au poste de travail : 28
Matériel requis : Matières n° 744b	Localisation en magasin : NW48C
Pièce n° B238-5	Localisation en magasin : NW47B

production que l'on rencontre sur un plancher d'usine. Il est important de noter qu'avec un calendrier de production stable, les décisions prioritaires (sélectionner les commandes à effectuer chaque jour, déterminer à quel moment et selon quelle séquence les commandes seront envoyées, etc.) deviennent un jeu d'enfant. La planification et le contrôle du programme de production portent sur le mouvement des commandes entre les postes de travail. Dans ces situations, les signaux visuels et les cartes *kanban* sont les seuls mécanismes dont on a besoin.

Comment fait-on pour opérer un *kanban*? Quand le travailleur affecté au poste de travail en aval a besoin d'un conteneur de pièces pour ses opérations, il suit la procédure suivante:

1. Il prend la carte de transit (T-*kanban*) placée dans un compartiment sur le côté du conteneur qu'il vient de vider; cette carte constitue son autorisation pour remplacer le conteneur vide par un conteneur plein provenant du magasin.

2. Au moyen de cette carte, il récupère dans le magasin un conteneur plein des pièces dont il a besoin.

3. Il place alors la T-*kanban* à l'endroit approprié du conteneur plein.

4. Puis, il enlève la carte de production (P-*kanban*) du conteneur plein et la place dans un endroit visible pour le travailleur du poste de travail en amont. Cette P-*kanban* donne l'autorisation au poste de travail en amont de produire un autre conteneur de pièces.

5. Finalement, il emmène le conteneur plein de pièces et sa T-*kanban* à son poste de travail (celui en aval).

Aucune pièce ne peut être produite ou déplacée sans une carte *kanban*. Le *kanban* est basé sur le simple fait de remplacer les conteneurs de pièces un à la fois. Un conteneur est déplacé au poste de travail en aval uniquement lorsqu'il y a un besoin, et un conteneur de pièces est produit uniquement lorsqu'il y a un besoin. Ces conteneurs sont réservés à des pièces spécifiques; ils sont habituellement assez petits et contiennent toujours le même nombre de chaque numéro de pièce.

Chez Toyota, les conteneurs ne peuvent conserver plus de 10% des besoins de la journée. Il y aura toujours un minimum de deux conteneurs pour chaque numéro de pièce, un au poste de travail qui produit, et un au poste de travail qui utilise la pièce. Le nombre de conteneurs à conserver pour chaque numéro de pièce se calcule ainsi:

$$N = \frac{U\,T\,(1 + P)}{C}$$

où N = nombre total de conteneurs dont on a besoin entre les deux postes de travail;

U = taux d'utilisation du poste de travail en aval, exprimé habituellement en nombre de pièces à l'heure;

T = temps moyen requis pour effectuer le cycle complet d'un conteneur, du moment où il quitte le poste de travail en amont, où il est retourné et rempli encore une fois après une production et où il quitte une deuxième fois le poste en amont. T est mesuré en heures;

P = variable qui indique l'efficience du système. P varie de 0 à 1 : 0 signifie une efficience parfaite et 1, une inefficience complète ;

C = capacité en nombre de pièces d'un conteneur standard.

EXEMPLE 9.1

Prenons deux postes de travail adjacents, un en aval utilisant les pièces, et l'autre en amont produisant ces mêmes pièces. Le taux de production du poste de travail en aval est de 175 pièces à l'heure. Chaque conteneur *kanban* contient 100 pièces. Il faut en moyenne 1 h 10 pour qu'un conteneur fasse un cycle complet. Trouvez le nombre de conteneurs requis si le système *kanban* est coté à 0,25.

En utilisant l'équation qui se trouve au bas de la page 358, on obtient 2,55 conteneurs. On arrondira à 3 conteneurs, et le surplus pourra servir de stock de sécurité.

On peut utiliser plus que le nombre minimal de conteneurs entre deux postes de travail parce qu'il peut arriver que le poste de travail qui produit les pièces ne soit pas capable de fabriquer les pièces sur-le-champ. En effet, d'autres productions P-*kanban* peuvent avoir été acheminées au poste qui produit avant celle-ci, et il peut être plus urgent de les fabriquer en premier.

On doit produire exactement ce qui est requis sur une carte *kanban*, ni plus ni moins. Le fait de produire une pièce de plus que ce qui est demandé constitue du gaspillage, car de la main-d'œuvre, du matériel et du temps de machine auront été affectés à la fabrication d'une pièce excédentaire qui n'est pas requise maintenant et qui pourrait n'être utilisée que beaucoup plus tard.

Applications du système kanban

On peut retrouver le système *kanban* dans les industries qui fabriquent de façon continue (séries longues ou moyennes) des produits standard (type grand public) de faible complexité, ayant une structure figée en composantes, comportant peu d'options ou de variantes, et pour lesquels la demande est relativement stable ; on utilise aussi ce système dans le cas des produits pour lesquels le coût de réapprovisionnement en articles est relativement faible (on travaille alors avec de petits lots).

■ **Tableau 9.7**　　Avantages et inconvénients du *kanban*

Avantages du *kanban*	Inconvénients du *kanban*
• Décentralisation de la gestion de la production. • Maîtrise des produits en cours. • Gestion de l'approvisionnement et lancement de la production sans intervention administrative. Les temps des cycles sont alors faibles, l'information est immédiatement disponible sans qu'il soit nécessaire de planifier à nouveau la production.	• Délai d'approvisionnement trop grand qui exclut le choix de la méthode *kanban*. • Aucune anticipation en cas de fluctuation possible de la demande. La décentralisation conduit à une perte d'information ; il importe par conséquent de repenser le système de suivi de la production. • Difficulté à imposer cette méthode aux fournisseurs. • Applications limitées (productions continues ou répétitives).

Pour réussir un *kanban*, les employés des postes de travail doivent apprendre à coopérer. Il est également essentiel de prévoir des programmes pour atteindre l'excellence dans la maintenance préventive, dans la qualité des produits et dans le partenariat avec les fournisseurs.

Est-ce que le kanban et la PBM peuvent coexister?

Oui, ils le peuvent, à tout le moins à un degré mitigé. La PBM (planification des besoins de matières) peut être utilisée dans un contexte de production en juste-à-temps pour connaître les besoins de chaque sous-produit et pour commander les matières premières et les pièces auprès des fournisseurs, mais il y a peu d'influence de la PBM à l'intérieur du processus de fabrication. Les fournisseurs utilisent les calendriers PBM aux fins de planification globale de la production et pour déterminer la séquence des commandes de pièces, mais la production réelle est subordonnée au système *kanban* du client. D'ailleurs, le contrôle de la production à l'intérieur de l'usine du client est aussi effectué avec le *kanban*. L'excès de stock de produits en cours qui peut résulter d'une approche à flux poussé est alors évité, tant chez le client que chez le fournisseur.

On peut constater que les systèmes à flux poussé réduisent considérablement les stocks de produits en cours de fabrication entre deux postes de travail sur un plancher d'usine, mais le juste-à-temps (JAT) vise aussi à réduire le stock de matières premières. Essayons d'imaginer que le fournisseur pratique également le *kanban*. Il produit alors de petits lots, qui peuvent être livrés régulièrement au client quand celui-ci en a besoin (carte P-*kanban* interusines). Ceci a donc pour effet de réduire le stock de matières premières. Bien entendu, pour fonctionner de cette façon, les deux acteurs (fournisseur et client) doivent être à proximité l'un de l'autre.

■ L'aménagement de l'espace

En ce qui concerne l'aménagement de l'espace, la circulation logique des produits dans un lieu repose sur une division et une spécialisation du travail. C'est pourquoi des groupes de spécialistes visent l'amélioration permanente de la configuration de l'espace et des équipements en vue d'atteindre deux objectifs: permettre une aisance maximale entre les équipements pour absorber le flux du système de transformation et réduire les mouvements inutiles grâce à l'étude et à la normalisation des mouvements et des gestes.

■ Les cercles de qualité

Les cercles de qualité sont nés en 1962 grâce à l'initiative de Kaoru Ishikawa, président du jury du prix Deming, attribué en l'honneur du spécialiste des techniques du contrôle de la qualité. Ils consistent en de petits groupes de personnes qui exercent une action de maîtrise de la qualité dans l'entreprise en ayant pour objectifs d'améliorer le contrôle des flux ainsi que les processus et les procédés.

■ Le modèle du lot économique

La figure 9.5 montre que l'approche traditionnelle recommande l'achat du lot économique 1, dont la détermination s'effectue par la pression exercée sur le coût de commande (Cc) et sur le coût de stockage (Cs). Une entreprise qui utilise l'approche du juste-à-temps voudra, lorsqu'elle cherchera à atteindre les différents «zéros», mettre de la pression sur le coût de commande. Or, comme le coût de commande se situe au numérateur de la formule du lot économique, le lot économique 2 peut être atteint dans l'approche du juste-à-temps. Le tableau 9.8 présente une comparaison entre l'approche traditionnelle (lot économique 1) et l'approche du juste-à-temps (lot économique 2). Grâce à une diminution du coût de commande, le lot économique est passé de 1 000 unités par achat à 350 unités, ce qui accentue la descente vers certains «zéros».

■ **Figure 9.5**   **Modèle du lot économique**

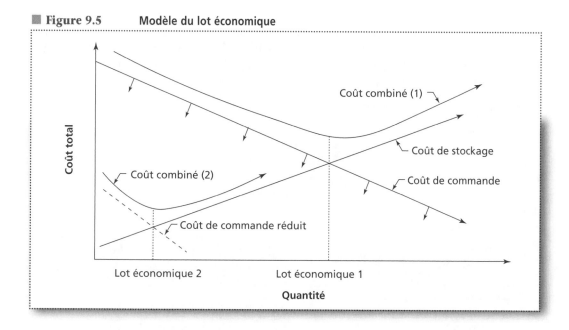

■ **Tableau 9.8**   **Comparaison entre l'approche traditionnelle et le juste-à-temps**

Approche traditionnelle (lot économique 1)	Juste-à-temps (lot économique 2)
Formule $= \sqrt{(2 \times D \times Cc_u)/Cs_u}$	Formule $= \sqrt{(2 \times D \times Cc_u)/Cs_u}$
Soit D = 5 000 unités Cc_u = 100 \$ Cs_u = 1 \$	Soit D = 5 000 unités Cc_u = 12,25 \$ Cs_u = 1 \$
Résultat $= \sqrt{(2 \times 5\ 000 \times 100)/1}$ = 1000	Résultat $= \sqrt{(2 \times 5\ 000 \times 12,25)/1}$ = 350

■ Le modèle de l'intégration

La figure 9.6 illustre le modèle de l'intégration en indiquant la position des différents «zéros» dans l'approche du juste-à-temps. Tous les efforts des entreprises visent l'élimination des éléments qui provoquent le gaspillage de ressources. Le gaspillage représente un facteur important dans la recherche de la réduction des coûts. L'implantation d'approches secondaires (*kanban*, SMED, etc.) soutient et renforce l'approche du juste-à-temps et sa finalité. Une entreprise qui prête une attention particulière aux différents éléments occasionnant le gaspillage de ressources ne peut qu'améliorer ses bénéfices.

Le service de l'approvisionnement se doit de s'adapter au contexte préconisé par l'entreprise. Il doit aussi avoir des fournisseurs capables de répondre à cette approche, ce qui demande souvent de valoriser certains paramètres tels que le temps, la qualité, la quantité et le service au détriment du coût total le plus bas.

■ **Figure 9.6**   Modèle de l'intégration

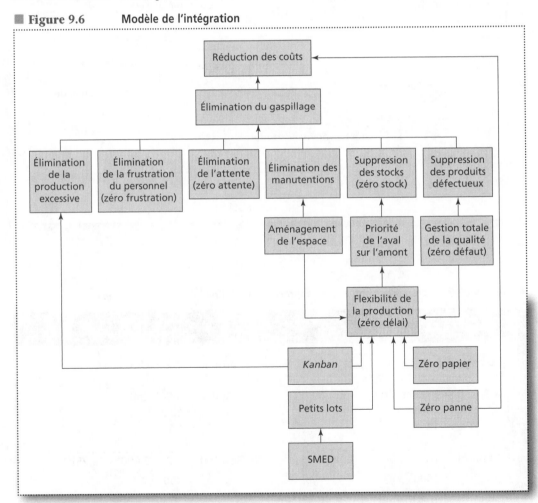

Source : Adapté de Annick Bourguignon. *Le modèle japonais de gestion,* Paris, Éditions La Découverte, 1993, p. 22.

9.2.6   La logistique intégrée

Le *Dictionnaire de la gestion de la production et des stocks* définit la logistique comme étant « la gestion systématique du processus d'acheminement de production, de distribution des matières et produits nécessaires à l'exploitation d'une entreprise ». Plusieurs entreprises reconnaissaient à la logistique la responsabilité des flux et des mouvements des matières, alors que d'autres s'entendent aujourd'hui dire qu'il s'agit d'un concept d'optimisation de la coordination entre l'amont et l'aval de l'entreprise dans un contexte concurrentiel intégrant les flux des matières et de l'information. Une étude effectuée par l'Association canadienne de gestion de la chaîne d'approvisionnement et de la logistique indique quel est le statut de la logistique dans les entreprises québécoises (voir le tableau 9.6).

Cette démarche s'inscrit dans la volonté des entreprises de réduire le coût du mouvement des produits. Comme l'indique James L. Heskett, la logistique intégrée s'appuie sur trois dimensions, à savoir les opérations de planification, les opérations administratives et les opérations physiques.

■ **Figure 9.7**   **Le processus de logistique**

Flux de l'information	Opérations de planification	Opérations administratives	Opérations physiques	Flux des matières
	• Prévision de la demande d'extrants	• Traitement administratif des commandes des clients	• Préparation des commandes des clients	
	• Correction par le suivi des commandes ou relance	• Contrôle du calendrier de livraison	• Réalisation de la livraison des commandes	
	• Ordonnancement du transport	• Gestion des stocks d'extrants	• Livraison aux magasins	
	• Gestion des flux d'extrants	• Contrôle des commandes des magasins	• Transfert et manutention du stock entre la fabrication et les entrepôts	
	• Planification de la production	• Commandes au service de la production	• Emballage et conditionnement des produits	
	• Ordonnancement des moyens de production	• Contrôle des stocks des produits en cours	• Transfert entre les unités de production	
	• Gestion des flux de produits en cours	• Contrôle des stocks des intrants	• Transport des biens à partir des fournisseurs	
	• Programmation de l'approvisionnement	• Traitement administratif des commandes des fournisseurs	• Préparation des commandes par les fournisseurs	
		• Suivi du service rendu		

Source : Hervé Mathe et Daniel Tixier. *La logistique,* Paris, Presses Universitaires de France, 1997, p. 17.

Alors que les relations d'affaires se maintiennent grâce à un sentiment de confiance, les entreprises définissent des voies différentes pour les marchandises et les documents. La figure 9.8 illustre l'approche nouvelle de la logistique intégrée par rapport à la circulation des produits et montre que des économies sont réalisées avec l'approche de la logistique intégrée, car à deux étapes dans la chaîne on n'a plus besoin de recevoir les marchandises et de refaire de nouveaux emballages ou conditionnements. Il y a donc réduction des coûts de réception et de manutention. Le fabricant est en mesure d'offrir une marge plus petite à ses grossistes et à ses distributeurs, qui seront favorables à ce principe puisqu'ils n'auront pas à assumer certaines dépenses.

■ **Figure 9.8**   **Comparaison entre l'approche traditionnelle et la logistique intégrée**

Statut de la logistique au Québec

Les résultats de cette étude sont significatifs, selon les chercheurs. D'après les résultats obtenus :

- les entreprises québécoises dépensent en moyenne 11 % de leur chiffre d'affaires en coûts logistiques, dont les principaux sont les coûts d'entreposage ; les coûts de transport en expédition et livraison ; les coûts de dépréciation des équipements de transport et de manutention ; les coûts de traitement des commandes (identifiés comment étant l'opération d'achat) ; les coûts de retour des produits et les coûts d'administration de la logistique ;

- 53 % des entreprises ont entre 0 et 50 employés en logistique ; 25 % en ont entre 51 et 100, et 22 % en ont plus de 101 ;

- le volet stratégique concerne la refonte des processus, la concentration sur les compétences de base de l'entreprise et la rationalisation du réseau de distribution physique ;

- les méthodes quantitatives d'établissement de la prévision de la demande sont utilisées par 84 % des entreprises, les méthodes qualitatives par 52 %, et seulement 1 % des entreprises ne font aucune prévision ;

- les stocks sont gérés à l'aide de systèmes d'information sophistiqués ;

- les échanges de données se font autant avec les fournisseurs de l'entreprise qu'avec les clients ;

- les clients des entreprises se répartissent comme suit : 20 % sur des marchés locaux, 31 % sur des marchés régionaux, 36 % sur des marchés nationaux et 13 % sur des marchés internationaux ;

- les fournisseurs des entreprises se répartissent comme suit : 19 % sur des territoires locaux, 22 % sur des territoires régionaux, 30 % sur des territoires nationaux et 29 % sur des territoires internationaux ;

- les principaux critères de sélection des fournisseurs sont : les prix offerts par les fournisseurs (86 % des répondants indiquent que c'est un critère de sélection), les services offerts (71 %), les critères de qualité (71 %), le niveau de service (68 %) et le potentiel de partenariats (68 %). Les critères n'ayant pas franchi la barre des 40 % en tant que critères de sélection sont : la notoriété dans l'industrie (39 %), l'expérience antérieure (32 %), la satisfaction aux exigences d'un cahier de charges (29 %), la proximité (25 %), la certification ISO (18 %) ;

- l'évaluation de la performance des fournisseurs s'effectue principalement selon les critères suivants : la livraison à temps (89 % des répondants indiquent que c'est un critère d'évaluation), l'état de la marchandise reçue (71 % des répondants), la compétitivité du délai d'approvisionnement (57 %), le taux de couverture par commande (43 %), l'ajustement aux variations de volume (36 %), la gestion des retours (36 %), le taux de couverture par ligne de commande (32 %), le temps de préparation des commandes (21 %), le prix compétitif (4 %), les documents reçus avant la réception (4 %) ;

- les fonctions logistiques sont reconnues à 100 % en ce qui concerne le contrôle et la gestion des inventaires ; à 98 % pour la gestion de l'entreposage ; à 91 % pour la gestion du transport; à 88 % pour le service à la clientèle; à 84 % pour l'analyse et la prévision de la demande et la planification de l'approvisionnement; à 78 % pour le contrôle de la qualité; à 72 % pour les systèmes d'information et de communication; à 69 % pour la planification de la production;

- 52 % des cadres spécialisés en logistique ont des diplômes d'études collégiales ou universitaires.

Source: Association canadienne de la gestion de la chaîne d'approvisionnement et de la logistique, chapitre du Québec, septembre 1998.

■ L'application de la logistique intégrée

La logistique intégrée vise l'harmonie entre toutes les activités qui contribuent à une gestion efficace des mouvements de produits du point d'origine jusqu'au client. Ce concept inclut l'ensemble des fonctions de l'entreprise telles que les ventes, le transport, le marketing, la gestion de l'information, le traitement des données, l'opération d'achat et le service à la clientèle. Chacune de ces fonctions peut être divisée de nouveau, comme le transport international, national, régional et local, ou encore le transport routier, ferroviaire, maritime, aérien, par conteneur ou combinant plusieurs modes de transport. L'interaction de ces fonctions est cruciale pour le succès de la logistique intégrée. L'approvisionnement établit les balises de la logistique en développant les relations, les ententes avec les fournisseurs et en définissant l'opération d'achat (voir le chapitre 2).

C'est pourquoi, de nos jours, la fonction « gestion du trafic » dans l'entreprise est placée de plus en plus souvent sous la responsabilité du service de l'approvisionnement. Malgré la complexité de cette fonction, elle reste de la gestion de contrats que le service de l'approvisionnement est habilité à assurer. Par contre, étant donné qu'elle constitue une fonction stratégique dans l'entreprise, elle doit être gérée au même titre qu'une entente de service, d'impartition ou de partenariat. Il est souhaitable qu'un gestionnaire soit chargé de cette fonction et que celui-ci puisse compter sur des fournisseurs fiables.

9.2.7   La refonte des processus

Au début des années 1990, les entreprises utilisaient beaucoup les notions de « réingénierie » des processus, de réinvention ou encore, de reconception. Au cours des années 2000, le vocabulaire a évolué et plusieurs entreprises utilisent l'expression « refonte des processus ». Toutes ces expressions sont similaires et visent à revoir les modes de fonctionnement des entreprises afin de rendre celles-ci plus compétitives. James Grimsley, directeur de CSC Index, de Houston (Texas), et Keith Stephens, directeur de la « réingénierie » de la chaîne d'approvisionnement de Petro-Canada, à Calgary, définissent la « réingénierie » comme étant une **analyse fondamentale et complète des modes de fonctionnement** qui vise à améliorer **radicalement** les coûts, la qualité, le service et le cycle de mise en route (voir le tableau 9.9). Si l'on compare l'approche de la refonte des processus à l'approche traditionnelle, on obtiendra le schéma présenté à la figure 9.9.

L'acheteur doit examiner constamment ses activités quotidiennes afin d'établir lui-même sa refonte. À une petite échelle ou à une grande échelle, cette manière de penser fait appel à l'une des compétences requises pour l'exercice de cette profession, à savoir l'innovation.

■ **Tableau 9.9**   Termes clés de la définition de la refonte

Analyse fondamentale	Analyse complète	Modes de fonctionnement	Radicalement
Se poser les questions de base sur la manière de faire: • Que faut-il faire? • Pourquoi faut-il faire telle chose? • Pourrait-on faire mieux cette chose?	Enlever le toit de l'entreprise et examiner les changements majeurs qu'il faut entreprendre malgré la résistance aux changements.	Faire un relevé des activités exercées par chaque personne dans l'entreprise et voir si elles correspondent à la volonté de la clientèle.	Aligner d'un seul coup les activités sur le résultat souhaité plutôt que de tenter de progresser par étapes jusqu'à la réalisation de l'objectif.

■ **Figure 9.9**   Comparaison entre l'approche traditionnelle et la refonte des processus

Source: James Grimley et Keith Stephens. « Reengineering the supply chain : The concept… the reality in Petro-Canada », communication présentée au congrès annuel de l'Association canadienne de gestion des achats à Vancouver, en juin 1997 ; notre traduction.

9.2.8 Le commerce électronique

Internet va tout changer. Au minimum, les technologies Internet bouleverseront la manière dont les entreprises, aussi petites soient-elles, agissent avec leurs employés, leurs partenaires et leurs fournisseurs. Les gros marchés de produits interchangeables, comme le charbon ou l'acier, sont déjà bien médiatisés, et Internet ne changera pas grand-chose, ni dans la relation acheteurs/vendeurs, ni en matière de prix. Cependant, il apportera une plus-value dans des secteurs où les marchés sont petits et dispersés[12].

La figure 9.10 illustre la philosophie du commerce électronique. Les communications peuvent se faire selon plusieurs angles, dont les plus populaires sont: du consommateur à une entreprise (en anglais, B2C, *Business to Consumer*), d'une entreprise à une autre entreprise (en anglais B2B, *Business to Business*), d'une entreprise au gouvernement (en anglais B2G, *Business to Government*) et du consommateur au gouvernement (en anglais C2G, *Consumer to Government*). Les consommateurs ou les clients de l'entreprise accéderont à la plateforme d'affaires ou au portail de l'entreprise. Cette plateforme sera alimentée par plusieurs critères de gestion de l'entreprise qui permettront de gérer le profil du client ou du consommateur. Ces critères concerneront autant la manière de livrer le produit ou le service au client que la manière de le produire, autant les particularités requises par le client que la marge bénéficiaire attendue de chaque transaction, ou encore les règles politiques ou les normes à respecter en fonction du lieu de livraison du produit ou du service, ou l'emballage requis. Dès que la demande du consommateur ou du client sera acceptée, le système enverra des ordres de fabrication du produit ou d'achat du service requis.

■ **Figure 9.10**   **Le commerce électronique**

---

12. Bill Gates. *Le travail à la vitesse de la pensée*, Paris, Éditions Robert Laffont, 1999, p. 80 et 82.

Fournisseur de matériel informatique pour les consommateurs et les entreprises, Dell inc. est l'une des premières entreprises de cette importance à s'être lancée dans le commerce en ligne. Avec un chiffre d'affaires supérieur à 41,4 milliards de dollars en 2004, Dell commence à proposer ses produits dans son site Web au milieu de 1996. Très vite, son chiffre d'affaires passe de 1,1 million par semaine à 1,1 million par jour. Cette entreprise poursuit son ascension jusqu'à 50 millions par jour en 2000. En 1999, le site de Dell recense plus de 1,5 million de visiteurs par semaine et traite 11 % de ses transactions en ligne. Dell applique les principes du commerce électronique à la perfection car, derrière sa plateforme, elle a tissé une toile d'araignée incroyable liant les fournisseurs, les transporteurs et les normes à respecter dans un vaste programme d'intégration de tous les intervenants. Ainsi, lorsqu'un client commande un ordinateur, le système informatique de Dell génère une série de commandes aux fournisseurs de pièces entrant dans la fabrication de l'ordinateur, une liste des adresses où un transporteur devra aller chercher les pièces, un ordre de fabrication ou d'assemblage des pièces, les documents de livraison de l'ordinateur au client, en plus du profil de celui-ci. Chaque intervenant exécute la commande pour la partie de l'ordinateur dont il est responsable. Le système informatique de Dell enregistre le début et la fin de chaque étape sur la même plateforme pour les suivis et les contrôles. Lorsque l'ordinateur est livré au client, généralement quelques jours plus tard, toutes les informations reliées à l'ordinateur sont inscrites au dossier du client pour référence future.

L'implantation de la gestion des fournisseurs via le commerce électronique demande de revoir quatre processus majeurs, à savoir :

1. **Les informations sur les fournisseurs** Elles portent sur le rôle et les responsabilités accordés par l'acheteur au fournisseur, les contrôles touchant la gestion de la performance attendue des objets que le fournisseur livrera, le profil du fournisseur, les modalités et les conditions commerciales qui régissent la relation d'affaires, incluant les termes et les méthodes de paiement, les règles d'expédition, la gestion des suivis et les procédures de retour.

2. **Les informations requises sur les produits et les prix** Pour les produits, il y a le numéro du catalogue, les unités de mesure, la description de l'article, le numéro du manufacturier, le nom du manufacturier, sa représentation (logo, photo, etc.). En ce qui concerne les prix, il y a le prix à payer pour l'article, la date d'entrée en vigueur des prix, les niveaux de rabais selon les volumes, les marges des distributeurs et le type de devise.

3. **La connectivité** Il est important de définir la façon dont la communication électronique se fera avec les fournisseurs, incluant le coût de chaque transaction, la facilité de transaction, la formation, l'infrastructure requise et la sécurité.

4. **L'entretien et le soutien** L'acheteur évaluera l'effort que l'entreprise aura à faire pour maintenir ses données à jour, en plus de déterminer s'il doit y avoir une révision des tâches des personnes travaillant dans le service de l'approvisionnement.

Mais l'utilisation d'Internet comporte des risques, dont les plus courants sont :

• **La fraude** Frank W. Abagnale, une autorité dans le domaine de la prévention des fraudes, affirme qu'Internet est le lieu de prédilection du criminel.

> Quarante millions de personnes utilisent Internet chaque jour. Pour un voleur, cela signifie qu'il peut arnaquer un très grand nombre de personnes en même

temps. On estime que plus de cinq pour cent des transactions faites dans Internet sont frauduleuses, par rapport à un demi de un pour cent dans les magasins de détail. Les voleurs s'assoient tous les jours devant leurs ordinateurs et essayent d'entrer dans le système de quelqu'un, tentant par tous les moyens de déjouer les dispositifs de sécurité[13].

Il ajoute un peu plus loin qu'un accès au réseau informatique équivaut à un cheval de Troie virtuel.

- **La qualité de l'information** Rien ne prouve l'origine de l'information que l'on trouve dans Internet. Il n'y a pas de règles établies, pas de normes connues, pas d'organisme responsable de valider l'information contenue. L'acheteur se doit d'être prudent et de vérifier l'information obtenue.

- **Le respect des lois** Le commerce s'effectue maintenant à l'échelle internationale. L'acheteur vit sur un territoire où une importante législation régit les activités économiques. Il faudra s'assurer que les produits achetés respectent les différentes lois du pays ou les principes de bonne gestion généralement reconnus.

Par contre, avec de tels outils, l'acheteur aguerri peut obtenir le meilleur prix pour son entreprise, car il peut comparer différents sites pour s'assurer que le prix offert par le fournisseur est compétitif, il peut suivre l'évolution des prix de l'industrie où se situent ses fournisseurs et il peut utiliser les outils électroniques pour organiser ou participer à des enchères électroniques et réduire les coûts transactionnels. S'il est prudent et anticipe les incertitudes du marché, l'acheteur peut facilement dégager des bénéfices intéressants pour son entreprise.

9.3   Les nouvelles approches de gestion sont-elles applicables?

Dans la société japonaise, tous les partenaires économiques adoptent la même vision, que ce soit le gouvernement, les banquiers, les fournisseurs, les fabricants, les assembleurs, les distributeurs, les exportateurs ou les autres partenaires de la chaîne de distribution. Pour s'en convaincre, il suffit de penser au prix national de la qualité, le prix Deming, qui est remis par une société paragouvernementale japonaise à un promoteur de la qualité dans son industrie. Ce prix, qui existe depuis 1960, mobilise les entreprises japonaises quant à l'objectif prioritaire de la qualité. Par ailleurs, l'industrie japonaise se caractérise par l'absence du désir d'obtenir un profit économique à court terme. Ainsi, Denise Fouzat indique: «L'analyse des variations parfois brutales des cours du Kabuto-cho (indice boursier japonais) semble montrer que les managers japonais sont totalement indifférents aux résultats à court terme des entreprises cotées[14].»

D'un autre côté, dans son livre intitulé *Capitalism vs Capitalism*[15], Michel Albert mentionne que l'industrie allemande, qui constitue un autre modèle d'économie très forte, a, parmi les

---

13. Frank W. Abagnale. *L'art de la fraude,* Montréal, Éditions Stanké, 2003, p. 222.
14. Denise Fouzat. «Séminaire de politiques industrielles comparées», séminaire tenu à Paris en 1990.
15. Michel Albert. *Capitalism vs Capitalism : How America's Obsession with Individual Achievement and Short-Term Profit Has Led It to the Brink of Collapse,* Four Walls Eight Windows, 1993, cité dans Annick Bourguignon. *Le modèle japonais de gestion,* Paris, Éditions La Découverte, 1993, p. 68.

notions occidentales, la perception du profit la plus « longue » (quant à la période et au rende-ment), et que, simultanément, les banques allemandes occupent une place importante dans l'économie en assurant une grande partie de son financement.

La société nord-américaine est centrée sur le profit à court terme, comme le prouve l'indice boursier quotidien, qui prend de l'importance ; l'entreprise a le seul souci de rester en vie, craignant de disparaître ou d'être engloutie dans une autre structure. La comptabilité de gestion occupe depuis longtemps une place cruciale dans la structure des entreprises. En 1925, la grande majorité des outils de contrôle de gestion d'aujourd'hui était déjà en place chez General Motors. Comme le souligne Charles Hampden-Turner, les États-Unis remportent le titre en ce qui concerne l'indivi-dualisme, l'amour de la compétition et les primes selon le mérite. Cet individualisme est encou-ragé par les phases préparatoire et de suivi des budgets sur la base des centres de profits, de la comparaison des résultats obtenus, par la rémunération supplémentaire pour le respect des postes de coûts ou de revenus et par les promotions fondées sur le rendement individuel [16].

Que dire, maintenant, au sujet de l'emploi ? Annick Bourguignon déclare : « L'emploi à vie est une réponse des entreprises à la crise sociale des années 1915-1920. Produit de décisions de gestion passées, il fait aujourd'hui intégralement partie du système social japonais [17]. » De son côté, Hervé Sérieyx écrit :

> Alors que le temps de travail diminue, l'entreprise ne cesse d'étendre son emprise sur une part croissante des existences individuelles et collectives. Elle cadence notre temps, consomme l'essentiel de notre vie éveillée et une part capitale de notre énergie, suscite la majeure partie de nos stress parce que nous en faisons partie, que nous craignons de ne plus y être ou que nous devons la quitter ; elle détermine les exclusions, influence toujours plus nos besoins, notre liberté de manœuvre, nos conduites et nos comporte-ments, notre cadre de vie, notre environnement, et jusqu'aux systèmes sociaux, fiscaux, éducatifs et infrastructures qui forment l'ossature du pays [18].

Il faut considérer que l'approche d'une nouvelle culture dans une entreprise exige du temps en plus d'une stabilité, d'une flexibilité et d'une mobilité de la main-d'œuvre relatives. Il appar-tient à chaque entreprise de décider de ce que sera le service de l'approvisionnement de demain. Peu importe que le modèle provienne du Japon, des États-Unis, d'Europe ou d'ailleurs, il n'en demeure pas moins que le choix d'une approche de gestion devra être fonction des valeurs de l'entreprise, de son mode de fonctionnement, de ses forces, de ses faiblesses, de sa vision, de ses buts, de ses objectifs, de ses stratégies, de ses tactiques, de sa position dans la chaîne de distribution, des possibilités, des menaces, des critères de l'approvisionnement et des personnes qui dirigent l'entreprise et de toutes les autres qui y travaillent.

Bref, il y a beaucoup de facteurs, mais la fin demeure la rentabilité de l'entreprise, qui seule peut lui permettre de se maintenir sur le marché. L'implantation trop rapide d'une nouvelle approche de gestion peut faire plus de mal que de bien. Chaque cas requiert une étude spécifique. Par contre, toute entreprise doit travailler à réduire ses coûts. Le service de l'approvisionnement est une carte maîtresse de l'entreprise, à la condition que celle-ci lui accorde une position stra-tégique. Le commentaire de Faith Popcorn nous permet de conclure :

---

16. Voir Charles Hampden-Turner. « Vers une approche multiculturelle du bien-être et des valeurs », *Personnel*, n° 327, octobre 1991, p. 23-33.
17. Annick Bourguignon. *Op. cit.*, p. 68.
18. Hervé Sérieyx. *L'effet Gulliver : quand les institutions se figent dans un monde tourbillonnaire*, Paris, Calmann-Lévy, 1994, p. 53.

Les compagnies devront se rendre compte qu'on ne vend pas seulement ce que l'on fabrique. On vend ce que l'on est. Comme dans un jeu de chaise musicale économique, plusieurs entreprises se retrouveront sans chaise chaque fois que la musique s'arrêtera, les entreprises incapables de répondre aux exigences des consommateurs de demain[19].

Conclusion

Le service de l'approvisionnement est appelé à prendre une place de plus en plus grande dans l'entreprise. Plusieurs approches de gestion ont vu le jour depuis quelques années, lesquelles abordent de façon différente les critères de l'approvisionnement. De nombreux auteurs croient fermement que l'approvisionnement est de plus en plus lié au succès de l'entreprise. Aujourd'hui, les entreprises canadiennes bénéficient d'avantages intéressants sur le marché, particulièrement en ce qui a trait à la valeur de leur argent, à l'étendue du marché et aux variables démographiques. Par contre, les entreprises œuvrant sur le marché mondial réduiront ces avantages, ce qui risque d'entraîner une menace pour les entreprises nationales. Avant qu'une telle situation survienne, les entreprises canadiennes devraient investir dans leur service de l'approvisionnement et faire confiance aux acheteurs en leur permettant de contribuer au développement stratégique des entreprises.

Résumé

Ce chapitre aura permis de comprendre les différentes approches de gestion qui sollicitent les entreprises canadiennes. Avant de se lancer dans l'implantation d'une approche, il faut comprendre les bases culturelles des entreprises qui ont introduit les diverses approches. Toutes les personnes qui gravitent autour de l'entreprise doivent être disposées à apporter des changements. L'entreprise doit définir son défi majeur, reconnaître ses faiblesses et trouver une façon de motiver ses troupes afin de transformer ces faiblesses en avantage concurrentiel.

Il existe plusieurs façons de s'y prendre. Ainsi, l'entreprise pourra être tentée d'adapter une approche de gestion qui a connu du succès dans un autre pays ou continent. Ce pourrait être l'approche japonaise nommée kaizen, ou bien l'analyse de la valeur, l'impartition, le partenariat, le juste-à-temps ou la refonte des processus.

D'autres approches font référence aux changements qui sont devenus nécessaires à la suite des pressions exercées par les concurrents ou aux changements provoqués par des situations de l'environnement. Ce sont la logistique intégrée ou l'implantation de l'utilisation des outils électroniques, comme Internet.

Outre ces huit approches, on peut croire que de nouvelles approches sont sur le point de surgir, car la recherche du bénéfice fait naître des philosophies de gestion. Le service de l'approvisionnement essaie de plus en plus de trouver de meilleures sources, qu'elles se situent près de l'entreprise ou à l'autre bout de la terre. Ce service a intérêt non seulement à approfondir les relations avec ces sources, mais aussi à importer des approches de gestion qui se révèlent rentables.

---

19. Faith Popcorn. *Le rapport Popcorn : comment vivrons-nous l'an 2000?,* Montréal, Les Éditions de l'Homme, 1994, p. 15.

Questions

1. Comment s'appelle le vent de changement qui souffle sur l'ensemble de l'économie mondiale?

2. Qu'est-ce que l'approche de gestion qu'on appelle *kaizen*?

3. Comment pourriez-vous définir l'analyse de la valeur?

4. Qu'est-ce que l'impartition? Existe-t-il un parallèle entre l'impartition et la sous-traitance?

5. Définissez dans vos propres mots l'entente de partenariat.

6. Quelle différence y a-t-il entre le partenariat et l'alliance stratégique?

7. Que recouvre la philosophie du juste-à-temps?

8. Qu'est-ce que la refonte des processus?

9. Comment une entreprise doit-elle utiliser les outils électroniques mis à sa disposition?

Exercices
d'apprentissage

1. De quels facteurs faut-il se préoccuper pour s'assurer qu'une nouvelle approche de gestion importée aura du succès dans l'entreprise?

2. Quelles différences y a-t-il en ce qui a trait à la résolution d'un problème de gestion entre l'approche *kaizen* et l'approche adoptée habituellement en Amérique du Nord?

3. Sur quels points majeurs un acheteur doit-il s'attarder avant d'implanter l'impartition?

4. Nommez quelques bénéfices qu'une entreprise peut retirer si elle utilise l'approche de l'impartition.

5. On dit souvent que la philosophie de gestion du juste-à-temps vise sept « zéros ». Quels sont-ils et que signifient-ils?

6. Quelles approches découlent du juste-à-temps? Expliquez-les.

7. Quelle est la tendance récente en matière de logistique intégrée?

Exercices
de compréhension

1. Expliquez la signification de la balance illustrée à la figure 9.2.

2. En quoi la quantité économique de commande pourrait-elle diminuer de façon radicale avec le juste-à-temps?

3. « La refonte des processus peut être bénéfique pour un service de l'approvisionnement. » Discutez cette affirmation.

4. Comment vous y prendriez-vous pour implanter une philosophie de gestion axée sur le juste-à-temps?

5. Que faut-il faire pour devenir un fournisseur de classe mondiale?

Exercices
de recherche

1. Prenez rendez-vous avec une personne travaillant pour le Mouvement Desjardins et demandez-lui quelles ont été les répercussions humaines, matérielles et financières de l'implantation de la réingénierie des processus.

2. Dans le contexte d'un travail de recherche, faites une visite dans une entreprise qui a implanté avec succès le *kanban* pour gérer ses stocks. Cherchez à connaître le fonctionnement global de cette approche et demandez au responsable de l'implantation du projet quels en sont les bienfaits pour son entreprise.

3. Prenez rendez-vous avec un transporteur routier de marchandises qui pratique l'impartition avec un manufacturier en ce qui concerne la distribution de ce dernier et cherchez à savoir sur quoi portent les clauses du contrat rattachant les deux parties.

Bibliographie

ABAGNALE, Frank W. *L'art de la fraude,* Montréal, Éditions Stanké, 2003, 336 p.

ALJIAN, George W. *Purchasing Handbook,* National Association of Purchasing Management, 4e éd., New York, McGraw-Hill, 1982, 987 p.

ANTHONY, Sterling. *How Packaging Can Improve Manufacturing Operations,* New York, AMA Membership Publications Division, 1983, 50 p.

APICS Dictionary, 8e éd., Fall Church, Virginie, 1995, 104 p.

BEAUMIER, Jocelyne. *La gestion de la qualité, un projet d'entreprise,* 2e éd., Longueuil, Cognitrix, 1994, 238 p.

BERNILLON, Alain, et Olivier CERUTTI. *Implanter et gérer la qualité totale,* Paris, Éditions d'Organisation, 1988, 213 p.

BOUCHARD, Jacques. *Les 36 cordes sensibles des Québécois,* Montréal, Héritage, 1978, 308 p.

BOURGUIGNON, Annick. *Le modèle japonais de gestion,* Paris, Éditions La Découverte, 1993, 125 p.

BRUEL, Olivier. *Politique d'achat et gestion des approvisionnements,* Paris, Bordas, 1991, 299 p.

CAOUETTE, Sophie. *Notes de cours de Gestion des stocks,* bloc 4, Cégep François-Xavier-Garneau, Québec, 2002, 21 p.

CAVE, René. *Le contrôle statistique des fabrications,* 3e éd., Paris, Édition Eyrolles, 1966, 528 p.

CHAMPEYROL, François. *Les achats,* Paris, Presses universitaires de France, coll. « Que sais-je ? », n° 2492, 1990, 128 p.

CHETOCHINE, Georges. *Quelle distribution pour 2020 ? Les nouveaux enjeux du commerce,* Paris, Éditions Liaisons, 1998, 191 p.

DE VARNEY, Marie. *Les matières premières,* Paris, Le Monde Éditions, 1995, 213 p.

DILWORTH, James B. *Production and Operations Management, Manufacturing and Non-Manufacturing,* 4e éd., New York, Random House, 1989, 770 p.

DUNCAN, Acheson J. *Quality Control and Industrial Statistics,* 2e éd., Homewood, Richard D. Irwin, 1959, 946 p.

DURAND, Jean-Paul. *Le langage des achats,* Poitiers, Éditions Méthodes et Stratégies, coll. « Connaître et Parler », 1995, 109 p.

FOGARTY, Donald W., John H. BLACKSTONE et Thomas R. HOFFMANN. *Production and Inventory Management,* 2e éd., Cincinnati, South-Western, 1991, 870 p.

GATES, Bill. *Le travail à la vitesse de la pensée,* Paris, Éditions Robert Laffont, 1999, 410 p.

GAUTIER, Bénédicte, et Jean-Louis MULLER. *La qualité totale,* Paris, Entreprise moderne d'édition, 1988, 110 p.

ISHIKAWA, Kaoru. *La gestion de la qualité. Outils et applications pratiques,* Paris, Dunod, 1984, 242 p.

KELADA, Joseph. *Comprendre et réaliser la qualité totale,* 2e éd., Montréal, Quafec, 415 p.

LECHASSEUR, Claude. *Les processus gérés en juste-à-temps,* Sainte-Foy, Université Laval, coll. « Instruments de travail », 1995, 86 p.

LEENDERS, Michiel R., Harold E. FEARON, et Jean NOLLET. *La gestion des approvisionnements et des matières*, 2ᵉ éd., Boucherville, Gaëtan Morin Éditeur, 1998, 512 p.

LEPAGE, Jean. *Le langage du contrat d'achat*, Poitiers, Éditions Méthodes et Stratégies, coll. «Connaître et Parler», 1995, 104 p.

MARTIN, André J. *Distribution Resource Planning (DRP)*, Prentice Hall, New Jersey, 1983, 287 p.

MATHE, Hervé, et Daniel TIXIER. *La logistique,* Paris, Presses Universitaires de France, 1997, 127 p.

McMAHON, Daniel et autres, *Comptabilité de base,* tome 2, Montréal, McGraw-Hill, 1995, 872 p.

MEILLEUR, Serge. *DMR, la fin d'un rêve,* Montréal, Éditions Transcontinental, 1997, 302 p.

MEMO GUIDE MOCI. *Les incoterms: tous les mécanismes,* Paris, Éditions Sedec SA, 1994, 52 p.

MONIN, Jean-Michel. *La certification qualité dans les services: outil de performance et d'orientation client,* Paris, Afnor, 2001, 309 p.

MORIN, Michel. *Comprendre la gestion des approvisionnements,* 2ᵉ éd., Paris, Éditions d'Organisation, 1985, 208 p.

OLIVER, Thomas. *La vraie Coke Story,* Issy-les-Moulineaux, Éditions Michel Lafon, 1989, 284 p.

PERROTIN, Roger, et Pierre HEUSSCHEN. *Acheter avec profit,* Éditions d'Organisation, 1999, 201 p.

POISSANT, Charles-Albert. *Donohue, l'histoire d'un grand succès québécois,* Montréal, Québec Amérique, 1998, 287 p.

POITEVIN, Michel. *Impartition: fondements et analyses,* Québec, Les Presses de l'Université Laval, 1999, 320 p.

POPCORN, Faith. *Le rapport Popcorn: comment vivrons-nous l'an 2000?,* Montréal, Les Éditions de l'Homme, 1994, 268 p.

POULIN, Pierre. *Histoire du Mouvement Desjardins, 1900-1920,* tome I, Montréal, Québec Amérique, 1990, 373 p.

RICHARD, Béatrice. *Les rôtisseries St-Hubert – 50 ans de grands succès,* Montréal, Stanké, 2001, 227 p.

ROBINSON, James W. *Un empire de liberté – l'histoire de la société qui a transformé l'image du commerce au détail: AMWAY,* Saint-Hubert, Les éditions Un monde différent ltée, 1999, 218 p.

SÉRIEYX, Hervé. *L'effet Gulliver: quand les institutions se figent dans un monde tourbillonnaire,* Paris, Calmann-Lévy, 1994, 252 p.

TERSINE, Richard. *Principles of Inventory and Materials Management,* 3ᵉ éd., New York, Elsevier Science Publishing Co. Inc., 1988, 553 p.

TODOROV, Braminir. *ISO 9000: une force de management,* Boucherville, Gaëtan Morin Éditeur, 1997, 214 p.

TOMPKINS, James A. et autres, *Facilities Planning,* 2ᵉ éd., New York, John Wiley & Sons, 1996, 734 p.

TSOUFLIDOU, Cora. *Déjeuner avec Cora,* Montréal, Libre Expression, 2001, 329 p.

VANDEVILLE, Pierre. *Gestion et contrôle de la qualité,* Paris, Afnor Gestion, 1985, 270 p.

VANDEVILLE, Pierre et autres, *Conduire un audit qualité. Méthodologie et techniques,* Paris, AFNOR, 1995, 180 p.

ZERMATI, Pierre. *La pratique de la gestion des stocks,* 2ᵉ éd., Paris, Dunod Entreprise, 1976, 148 p.

Index

A

ABC, classification __, 200-208
Accord de libre-échange nord-
 américain (ALENA), 333
Achat(s), 3, 71
 commis aux __, 14
 consolidation des __, 81
 contrat d'__, 177
 d'un produit
  raisons motivant l'__, 71
 décision d'__, 60
 demande d'__, 10
 département des __, 3
 évaluation après l'__, 60
 fabrication ou __, 71-72
 groupement d'__, 81
 internationaux, 330-333
 objectif d'__, 37
 objet d'__, 37
 opération d'__, 38
 organisation d'__, 37
 service des __, 3
Acheteur(s), 3, 4, 177
 attentes des __, 3
 compétences de l'__, 18-24
 droits des __, 3
 expertise de l'__, 24
 obligation de l'__, 11
 produit fourni par l'__, 177
 profession d'__, 3
 règles à suivre chez les __, 3
 risque de l'__, 145
 rôle des __, 3
 stress de l'__, 24
 tactiques de l'__, 119-122
 techniciens, 13
Acheteur-planificateur, 271-272
ACNOR (Association
 canadienne de
 normalisation), 137
Acquisition
 coût d'__, 84, 193-194
  unitaire (Ca$_u$), 193
Actif, amélioration du rendement de l'__, 43, 48-49
Action, orientation de l'__, 343
Activités
 impartition d'__, 346
 logistiques, 137

planification des __, 137
Agents manufacturiers, 76-77
Air truck, 326
Aire de réception, 291
ALENA (Accord de libre-échange
 nord-américain), 333
Alliances stratégiques, 348-354
Amélioration
 continue, 129, 342
 démarche d'__
  de la qualité, 140
 du rendement
  de l'actif, 43, 48-49
Aménagement
 de l'espace, 356, 360
American National Standards
 Institute (ANSI), 144
American Production and
 Inventory Control Society
 (APICS), 142
Amont, 189
Analyse
 de la valeur, 138, 342-345
 d'un produit, 138
 d'un service, 138
 sept étapes de l'__, 343-345
 fonctionnelle, 344
 fondamentale, 366
 processus d'__, 6
 de situations, 6
ANSI (American National
 Standards Institute), 144
APICS (American Production
 and Inventory Control
 Society), 142
Appel(s)
 d'offres, 92-96
  avantages, 93
  cahier des charges d'un __, 95
  clauses contenues
   dans les __, 95-96
  inconvénients, 93
  public, 92
  sur invitation, 92
 prix d'__, 87
Application(s)
 de la logistique intégrée, 366
 du système *kanban*, 359
Approche(s)
 à flux poussé, 360

de gestion, 340
 stratégique, 12
 technique, 12
Approvisionnement(s), 3
 calendrier d'__, 187
 chaîne d'__, 55-56, 290
 coût de l'__, 4, 193-200
  le plus bas, 4
 critères de l'__, 4, 11, 13, 41, 56
 cycle d'__, 187
 d'urgence, 78, 79
 directeur de l'__
  des produits, 13
  des services, 13
 effet de levier sur l'__, 43-45
 en cas de force majeure, 79
 horaires d'__, 258
 mix, 37-38
  définition de l'__, 35
  quatre «O» de l'__, 37-59
 politiques et
  procédures d'__, 11
 processus d'__, 35-36
  organisation du __, 56-57
 service de l'__, 3, 34
  comme lieu de formation, 50
  règles à suivre, 4-10
  structures
   organisationnelles, 12
 source(s) d'__, 4, 10, 69
  Voir aussi Source(s).
Approvisionneurs, 13
Aptitude objective de l'objet, 39
AQQ (Association québécoise de
 la qualité), 157
Arbre de décision, 104-105
Arrêt de la production, 192
Articles, codification des __, 300
Association canadienne de la
 gestion des achats, 30-32
Association canadienne de normalisation (ACNOR), 135
Association québécoise de la
 qualité (AQQ), 157
Assurance(s), 193
 qualité, 128, 142-143
Attente(s)
 de l'entreprise, 12
 des acheteurs, 3
 zéro __, 355

Attitudes du négociateur, 20
Attribut, cartes de contrôle
    par __, 145
Audit, 162-164
    de la qualité, 162-164
    externe, 163
    interne, 163
        de la qualité, 180
Aval, 189
Avantages
    d'un groupement d'achat, 81
    d'une entente entre
        un grossiste et
            un fabricant, 97, 98
    de l'appel d'offres
        public, 93
        sur invitation, 93
    de la location, 74
    de la sous-traitance, 73
    du recours à
        un intermédiaire, 77

B

Baisse
    du prix, 191
    tendance à la __, 212
Balisage, 135
Bandes magnétiques, 295
Barrières tarifaires, 333
Base, 209-210
Benchmarking, 135
Bénéfices, 43-56
    amélioration du rendement
        de l'actif, 43, 48-49
    effet de levier, 43-47
    qualificatifs, 17
    quantitatifs, 17
Besoin(s), 18, 19-20, 35, 36
    bruts, 258-260
    calcul des __, 258
    cyclique, 191
    de distribution
        planification des __.
            Voir Planification.
    de matières, 272
        planification des __.
            Voir Planification.
    éveil du __, 36
    nets, 258-260
Bill of lading, 321
Blocs économiques, 333

BNQ (Bureau de normalisation
    du Québec), 135, 157
Bon
    de commande, 57-59, 196
    de livraison, 291, 292
    de réquisition, 196
Bureau de normalisation du
    Québec (BNQ), 135, 157
Buts de l'entreprise, 4

C

Cabotage, 324
Caducité, 124
Cahier des charges, 95
Caisse, escompte de __, 193
Calage, 307
Calcul des besoins, 258
Calendrier
    d'approvisionnement, 187
Canal de distribution, 88
Capacité
    de communiquer, 19, 22-23
    de gérer son temps, 23
    de travailler en équipe, 19, 22
CAQ (Corporation des approvi-
    sionneurs du Québec), 135
Caractéristiques
    de l'expression de
        la demande, 38
    des ententes
        de partenariat, 351
Carrousel, 295
    horizontal, 298
    vertical, 298
Cartes de contrôle, 145
    par attribut, 145
    par variable, 145
Ca$_u$, (coût d'acquisition
    unitaire), 193
CCN (Conseil canadien
    des normes), 157
Cc$_u$ (coût de commande
    unitaire), 196
CEE (Communauté économique
    européenne), 333
Centralisation, 16
    de l'information, 43, 49-50
Centre de distribution, 319
Cercle(s) de qualité, 156, 360
Certification ISO, 83, 157
Cession, coût de, 106

Chaîne(s)
    d'approvisionnement,
        55-56, 290
    de distribution, 319-320
Charge(s)
    cahier des __, 95
    entière, 321
    partielle, 321
Chargement, quais de __, 293
Chariots élévateurs, 188, 295
Chemins de fer à intérêt local
    (CFIL), 324
Choix d'un mode de
    transport, 327
« Cinq R », programme de la
    logistique inversée, 189-190
Circulation
    diagramme de __, 186
    du matériel, 291
Classification ABC, 200-208
    comme outil de diagnostic, 208
Clauses contenues dans les
    appels d'offres, 95-96
CMV (coût des marchandises
    vendues), 304
COD (*cash on delivery*), 329
Codabar, 300
Code(s)
    à barres, 295, 300
        lecteurs de __, 295
    de conduite de l'entreprise, 11
    de déontologie, 11, 30-32
        d'une profession, 11
        de l'Association canadienne
            de la gestion des achats,
            30-32
Codification
    des articles, 300
    système de __, 300
        alphanumérique, 300
        numérique, 300
Coefficient de corrélation
    linéaire, 212
Comité technique (TC-176), 158
Commande(s)
    bon de __, 57-59, 196
    coût de __, 193, 196
    façon de commander, 232
    modèle de la quantité de __
        variable, 240
    à intervalle régulier, 240
    plan directeur des __, 275

point de __, 232, 233, 234, 235
quantité de __. *Voir* Quantité.
quantité économique de __,
  (QEC), 233, 243-248
unitaire, coût de __ (Cc$_u$), 196
Commerce
  électronique, 368
  marque de __, 133
Commis aux achats, 14
Communauté économique
  européenne (CEE), 333
Compétences de l'acheteur, 18-24
Composantes, 187
Compromis, 56
Comptant, prix au __, 91
Conception, maîtrise de la __, 176
Concurrents, 55
Conditionnement, 179, 307
  des produits, 78
Conditions
  d'une entente entre un
  grossiste et un fabricant, 97, 98
  du transport routier, 328-329
  internationales
  de vente, 331-332
Connaissement, 321-322
Connectivité, 369
Conseil canadien des normes
  (CCN), 157
Consolidation des achats, 81
Consommation
  absolue, 215
  réelle, 215
  taux de __, 233, 235
Conteneurisation, équipements
  de __, 294
Contraintes, 207
Contrat, 176
  d'achat, 177
Contrôle(s)
  cartes de __, 145
    par attribut, 145
    par variable, 145
  de la qualité, 127, 143, 291
    durant la fabrication, 145
    équipements de __, 178
    et essais, 178
    sur réception, 143
  normal, 145
  qualitatif, 291
  quantitatif, 291
  réduit, 145
  serré, 145
Convoyeurs, 295

Corporation des approvisionneurs
  du Québec (CAQ), 135
Corrélation linéaire, coefficient
  de, 212
Corridors
  faibles, 328
  forts, 327-328
Courtiers, 76
  en distribution, 320
  en transport, 329
Coût(s), 4, 41, 56
  combiné, 245
  d'acquisition, 84, 193-194
    unitaire (Ca$_u$), 193
  d'entreposage, 194
  d'option, 194
  de cession, 106
  de commande, 193, 196
    unitaire (Cc$_u$), 196
  de détention, 194
  de l'approvisionnement, 4,
    193-200
  de non-qualité, 128
  de qualité, 128
  de revient, 80
  de rupture, 193, 197
  de stockage, 20, 193, 194-196
    unitaire (Cs$_u$), 195
  des marchandises vendues
    (CMV), 304
  moyen, 305-306
  pondéré, 306-307
  types de __, 130
  unitaire
    d'acquisition, 193
    de fabrication, 194
    du produit, 193
Critères
  de l'approvisionnement, 4, 11,
    13, 41, 56
  de qualification des
    fournisseurs, 83
Cs$_u$ (coût de stockage unitaire),
  195
Culture d'entreprise, 10
Cycle
  connu, 193
  d'approvisionnement, 187
  provoqué, 193

D

Décentralisation, 17
Déchargement, quais de __, 293

Décision(s)
  arbre de __, 104-105
  d'achat, 60
  et degré d'incertitude, 4
Décompte
  cyclique, 302-303
  de la quantité, 291
Défaut, zéro __, 355
Délai(s), 4, 56, 98-99
  de livraison, 233, 243
    instable, 191
  de réapprovisionnement, 302
  zéro __, 355
Demande
  caractéristiques de l'expression
    de la __, 38
  d'achat, 10
  d'étalonnage, 135
  dépendante, 232
  indépendante, 231
  instable, 234
  saisonnière, 213
  stable, 233
  variation de la __, 191
Démarche qualité, 140-142, 175
  analytique, 8
  d'amélioration, 140
  inductive, 8
Deming et Juran, 128
Département des achats, 3
Déréglementation
  du transport, 320
Désuétude, 4, 194, 307
  du stock, 4
Détaillant(s), 76, 319
Détention, coût de __, 194
Détermination
  de l'approvisionnement mix.
    Voir Approvisionnement(s).
  du prix, 57, 68
  du stock moyen, 249
Détresse, prix de __, 87
Deux tiroirs, méthode des __, 240
Devis, méthode des plans
  et __, 134
Diagramme
  de circulation, 186
  de procédés, 140
Directeur de
  l'approvisionnement
    des produits, 13
    des services, 13
    des ententes, 13
Direction, responsabilités
  de la __, 174

Distributeur, 321
Distribution requirements planning
   (DRP), 323, 272
Distribution, 319
   canal de __, 88
   centre de __, 319
   chaînes de __ directe, 319-320
   courtiers en __, 320
   entreprises de __, 188
   importance de la __, 78
   planification des besoins
      de __ (PBD), 232, 272-275
Douane(s), 193, 332-333
   frais de __, 193
   taux de __, 333
Droits des acheteurs, 3
DRP (*distribution requirements
   planning*), 232, 272
Dumping, prix de __, 86

E

EAM (écart absolu moyen), 209,
   210, 215
Écart absolu
   moyen (EAM), 209, 210, 215
   total, 210
Échantillon(s), 135, 291
Échantillonnage, 291
   aléatoire, 144
   méthode d'__, 144
   plan d'__, 144
      double, 144
      multiple, 144
      par attribut, 144
      par variable, 144
      simple, 144
Échelle
   d'escomptes, 253
   économies d'__, 194
Économies d'échelle, 194, 253
Effet de levier, 43-47
   sur l'approvisionnement, 43-45
   sur les ventes, 45-47
Effort pour acquérir l'objet, 40
Emballage, 193, 307-311
   des produits, 78
   frais d'__, 193
   produits d'__, 308
   relié
      à l'entreposage, 308
      à la vente, 310-311
      au transport, 308-310
Embranchement privé, 324

Encyclopédie vivante, 209
Entente(s)
   directeur des __, 13
   intérêt de l'__ de partenariat,
      354
   négociation des __, 18, 20-21
Enterprise resources planning,
   (ERP), 256
Entreposage, 179, 295
   à la fois fixe et aléatoire, 297
   aléatoire, 296
   coût d'__, 194
   emballage relié à l'__, 308
   fixe, 296
Entrepôt(s), 295
   de matières premières, 295
   de produits
      en cours, 295
      finis, 295
   types d', 295
Entreprise(s), 3
   attentes de l'__, 12
   bénéfices apportés à l'__, 43-56
   buts de l'__, 4
   code de conduite de l'__, 11
   culture d'__, 10
   de distribution, 188
   fonctionnement de l'__, 4
      critères, 4
   image de l'__, 43, 50
   mission de l'__, 4
   mode de fonctionnement
      de l'__, 10, 56
   multinationales, 188
   objectifs de l'__, 4
   petite ou moyenne __
      (PME), 209
   position concurrentielle
      de l'__, 55
   structure de l'__, 56
   vision de l'__, 4
Équipe(s)
   capacité de travailler en __,
      19, 22
   multidisciplinaires, 342
Équipement(s)
   d'entreposage et de
      récupération, 294
   d'essai, 178
   d'identification automatique
      et de communication, 294
   de bureau, 189
   de conteneurisation, 294
   de contrôle, 178

   de manutention, 294-295
   de mesure, 178
   de transport du matériel,
      294, 295
ERP (*enterprise resources
   planning*), 256
Escompte(s), 96
   de caisse, 193
   échelle d'__, 253
   quantité économique de
      commande avec un __,
      253-255
   sur quantité, 194
Essais
   contrôles et __, 178
   équipement d'__, 178
Étalonnage, 135-137
   concurrentiel, 137
   démarche d'__, 135
   interne, 137
   non concurrentiel, 137
   optimal, 137
Étapes de l'analyse
   de la valeur, 343-345
État des stocks, 258
Étude de marché, 209
Évaluation, 99-106, 344
   après l'achat, 60
   des fournisseurs, 84
   des stocks, 304-307
   modèles d'__, 68, 99-100
Éveil du besoin, 36
Expéditeur, 321
Expédition, 312
Expertise de l'acheteur, 24
Experts, groupe d'__, 209
Exploration du marché, 59-60
Extrants du système de
   planification des besoins
   de matières, 258

F

FAB (franco à bord), 328
   destination, 328
   origine, 328
Fabricant et grossiste
   entente entre __, 97, 98
      avantages, 97, 98
      conditions, 97, 98
Fabrication, 71
   achat ou __, 71-72
   contrôle de la qualité
      durant la __, 145

coût unitaire de __, 194
d'un produit
    raisons motivant la __, 71
entrepôt de produits
    en cours de __, 295
frais généraux de __, 187, 194
résidus de __, 189
Facteur(s)
    culturels, 54
    de pondération, 213
    de sécurité, 215
    démographiques, 51
    écologiques, 54-55
    économiques, 53
    externes, 8, 50
    internes, 8, 50
    politiques et juridiques, 51
    sociaux, 53
    technologiques, 54
Facture(s), 59
    de transport, 321, 323
Famille de produits, 257
Ferroutage, 326
Fiches signalétiques, 194
Fichiers sur les fournisseurs, 69
Fishyback, 326
Flux poussé
    approche à __, 360
    système à __, 256
FOB (*free on board*), 328
Fonctionnement, modes
    de __, 85, 366
Force de vente, 78
Fournisseur(s), 3, 10, 34, 82, 187
    de premier niveau, 75
    évaluation des __, 84
    fichiers sur les __, 69
    grève d'un __, 192
    hiérarchie de __, 75-76
    idéal, 69
    informations sur les __, 369
    pyramide de __, 75-76
    qualification des __, 68, 82-84
        processus de __, 82
    risque du __, 145
    visites chez les __, 69
Frais
    d'emballage, 193
    de douane, 193
    de transport, 193
    généraux de fabrication,
        187, 194
Franco à bord (FAB), 328
Fraude, 369
Free on board (FOB), 328

Fréquence radio, 301
Frustration, zéro __, 355

Gamme de l'objet, 40
Gaspillage, réduction du __, 342
Gestion
    approches de __, 340
    de la qualité, 140
    des stocks, 18, 78,
        184, 187, 190
    du risque, 4
    du temps, 23
    philosophie de __, 88
    système d'information
        de __, 232
Gestionnaire(s), 4
    des stocks, 185
GQCQ (Groupe québécois de
    certification de la qualité), 157
Grève d'un fournisseur, 192
Grille de pondération, 100
Grossiste et fabricant, 76, 319
    entente entre __, 97
        avantages, 97
        inconvénients, 97
Groupe d'experts, 209
Groupe québécois de
    certification de la qualité
    (GQCQ), 157
Groupement d'achat, 81
    avantages, 81
    inconvénients, 81

HACCP, normes __, 135
Harmonisation des règlements
    concernant le transport
    routier, 321
Hiérarchie de fournisseurs, 75-76
Historique de la qualité, 127-133
Horaires
    d'approvisionnement, 258
    de production, 258
Horizon de planification, 257

Identification, technologies
    d'__, 300
Image de l'entreprise, 43, 50

Immobilisations acquises, 85
Impartition, 346-348
    d'activités, 346
Implantation et suivi de
    l'analyse de valeur, 345
Importance de la distribution, 78
Inconvénients
    d'un groupement d'achat, 81
    de l'appel d'offres
        public, 93
        sur invitation, 93
    de la location, 74
    de la sous-traitance, 73
    du recours à un intermédiaire,
        77
Incoterms, 331
Influences internationales, 88
Information(s), 3
    centralisation de l'__, 43, 49
    maîtrise de l'__, 78
    qualité de l'__, 370
    recherche de l'__, 344
    sur les fournisseurs, 369
    sur les prix, 369
    sur les produits, 369
    système d'__ de gestion
        (SIG), 232
Intégration, modèle de l'__, 362
Intégrité, 19
Intérêt de l'entente de
    partenariat, 354
Intermédiaire(s), 76-77
    recours à un __, 77
        avantages, 77
        inconvénients, 77
Intermodalité, 326-327
International Standards
    Organization (ISO), 135
Internet, 69, 368
Intervalle
    régulier, commandes à __, 240
    variable, commandes à __, 242
Intrants du système de la planifi-
    cation des besoins de matières,
    256-258
Inventaire, 302
    indicateurs de performance
        de l'__, 307
    physique, 303
    systèmes d'__, 302
ISO (*International Standards
    Organization*), 135
ISO (Organisation internationale
    de standardisation), 143, 144,
    157, 158-162

9000, 158
9001, 158
    version 2000, 159-161
9002, 158
9003, 158
14001, 162
certification __, 83, 157
norme(s), 157-162
    9001, 158
    14001, 162

J

Jours de provision, 307
Juste-à-temps, 192, 319, 321, 355-362

K

Kaizen, 340-342
Kanban, 356-360

L

Lecteur(s)
    de codes à barres, 295
    optique, 300
Less than truck load (LTL), 321
Lettre de crédit
    à terme, 332
    à vue, 332
    confirmée, 332
    documentaire, 332
    irrévocable, 332
    révocable, 332
Lien linéaire, 212
Lieu, 4, 41, 56
    de livraison, 4
Liquidité, ratio de __. *Voir* Ratio.
Lissage exponentiel, 213
Liste de prix, 91
Livraison, 179
    au lieu désiré, 4
    bon de __, 291, 292
    délai de __, 233, 243
        instable, 191
    sans délai, 4
Location d'un bien ou d'un
    service, 73-75
    avantages, 74
    inconvénients, 74
Logistique
    intégrée, 363-366
        application de la __, 366
    inversée, 189

processus de __, 363
traditionnelle, 189
Loi de Pareto, 200-208
Lois, 11
    respect des __, 370
Lot(s), 258
    brisés, 321
    économique, 192
        modèle du __, 360
LTL (*less than truck load*), 321

M

Maintenance, 194
Maîtrise
    de l'information, 78
    de la qualité, 142
Maladies industrielles, 24
Management de la qualité,
    principes de __, 160
Manque de stock, 20
Manuel des politiques et des pro-
    cédures d'approvisionnement
    de l'entreprise, 11
Manufacturier, 76-78, 321
Manufacturing resources planning
    (MRP II), 255
Manutention, 179
    des matériaux, 293
        équipements de __, 294
        règles de base dans la __, 293
    des stocks, 293-295
        équipements de __, 294-295
Manutentionnaire, 185, 194
Marchandises vendues,
    coûts des __, 304
Marché(s), 3, 55
    concurrentiel, 84
    étude de __, 209
    exploration du __, 59-60
    mondialisation des __, 78
    non concurrentiels, 84
    prix du __, 86
        inférieurs, 86
        supérieurs, 86
Marge bénéficiaire, ratio
    de la __ (RMB), 48
Marketing à rebours, 80-81
Marque de commerce, 133
Material requirements planning
    (MRP), 232
Matériel, équipement de
    transport du __, 295
Matières
    dangereuses, 194

planification des besoins
    de __. *Voir* Planification.
premières, 185-186, 291
    entrepôt de __, 295
    recyclables, 310
Mérite, système de
    reconnaissance du __, 131
Mesure(s)
    correctives, 179
    équipement de __, 178
Méthode(s)
    d'échantillonnage, 144
    d'évaluation des stocks,
        304-307
    Delphi, 209
    des deux tiroirs, 240
    des plans et devis, 134
    des spécifications du produit
        ou du service, 134
    du coût moyen, 305-306
        pondéré, 306-307
    du min-max, 232-239
        avec un stock de sécurité,
            233, 237-239
    du premier entré, premier
        sorti, 304-305
Mezzanine, 298
MIL-STD 105D, 144
MIL-STD 414, 144
Min-max, 232-239
    méthode du __, 232-239
        avec un stock de sécurité,
            237-239
    modèle __, 233
Mises en route, 249, 251
Mission de l'entreprise, 3, 4
Modalités de paiement, 328-329
Mode(s)
    d'acquisition
        de produits, 72
        de services, 72
        sous-traitance comme __, 72
    de fonctionnement, 85, 366
        de l'entreprise, 10, 42, 56-57
    de transport, 320, 326
        choix d'un __, 327
Modèle(s)
    attente-valeur, 100
    conjonctif, 99
    d'évaluation, 68, 99-105
    de l'intégration, 362
    de la prépondérance, 99
    de la quantité de commande
        fixe, 232-240
        variable, 240

et de l'intervalle variable, 242
de la revue périodique,
   240-242
disjonctif, 100
du lot économique, 360
du point idéal, 104
lexicographique, 100
mathématiques, 231
min-max, 233
Mondialisation des marchés, 78
Monopoles d'État, 85
Moyenne
   arithmétique, 209
   mobile, 209
   pondérée, 211
MRP (*material requirements
   planning*), 232
MRP I, 255
MRP II (*manufacturing resources
   planning*), 255

N

Nature de l'objet, 39
Négociation, 18, 88
   attitudes durant la __, 20-21
   des ententes, 20-21
   processus de __, 20-21
Niveau
   d'indifférence, 106-108
   de service, 215
   de stock, 4, 185
Nomenclature du produit, 256
Non-qualité, coût de la __, 128
Norme(s), 135
   HACCP, 135
   ISO, 157-162
      9001, 158
      version 2000, 160
      14001, 162
   QS 9000, 135

O

Objectif(s), 40, 41
   d'achat, 37
   de l'entreprise, 4
   du *kanban,* 357
   mesurables, 83
   quantifiables, 83
   réalisables, 83
Objet, 38-40
   aptitude objective de l'__, 39
   effort pour acquérir l'__, 40

gamme de l'__, 40
   nature de l'__, 39
Obligation de l'acheteur, 11
Obsolescence, 194
Offres, appel d'__, 92
OIQ (Ordre des ingénieurs
   du Québec), 135
Oligopoles, 85
Opération d'achat, 38, 57-59
Option, coût d'__, 194
Ordonnancement, 257
Ordre des ingénieurs du Québec
   (OIQ), 135
Ordre des technologues
   du Québec (OTQ), 135
Organisation, 56
   d'achat, 37, 56-57
Orientation de l'action, 343
OTQ (Ordre des technologues
   du Québec), 135
Outil(s)
   de diagnostic, 208
   technologiques, 19

P

Paiement(s), 59
   « facturer à », 329
   internationaux, 332
   modalités de __, 328-329
Palettes, 294
Panne, zéro, 355
Pareto, loi de __, 200-208
Partenariat, 348-354
   caractéristiques des ententes
      de __, 351
   et les alliances stratégiques,
      348-354
   intérêt de l'entente de __, 354
Pays exportateur(s)
   infrastructures, 330
   moyens de transport, 330
      et infrastructures de transport
         du __, 330
   us et coutumes du __, 330
PBD (planification des besoins
   de distribution), 232, 272-275
PBM (planification des besoins
   de matières), 272
Pénurie(s), 20, 191
Performance, indicateurs
   de __, 307
Philosophie de gestion, 88
Piggyback, 326

Plan(s)
   cartésien, 145
   d'échantillonnage, 144
      double, 144
      multiple, 144
      par attribut, 144
      par variable, 144
      simple, 144
   directeur
      de production, 256-257
      des commandes, 275
      et devis, 134
      méthode de __, 134
   global, 257
Planification
   agrégée de la production, 257
   des activités logistiques, 137
   des besoins
      de distribution (PBD), 232,
         272-275
      de matières (PBM), 232,
         255-272
      intrants du système
         de la __, 256-258
      horizon de __, 257
PME (petite ou moyenne
   entreprise), 209
PNE (Protocole national
   sur l'emballage), 135
Point de commande, 232, 233,
   234, 235
Politique(s)
   de l'entreprise, 11
   de qualité, 139
   et procédures
      d'approvisionnement, 11
   qualité, 139
Pondération
   facteurs de __, 213
   grille de __, 100
Port
   à percevoir, 329
   payé, 329
      et débité, 329
Position
   concurrentielle de l'entreprise,
      49, 55
   financière, 83
Pourcentage cumulé, 201
Pression sur le temps, 341
Prévision(s)
   des ventes, 256
   qualitatives, 208-209
   quantitatives, 208, 209-215

stock de __, 191-192
Principes de management
de la qualité, 160
Prix, 85-98
affiché, 91
au comptant, 91
d'acquisition d'un objet, 80
d'appel, 87
de détresse, 87
de dumping, 86
Deming, 370
détermination du __, 68
du marché, 86
erroné, 87
hausse ou baisse du __, 191
inférieurs au marché, 86
informations sur les __, 369
liste de __, 91
négociés, 86, 88
supérieurs au marché, 86
Procédés, 178
diagramme de __, 140
Processus, 6
d'amélioration continue, 342
d'analyse
de problèmes, 6
de situations, 6
d'approvisionnement.
Voir Approvisionnement(s).
de logistique, 363
de négociation, 20-21
de qualification des
fournisseurs, 11
refonte des __, 366
réingénierie des __, 140
Production
arrêt de la __, 192
horaires de __, 258
plan directeur de __, 256-257
planification agrégée
de __, 257
quantité économique
de __ (QEP), 249-252
taux de __, 249
Produit(s), 3
achat d'un __, 71
analyse de la valeur
d'un __, 138
conditionnement des __, 78
coût unitaire du __, 193
d'emballage et de
conditionnement, 308
d'entretien
de bureau, 189
et de réparation

industriels, 188
directeur de
l'approvisionnement des __, 13
emballage des __, 78
en cours, 187
de fabrication, entrepôt
de __, 295
fabrication d'un __, 71
famille de __, 257
finis, 187, 291
entrepôt de __, 295
fourni par l'acheteur, 177
informations sur les __, 369
méthode de spécification
du __, 134
mode d'acquisition de __, 72
nomenclature du __, 256
non conforme, 179
rareté d'un __, 192
repérage du __, 177
structure du __, 256
Profession
code de déontologie
d'une __, 11
d'acheteur, 3
Protection contre une variation
de la demande, 191
Protocole national sur
l'emballage (PNE), 135
Provision, jours de __, 307
Pyramide de fournisseurs, 75-76

Q

QEC (quantité économique
de commande), 233
QEP (quantité économique
de production), 249-252
QMI (Quality Management
Institute), 157
QS 9000, normes __, 135
Qualification des fournisseurs,
68, 82-84
critères de __, 83
processus de __, 11, 82
Qualité, 4, 41, 56, 127
assurance __, 128, 142-143
audit
de la __, 162-164
interne de la __, 180
cercle(s) de __, 156, 360
contrôle de __, 127-128,
143-145, 291
durant la fabrication, 145
sur réception, 143

coût
de la __, 128
de la non-__, 128
de l'information, 370
démarche __, 140, 175
amélioration de la __, 140
Voir aussi Démarche qualité.
du produit, 4
du stock, 4
gestion de la __, 140
historique de la __, 127-133
maîtrise de la __, 142
management de la __, 160
politique __, 139
principes de management
de la __, 160
totale, 128-133
triade de la __, 130
Quality Management Institute
(QMI), 157
Quantité, 4, 41, 56
commandée, 243
de commande, 233
et de l'intervalle variable, 242
fixe, 232-240
variable, 240, 242
de stock requise, 4
décompte de la __, 291
économique
de commande (QEC), 233,
243-248
avec réception échelonnée,
249-252
avec un escompte, 253-255
de production (QEP), 249-252
escompte sur __, 194
fabriquée, 194
maximale, 233, 234
minimale, 232, 233, 234
Quatre « O » de l'approvisionnement mix, 37-59

R

Rabais, 96-97
Rareté d'un produit, 192
Ratio(s), 48
de la marge bénéficiaire
(RMB), 48
de liquidité, 185
immédiate, 185
du rendement des
investissements (RRI), 48
Rayonnage(s), 295
à accumulation (drive in), 297

à approvisionnement continu (*carton flow*), 298
à double profondeur, 297
à gravité (*push-back*), 297
à palettes (*pallet flow*), 298
bifrontal à gravité, 298
classique, 297
en porte-à-faux (*cantilever*), 298
pick-to-light, 298
mobile, 298
types de __, 297-300
Réapprovisionnement, 208
Réception, 59
aire de __, 291
des stocks, 290-293
échelonnée, 291
programmée, 258
Réceptionnaire, 185, 196, 291
Reconnaissance du mérite, 131
Recyclage, 189, 190
Réduction, 96-97
du gaspillage, 342
Refonte des processus, 366
Registraire, 163
Règlements concernant le transport routier, 321
Règles
à suivre
chez les acheteurs, 3
pour le service des approvisionnements, 4-10
de base
dans la manutention des matériaux, 293
Régression linéaire, 212
multiple, 212
Réingénierie des processus, 140
Rejet, 189-190
Relance, 59
Remise, 96-97
quantitative, 194
Rendement
de l'actif
amélioration du __, 43, 48-49
des investissements
ratio du __, 48
Réparation, stock d'entretien et de __ industriels, 188
Repérage du produit, 177
Répertoires de nouvelles sources, 115-118
Réquisition, bon de __, 196
Résidus de fabrication, 189

Responsabilités de la direction, 174
Réusinage, 189, 190
Réutilisation, 189, 190
Revente, 189, 190
Revue périodique, 240
modèle de la __, 240-242
Risque(s), 4
de l'acheteur, 145
du fournisseur, 145
gestion du __, 4
RMB (ratio de la marge bénéficiaire), 48
RRI (ratio du redressement des investissements), 48
Rupture
coût de __, 193, 197
de stock, 197

S

Sans délai, livraison __, 4
Sécurité
facteur de __, 215
stock de __, 195, 215, 233, 237-239
Sélection des sources, 68-82
Séries chronologiques ou temporelles, 212
Service(s), 3, 41, 56
analyse de la valeur d'un __, 138
après vente, 180
de l'approvisionnement, 3
Voir aussi Approvisionnement(s).
des achats, 3
directeur de l'approvisionnement des __, 13
méthode de spécification du __, 134
mode d'acquisition de __, 72
niveau de __, 215
valeur d'un __, 35
Seuil
critique, 232
minimal, 232
Shewhart, Walter A., 127
Shutdown, 192
Voir aussi Arrêt de la production.
SIG (système d'information de gestion), 232
Single minute exchange of dies

(SMED), 356
Source(s), 41, 60, 68, 69
d'approvisionnement, 4, 10, 69
recherche de __, 67
liste de répertoires de __, 115-118
multiples, 70
avantages des __, 70
sélection des __, 68-82
uniques, 70, 85
Sous-traitance, 72-73
avantages de la __, 73
comme mode d'acquisition, 72
inconvénients de la __, 73
Sous-traitant(s), 346
occasionnels, 72
permanents, 72
Spécifications, 35, 134
méthode de __, 134
Statistiques techniques __, 181
Stock(s), 184, 302
bris du __, 4
cyclique, 192-193
d'entretien et de réparation industriels, 188
de fin de période, 304
de prévision, 191-192
de sécurité, 195, 215, 233, 237-239
désuétude du __, 4
en transit, 193
état des __, 258
évaluation des __, 304-307
final, 195
gestion des __, 18, 78, 184, 187, 190
gestionnaire des __, 185
initial, 195
manque de __, 20
manutention des __, 293-295
maximal, 195, 244
minimal, 195, 244
moyen, 195, 249-250
détermination du __, 249
niveau de __, 4, 185
qualité du __, 4
réception des __, 290-293
rupture de __, 197
taux de rotation des __, 307
utilité des __, 191-193
zéro __, 355
Stockage
coût de __, 20, 193, 194-196
unitaire (Cs_u), 195

taux de (*t*) __, 195
Structure(s)
  centralisée, 16-18
  de l'entreprise, 56
  décentralisée, 16-18
  du produit, 256
  étoilée, 15
  formelle, 12-14
  informelle, 14
  matricielle, 14
  organisationnelles, 12-18
Surplus, 189-190
Système
  à flux poussé, 256
  d'information
    de gestion (SIG), 232
    manufacturier, 255
  d'inventaire, 302
    périodique, 302
    permanent, 302
  de planification des besoins
    de matières, 258
    extrants du __, 258
  de reconnaissance
    du mérite, 131
  informatique XRP, 256
  kanban, 356
  protectionniste, 332
  SMED (*single minute exchange of dies*), 356
  UPC (*universal product code*), 300
  vocal, 301-302

t (taux de stockage), 195
Taille des lots, 192
Tarif, 321
Taux
  de consommation, 233, 235
  de douanes, 333
  de production, 249
  de rotation des stocks, 307
  de stockage (*t*), 195
Taxes
  de vente fédérale et
    provinciale, 193
  foncières, 194

Techniques statistiques, 181
Technologies d'identification, 300
TL (*truck load*), 321
Tracteur routier, 320, 326
Transbordements, 308
Transit, stock en __, 193
Transmission de données par
  fréquence radio, 295
Transpalettes, 188, 295
Transport, 320-327
  aérien, 325
  courtiers en __, 329
  déréglementation du __, 320
  emballage relié au __, 308-310
  équipement de __
    du matériel, 295
  facture de __, 321, 323
  ferroviaire, 323-324
  fluvial et côtier, 324
  frais de __, 193
  infrastructures du pays
    exportateur, 330
  maritime, 324
    international, 324
  mode(s) de __, 320, 326, 327
    choix d'un __, 327
  moyens de __
    du pays exportateur, 330
  par pipeline, 325
  roulier, 326
  routier, 320-323
    conditions du __, 328-329
    règlements concernant
      le __, 321
    tarif de __, 321
Transporteur, 321
Triade de la qualité, 130
Truck load (TL), 321
Types de coûts, 130

UPC (*Universal Product Code*), 300
Urgence, approvisionnement
  en cas d'__, 78-79
Utilité des stocks, 191-193

Valeur(s)
  analyse de la __, 138, 342-345
    étapes de l'__, 343-345
  d'un produit, 138
    analyse de la __, 138
  d'un service, 138
    analyse de la __, 138
  de l'entreprise, 11
  du service, 35
  monétaire, 201
Variable
  cartes de contrôle par __, 145
Variation de la demande, 191
Vente(s)
  conditions internationales
    de __, 331
  effet de levier sur les __, 43-47
  emballage relié à la __, 310-311
  force de __, 78
  prévisions des __, 256
  service après __, 180
Vieillissement, 307
Vision de l'entreprise, 4

X

XRP, système informatique __, 256

Z

Zéro
  attente, 355
  défaut, 355
  délai, 355
  frustration, 356
  panne, 355
  papier, 355
  stock, 355